suhrkamp taschenbuch 1820

Als leidenschaftlicher Bewunderer der Stein stieß John Malcolm Brinnin 1946 auf eine Erstausgabe von *Geography and Plays*. Nachdem er einen glücklichen Nachmittag mit dem Buch zugebracht hatte, erfuhr er aus dem Radio, daß Stein ausgerechnet an jenem Tag gestorben war. Bewegt von diesem Zusammentreffen, begann er *Die dritte Rose* zu schreiben. Das Ergebnis ist eine wunderbar flüssige und einnehmende Studie von einem Bewunderer, der, obwohl er sie nie getroffen hatte, so vertraut mit ihr war, daß er sich nicht scheute, auf die Mängel ebenso wie auf die Vorzüge ihres Schreibens und ihres Charakters hinzuweisen, ganz zweifellos im Vertrauen darauf, daß die offenkundige Liebe, mit der er schrieb, irgendwelche Unausgewogenheiten zurechtrücken würde.

John Malcolm Brinnin ist Schriftsteller, Kritiker, Biograph und Sozialhistoriker. Er hat neunzehn Bücher geschrieben, u. a. »Dylan Thomas in America«; »T. S. Eliot & Truman Capote & Others«. Er lehrte an der University of Connecticut und an der Boston University, lebt in Massachusetts und Key West.

John Malcolm Brinnin
Die dritte Rose

Gertrude Stein und ihre Welt

Mit einem Nachwort
von John Ashbery

Suhrkamp

Titel der Originalausgabe: *The Third Rose. Gertrude Stein and Her World.*
Der Band erschien erstmals 1959 bei The Atlantic Monthly Press und in deutscher Sprache bei der Henry Goverts Verlag GmbH, Stuttgart
Aus dem Amerikanischen von Maria Wolff
Das Nachwort von John Ashbery übersetzte Peter Bartelheimer
Umschlagfoto: Man Ray. Gertrude Stein, um 1927.

suhrkamp taschenbuch 1820
Erste Auflage 1991

Satz: Uhl + Massopust, Aalen
Druck: Nomos Verlagsgesellschaft, Baden-Baden
Printed in Germany
Umschlag nach Entwürfen von
Willy Fleckhaus und Rolf Staudt

2 3 4 5 6 7 – 01 00 99 98 97 96

Die dritte Rose

Die Kultur begann mit einer Rose. Eine Rose ist eine Rose ist eine Rose ist eine Rose. *Gertrude Stein*

Was wäre wohl natürlicher als anzunehmen, daß ein Gegenstand, der durch einen bestimmten Namen bezeichnet ist, auch durch eine bestimmte geistige Empfindung wahrgenommen werden sollte? *William James*

Manchmal denke ich, daß es in Zukunft Raum für eine Literatur geben wird, deren Wesen dem einer Sportart ungemein ähnlich sein wird.

Lassen Sie uns den literarischen Möglichkeiten alles wegnehmen, was heute durch den unmittelbaren Ausdruck der Dinge und die mittelbare Stimulierung des Empfindungsvermögens durch neue Mittel – Film, Musikberieselung etc. – für die Kunst der Sprache nutzlos oder wirkungslos gemacht wird.

Lassen Sie uns fernerhin eine ganze Kategorie von Themen wegnehmen – psychologische, soziologische etc. –, deren großzügige Behandlung durch die zunehmende Präzision der Wissenschaft schwierig wird. Damit verbleibt der Literatur ein privater Bereich: der des symbolischen Ausdrucks und der imaginativen Werte, die wir der freien Verbindung von Sprachelementen verdanken. *Paul Valéry*

Der Mensch ist schüchtern und apologetisch; er ist nicht mehr aufrecht; er wagt es nicht mehr zu sagen »ich denke« oder »ich bin«, sondern er zitiert irgendeinen Heiligen oder Weisen. Beschämt steht er vor dem Grashalm und der blühenden Rose. Diese Rosen unter meinem Fenster nehmen nicht Bezug auf Rosen früherer Zeiten oder auf schönere Rosen; sie stehen für das, was sie sind; sie sind für diesen Tag des Herrn da. Für sie gibt es keine Zeit. Es gibt nur die Rose; sie ist in jedem Augenblick ihres Seins vollkommen. *Ralph Waldo Emerson*

Vorwort

Als ich meinem Freund Erv Harmon gesprächsweise davon erzählte, daß ich ein Buch über Gertrude Stein schriebe, wurde er plötzlich nachdenklich. »Ja, weißt du«, sagte er schließlich – »ihre zwei ersten Rosen, die kaufe ich ihr noch ab. Aber bei jener dritten Rose komme ich einfach nicht mehr mit.« Erv Harmons Reaktion auf Gertrude Steins berühmtesten Ausspruch ist natürlich nichts Außergewöhnliches. »Eine Rose ist eine Rose« stört das Gleichgewicht der meisten Menschen nicht wesentlich und mag sogar wie »Geschäft ist Geschäft« manchen Menschen einfach als schlichte Vernunft erscheinen, die klar und lapidar ausgedrückt ist. Aber für Erwägungen, die die unbegrenzten Bereiche der Bedeutungslehre und der Metaphysik einschließen müssen, eröffnet der Satz »Rose ist eine Rose ist eine Rose ist eine Rose« eine literarische Straße, die zu betreten nur wenige Menschen den Mut oder den Wunsch haben. Ich habe versucht, auf diesen Seiten den Absichten Gertrude Steins in Begriffen von eben »jener dritten Rose« nachzuspüren (und auch der vierten, fünften und manchmal sechsten Rose) und im Verlauf dieser Recherchen das Leben und die Entwicklung einer Künstlerin aufzuzeigen, die wenige Jahre lang im Herbst ihres Lebens gleichzeitig die unklarste und berühmteste Schriftstellerin im angelsächsischen Sprachraum war.

Wenn Gertrude Stein nie gelebt hätte, so wären früher oder später von jemand anderem Werke geschrieben worden, die denen, die sie hervorgebracht hat, sehr ähnlich gewesen wären. Sobald ganz bestimmte Bedingungen geschaffen waren, mußte sie in Erscheinung treten – wie ein chemischer Vorgang.

Vollständiger und besessener als jeder andere Schriftsteller ihrer Zeit hat sie die Geschichte ihres Lebens und ihres Werkes berichtet. Aber ihr Gesichtskreis war subjektiv bis zur Kurzsichtigkeit, und sie war so selbstzufrieden und schnurrig wie eine Katze auf der Ofenbank. Die Aufgabe des Biographen ist in ihrem Fall eine dreifache: Er muß das Unterholz der Subjektivität lichten, das den Ausdruck ihrer wahren Persönlichkeit überwuchert hat; er muß ihr schöpferisches Leben mit den ästhetischen Maßstäben und Bewegungen in Einklang bringen, die sie entweder mit Gleichgültigkeit betrachtet oder überhaupt ignoriert hat; er muß die Geschehnisse, die sie in ihrer sprunghaften Erzählweise ineinander verwebt, falsch gegeneinanderstellt oder in keinem Verhältnis zu ihrer Bedeutung vergrößert, chronologisch ordnen. Da sie mehr als die meisten anderen Menschen dazu neigte, sich als den Mittelpunkt alles Geschehens zu sehen, besteht die Aufgabe auch darin, geistige oder anekdotische Ereignisse so zu sehen, daß ihre Bedeutung manchmal größer wird als die, welche sie ihnen ursprünglich zugemessen hatte, manchmal aber auch geringer, in jedem Fall aber so, daß sie mit der allgemeinen Geschichte einer Epoche in Übereinstimmung gebracht werden, die sie gern vergewaltigt und zu ihrer eigenen gemacht hätte.

Gertrude Stein gehört in die letzte Phase der Herrschaft der Vernunft, sie ist eine der letzten Töchter der Aufklärung. Zwar versuchte sie ein Leben lang dem 19. Jahrhundert zu entfliehen, aber ihre Karriere gehört zum Sonnenuntergang dieses Jahrhunderts – sie gehört in die Ära von William James und John Dewey, George Bernard Shaw und der »Fabier«, des Frauenstimmrechts und der Glühbirne.

Sie glaubte ausschließlich an die Macht und Wirkungskraft der Ratio, als all ihre bedeutenden Zeitgenossen in Kunst und Literatur fasziniert die Macht des Irrationalen als eine Quelle ästhetischer Ausdrucksform untersuchten, sie glaubte an das Bewußte als etwas durch und durch Wunderbares, während man allgemein dazu tendierte, die Erforschung des Unbewußten als eine wesentliche Quelle der Erkenntnis zu proklamieren.

Zu Gertrude Steins Lebzeiten weigerte sich die Öffentlichkeit, sie überhaupt ernst zu nehmen, wohingegen gewisse Intellektuelle sie allzu ernst nahmen. Amerikaner, die von dem Drang besessen waren, auf irgendeine Weise zu begreifen, was sie auf keine Weise erfühlen konnten, machten sie zur heiligen Kuh der modernen Literatur, und es wäre ihnen beinah gelungen, die Person von ihrem Werk zu trennen. Aber hinter der romantischen Fassade ihres Ruhms war sie nichts anderes als eine Schriftstellerin, die etwas vollkommen Neues hervorbrachte, etwas, das in der lebendigen Vorstellungskraft einer kenntnisreichen Persönlichkeit und eines geschulten Verstandes gründete. Mag sein, daß sie eines Tages vergessen sein wird, so wie vielleicht auch James Joyce oder Picasso vergessen sein werden. Aber unsere Geschichte wäre ohne sie ärmer und enger, und kommende Generationen würden sich des Vergnügens ihrer Gesellschaft wohl nicht absichtlich berauben. Sie kann ebenso oft entzücken wie sie verwirren oder fesseln kann, und wer sich lange auf den üppigen Weiden ihrer Monotonie ergangen hat, ist nie ohne Gänseblümchen zurückgekehrt.

Sich an ihrem Werk zu begeistern, ist wohl ebenso schwierig wie an einem Vogel von Brancusi oder einer Leinwand von Mondrian. Aber es ist leicht und vielleicht notwendig, sich an ihren hingebungsvollen Übungen in der Kunst der Sprache, die ohne Rücksicht auf den Nutzen betrieben wurden, zu begeistern. Seit Gertrude Stein haben unaufhörlich ölige Wogen von Kitsch unter der Bezeichnung Literatur schleimige Massen von Sensationsmacherei und die glitschigen Ablagerungen pubertärer Gemüter angeschwemmt. Obwohl etliche Dichter auch diesem literarischen Zeitalter Glanz verleihen, müssen wir leider sagen, daß die Bücher, die vor dreißig, vierzig und fünfzig Jahren geschrieben wurden, noch heute die einzig aufregenden sind. Je älter unser Jahrhundert wird, desto wehmütiger wird die Kritik. Denn unsere repräsentative Literatur – mit der rühmlichen Ausnahme der Werke einer Handvoll Schriftsteller, die in ihre Sprache verliebt sind – scheint sich immer peinlicher auf Symptomatik, Diagnose und Gekonntheit auszurichten und ist so idiotensicher, so aseptisch und die fünf Sinne so wenig verwirrend wie ein Selbstbedienungsladen oder die Halle eines Hiltonhotels. Auf jeden Fall läßt sich von Gertrude Steins Bewunderern nur berichten, daß sie sich an ihren kühnen Vorstößen berauschten. Beinahe ausnahmslos neigten sie dazu, Gertrude Steins Methoden auf Kosten der Schriften, die diese Methoden belegen, zu preisen und in der Autorin selbst weniger ein Forschungsobjekt denn ein Etwas zu sehen, über das man sich Rechenschaft ablegen oder das man einfach bejahen muß.

Ihr Einfluß – im nachweisbaren Sinne, in dem Whitman und Henry James, Flaubert oder Proust, Rilke und Hopkins beeinflussend waren – ist nahezu Null gewesen. Ihre unwesentliche, leicht erkennbare Wirkung auf die Entwicklung von Ernest Hemingway und Sherwood Anderson ist stark übertrieben und infolgedessen als etwas Wichtiges angesehen worden, und das in der Hauptsache von Kritikern, die ihre Bestes im Umgang mit dem Zweitrangigen geben. Sie hatte stets Menschen, die ihr wohl wollten, selbst unter jenen, die ihrem persönlichen Werk fernstanden oder ihm nur oberflächliche Beachtung zollten. Meist haben die Literarhistoriker, Kritiker und Herausgeber von Lehrbüchern über ihren vermeintlichen Einfluß auf eine Weise geschrieben, der man die Verwirrung über ihren Ruhm und ihre auch sonst unleugbare Existenz nur zu deutlich anmerkt. Was ihr fehlte, war das schlichte unproblematische Verständnis, das ihr anstatt einer ausgeklügelten und meist verlegenen Verteidigung hätte gewidmet werden sollen.

Die Art und Weise, in der sie ihr Leben – ihr künstlerisches Leben – integer hielt, macht ihren wahren und nachhaltigen Einfluß aus. Und dennoch hat in ihren letzten Lebensjahren, als viele ihrer Schriften von Kompromissen mit dem literarischen Markt bestimmt zu sein schienen, ihr Verhalten als eine Erscheinung der Öffentlichkeit sogar jene ihrer Freunde und Bewunderer, die ihre Integrität stets als unantastbar betrachtet hatten, an ihr zweifeln lassen.

Im Verlauf einer schriftstellerischen Karriere, die mehr als vierzig Jahre währte, hat Gertrude Stein die Literatur von der Geschichte, von der Soziologie, von der Psychologie, von der Anthropologie, ja sogar vom Wissen selbst getrennt. Als Dichterin zerstörte sie die verbindenden Fäden, welche wahrgenommene Wirklichkeiten zusammenhalten, und als Romanschriftstellerin versuchte sie, die Sehnen und Knochen der Erzählung aus dem Körper der Literatur zu entfernen. Sie predigte, die Literatur sei eine Kunst, die nicht unbedingt von irgendeinem der oben genannten Faktoren abhängig sein müsse, und was sie predigte, setzte sie in die Tat um. Sie glaubte zwar, daß es den meisten Schriftstellern nicht gelänge, den letzten Ausdruck aus dem geschriebenen Wort herauszuholen, sie selbst aber achtete peinlich darauf, daß das, was sie schrieb, weniger ausdrückte, als es hätte ausdrücken können.

Unter den Schriftstellern, die es auf die eine oder andere Weise drängte, bis an die Grenzen der Sprache vorzustoßen, hatte sie Vorgänger in den Dichtern von Alexandria, in den Übersetzern der King James' Bibel, in John Lyly, in Góngora, in Marivaux; und auf dem europäischen Kontinent waren Max Jacob und Pierre Reverdy in Frankreich, Carl Einstein in Deutschland, vorübergehend Pär Lagerkvist in Schweden und Ramón Gomez de la Serna in Spanien ihre tatkräftigen Zeitgenossen. Wenn es ein kontinuierliches Leben der Literatur gibt, dann dürfen wir wohl annehmen, daß sie in dem Geist, der im Unterholz ihrer vierzig Bücher raunt – oder im Fleisch eines Menschen, der wie sie Wortgebilde wie Alhambren, aus Luft gebildet, erstehen lassen möchte – wiederkehren wird.

John Malcolm Brinnin

I

> Vor vielen Jahren, als Polen eine Hauptstadt hatte und Washington die Hauptstadt der Vereinigten Staaten war, da wurde in Allegheny im Staate Pennsylvania das siebente Kind eines Vaters und einer Mutter geboren. Der Vater hatte viele Brüder, die Mutter war eine Mutter, die mit Umsicht dafür sorgte, daß nicht nur der Sinn für das Religiöse, sondern auch für das Reisen geweckt wurde. Und so reisten sie in ein Land, das damals ein herrliches Königreich war, wo keine Veranlassung gegeben war, die Kinder vor einer Erziehung zu bewahren, der es an begeisternden Elementen fehlte. *Gertrude Stein*

Am Vorabend von Gertrude Steins Geburt im Jahr 1874 brach über die amerikanischen Oststaaten ein Schneesturm herein, der dem bis dahin mildesten Winter seit dreißig Jahren ein jähes Ende bereitete. Als in den Straßen von Manhattan kniehoch der Schnee lag, forderte die *New York Times* in zornigem Ton, man solle die Pferdetrams, die in den Schneewehen steckengeblieben waren und »viele schwache Frauen und Kinder, die von des Tages Arbeit erschöpft waren, zwangen, sich zu Fuß den langen Heimweg durch den jegliche Sicht raubenden Schneesturm zu erkämpfen«, durch Untergrundbahnen ersetzen. Neue Verkehrsmittel, so prophezeite die *Times* »würden nahezu die Verkehrsschwierigkeiten der Metropole beheben«.

Der Schnee beherrschte am nächsten Morgen die Schlagzeilen, aber auch andere Sorgen bedrängten die Welt. In Paris, das sich noch kaum vom Schrecken der Kommune erholt hatte, warteten nicht weniger als 900 Kommunisten auf ihre Aburteilung; und in der Bleecker-Street in New York wohnte ein gewisser Mr. Désiré Debuchy, ein Hersteller von künstlichen Blumen, den die Polizei festgenommen hatte, weil man 31 Handgranaten bei ihm fand, und der erst freigelassen werden konnte, als Richter Sherwood sich »von der Rechtschaffenheit des M. Debuchy überzeugt hatte«, der »nicht das geringste mit den Kommunisten zu tun habe«. Harper Brothers kündigten die Veröffentlichung von »Der Pariser« an, eines Romans von Edward Bulwer (Lord Lytton), der

»im Bewußtsein der verrinnenden Zeit bewußt für die Nachwelt schreibt«; und im Union Square Theater spielte man Dion Boucicaults *Irregeführt* mit »unvermindertem Erfolg« weiter. Zwei junge Frauen waren in Unannehmlichkeiten geraten; Mary O'Brien, die allein mit dem Mitternachtszug aus Philadelphia kam, war von einem Kutscher hereingelegt worden, der sie zu einem Rendezvous verschleppt hatte, wo es zu »einer brutalen Gewalttat« gekommen war, und Ellen Washburn wurde verhaftet und hinter Schloß und Riegel gesetzt, weil sie George Burroughs aus Hoboken um einen Brillantring erleichtert hatte, »während er sich in ihrer Gesellschaft in einem übel beleumundeten Haus in der Thompson Street befand«. In Boston hatten mehrere Geistliche eine neue Temperenzler-Bewegung ins Leben gerufen, die betende Männer und Frauen in die Bars entsandte, und in Philadelphia warteten die Leichen von Chang und Eng, den berühmten siamesischen Zwillingen, auf die Obduktion, damit »die sehr umstrittene Frage ihrer physischen und metaphysischen Zusammengehörigkeit ein für allemal geklärt« würde. Das 19. Jahrhundert mit all seiner Theatralik und seinem Bombast, seinem schrecklichen Mißtrauen und seinem moralischen Eifer hing wie eine Wolke über dem Bett, in dem Gertrude Stein das Licht der Welt erblickte. Obgleich sie später zum Beweis ihrer Emanzipation von seinen Fesseln stets ihre geistige Distanz zu dieser Epoche betonte, wurde ihr Charakter doch unvermeidlich von ihrem Jahrhundert geprägt und ihre Leistung von dessen Maßstäben weit mehr bestimmt, als sie jemals geahnt hat.

Ihre Eltern, Daniel und Amelia Keyser Stein, beide deutsch-jüdischer Abstammung, hatten sich bei ihrer Eheschließung im Jahr 1864 vorgenommen, fünf Kinder zu haben, was ihnen im Verlauf von sieben Jahren in entsprechenden Abständen auch gelang. Dennoch hatten sie noch nicht den Nachkommen hervorgebracht, der dem Namen Stein einen weit vernehmbaren Klang verleihen, ja ihn zu einer Legende des 20. Jahrhunderts machen sollte. Als jedoch die beiden ersten der fünf Kinder in jungen Jahren starben, gestatteten diese traurigen Umstände zunächst die Ankunft von Leo, dem nach zwei Jahren die Schwester folgte, unter deren großem, beständigem und ihn schließlich gänzlich verdunkelndem Schatten er leben und sterben sollte. Sie kam am 3. Februar um 8 Uhr früh zur Welt, nach den Worten ihres Vaters, der auch gar nichts anderes erwartet hatte, »ein vollkommenes

Baby«. Als Gertrude die Epoche der Masern und des Keuchhustens erreichte, nahm er jede Gelegenheit wahr, sie an die makellose Verfassung zu erinnern, in der sie die Welt betreten hatte.

Sie war das letzte der Stein-Kinder und jahrelang das verhätschelte Nesthäkchen, und die Umstände ihrer Geburt hatten bereits bestimmt und zum Teil vielleicht auch entschuldigt, daß sie ein Leben lang, und ohne sich dessen zu schämen, ihren Launen und Wünschen nachgab. Wenn man, so sagte sie, so wie sie die Welt betritt, »kann man das für den Rest seines Lebens nicht mehr vergessen, da ist man, ist privilegiert, keiner kann etwas anderes tun, als sich um einen bekümmern, so war das bei mir und so ist das noch immer, und jedem, dem es so ergangen ist, hat es notwendigerweise auch gefallen. Mir gefiel es und mir gefällt es.« Sie gestand, daß es nicht lange dauerte, bis sie begriff, »daß man geliebt wird, wenn man liebenswert ist«.

Die Steins wohnten in der Western Avenue in Allegheny im Staat Pennsylvania, einer wohlhabenden Villengegend, die später von Pittsburgh verschluckt wurde. Sie hatten die eine Hälfte eines Doppelhauses, dessen andere Hälfte Daniel Steins Bruder und Geschäftspartner Solomon und seine Frau Pauline mit ihrer Familie bewohnten. Aber diese Nähe war rein physisch, eine tiefe Kluft trennte die beiden Häuser. Kurz vor Gertrudes Geburt setzten die Schwägerinnen einem jahrelangen ununterbrochenen Streit ein Ende, indem sie die Familienbande auf immer zerschnitten. Nun sprachen sie nicht mehr miteinander. Um die beiden Brüder, die gemeinschaftlich an der Ecke der Wood- und der Vierten Straße in Pittsburghs Unterstadt einen Wollgroßhandel betrieben, war es kaum besser bestellt. Daniel Steins Jähzorn verscheuchte die Kunden so oft, daß Solomon den größeren Teil seines Arbeitstags damit verbrachte, Mittel und Wege zu ersinnen, diese Kunden wieder zurückzugewinnen.

Unter dem Druck des häuslichen Zerwürfnisses und der fortwährenden geschäftlichen Uneinigkeit beschlossen die Brüder schließlich, sich zu trennen. Solomon zog nach New York, wo er ins Bankgeschäft einstieg und, kaum war er selbständig, rasch zu Erfolg kam.

Daniel, der familiäre Beziehungen in Österreich nutzte, entdeckte dort gute Aussichten für das Wollgeschäft und ging nach Wien. Wenige Monate später folgte ihm die Familie, begleitet von Rachel Keyser, einer der unverheirateten Schwestern Amelies, in ein beinah drei Jahre währendes europäisches Intermezzo. Infolge dieser frühen Verpflanzung haftet Gertrude Steins ersten Erinnerungen etwas von der lauten Farbigkeit einer Victor-Herbert-Operette an. Wenn sie in späteren Jahren Bilder und Empfindungen aus dieser Zeit heraufbeschwor, dann entsann sie sich eines Volksgartens, durch den der backenbärtige Kaiser Franz Joseph schlenderte, während die Musikkapelle patriotische Weisen schmetterte; des kleinen Theseus-Tempels und des Kiosks, in dem sie ein Glas Milch zu trinken bekam; der erschreckenden Kühle der dunklen Salinen; der Vögel, Schmetterlinge, Eidechsen und grünen Laubfrösche, die sie zu Hause in einem Einmachglas aufbewahrte; und des Anblicks ihrer Mutter und der älteren Brüder, die elegant durch den Wienerwald ritten. Besonders nachhaltig erinnerte sie sich der Hecken im Park vom Schloß Belvedere, denn »in gewisser Weise spricht ein französischer Garten die Phantasie des Kindes mehr an als ein Naturpark. Er ähnelt mehr dem Garten, den man sich selber schaffen würde.« Und am deutlichsten erinnert sie sich ihrer ersten Begegnung mit Büchern, natürlich waren es Bilderbücher, aber »dennoch Bücher, denn die Bilder in Bilderbüchern haben etwas mitzuteilen«.

Die Steins hatten sich eben in Wien eingelebt, da mußte Daniel geschäftlich nach Amerika zurück. Während seiner Abwesenheit versicherten ihm Briefe, die nach Baltimore geschickt wurden, daß sein jüngstes Kind in seiner Entwicklung gute Fortschritte machte: »Unsre kleine Gertie ist ein kleiner Schnatterer. Sie schwatzt den ganzen Tag lang und spricht sehr deutlich. *Sie übertönt sie alle.* Sie ist wie ein runder kleiner Pudding, watschelt den ganzen Tag herum und macht alles nach, was man sagt oder tut.« Alle Stein-Kinder lebten in unentwegter Begeisterung über ihren wunderbaren fremdländischen Spielplatz, der sich im Sommer bis nach Tirol erstreckte, aber ihre Mutter war nicht glücklich. Trotz der Gesellschaft ihrer Schwester und ihres Bruders Ephraim, der sie von Deutschland aus, wo er Bildhauerei studierte, besuchte, und trotz der Unterstützung einer Gouvernante und eines ungarischen Hauslehrers – Herrn Krajoletz, eines Medizinstudenten aus Budapest, der in den Stein-Kindern eine Sammlerleidenschaft für alles erweckte, was sie in der freien Natur finden konnten – fühlte Milly Stein sich einsam und durch die Beaufsichtigung ihrer fünf lebhaften Kinder überlastet und sehnte sich nach Amerika zurück. Eine Rückkehr war damals ausgeschlossen, weil Daniels Situation noch völlig ungeklärt war, aber eines Tages bewog sie das Heimweh, den Hauslehrer und die Gouvernante plötzlich zu entlassen, die Habe der Familie zusammenzupacken und ihre Brut nach Paris zu bringen.

Sie mietete ein Haus in Passy, und dort richteten sich die Steins für eine weitere Phase ihres Daseins ein, die für die Kinder abenteuerlich, für die Mutter aber nur eine Wartezeit war bis zu dem Tag, an dem sie alle endlich wieder nach Hause konnten. In Paris machte Gertrude ihre erste Bekanntschaft mit der Schule, spielte am Arc de Triomphe, wo man auf den Eisenketten schaukeln konnte, schnappte nach Kinderart französische Brocken auf und gewöhnte sich an Suppe zum ersten Frühstück und Hammelkeule mit Spinat zum Mittagessen. Nach kaum einem Jahr kam auch Daniel nach Paris. Das Leben wurde fröhlicher und unter dem ruhelosen Temperament des pater familias für jedermann lebendiger, aber schon nach kurzer Zeit befand sich die Familie auf der Heimreise. Mit Koffern voll Pariser Moden – Mänteln, Mützen, Muffs, Dutzenden von Handschuhen, kostbaren Federhüten, Reitkostümen sowie einem teuren Mikroskop und einer vielbändigen Geschichte der Zoologie für die kleinen Naturforscher – kehrten die Steins im Sommer 1878 nach London und von dort nach Amerika zurück.

Auf dem Weg nach Baltimore machte man in New York Station, gerade lange genug, daß optimistische Verwandte einen Versöhnungsversuch zwischen Milly und ihrer Schwägerin Pauline unternahmen. Aber Milly Stein, »eine sanfte, liebenswürdige kleine Frau mit aufbrausendem Temperament«, konnte ebenso unnachgiebig sein wie ihr Mann. Sie lehnte jeden Schlichtungsversuch ab, der den Weg zu einer abermaligen Partnerschaft geebnet hätte, die Daniels Familie an dem großen Wohlstand, dessen Solomon sich erfreute, hätte teilhaben lassen können. Ihre Starrköpfigkeit hatte weitreichende Auswirkungen: Der Zweig der Steins, dem Gertrude angehörte, mußte sich damit abfinden, »in beschränkten Verhältnissen« zu leben, statt so reich zu werden wie die Familie des Solomon Stein. Gertrude dachte zwar manchmal wehmütig an die verpaßte Chance, reich zu sein, war aber letzten Endes froh, daß ihre Mutter und ihre Tante sich nicht ausgesöhnt hatten. Denn dann wäre sie »dem Greuel«, in New York City aufwachsen zu müssen, nicht entgangen.

In Baltimore, wo die Brüder ihres Vaters, Meyer und Samuel, die renommierte alte Firma Stein Bros. betrieben, wohnte sie im Haus ihres gütigen, frommen Großvaters Keyser. Der Haushalt war groß und üppig, und das begünstigte Nesthäkchen wurde von einem Schwarm gutmütiger Tanten und Onkel verwöhnt und betreut. Mit kaum fünf Jahren war Gertrude bereits den Einflüssen drei völlig verschiedener Umgebungen ausgesetzt gewesen, ein Vorzug, über den sie später schrieb: »Ich war also fünf Jahre alt, als wir nach Amerika zurückkamen, hatte österreichisches Deutsch und französisches Französisch gelernt und jetzt amerikanisches Englisch...« Ein weitgereistes Kind, hatte sie sich bislang in einem Kauderwelsch von Deutsch und Französisch ausgedrückt. Nun fingen ihre Gefühle an, »auf englisch zu empfinden«. Die geschäftige Atmosphäre einer Familie, die noch größer und verästelter war als die ihre, erregte ihr Entzücken. Schon nahm sie die Rhythmen in sich auf, unterschied die einzelnen Charaktere und unterzog sich den familiären Erfahrungen, die sie in sich aufspeichern sollte, bis sie in der Lage war, sie in ihrem Riesenwerk *The Making of Americans* voll und liebevoll zum Ausdruck zu bringen.

Daniel Stein, noch immer im Ungewissen über seine geschäftliche Zukunft, wurde wiederum von Unruhe erfaßt und wollte Baltimore und der Beengung, die das Arbeiten und Wohnen mit Verwandten mit sich brachte, entfliehen. Bei der Schilderung der Haltung ihrer Familie gegenüber dem Vater vermerkt Gertrude Tendenzen, die das Leben der Familie in fortwährender Unbeständigkeit hielten: »Sie begriffen in zunehmendem Maße, daß ihr Vater eine bemerkenswerte Größe in sich hatte, daß er am Anfang stark war, daß er dann alles von sich schob oder fortging und alles liegen ließ, und schon bald war dann in ihm wieder ein neuer Anfang, und er erschien jedem, der ihn sah, so groß wie die ganze Welt, die ihn umgab.« Kalifornien wurde Daniel Steins nächstes Ziel. Nach einer Erkundungsreise, in deren Verlauf er sich kurz in Los Angeles und dann in San José aufhielt, kehrte er nach Baltimore zurück, um sich, mit der großen Familie im Schlepptau, auf die Reise zu begeben, diesmal nach San Francisco. Von dieser langen Bahnreise durch den Kontinent behielt Gertrude lediglich im Gedächtnis, daß eines Tages der mit Straußenfedern gezierte Hut ihrer Schwester aus dem Fenster geweht wurde. Ihr Vater riß rasch an der Notbremse, und der Zug hielt mitten auf der Strecke. Dann stieg der Vater aus, holte den Hut und kam unter den entgeisterten Blicken des verblüfften Schaffners und der Reisenden gelassen zum Zug und auf seinen Platz zurück.

Nachdem die Familie ein Jahr lang in Tubb's Hotel in Oakland gelebt hatte, während Daniel nach den besten Verdienstmöglichkeiten in San Francisco Ausschau hielt, richtete sie sich im dünn besiedelten East Oakland an der 13. Avenue und der 25. Straße häuslich ein. Das neue Heim, das allgemein »das alte Stratton-Haus« hieß, stand etwas erhöht auf einem zehn Morgen großen Gelände, das von einem Holzzaun umgeben war. Eine Allee von Eukalyptus- und Gummibäumen führte vom Haus zum Eingangstor, ein Blumengarten, eine Wiese und eine Obstplantage bedeckten den übrigen Grund dieses Besitzes. »Im Sommer mit seiner trockenen Hitze und der brennenden Sonne und der heißen Erde, auf der man schlafen konnte, war es dort wundervoll«, schrieb Gertrude, »und dann im Winter mit seinem Regen und dem Nordwind, der die Bäume bog und oft auch brach, und den Eulen im Gemäuer, die einen erschreckten, wenn sie sich herunterfallen ließen ... Im Sommer konnte man so richtig schwitzen, wenn man den Männern half, das Heu für den Winter in Ballen zu binden, und es war gesund, Rettiche zu essen, an denen noch die schwarze Erde klebte, das Senfkorn zu kauen und Wurzeln zu entdecken, die seltsam schmeckten, und Früchte im Hut zu sammeln und auf der trockenen gepflügten Erde zu sitzen und zu essen und zu denken und zu schlafen und zu lesen und zu träumen und nie zu hören, wenn man gerufen wurde; und wenn dann die Wachteln kamen, dann war es lustig, auf die Jagd zu gehen, und wenn dann der Wind und der Regen kamen und der Boden bereit war, dem Samen bei seinem Wachstum zu helfen, dann war es ein großes Vergnügen, beim Pflanzen zu helfen, und der Wind war so stark, daß er die Blätter und Äste von den Bäumen riß und ringsum auf den Boden verstreute, und man konnte laut schreien und arbeiten und naß werden, bis man troff, und in den starken Wind hinauslaufen und sich von ihm trocknen lassen, zwischen den Regenböen, die einen dann wieder durchnäßten. All die Dinge, die damals das ganze Jahr hindurch geschahen, waren so lustig.«

Die Stein-Kinder besuchten die Sweet-School in Oakland, aber zu diesem Zeitpunkt machten es der Altersunterschied und die ungeheueren Temperamentsunterschiede unmöglich, daß sie viel Gemeinsames unternahmen. Gertrude und Leo neigten dazu, sich von den anderen abzusondern, sie teilten frühreife geistige Interessen und nährten dumpf-feindselige Gefühle gegen ihren Vater. Die Mutter war krebskrank und kurz nach ihrer Ankunft aus dem Osten bettlägerig geworden. Die Krankheit hinderte sie daran, Familienstreitigkeiten zu schlichten oder zu entgiften. Daniel Stein gab fortwährend strenge, neue Verhaltensmaßregeln, und sein autoritärer Familiensinn hatte seine jüngsten Kinder bereits zu Rebellen gemacht. In Wien hatte er plötzlich einmal angeordnet, daß die Kinder alles essen müßten, was ihnen vorgesetzt würde. Diese Regel galt gerade, als eines Sonntags Besuch zum Abendessen kam. Leo bekam gekochte Rüben und Karotten. Gerade diese Gemüse konnte er nicht vertragen, und meist erlaubte man ihm, sie stehenzulassen. Vor dem Besuch jedoch meinte Daniel, seine preußischen Disziplinbegriffe herauskehren zu müssen. Leo wurde gezwungen, die Rüben und Karotten zu essen, er erbrach sich und war für den Rest des Tages krank. Derartige Erfahrungen erweckten in Gertrude und Leo einen leidenschaftlichen Abscheu gegen den Vater, und bis zum Ende ihrer Tage brachten sie kein warmes Gefühl für ihn auf. Sogar als Kind spürte Gertrude, daß ihr Vater im wahrsten Sinn des Wortes »niederdrückend« war. Später wandte sie diese Bezeichnung so allgemein an, daß sie sie auf *alle* Väter ausdehnte. Soweit sie in ihrer Kindheit töchterliche Gefühle verspürte, waren sie auf ihren Bruder Leo gerichtet. Der Zeitpunkt, da auch er väterlich und damit unvermeidlich »niederdrückend« wurde, lag noch in weiter Ferne.

Zu ihrem ältesten Bruder Michael hegte sie stets eine tiefe und natürliche Zuneigung. Simon und Bertha jedoch erschienen ihr eher einfältig, was sie auch waren, und die Beziehung zu diesen beiden war von Anbeginn gleichgültig. In den Jahren in East Oakland mußte sie das Zimmer mit Bertha teilen, die »keine angenehme Person war, von Natur aus war sie unzufrieden«, und, noch schlimmer, sie knirschte im Schlaf mit den Zähnen. Simon war in ihren Augen ein komischer Clown, aber im Grunde nicht amüsant. Er war von einer unbezähmbaren Freßlust besessen. Einen Pudding, der für eine ganze Familie gereicht hätte, verschlang er auf einen Sitz. Gertrude betonte stets, daß ihn am Essen nur die Menge interessierte und nicht das Essen selbst. Auf diese sehr wesentliche Unterscheidung legte sie großen Wert: Ihre eigene Liebe zum Essen war ein ebenso mächtiges Gefühl wie jedes andere, das ihr Leben formte, und sie scheute weder Schwierigkeiten noch Kosten und Umstände, um dieses Gefühl zu befriedigen. Das ging mit der Zeit so weit, daß sie sich sogar über Geschichten ärgerte, in denen die Figuren sich »zu einer herzhaften Mahlzeit niederließen«, ohne daß der Autor sich die Mühe machte, das Menü von der Suppe bis zum Nachtisch in allen Einzelheiten zu schildern. Simon war auch deshalb komisch, weil niemand, nicht einmal die Bücherwürmer Gertrude und Leo, ihm die geringste Bildung beibringen konnten: Was die Entdeckung Amerikas anbetraf, so brachte er es nicht fertig, den Namen Columbus oder die Jahreszahl 1492 zu behalten.

Als man Daniel Stein zum Vizepräsidenten der Omnibus Cable Company ernannte, wurde Michael eine Art Oberinspektor. Als Simon volljährig war, folgte er Vater und Bruder in die Straßenbahngesellschaft, wo er einer Tätigkeit nachging, bei der er als eine Art menschlicher Kupplung die Beschleunigung des Wagens nach den Glockensignalen des Kondukteurs regulierte. Diese Beschäftigung war langweilig und monoton, entsprach aber, Gertrude zufolge, ganz seiner verschlafenen Natur. Er liebte den Kontakt mit Menschen aller Art, hatte stets Bonbons für die Kinder und Zigarren für die Männer in seinen Taschen und führte das glückliche Leben eines stadtbekannten Originals, bis er nach kurzer Dienstzeit in den Ruhestand trat und, um es in den Worten von Gertrudes schwesterlichem Epitaph zu sagen, frühzeitig »fett und fischend« das Zeitliche segnete.

Ihre eigene Karriere deutete sich zum erstenmal in blassen Umrissen an, als sie im Alter von acht Jahren ein Drama »in Shakespearescher Manier« zu schreiben versuchte. Dieses Bravourunternehmen ging ganz hübsch vonstatten, bis sie folgende Bühnenanweisung niederschrieb: »Die Höflinge machten witzige Bemerkungen.« Unfähig, sich auch nur eine einzige witzige Bemerkung auszudenken, gab sie das Drama in klassischem Stil zugunsten weniger anstrengender Bemühungen um ein Melodrama auf, das sie ohne Panne beendete und »Dem Tode entrissen – oder – Die entzweiten Schwestern« betitelte. Einstweilen jedenfalls waren die Shakespeareschen Pfade zum Ruhm verschlossen. Viele Jahre später behauptete Leo, daß dieses Machwerk geschrieben wurde, als Gertrude dem vierzehnten Lebensjahr näher war als dem achten, und daß ihr hier ihr Gedächtnis geschmeichelt habe. Ihm zufolge kamen Gertrudes erste Schreibversuche nicht über das Szenario eines von ihm vorgeschlagenen Entwurfs hinaus, der eine Nachahmung elisabethanischer Stücke anstrebte. Er hingegen beendete in kürzester Zeit ein Werk über den Hunnen Attila, in dem es nicht an »blutrünstigen Tiraden à la Marlow« mangelte. Wenn man Leos Bericht mehr Glauben schenken darf, so zeigen diese kindlichen Versuche in der Dichtkunst das genaue Gegenteil der späteren Entwicklung: Leo, durch eine Reihe von psychologischen Hemmungen gehindert, verschwendete als Erwachsener seine schöpferischen Kräfte in endlosen Monologen, während Gertrude ein Buch nach dem andern hervorbrachte.

Irgendwann während dieser Vorpubertätsjahre beschäftigte sich Gertrude intensiv mit der Bibel. Sie hoffte, in der Offenbarung irgendeine Erleuchtung im Hinblick auf die Probleme des ewigen Lebens und der Ewigkeit zu finden, die ihr Denken beunruhigten. Aber die Offenbarung gab ihr keine Hinweise. Die Stimme Gottes, so bemerkte sie, war überraschend oft zu vernehmen, aber die Ewigkeit schien nicht zu Seinen Themen zu gehören. Das verwirrte und ängstigte sie, doch schließlich resignierte sie: Es muß einen Gott geben, entschied sie, aber so etwas wie eine Ewigkeit gibt es nicht.

Zunächst las sie alles, was ihr im Elternhaus zwischen die Finger kam, aber schon bald las sie auch all das, was sie aus der Städtischen Bibliothek von Oakland nach Hause schleppen oder dort verschlingen konnte, und in San Francisco saß sie tagelang in einer Fensternische der Kaufmännischen und Technischen Bibliothek und in der Bibliothek des Marineinstituts, um Swift, Burke und Defoe und die gesamte elisabethanische Literatur inklusive der Prosa zu lesen. Die Besuche der Bibliotheken jenseits der Bai waren schon wegen der Fahrt auf der Fähre ein großer Spaß, zumal der freundliche Kapitän ihr und Leo gestattete, das Steuerrad zu halten. Die Bücher im Elternhaus waren meist viktorianische Romane, illustrierte Reiseberichte, mit Goldecken und Schleifen verzierte Bände von Wordsworth und Scott und Burns, Pilgrims Progress, Shakespeare mit winzigen Fußnoten und ein gebundener Jahrgang der Parlamentsberichte. Etwa von ihrem achten Jahr an, als sie Shakespeare verschlang und ihm nachzueifern versuchte, bis zu ihrem fünfzehnten Jahr, als sie bei Fielding und Smollet angelangt war, »lebte sie unentwegt im Rhythmus der englischen Sprache«. Ihr Appetit auf alles Gedruckte machte auch vor den zähesten und langatmigsten Abhandlungen nicht halt. Sie »hatte eine Leidenschaft... für die langen, langweiligen Gedichte von Wordsworth und Crabbe«, und sie war vermutlich das einzige weibliche Wesen westlich des Mississippi, das Carlyles »Friedrich der Große« Wort für Wort las und dann noch imstande war, sich mit Begeisterung an Leckys abschreckende »Verfassungsgeschichte Englands« zu machen.

Von den zeitgenössischen Ideen und Gedanken begegnete ihr am häufigsten die Entwicklungslehre. Darwin, Huxley und Agassiz lebten und wirkten noch, und die Kontroversen, die sie hervorgerufen hatten, beherrschten das Feld der geistigen und religiösen Auseinandersetzungen. »Die Welt war voll von der Entwicklungslehre, mit Musik als Hintergrund für Gefühle, und Büchern als einer Wirklichkeit, und sehr viel frischer Luft als einer Notwendigkeit und sehr viel Essen als einer Aufregung und als einer Orgie«, erinnerte sie sich später. »Die Entwicklungslehre war so aufregend wie die Entdeckung Amerikas durch Columbus, ebenso aufregend, ebenso neue Horizonte eröffnend und begrenzend. Damit meine ich, daß die Entdeckung Amerikas, zuerst in der Vorstellung und dann in der Wirklichkeit, eine neue Welt erschloß und gleichzeitig den Ring schloß, es gab kein Jenseits mehr. Das gleiche bewirkte die Entwicklungslehre, sie erschloß die Geschichte aller Tiere, Pflanzen und Minerale und der Menschen, und gleichzeitig setzte sie ihnen Grenzen, grenzte sie ein innerhalb eines Kreises. Das Erregende der Schöpfung war nicht mehr. All dies ist merkwürdig, und all dies war meine Kindheit und Jugend und der Anfang meines Seins.«

Ein gemeinsames leidenschaftliches Interesse für Naturkunde führte Gertrude und Leo häufig auf Ausflüge über die staubigen Landstraßen Kaliforniens. Sie nahmen ein Körbchen mit trockenem Brot mit, das sie kauten, während sie gemächlich dahinstapften und sich wie kleine Jünger des Aristoteles unterhielten, hie und da stehenblieben, um irgendeine neue, ihnen unbekannte Spezies der Flora oder Fauna genauer zu untersuchen. Mitten in diesem ungebärdigen Leben mußte Gertrude häufig über den Tod nachdenken. Große Probleme begannen Leo und sie zu quälen, aber ihre Gespräche während dieser Ausflüge waren, Leo zufolge, rein sachlicher Natur. »Ich zerbrach mir über alles und jedes so sehr den Kopf«, sagte Gertrude, »daß ich dadurch beinah ganz allein war, und wenn man beinah ganz allein ist, nun, dann ist alles, was da ist, beinah ganz allein.« Die Kameradschaft der Geschwister war eng und dauerhaft, und obgleich sie sich manche ihrer Gedanken über das Universum mitteilten, behielten sie ihre persönlichsten Gedanken über sich selbst für sich. Gertrude schrieb sie in ihrer Geheimschrift nieder, die mit Ausrufezeichen gespickt war. Leo verschloß die seinen in seiner Brust.

Manchmal fuhren sie auf einem Tandem nach San Leandor, und manchmal wanderten sie mit einer Gruppe junger Leute zum Dimond's Canyon, unweit von East Oakland, wo wenigstens Leos Interessen nicht ausschließlich auf das Picknick gerichtet waren, das Genüsse wie Sarsaparille und Kartoffelsalat bot. Im Dimond's Canyon wurde er, der bereits ein frühreifer Beobachter und Liebhaber ästhetischer Theorien war, sich zum erstenmal der künstlerischen Anordnung in der Natur bewußt – der besonderen Anordnung einer Gruppe von Eichbäumen an einer Wegbiegung, die diesem Stück Landschaft einen charakteristischeren Akzent verlieh als der weiteren Umgebung. Dies führte ihn einige Jahre später zu einer seiner ersten Definitionen der Kunst: » Natur im Licht ihrer Bedeutung gesehen.« Als er erkannte, daß es sich bei der Bedeutung, die er im Sinn hatte, um Formen handelte, änderte er die Definition dahingehend um: »Natur im Licht ihrer formalen Bedeutung gesehen.« Er glaubte, damit bei einer Definierung der Kunst als »bedeutungsvoller Form« angekommen zu sein – womit er dem englischen Kritiker Roger Fry viele Jahre zuvorkam, so wie er später behauptete, die Theorien von Benedetto Croce und von Sigmund Freud vorweggenommen zu haben, und sich am Ende seines Lebens beinah jedem bedeutenden Denker seines Jahrhunderts gegenüber als Vorläufer fühlte.

Etna Springs, wo Gertrude und Leo in kaltem, mineralhaltigem Wasser schwimmen und in die Stollen von Quecksilberminen einfahren konnten, wo chinesische Kulis arbeiteten, war ein weiterer beliebter Ausflugsort. In einem Aufsatz, den sie einige Jahre später als Schulaufgabe schrieb, berichtet Gertrude über einen dieser Ausflüge:

»Der Portier weckte uns am frühen Morgen, und wir brachen tapfer auf. Wir nahmen ein Jagdgewehr und einen kleinen Beutel mit Erfrischungen mit. Es war ein köstlicher Sommermorgen. Die nach Fichtennadeln duftende Luft hatte eine Frische und Klarheit, die den kalifornischen Bergen eigen zu sein scheint... Bald hatten wir die flache Ebene hinter uns gelassen und stiegen den steilen Berghang hinauf. Als wir an einem Teich in einer Schlucht vorübergingen, erblickten wir einen Vogel, der uns unbekannt war und der auf einem Inselchen in der Nähe des Ufers ausruhte. Mein

Bruder hob sein Gewehr und feuerte. Der Vogel fiel tot um. Wir waren damals herzlose Kinder und so leidenschaftliche Schützen, daß wir kein Mitgefühl für unsere Opfer hatten ... Unser Jagdzug wurde noch erfolgreicher, und wir hatten zwei schwere Kaninchen und einen Specht mit uns zu schleppen. Um rascher voranzukommen, hängten wir unseren Beutel und unsere Beute an das Gewehr, jeder ergriff ein Ende, und so konnten wir weitermarschieren. Wir hatten jetzt etwa fünf Meilen zurückgelegt. Zuvor hatten wir die Angebote mehrerer mitleidiger Bauern, uns in ihrem Wagen mitzunehmen, abgelehnt, nun aber sehnten sich unsere müden kleinen Seelen nach den Angeboten, die wir bislang so entrüstet zurückgewiesen hatten.

Wir waren auf unserer Reise nicht sehr viel weiter gekommen, als uns ein lustiger Bauer einholte, der uns natürlich zum Einsteigen aufforderte. Als Zugeständnis an unseren Stolz machten wir eine schwache Geste des Protests, um dann, nur zu glücklich, seinem Drängen nachzugeben, auf den Wagen zu klettern ... Als wir höher und höher in die Hügel hinaufkamen, konnten wir unter uns das ganze weite Napa-Tal im flirrenden Dunst der sommerlichen Hitze liegen sehen ... Unser Vorhaben, zu den Quellen zu wandern, erheiterte unseren Bauern sehr. Alle paar Meilen fragte er uns scherzhaft, ob wir nicht doch aussteigen und zu Fuß gehen wollten, aber unsere Unternehmungslust war inzwischen unter soviel Straßenstaub begraben, daß wir ihn gerne spotten ließen und dabei fuhren, statt stolz zu sein und zu laufen. Schließlich setzte er uns etwa eine Meile vor unserem Ziel ab, und wir schenkten ihm ein Eichhörnchen, das wir geschossen hatten ... Abermals behängten wir unseren Gewehrlauf mit unsrer Habe und marschierten los. Als wir etwa eine Viertelmeile gelaufen waren, begannen die Kaninchen entsetzlich schwer zu werden. Schließlich sagten wir uns, daß Kaninchen ohnehin nicht viel taugten, sie waren so gewöhnlich, und warfen erst das eine und dann das andere in den Straßengraben. Endlich kamen wir mit wunden Füßen, müde und staubbedeckt, kurz nach ein Uhr bei den Quellen an. Kaum erfuhren die Leute, daß wir, ohne auf die übrigen zu warten, von zu Hause aufgebrochen waren, nannten sie uns den verlorenen Sohn und die verlorene Tochter, und schickten uns eiligst zum Essen.

Diese Bezeichnung blieb uns trotz unsres Protestes. Viele Jahre später, als wir diesen Ort unserer Kindheit wieder besuchten, hörten wir die Geschichte von einem winzigen Buben und einem Mädchen, die in einem halben Tag zwanzig Meilen den Berg hinaufgelaufen waren. Und so werden wir in Zukunft durch die Volkslegende Kaliforniens geistern.«

Fast fünfzig Jahre später war zwar die Legende aus ihrer Kindheit noch nicht ganz den Volkssagen Kaliforniens einverleibt, aber für Gertrude blieben solche Abenteuer immer lebendig. »Als mein Bruder und ich auf den staubigen Straßen ohne Unterlaß hinauf in die Berge stiegen«, erinnerte sie sich, »und wir gingen und wir kamen, und alles und nichts ereignete sich dazwischen, da waren wir Legende. Als wir zusammen zelten gingen und einen kleinen Wagen hinter uns herzogen und eng aneinandergedrängt schliefen, und jeder kleine Junge und jedes kleine Mädchen das hätte sein können, was jedes kleine Mädchen und jeder kleine Junge war, da waren wir eine Legende, da waren wir legendär.«

Gertrude und Leo waren einander die besten Freunde zu einer Zeit, da es das Wichtigste war, einen besten Freund zu haben. Hätten sie damals von ihrer Existenz geahnt, dann hätten sie enge Freundschaft mit den bemerkenswerten Kindern einer Familie schließen können, die ganz in der Nähe wohnte. Es waren die Duncans, Isadora und Raymond und Elizabeth, deren Vater chinesische Shawls in San Francisco verkaufte. Aber erst viele Jahre später erfuhr Gertrude von Raymond Duncan – damals in seiner Omar-Khayyam-Phase, die seiner Eroberung von Griechenland vorausging –, daß er einer der jungen Vandalen war, die Äpfel aus dem Steinschen Obstgarten stahlen.

Da die illustren Duncans und Steins sich erst begegneten, als sie alle in Sandalen über das Pariser Pflaster gingen, überwanden Gertrude und Leo ihre grüblerischen Jahre ohne Konkurrenz von Zeitgenossen, die es ebensosehr nach Selbstdarstellung drängte. Der furchtbarste Augenblick in Gertrudes frühem geistigem Leben war der, als sie begriff, daß es Kulturen gegeben hat, die völlig vom Erdboden verschwunden waren. Die Vorstellung des Todes, die sie auf ihren langen Spaziergängen oft beschäftigte, war für sie weniger beunruhigend als die Angst vor der Auflösung, vor dem Verlust der Identität. Aber sie kam auch zu der Ansicht, daß ihre Grübeleien nur notwendige Vorbereitungen zur Erfüllung ihres Geschicks seien. »Zwischen dem Säuglingsalter und meinem vierzehnten Lebensjahr«, sagte sie, »war ich da, um damit anzufangen, das zu töten, was noch nicht tot war, das 19. Jahrhundert, das sich der Entwicklungstheorie und der Gebete, des Esperanto und all seiner Ideen so sicher war.« Sie glaubte, daß ihr fünfzehntes Lebensjahr der Wendepunkt ihres Daseins war, denn damals machten weniger trübsinnige Betrachtungen das Leben nicht nur erträglicher, sondern versprachen auch, ihr Interesse wachzuhalten. Zum erstenmal sah sie ein Mädchen, das größer war als sie, und sie überlegte, ob sie schön sei. Sie molk eine Ziege. Sie begriff, was Langeweile war. »Man verbringt den ganzen Tag mit dem Vorsatz, irgendwo hinzugehen, aber nichts geschieht, und man überlegt, ob sich das rächen wird.« Mit fünfzehn litt man weniger darunter, daß die Zeit so langsam verstrich, sondern daran, daß man einfach nichts anderes tun konnte als herumstehen und abwarten. In dieser jugendlichen Phase, wo man schon die Ansichten eines Erwachsenen, aber auch noch kindliche Vorstellungen hat, kam sie zu der Erkenntnis, daß man beides nicht auf eine Weise ausdrücken konnte, die ganz »schicklich« war. Wie der Held des Stückes *Yes Is for a Very Young Man* rauchte sie gerne, während sie immer noch gerne Schokolade aß. Alles Wesentliche schien gleichzeitig einzusetzen – der Begriff von Geld, Besitz, die Vorstellung von der Ewigkeit, der Verdacht, daß manche Menschen Feinde waren. In diesem Wust undifferenzierter Erfahrung versuchte sie, ihre Gefühle zu objektivieren, indem sie sie niederschrieb. Hatte sie ihnen einmal schriftlichen Ausdruck verliehen, merkte sie, daß sie sie meist leidenschaftslos betrachten und ad acta legen konnte.

Gertrude und Leo blieben in ihrer abgekapselten Bücherwelt mit ihren geheimen Zeichen und ihrer geheimen Sprache Fremdlinge für alle anderen Kinder, die bereits »draußen in der Welt standen«. Ihren ewig besorgten Eltern standen sie äußerlich nah, innerlich aber fern. Im Jahr 1885 war die Familie aus dem großen Haus in ein kleineres in der 10. Avenue gezogen. Amelia Stein war zu krank, um einen Haushalt zu führen, und wenn Daniel nicht im Geschäft zu tun hatte, war er damit beschäftigt, sich um sie zu kümmern. Die Verbundenheit der jüngsten und introvertiertesten Familienmitglieder wurde durch den Umstand, daß sie meist aufeinander angewiesen waren, nur noch enger. Ihre Gleichgültigkeit gegenüber der kranken Mutter ließ sie sich bisweilen schuldig fühlen, im allgemeinen aber waren sie sich weder ihrer Lieblosigkeit noch des ungeregelten Haushalts bewußt. Schon lange vor dem Tod der Mutter im Jahr 1888, als Gertrude vierzehn war, hatten sie sich mit der Tatsache abgefunden, daß sie ohne sie auskommen konnten. Nun stand Daniel Stein dem mutterlosen Haushalt vor so gut er konnte, ein nützlicher Ernährer und Beschützer, aber eine lästige Persönlichkeit, dem seine bereits kühl-intellektuellen Kinder wenig zärtliches Interesse entgegenbrachten. Nach Leos Worten war Daniel Stein »ein vierschrötiger, rechthaberischer, herrisch aggressiver Mensch ohne jegliche Bildung«. Obgleich er nie ein Buch las, nahm er großes Interesse an der Erziehung seiner Kinder. Er hatte einen wachen und klaren Verstand, aber die Fragen, die ihn beschäftigten, waren Gertrude und Leo fremd, und die beiden verbargen kaum ihre Langeweile und ihr peinliches Berührtsein, wenn der Vater seine Meinungen kundtat und sich dabei in langen Monologen erging.

Ihre intellektuellen Neigungen ließen die jungen Steins den meisten Menschen gegenüber eine reservierte Haltung einnehmen und sich vom allgemeinen Betrieb fernhalten; trotzdem waren sie gesellig und lachten immer gerne mit, wenn es etwas zu lachen gab. Sie besuchten, wie sich das gehörte, die Highschool in Oakland, die sie langweilig fanden, ergaben sich jedoch in ihr Schicksal und sahen auf alles, was normale Kinder mit Begeisterung tun, blasiert herab. Gertrude faßt ihre Einstellung folgendermaßen zusammen: »Schau rechts und nicht links, schau auf und nicht zu Boden, schau geradeaus und nicht zurück und hilf, wo es nottut. Das nannte man während meiner Schulzeit eine Hilf-wo-es-nottut-Gesellschaft, und alle Kinder mußten einmal die Woche, wenn die Gesellschaft in der Schule zusammentrat, niederschreiben, wie und wo sie helfend eingesprungen waren, die meisten hatten es leicht gehabt, sie konnten das Baby oder die Kuh beaufsichtigen oder Holz hacken oder ihrer Mutter helfen. Von uns verlangte niemand derartige Hilfe, und ich und mein Bruder, die wir unsere Zeit zu Hause meist mit Obstessen und Bücherlesen verbrachten, konnten uns nie erinnern, daß wir irgend jemandem irgendwo geholfen hätten.«

Das einzige, was Gertrude während ihrer Schulzeit wirklich aufregend fand, war das Verwandeln von Sätzen in Diagramme. »Für andere mögen andere Sachen vielleicht aufregender sein«, sagte sie, »aber für mich, als ich in der Schule war, ist das Auflösen von Sätzen in Diagramme das einzig wirklich Aufregende gewesen, und das ist für mich ... das einzige gewesen, das für mich vollständig aufregend und vollständig vollständig war. Ich liebe das Gefühl, das nicht aufhörende Gefühl der Sätze, wenn sie sich in Diagramme auflösen.« Aber sonst konnte nur wenig ihr oder Leos Interesse erwecken, und für den ermüdenden täglichen Kram und das ausschließliche Zusammensein mit Menschen, die ihnen tierisch ernst vorkamen, entschädigten sie sich mit Lektüre, die nicht dem Lehrplan entsprach, mit Debatten über Themen, welche die Debattiergesellschaft niemals gewählt haben würde, und mit der Untersuchung von Problemen der Vorpubertätsphilosophie, die nichts in einem Schulzimmer zu suchen hatten.

In East Oakland gab es nur wenig jüdische Familien. Daniel Stein ging hin und wieder in die Synagoge, und die Kinder besuchten eine Zeitlang regelmäßig die Sabbatschule. In der öffentlichen Schule bildeten die kleinen Steins eine verschwindende jüdische Minorität. Leo erinnerte sich später nicht eines einzigen Vorfalls, der auf Antisemitismus hätte schließen lassen, aber seine Befangenheit machte ihn unsicher, so daß er ständig Beleidigungen und Schmähungen vermutete, wo sie nicht beabsichtigt waren. Sein »jüdischer Komplex« war, so schien es ihm später, ein Teil seines »Paria-Komplexes« und sollte ihn ein Leben lang quälen. Der Paria, wie Leo ihn sieht, »ist ein Mensch, dessen Liebe und Teilnahme unerwünscht ist«. Diese Gefühle führten bei ihm zu einer mangelnden Teilnahme an seiner Umgebung, und die daraus erwachsende Isoliertheit verstärkte noch das Bedürfnis nach seelischer Zurückgezogenheit. Zu den Folgen dieser bewußten Abkapselung gehörte auch das übermäßige Interesse an geschichtlichen Fakten. Später sagte er, daß er sich damit zufrieden gab, zu wissen, und sich nicht die Mühe machte, zu begreifen. Er liebte Gibbon, den er verschlang, und er nahm sich vor, einmal selbst Historiker zu werden. Der erste Schritt dahin war eine lange Liste der assyrischen und ägyptischen Dynastien, das Auswendiglernen der englischen und französischen Könige und der deutschen Kaiser, und überdies belastete er sein bereits enzyklopädisches Gedächtnis mit Hunderten von weiteren historischen Daten. Obgleich er keinerlei bemerkenswertes Zeichen- oder Maltalent zeigte, hatte er doch schon in jungen Jahren eine große Liebe für diese Künste entwickelt, die sich in unverdrossenen Zeichenübungen und im sorgfältigen Ausschneiden und Aufkleben von Heliogravuren aus der Zeitschrift *Century* ausdrückte. Der Vater zeigte Gertrude und ihm die in San Francisco ausgestellten gewaltigen Zykloramen der Schlachten von Waterloo und Gettysburg, die ihren tiefen Eindruck nicht verfehlten. Zu Leos frühesten und stärksten Erinnerungen auf dem Gebiet der Malerei gehört ein Gemälde von Millet, der gerade berühmt gewordene »Mann mit der Harke«.

Leo und Gertrude lebten jedes in einer eigenen Welt, die sie sich in der Hauptsache selbst erschaffen hatten. In dieser egozentrischen Gemütsverfassung, die sie ihre Umgebung und die äußeren Umstände nur aus der eigenen Perspektive sehen ließ, traf sie der plötzliche Tod des Vaters im Jahre 1891 völlig unvorbereitet. Eines Morgens erschien Daniel Stein nicht zur gewohnten Stunde am Frühstückstisch. Die Kinder glaubten, ihr Vater habe verschlafen und wollten ihn wecken, fanden aber die Tür seines Zimmers verschlossen. Als sie auf ihr Rufen keine Antwort bekamen, schickten sie Leo ins Freie, damit er durch ein Seitenfenster ins Zimmer des Vaters einsteigen konnte. Daniel Stein war im Schlaf gestorben. Natürlich erschraken sie zunächst, dennoch bekümmerte es Gertrude und Leo nicht weiter, daß sie nun plötzlich Waisen geworden waren. Ihr einziger Kummer war, daß sie nun nicht länger mehr in der ihnen vertrauten Traumwelt leben konnten, sondern eine verantwortliche Rolle im Familienleben übernehmen mußten.

Der neue Haushaltsvorstand, Michael, neun Jahre älter als Gertrude, verdiente weiterhin seinen Lebensunterhalt bei der Verkehrsgesellschaft, in der auch sein Vater gearbeitet hatte. Leo und Gertrude empfanden ihn als einen weit nachsichtigeren und liebenswerteren Mentor, als ihr Vater es je gewesen war. Die Geschwister hatten sich vor Gericht offiziell mit seiner Vormundschaft einverstanden zu erklären, und kurz darauf zog die Familie nach San Francisco, wo sie etwa ein Jahr lang in einem kleinen schmucken Fachwerkhaus in der Purkstreet wohnte. Die freudlose Bertha machte das Hausfaktotum, in wichtigeren Fragen jedoch zog Michael Gertrude und Leo ins Vertrauen. Der Nachlaß des Vaters enthielt neben Anteilen an einigen Gruben und Eisenbahnunternehmen auch den Rechtsanspruch auf annähernd 500 Morgen Land in Shasta County. Aber Daniel Stein hatte darüber hinaus viele Schulden hinterlassen. Schließlich verblieb den Erben lediglich eine kleine Kapitalreserve, die als Rückhalt diente. Die Armut brauchten sie nicht zu fürchten. Michaels Stellung war ausbaufähig, und das Bimmeln der Schienenbusse in den Straßen San Franciscos wurde mit jedem Tag lauter.

Zu Gertrudes und Leos großer Erleichterung überließ man sie

auch als Waisenkinder weitgehend ihren eigenen Neigungen. Aber sie liebten Michael, wie sie ihren Vater nie geliebt hatten, und suchten häufig seine Gesellschaft. Michael in seinem Büro zu besuchen, war stets ein Fest, auch wenn er ihre extravaganten Ausgaben in Buchläden und Antiquariaten, die sie unterwegs aufsuchten, mißbilligte. Aber er verzieh rasch, und nachdem die beiden ihm die neu erstandenen Bücher und Radierungen gezeigt und die übliche Schelte entgegengenommen hatten, söhnte man sich rasch wieder aus. Dann begab man sich zum Abendessen in ein elegantes Restaurant und danach vielleicht in das Tivoli-Opera-House oder in Baldwins Musikakademie oder in das Bush-Street-Theater, wo man sich *Othello* oder *Onkel Toms Hütte* oder *Richelieu* oder *Dr. Jekyll und Mr. Hyde* ansah. San Francisco hatte damals ein blühendes Theaterleben. Die Schauspieler kamen gern an die pazifische Küste, und weil die Reise dorthin teuer war, blieben sie auch eine ganze Weile dort. Manchmal konnten Gertrude und ihre Brüder für die abendliche Unterhaltung zwischen so berühmten Namen wählen wie Edwin Booth (an dessen *Hamlet* Gertrude sich noch als an etwas »Ungeheures« erinnert), Tommaso Salvini, James O'Neill (der Vater des Dramatikers, der die Rolle des Edmond Dantes im *Graf von Monte Christo* mehr als 6000mal darstellte), David Belasco, Otis Skinner, Modjeska, William Gillette, dessen *Geheimdienst* Gertrude das beste Melodrama der damaligen Zeit fand, und schließlich dem Kinderstar Maude Adams. Dennoch war das Theater an sich für Gertrude von zweitrangigem Interesse, viel mehr Eindruck machte es ihr, in der Öffentlichkeit die Erwachsene zu spielen. Ihr erstes Theatererlebnis hatte sie als ganz kleines Kind in London gehabt, und obgleich sie sich nicht mehr erinnern konnte, was sich auf der Bühne abgespielt hatte, wußte sie doch ganz genau, wie sehr sie die prickelnde Atmosphäre und das Glitzern im Zuschauerraum erregt hatte. Sie hatte das Gefühl, daß in Theaterstücken alles viel zu rasch ging: Augen und Ohren wurden gleichzeitig in Anspruch genommen. Kaum war das Gefühl von irgend etwas in Anspruch genommen, schon kam störend etwas anderes dazwischen. Die Gefühle des Zuschauers trödelten hinter der Handlung her, und man konnte diese nie ganz einholen.

Jahrelang war Gertrude immer wieder von einer »Angst vor dem Wahnsinn« gequält worden, und einige der Gruselstücke, die sie sah, versetzten sie in einen kritischen Zustand. Als Richard

Mansfield *Dr. Jekyll und Mr. Hyde* spielte, fand sie ihre »eigene Angst so vollständig ausgedrückt und so grauenvoll wiedergegeben«, daß sie nach Schluß des zweiten Aktes bitten mußte, nach Hause gebracht zu werden. In den folgenden Nächten fand sie keinen Schlaf, und das Zähneknirschen ihrer Schwester machte alles nur noch schlimmer. Als Vorstellungen von »furchtbaren Möglichkeiten zu finsteren Taten» (die nicht unbedingt gegen Bertha gerichtet waren) sie heimsuchten, betete sie, wie Faust, um Erlösung.

Von *Onkel Toms Hütte* behielt sie nur die treibenden Eisblöcke im Gedächtnis. In ihrem zwölften Lebensjahr jedoch kam Buffalo Bill, der schon lange aus seinen Diensten als Armeekundschafter entlassen war und nicht mehr die Sioux-Indianer jagte, nach San Francisco mit dem Stück *Die Waise der Prärie.* Zu seiner Truppe gehörten mehrere echte Indianerhäuptlinge, die man bei der Regierung ausgeliehen hatte. Gertrude war von Buffalo Bill begeistert und Indianern ganz besonders zugetan. Im April 1891 erschien Sarah Bernhardt auf einer Welttournee, die sie zweieinhalb Jahre von Frankreich fernhielt, und spielte vor ausverkauften Häusern *La Tosca, Die Kameliendame, Cleopatra* und *Jeanne d'Arc.* Gertrude stellte fest, daß die seltsam nervöse Reaktion, die sie bei den meisten Theaterabenden hatte, beim Anblick der Sarah Bernhardt völlig aussetzte.»Es war alles so fremdartig, und wie ihre Stimme so wechselnd und alles so französisch war, konnte ich mich getrost ausruhen. Und das tat ich... Es war besser als die Oper, denn es hielt an. Es war besser als das Theater, weil man sich nicht die Mühe machen mußte, der Handlung zu folgen...«

Als sie von Stücken wie *The Heart of Maryland*, »in dem die Heldin, um das Leben ihres Geliebten zu retten, auf einen Kirchturm steigt und den Klöppel der Glocke packt, um das Sturmläuten zu verhindern«, genug hatte und mehr als genug von Männern des Geheimdienstes, von Herrensitzen, auf denen es von Fledermäusen, verschwiegenen englischen Dienern und schleichenden Chinesen wimmelte, wurde ihr Interesse an der Oper von neuem erweckt. Aber auch diese Begeisterung war von kurzer Dauer und sollte erst wieder aufflammen, als sie im College war. »Ich verlor alles Interesse an der Musik und folgerte daraus, daß Musik für Jugendliche und nicht für Erwachsene gemacht war, und da ich selber gerade meine Jugend hinter mir gelassen und überdies zu dieser Zeit sämtliche Opern kannte, interessierte ich mich nicht mehr für die Oper.«

Michaels geschickte Verwaltung des Steinschen Nachlasses versetzte die Familie bald in eine weit bessere finanzielle Lage, als sie sie jemals gekannt hatte. Daniel Stein hatte, seiner Zeit um etliches voraus, schon vor Jahren eine Vereinigung sämtlicher Straßenbahngesellschaften vorgeschlagen und entsprechende Pläne ausgearbeitet. Als er sie jedoch den einzelnen Gesellschaftern vorlegte, verdarb ihm seine Ungeduld und Einseitigkeit dieses Vorhaben, und er mußte sich mit der Vizepräsidentschaft einer kleinen Zweiglinie begnügen. Michael war mit einer viel geduldigeren Natur gesegnet und verfügte über weit mehr geschäftliche Diplomatie. Er überredete Collis P. Huntington von den Central Pacific Railroads, die Mission Line, deren Vizepräsident sein Vater gewesen war, zu übernehmen, und wurde schließlich, mit einem großen Gehalt, zum Leiter der ganzen Organisation ernannt. Für Gertrude und Leo, die in anderen Gefilden lebten, war Michaels beachtlicher Erfolg in der Geschäftswelt ein Rätsel. Als die Mission Line erweitert wurde, fragten sie Michael, woher er seine neuen Arbeiter bekomme. Er sagte, daß er sich einfach an eine Mauer lehne und warte; irgend jemand komme dann schon vorbei, und dann wieder irgend jemand. Die beiden jüngeren Geschwister sahen seine einzige wirkliche Begabung darin, Fahrpläne auszuarbeiten. Wann immer sie seine Berechnungen nachprüfen mußten, stellten sie große Mengen Fehler fest. Aber seine geniale Fähigkeit, Fahrzeiten aufeinander abzustimmen, schien durch derartige Kleinigkeiten nicht beeinträchtigt zu werden. Zwei Jahre lang hatte er die Stellung eines Generaldirektors inne, und er investierte sein Geld in verschiedenen Projekten, unter anderm auch in den ersten Wohnblock von San Francisco, was für seine Mündel von großem Vorteil war. Den Kindern wurde gesagt, daß sie, bei bescheidener Lebensweise, bis zum Rest ihrer Tage genug Geld haben würden. Gertrudes Anteil an dem kleinen Vermögen erbrachte ihr während ihrer frühen Jahre ein ausreichendes, regelmäßiges Einkommen. Es war ihr Glück, daß sie sich entschloß, Amerika zu verlassen, denn dieses Einkommen wuchs nicht mit dem ständig steigenden Lebensstandard der USA. Im Jahr 1892 zerstreute sich die Familie, deren einzelne Mitglieder nun unabhängig waren. Gertrude und Bertha schickte man nach Baltimore zu Fannie Bachrach, der Schwester ihrer Mutter, »und zu einer

Gesellschaft lebhafter kleiner Tanten, die alles wissen mußten«. Leo ging nach Harvard, um dort das in Berkeley begonnene Studium fortzusetzen. Simon und Michael blieben in San Francisco, wo Simon sein kurzes Leben beenden und Michael 1895 eine junge Kunststudentin, Sarah Samuels, heiraten sollte, die ihm 1896 sein einziges Kind, Allan, schenkte. Trotz der recht günstigen Umstände, die sich für die Stein-Menage ergeben hatten, hatte Gertrude die Einsamkeit ihrer Jungmädchenjahre häufig schmerzlich empfunden. In einem Bericht über diese Zustände der Bedrükkung, den sie in ihrer Collegezeit gibt und in dem sie sich selbst »Hortense« nennt, erscheint die Auflösung der Familie als ein Segen. »Die Umstände hatten Hortense Sänger gezwungen, sehr viel allein zu sein. Viele Jahre lang war ihr das sehr zupaß gekommen. Dank ihrer tiefen und phantasievollen Veranlagung waren Bücher und ihre eigenen Vorstellungen eine ausreichende Gesellschaft gewesen. Schon frühzeitig war sie an schwere Verantwortung gewöhnt worden und hatte diese mit Entschlossenheit getragen... obgleich von Natur eine Träumerin, besaß sie doch einen ausgeprägten Sinn für das Praktische. Nun hatte sie einen Abschnitt ihres Lebens erreicht, in dem sie sich selbst nicht länger mehr genügte. Sie lebte fast ausschließlich in ihrer Lieblingsbibliothek. Sie war... mutterlos... und konnte daher tun und lassen, was ihr beliebte. Nun war die Zeit gekommen, wo die alten, vielgeliebten Gefährten ihren Reiz verloren. Man konnte nicht von Büchern leben, sie spürte, daß sie menschliches Mitgefühl brauchte. Ihre leidenschaftlichen Sehnsüchte erweckten in ihr die Angst, sie könne den Verstand verlieren. Unbestimmte Ängste begannen sie zu bedrängen. Ihre Wünsche und Träume waren morbid geworden. Sie fühlte, daß sie ein Ventil finden mußte. Irgendeine Veränderung mußte in ihr Leben treten, sonst verlor sie die Kraft, gegen die heftigen Stimmungen anzukämpfen, die nun so häufig von ihr Besitz ergriffen. Gerade in dieser kritischen Zeit starb ihr Vater, und damit riß das einzige Band, das sie noch mit ihrem alten Heim verknüpfte. Kurz darauf nahm sie die Einladung von Verwandten an und verließ ihre alten Schlupfwinkel und, wie sie hoffte, ihre alten Ängste, um in einem großen Familienkreis ein vollkommen neues Leben zu beginnen.«

In Baltimore war Gertrude glücklich, weil sie keine Gelegenheit hatte, sich einsam zu fühlen. Im Schoß der Familie Bachrach war das Leben vielgestaltig und geschäftig. Ihre Großeltern, Onkel und

Tanten lebten in einer üppigen Nestwärme, inmitten von Gegenständen, die »soliden Reichtum« verkörperten. Da gab es »einen Salon von erlesenen Marmorstatuen auf gelben Onyx-Piedestalen, weiß- und goldbemalte Stühle der verschiedensten Formen und Größen, eine blaßblaue Seidenbrokattapete an den Wänden und eine Decke, auf der sich rosa Engel und Putten tummelten, ein Eßzimmer, das ganz Düsternis und Goldglanz war, ein Wohnzimmer, das ganz Üppigkeit und Gold und Rot war, mit Wandsofas, Bücherschränken mit Glastüren und Gemälden, auf denen sich sauber gewaschene Bauern der deutschen Schule bewegten, und große Schlafzimmer, die ganz licht und blau und weiß waren. Marmor und Bronzen und Kristallüster und künstliche Kamine, in denen Gasflammen züngelten, vervollständigten jeden Raum. Und stets und überall fanden sich komplizierte Waschgelegenheiten und Toilettentische voll von Bürsten, Schwämmen, Instrumenten, die der Reinlichkeit dienten...« Aber mehr noch als der solide materielle Komfort des Hauses in Baltimore bezauberte und faszinierte sie die Vielfalt des Lebens, das seine Mauern barg. Sie fühlte, daß sie nach Jahren, in denen sie ein »innerliches« Leben gelebt hatte, das trotz Leos Kameradschaft im Grunde einsam gewesen war, nun in eine Phase des »äußerlichen« Lebens eintrat, in dem jeder sie kannte und bejahte. Im Verlauf des Winters besuchte sie Leo in Harvard und unternahm dort Schritte, die ihrer eigenen Weiterbildung dienen sollten.

II

> Ich weiß, daß es mich oft erstaunt,
> was ich gesehen habe und sehe.
>
> *Gertrude Stein*

Mit neunzehn Jahren gelangte Gertrude Stein zu dem Schluß, daß »Allwissenheit« nicht »ihre Sache« war. Dieses großmütige Zugeständnis hinderte sie nicht daran, sich im Herbst 1893 um Aufnahme in das Radcliffe-College zu bewerben. Ihr Ansuchen war insofern ungewöhnlich, als sie an einem akademischen Abschluß nicht interessiert war. Sie mußte die Fakultät erst davon überzeugen, daß es ihr mit ihrem »unabhängigen« Studium ernst war. Der Brief, den sie an die zuständige Stelle richtete, verschwand bereits 1915 aus den Archiven des Radcliffe-College. Er mußte jedoch überzeugend gewesen sein, denn sie erhielt die Erlaubnis zum Besuch des Colleges, nachdem sie nur einen Teil der erforderlichen Aufnahmeprüfung bestanden hatte.

Sie belegte Vorlesungen von George Santayana über Philosophie und die von Josiah Royce über Metaphysik, studierte die Morphologie der Tiere, die Embryologie der Wirbellosen und die Kryptogamen. Sie lernte das Leben einer Untermieterin kennen, hörte aus purem Vergnügen eine Vorlesung über Wolkenbildung, trat dem »Faulenzerklub« bei (einer dramatischen Gesellschaft, die Einakter aufführte, denen sich Diskussionen bei Kuchen und Limonade anschlossen), war zwei Jahre lang Sekretärin des philosophischen Klubs und schrieb als Schülerin von William Vaughn Moody eine Reihe ungewöhnlich trockener Aufsätze, die uns erhalten geblieben sind.

Sie hatte Koffer voll englischer Klassiker – Poesie und Geschichte – mitgebracht, die sie an den Wänden ihres Zimmers bis zur Decke stapelte. Ihre Garderobe, die weit spärlicher bestellt war, enthielt einige Kleidungsstücke, die ihre Klassengefährten hochelegant fanden. Der einzige Gegenstand, für den Gertrude eine ausgesprochene Zuneigung bekundete, war ein zerbeulter Matrosenhut aus Stroh mit verschossenen Bändern, den sie so lange trug, bis eine Klassenkameradin ihn heimlich in einer Aschentonne versenkte. »Sie war eine vierschrötige, plumpe junge Frau«, berichtet Arthur Lachman, einer ihrer Cambridger Freunde, »sehr männlich in ihrer Erscheinung. Ihr Haar war kurz geschnitten, als dies beim schwachen Geschlecht noch keineswegs Mode war. Stets kleidete sie sich schwarz, und ihre etwas ausladende Figur war nie korsettiert.«

Sie war nicht zuletzt deshalb nach Cambridge gekommen, weil Leo dort war, aber kaum hatte sie mit ihren Studien begonnen, ging sie völlig im Leben in Radcliffe und im Alltag der jungen Menschen, die im selben Haus wie sie wohnten, auf. Sie sah Leo häufig, aber jeder hatte seinen eigenen Freundeskreis; und nur hin und wieder traf man sich zu Picknicks, zu Fahrten an die Küste und an manchen Sonntagabenden zu theologischen Gesprächen bei Tee und Kuchen. Leo verbrachte stets seine ganze Freizeit mit der Betrachtung von Bildern in den Museen von Boston, Baltimore und New York. Gertrude war keine so leidenschaftliche Kunstfreundin, besuchte jedoch häufig die Museen. Zu ihren besonderen Freunden gehörte Thomas Whittemore, der damals am Bostoner Museum of Fine Arts arbeitete und später zu Ruhm gelangte, weil er die Mosaiken der Hagia Sofia in Konstantinopel entdeckte. Hin und wieder durfte Gertrude ihm beim Auspacken von orientalischen Gemälden helfen, die der großen Sammlung des Museums einverleibt wurden.

Den Geschicken der Footballmannschaft von Harvard bekundete sie vorübergehendes Interesse, ihre wahre Leidenschaft galt dem Theater, und sie fuhr oft und oft nach Boston, um Henry Irving und Ellen Terry oder andere Theatergrößen der damaligen Zeit zu sehen. Die mädchenhafte Scheu, die ihr die Schauspiel- und Opernbesuche zur Qual gemacht hatte, war geschwunden, und nun sah sie bisweilen zwei Vorstellungen an einem Tag. Aber der Hang zum Alleinsein war ihr geblieben. Sie radelte durch die Straßen Cambridges und unternahm ausgedehnte Spaziergänge. »Jugendliche Schwärmerei für ihre Professoren oder Mitschülerinnen, wie sie sonst bei Mädchen so häufig ist, war ihr fremd«, berichtet eine ihrer Kolleginnen. »Einen großen Teil ihrer Zeit verbrachte sie mit der Lektüre der französischen Psychologen ... an Kleidern, Frauenemanzipation oder Politik war sie nicht interessiert ... Sie war fröhlich, natürlich und schlicht. Es war nicht leicht, mit ihr Kontakt zu finden, hatte man ihn dann aber erst einmal, fand man sie reizend.«

Das Hauptinteresse ihrer Studienzeit galt William James. Diese Verehrung teilte sie mit ihrem Bruder, der auch längere Zeit Schüler von James war. Mit jener starken Selbsteinschätzung, die ihn so selten verließ, schrieb Leo an einen Freund: »Als Philosoph spricht mir James ebenso aus der Seele wie Shakespeare und Keats als Dichter ... Mein eigenes Denken geht mit seinem völlig konform.« Gertrude hatte kaum James' Bekanntschaft gemacht, da schrieb sie auch schon in Superlativen über ihn: »Ist das Leben lebenswert? Ja, tausendmal ja, solange die Welt Geister wie Professor James beherbergt. Er ist wahrhaft ein Mann unter Männern, ein Wissenschaftler von überzeugender Stärke und Originalität, der die besten wissenschaftlichen Eigenschaften verkörpert, ein Metaphysiker, der im abstrakten Denken geübt, klar und kraftvoll und dennoch zu groß ist, um die Logik als seinen Gott anzubeten oder gar an etwas zu glauben, das nur im menschlichen Verstand existiert. Er ist ein Mann, der nicht nur in der Geisteswelt, sondern auch im Leben richtig gelebt hat. Er steht fest und nobel für die Menschenwürde ein. Sein Glaube ist nicht der eines zitternden Feiglings vor einem übermächtigen Herrn, sondern der eines starken Mannes, bereit zu kämpfen, zu leiden und auszuharren. Er hat sich dem Glauben nicht verschrieben, weil das einfach und angenehm ist. Er hat viele Jahre gedacht und gelebt, um dann schließlich mit der Stimme der Autorität zu sagen: Wenn das nicht der Sinn des Lebens ist, dann kenne ich den Sinn des Lebens nicht. Und was könnte man mehr sagen? Er ist eine starke, gesunde, noble Persönlichkeit, die auf alle Erfahrungen, die ihr das Leben geschenkt hat, richtig reagiert. Er ist ganz und gar ein Mann.«

Gertrudes philosophische Bindung an William James sollte ein Leben lang währen, obwohl sie ihr eine offenkundige Bedeutung für ihre Entwicklung gern absprach. Von der ersten Begegnung an muß sie James durch gewisse Eigenschaften angezogen haben. Für eine Studentin in den ersten Semestern bedeutete sein ausdrücklicher Wunsch, man möge sie an seinem Seminar teilnehmen lassen, an sich schon eine große Ehre. Die Arbeit, die ihr diese Gunst eintrug, entstand in einem Kurs, den der junge Hugo Münsterberg, der vor kurzem aus Berlin gekommen war, leitete. Nach Münsterbergs Ansicht überragte Gertrude turmhoch alle Studenten, mit denen er bislang gearbeitet hatte. Er sah in ihr das Ideal einer jungen Gelehrten. Als er seine Eindrücke über die amerikanischen Studenten für eine Veröffentlichung in Europa formulierte, sagte er ihr: »Ich hoffe, Sie werden mir verzeihen, wenn Sie sich in einzelnen Zügen meines Idealen Schülers wiedererkennen.«

Gertrude fand die anderen Studenten in James' Seminar einen

»komischen Haufen«. Da sie aber Menschen in Gruppen stets absurd fand, ist diese Bezeichnung nicht besonders aufschlußreich. Einige der Studenten arbeiteten über die Psychologie religiöser Konversionen, ein Thema, das auch James sehr stark interessierte. Manche beschäftigten sich mit der Aufzucht von Küken, und wieder ein anderer, Leon Solomons, arbeitete über Probleme des Bewußtseins. Von der ersten Begegnung im Seminar bis zu seinem frühen Tod im Jahr 1900 verband Solomons und Gertrude eine enge Freundschaft. Sie experimentierte mit ihm, was eine Veröffentlichung unter dem Titel »Normal Motor Automatismus« ind der *Psychological Review* im September 1896 zur Folge hatte.

Bei ihren gemeinsamen experimentellen Arbeiten, zum Beispiel über »Die Stellung der Wiederholung in der Erinnerung«, »Fluktuationen des wachen Bewußtseins« und »Die Sättigung von Farben«, waren Solomons und Stein ihre eigenen Studienobjekte, und dies trotz Gertrudes ungewöhnlich schwachen Reaktionen. Zu Beginn ihrer Laboratoriumsarbeit hatte sie erklärt, ihr Unterbewußtsein besitze überhaupt keinerlei Reaktionen, und niemand konnte ihr das widerlegen. Selbst ihre bewußten Reaktionen waren unergiebig. Einer ihrer Studienkollegen knobelte ein Experiment aus, bei dem eine Person an einen Tisch geführt wurde, auf dem, unter einer Decke, eine Pistole lag. Er wollte die Reaktionen der Versuchspersonen feststellen, wenn das Tischtuch plötzlich weggezogen wurde. Als man dieses Experiment mit Gertrude machte, zeigte sie sich weder überrascht noch erschreckt, ja nicht einmal belustigt. Sie fand das ganze albern und sagte es auch.

Bei der ersten Aufgabe, die Gertrude und Leon Solomons für ihre gemeinsame Arbeit gestellt wurde, mußten sie auch eine Stimmgabel verwenden. Als sich herausstellte, daß sie beide überhaupt kein Gehör hatten, wurde das Projekt fallen gelassen. Daraufhin machten sie sich an eine Untersuchung der Ermüdungserscheinungen. Sich selbst als Versuchsobjekte benutzend, wollten sie die Grenzen der rein motorischen Reflexe des Durchschnittsmenschen feststellen. Sie suchten den genauen Punkt zu finden, von dem ab man von einer Persönlichkeit behaupten kann, sie sei »gespalten«, und wo eine zweite Persönlichkeit frei wird, die ohne erkennbaren Zusammenhang mit der ersten handelt. Auf William James' Vorschlag hin begannen sie ihre Arbeit mit einem Brett, das den Alphabettafeln ähnelte, die man bei spiritistischen

Sitzungen verwendet. Sobald sie feststellten, daß es möglich war, spontane Schreibbewegungen trotz Ablenkungen zu machen, griffen sie zu gewöhnlichem Bleistift und Papier. Bei einem Experiment sollte das Versuchsobjekt denselben Buchstaben wieder und wieder schreiben, gleichzeitig aber eine Geschichte lesen. Das Resultat war ein ungewolltes Niederschreiben von Worten oder Teilen aus der Geschichte, und diese Worte oder Wortteile wurden von der Versuchsperson meist sofort wahrgenommen. Bei einer Wiederholung dieses Experiments entdeckten die beiden jedoch, daß viele Worte niedergeschrieben wurden, ohne daß die Aufmerksamkeit der Versuchsperson dadurch unterbrochen wurde.

Einige ihrer Experimente im Labor waren nicht erfreulich, wie Gertrude in einem 1894 geschriebenen Bericht deutlich ausdrückt: »...Diese ausgeprägte Persönlichkeit soll sich vollständig ›leer‹ machen, während ein anderer mit ihr wie mit einem Automaten verfährt. Dann zwingt man ihr eine komplizierte Apparatur auf, die, mit Riemen auf ihrer Brust befestigt, ihre Atmung registrieren soll. Ihre Finger sind in einer stählernen Maschinerie eingesperrt, und ihr Arm steckt in einer großen Glasröhre, die jede Bewegung unmöglich macht. Um sie herum sitzt eine Gruppe ernster junger Leute, die aufmerksam die stumme Niederschrift der automatischen Feder auf der sich langsam drehenden Trommel beobachten. Seltsame Vorstellungen fangen an, sie zu bedrängen, sie spürt, daß die lautlose Feder unentwegt weiter und weiter schreibt. Ihre Niederschrift ist da, sie kann ihr nicht entfliehen, und die Menschen um sie herum werden allmählich zu hämischen Unholden, die sich an ihrer elenden Hilflosigkeit weiden. Plötzlich zuckt sie zusammen, denn die andern haben unvermittelt in ihrem Rücken ein Metronom in Gang gesetzt, um dessen Wirkung zu beobachten, und damit ist die morgendliche Arbeit beendet.«

Bei einem anderen derartigen Experiment liest die Versuchsperson eine Geschichte vor, während sie Worte, die ihr diktiert werden, niederschreibt. Im Anfang unterbrechen diese Worte stets die Vorlesung, dann aber entdecken die Experimentierenden, daß die Versuchsperson manchmal fünf oder sechs der diktierten Worte niederschreibt, ohne sich deren Klang oder der Bewegung ihres Armes bewußt zu sein. Schließlich wollte man die Möglichkeit des völlig spontanen automatischen Schreibens untersuchen. Eine Ablenkung durch Vorlesen war zu diesem Zeitpunkt nicht mehr nötig. Gertrude stellte fest, daß sie unbewußt und ohne Unterbrechung schreiben konnte, und daß nur Worte, die hinter der Bewegung ihres Bleistiftes zurückblieben, sie ablenkten. Sie und ihr Partner beobachteten, daß Wörter und Sätze häufig in grammatikalischer Folge kamen, daß eine logische Abfolge jedoch nur selten zu erkennen war. Ein vollkommen automatisches Schreiben kam nicht zustande, dennoch lieferte das Experiment zumindest den Beweis, daß mitunter eine beachtlich lange Folge zusammenhängender Wörter erreicht werden konnte.

Gertrude machte sich auch hin und wieder selbständig und arbeitete mit Studenten, die sich nicht mit Psychologie beschäftigten. Mit Hilfe dieser Studenten, die sie bat, sich kurz vor und kurz nach Prüfungen für Experimente zur Verfügung zu stellen, hoffte sie die Ergebnisse ihrer Arbeit mit Solomons zu prüfen, denn nun erstreckten sich die Voraussetzungen der Experimente auf ein viel weiteres Feld. Dennoch entdeckte sie nichts, was man als automatisches Schreiben hätte bezeichnen können. Manchmal entstanden Kreise, hin und wieder ein schwach erkenntlicher Buchstabe. Nach mehr als vierzig derartigen Versuchen mit jeweils anderen Studenten lagen immer noch keine Ergebnisse vor, die die Bezeichnung automatisches oder sonstiges Schreiben gerechtfertigt hätten. Da sie sich mehr für die Persönlichkeit ihrer Versuchsobjekte interessierte als für deren experimentelle Niederschriften, machte sie sich an das Studium ihrer Anpassungsfähigkeit, des emotionellen Halbschattens, in dem sie sich auf ihren Ausflügen in die wissenschaftliche Forschung bewegten. Sie wollte herausbekommen, woran es lag, daß die Aufmerksamkeit des einzelnen geweckt wurde oder nachließ. An Hand von Notizen zog sie dann Vergleiche und Schlüsse. Als sie damit fertig war, glaubte sie, ihre Ergebnisse in Diagrammen und Kurven darstellen zu können, die für jeden Interessierten aufschlußreich sein mußten. Leon Solomons verglich seine Feststellungen mit den ihren und verfaßte dann einen Bericht über ihre gemeinsamen Experimente, den er auch veröffentlichte und in dem Gertrudes Name zum erstenmal auftauchte. Über diesen Bericht schrieb sie später: »Er ist sehr interessant zu lesen, da sich in ihm bereits die Methode zu schreiben abzeichnet, die später in *Three Lives* und *Making of Americans* weiter entwickelt wurde.« Gertrude war an der endgültigen Fassung der veröffentlichten Arbeit nicht beteiligt. Obgleich sie für die Authentizität der dargestellten Methoden einstehen konnte, distanzierte sie sich von dem Artikel insofern, als er die

Möglichkeit des automatischen Schreibens zu beweisen versuchte. Ihr eigener Kommentar ist kurz und bündig: »...unter anderm prüfte ich die Reaktion des Durchschnittsstudenten im Zustand normaler Aktivität und einer durch Examen hervorgerufenen Erschöpfung. Man erwartete von mir, daß ich mich für die Reaktionen dieser Studenten interessierte, bald aber entdeckte ich, daß ich dies nicht tat, sondern mich statt dessen ungeheuer für ihre Charaktere interessierte, denn schon damals hielt ich das für die Urnatur des Menschen, und als ich im Mai 1896 meinen Teil des Berichts über dieses Experiment schrieb, faßte ich die Resultate wie folgt zusammen: In diesen Schilderungen wird man sofort erkennen, daß in der jeweils festgestellten Aufmerksamkeit des einzelnen der ganze Charakter der Persönlichkeit zum Ausdruck kommt.«

Ihr knapper Beitrag zur psychologischen Wissenschaft blieb fast vierzig Jahre lang, ohne daß sie dies eigentlich verdient hätte, unbeachtet. Als sie berühmt wurde, holte man ihn eiligst aus den Archiven, um ihn gegen sie zu verwenden. Die Bezeichnung »Automatisches Schreiben«, wie Professor B. F. Skinner sie in einem Artikel mit dem Titel »Hat Gertrude Stein ein Geheimnis?« verwendet, der 1934 im *Atlantic Monthly* erscheint, sollte der handlichste und geläufigste Begriff werden, mit dem man ihre schwierigeren Werke erklärte oder abtat. Für die Tausende von Menschen, denen sie ein Rätsel war, die jedoch daraus weder folgern konnten noch folgern wollten, daß sie geisteskrank oder schwachsinnig war, wurde dieses »Automatische Schreiben« das erlösende Wort. Die von Professor Skinner aufgestellte Frage war verlockend, doch die Antwort, die er darauf gab und die andeutete, daß ihre berühmtesten Schriften Produkte der gleichen Art von Experimenten seien, die sie während ihrer Studienzeit gemacht hatte, und daß man ihre Werke, wie jeder umfassende Bericht über Gertrude Steins Entwicklung beweisen wird, nur auf Grund ihrer Ähnlichkeit mit automatischem Schreiben erklären könne, war vollständig falsch, wenn auch vielleicht unvermeidlich. Es besteht kein Grund zu der Annahme, daß der Bericht über die Experimente in »gewöhnlichem motorischem Automatismus« als etwas anderes gewertet werden sollte als was sie nach Gertrude Steins eigenen Worten waren – eine unwesentliche wissenschaftliche Erfahrung, nach der sie ihre eigenen Wege zu gehen begann.

Als sich ihre Zeit in Radcliffe ihrem Ende näherte, fragte William James, der sich für ihre weiteren Pläne interessierte, was sie künftig zu tun gedenke. Da sie keine festen Vorstellungen darüber hatte, schlug er ihr vor, weiter Philosophie zu studieren. Sie verstand das dahin, daß sie sich der Mathematik widmen und sich ganz und gar der Psychologie verschreiben müsse. Will man Leo glauben, so ist ihre Behauptung, James habe ihr die Mathematik anempfohlen, damit sie sich auf die Philosophie vorbereite, völliger Unsinn. Seiner Erinnerung nach hat Josiah Royce ihr gesagt, sie müsse sich eingehend mit Logik befassen, ehe sie ernsthaft an eine philosophische Laufbahn denken könne. Da Gertrude an Philosophie, solange sie nicht aus der Sphäre der reinen Spekulation heraustrat, nichts Verlockendes fand, beschloß sie, James' zweitem Ratschlag zu folgen und Psychologie zu studieren. Dazu bedurfte es einer medizinischen Grundlage. Um aber das bereits begonnene Biologie- und Chemiestudium weiter zu betreiben, mußte sie erst einen akademischen Grad erwerben. Das hieß, daß sie schließlich doch die üblichen Aufnahmeprüfungen würde machen müssen, obgleich sie die Kurse, deren Absolvierung sie zu einem A.B. berechtigte, zu dieser Zeit ordnungsgemäß abgeschlossen hatte. Man sagte ihr, sie könne ihr *magna-cum-laude-Diplom* bekommen, sobald sie die Prüfung im Großen Latinum bestanden habe. Gertrude sah ein, daß ihr nichts andres übrigblieb, als sich gründlich mit der lateinischen Sprache zu befassen, aber zur gleichen Zeit lockte Leo mit einer Europareise und versprach ihr die Freuden einer Fahrt durch die Niederlande, eine Dampferfahrt den Rhein entlang und einen ausführlichen Besuch von Paris, wo, wie er sich ausdrückte, »ungeahnte Möglichkeiten winkten«.

»In ihrer Einstellung dazu, die lateinische Sprache zu erlernen«, sagt einer ihrer Studienkollegen, »kann man vielleicht einen Schlüssel zu ihrer Persönlichkeit finden. Sie tat stets das, was ihr im Augenblick das Wichtigste zu sein schien. Es erschien ihr nicht wichtig, Latein zu können, sie mußte aber ihre Prüfung in Latein bestehen, um das zu tun, was ihr wichtig war – nämlich an der Johns-Hopkins-Universität zu studieren. Sie schob ihr Lateinstudium bis zum letzten Augenblick hinaus, schleppte, wo sie ging und stand, eine lateinische Grammatik mit sich herum, als erhoffe sie sich, diese Sprache durch ihre Poren aufnehmen zu können. Einer ihrer besorgten Freunde brachte ihr bei, daß isieme esiumibus die Endungen der dritten Deklination seien, aber es ist zweifelhaft, ob sie gewußt hat, wo diese Endungen begannen. Sie schrieb eine Prüfungsarbeit über Cäsar, von der sie behauptete, sie sei aus einem Guß: entweder vollkommen richtig oder vollkommen falsch. Dann befragte sie aus Spaß die Bibel, ob sie bestanden habe, und schlug eine Stelle im Klagelied des Jeremias auf, die nur negativ auszulegen war. Und richtig – sie war durchgefallen. Sie verbrachte einen beschwingten Sommer in Europa, lernte im folgenden Jahr Latein und bestand ihr Examen.« Das letzte bemerkenswerte Ereignis ihrer Zeit in Radcliffe war ein heute berühmter Schriftwechsel mit ihrem Lieblingslehrer. Am Tag der Schlußexamen betrat sie den Prüfungsraum, sprach mit ihren Kommilitonen noch einmal alle Fragen durch und schrieb dann gelassen auf den Umschlag ihres Prüfungsheftes: »Lieber Professor James, es tut mir sehr leid, aber ich fühle mich heute wirklich nicht zu einer Prüfung in Philosophie aufgelegt.« Vor den Augen ihrer erstaunten Kollegen packte sie ihre Siebensachen zusammen und entschwand. Am nächsten Tag brachte ihr der Briefträger eine Postkarte von Professor James: »Liebe Miss Stein, ich kann Ihre Gefühle sehr gut verstehen. Ich fühle mich häufig auch nicht anders.« Dieser heiteren Botschaft war seine Benotung beigefügt: Gertrude hatte besser abgeschnitten als all die anderen Prüflinge, die bis zum bitteren Ende ausgeharrt hatten.

Sie verließ Cambridge mit dem Gefühl, ein volles und reiches Leben unter anregenden Menschen verbracht zu haben, aber sie trauerte weder der Universität noch ihren persönlichen Freunden nach. Fünfunddreißig Jahre später erinnerte sie sich bei einem Besuch Cambridges nur noch mit Mühe an die alten Sraßen und die berühmtesten Gebäude.

Aber für Baltimore, ihre neue Heimatstadt, hegte sie die innigsten Gefühle. »Baltimore, sonniges Baltimore«, hatte sie als junge Studentin geschrieben, »wo keiner Eile hat und die Stimmen der Neger, die singend auf ihren Karren in trägem Trott vorüberrollen, einen in sanfte Träume lullen. Es ist eine seltsam schweigende Stadt, sogar die geschäftigsten Straßen scheinen still, und das Bimmeln der Straßenbahnen ist mit dem friedlichen Schweigen im Einklang, ja verstärkt es sogar. Auf der Veranda zu liegen, den traurigen Weisen von Griegs Frühlingssonate zu lauschen, die Negerstimmen in der Ferne zu hören und dabei die Gedanken müßig wandern zu lassen, das ist Glückseligkeit. Die Lotosesser haben die Freuden der Stille nicht vollständiger gekannt als ein Bewohner Baltimores. Laßt uns in Frieden, denn wir haben die

Essenz der Zufriedenheit, stilles Träumen, träges Dämmern im heißen, sinnlichen Sonnenglast.«

Als sie im Herbst 1897 nach Baltimore zurückkehrte, suchte sie nicht nach stiller Abgeschiedenheit, sondern nach einer Arena, in der sie ihre ehrgeizigen Ziele verwirklichen konnte. Eine Freundin aus Radcliffe, Margaret Sterling Snyder, die von Gertrudes Entschluß, Medizin zu studieren, erfuhr, wollte sie auf Grund ihrer eigenen traurigen Erfahrungen warnen. »Heute weiß ich«, schrieb sie, »daß ich zu den am meisten beklagenswerten und irregeleiteten der vielen jungen Frauen gehöre, die nach etwas trachten, das ihnen in unsrer Zeit verwehrt ist... Ein behütetes Dasein, Geschmack an häuslichen Dingen, Mutterschaft und Glaube sind alles, was ich mir für mich und dich und die große Masse der Frauen wünschen kann.« Entschlossen, »ein nützliches Mitglied der menschlichen Gesellschaft zu werden«, ließ sich Gertrude weder durch diesen noch durch andere warnende Hinweise über die Grenzen, die der Frau in einer Männerwelt gesetzt sind, beirren. Entgegen dem Rat ihres Bruders Michael und dessen Frau, die bezweifelten, daß Gertrude einen Haushalt führen konnte, machte sie sich selbständig und teilte, zuerst mit Leo, solange dieser an der John-Hopkins-Universität Biologie studierte, und dann mit Emma Lootz, einer Kommilitonin, und einem Dienstmädchen namens Lena – »der sanften Lena« aus *Three Lives* – ein Haus und begann mit dem Medizinstudium an der Johns-Hopkins-Universität. Das ziemlich große Haus, das in einer nicht sehr eleganten Wohngegend lag, war vom Medizinischen Institut aus zu Fuß erreichbar. Leos Sammlung japanischer Holzschnitte verlieh den Räumen eine persönliche Note, aber sonst unterschied es sich, Gertrude zufolge, nicht von den vielen typischen Wohnhäusern Baltimores, »die alle von der gleichen Art sind und aussehen wie Dominosteine, die ein Kind zusammengewürfelt hat«. Ihre beiden ersten Studienjahre, die sie mit Laboratoriumsarbeit unter der Leitung von Llewellys Barker und Franklyn Mall verbrachte, erschienen ihr produktiv und befriedigend. Sie hatte sich vor allem in das Studium der Gehirnwindungen vertieft, wobei sie, wie sie später erzählte, »die Aufmerksamkeit von (Sir William) Osler und (William Stewart) Halstead erregte« und die Grundlagen zu einer vergleichenden Studie erarbeitete, die später von Barker veröffentlicht wurde.

Leo, der diese Version ihrer Arbeit an der Johns-Hopkins-Universität abstreitet, schreibt ihre spätere falsche Darstellung der Tatsache zu, daß sie hinsichtlich ihrer Studentenzeit jeden Sinn für Humor verloren habe. Er behauptet, daß sie sich damals über ihre Arbeit lustig gemacht habe. Zwar wußte sie, daß es lächerlich war, Modelle von Gehirnwindungen anzufertigen, »es störte sie jedoch nicht, da es eine rein mechanische und ziemlich ausruhende Arbeit war«. Außerdem pflichtete sie dem deutschen Anatom bei, der diese Tätigkeit »eine vorzügliche Beschäftigung für Frauen und Chinesen« genannt hat. Ob sie nun die Arbeit während der beiden Jahre an der Johns-Hopkins-Universität ernst nahm oder nicht, sie war »gelangweilt, rechtschaffen gelangweilt«. Die kleinen Streitereien und Intrigen nahmen sie in Anspruch, sie verfolgte den Klatsch, der durch die Schule plätscherte, aber Praxis und Theorie der Medizin waren langweilig und ermüdend geworden.

Als Medizinstudentin wohnte sie Geburten bei, vor allem in den Negervierteln der Stadt. Die Beobachtungen, die sie während dieser Arbeit machte, lieferten ihr für ihr erstes berühmtes Werk »Melanctha« Material aus erster Hand und gestatteten ihr Einblicke in ein Baltimore, das ihr früher verschlossen gewesen war.

Während der Sommerferien traf sie sich fast immer mit Leo in Europa. Florenz, nach Leos Ansicht »eine unerhört ernste Stadt«, wo »man beinahe auf einer Beschränkung jedweder Tätigkeit besteht«, war für gewöhnlich ihr ständiger Wohnsitz. Leo hatte seine geschichtlichen Studien in Harvard und sein Biologiestudium an der Johns-Hopkins-Universität aufgegeben und sich der Malerei und dem Studium der Ästhetik zugewandt. Ursprünglich war er nach Europa gegangen, um ein Buch über Mantegna zu schreiben, aber schon bald erkannte er, daß sein Interesse an der Kunst mehr ästhetischer als geschichtlicher Natur war. So gab er dieses Vorhaben auf und befaßte sich vorwiegend mit der Malerei des Quattrocento, insbesondere mit den Werken von Piero della Francesca, Paolo Ucello, Domenico Veneziano, Andrea del Castagno und den frühen Sienesen.

Eine der besten Beschreibungen von Gertrude in dieser Epoche stammt aus der Feder des Schriftstellers und Journalisten Hutchins Hapgood, eines alten Freundes von Leo. Die Bekanntschaft der beiden datierte von der Weltreise, die Leo in Gesellschaft seines Vetters Fred Stein zu Beginn des Jahres 1896 unternahm. Leo und Gertrude trafen Hapgood auf einer ihrer längeren Reisen in Heidelberg. »... Eine ungewöhnliche Persönlichkeit: kraftvoll, ein schöner Kopf, den Eindruck von Granit erweckend. Ich spürte in Gertrude Stein eine unerhörte Spannung, nicht die Art von geistiger Aktivität, wie ich sie bei Bertrand Russell kennengelernt hatte..., sondern ein starkes Temperament, das auch sehr anregend war... Aber bei Gertrude Stein, selbst in diesem Augenblick ihrer Jugend, da ihr eine Art von beinah unweiblicher Schönheit eigen war und sie eine glänzende akademische Vergangenheit hinter sich hatte, war das Ego nicht zu übersehen. Sie... war durch eine innere Notwendigkeit gezwungen, sich ihrer essentiellen Überlegenheit bewußt zu sein, zu dieser Zeit aber wurden Auge und Phantasie des Beschauers durch ihre ungewöhnliche Substanz und ihre Schönheit gefesselt.«

Als Hapgood die Geschwister in späteren Sommern in Bernard Berensons eleganter 18.-Jahrhundert-Villa mit den vierzig Zimmern, I Tatti, in Vallombrosa unweit von Florenz traf, scheinen ihm Leo und Gertrude fehl am Platze zu sein. Das Leben in I Tatti mit seinen bedeutenden Gemälden und seiner 40 000 Bände zählenden Bibliothek war anmutig und schwerelos, beherrscht von einem Gastgeber, der ganz der Feinsinnigkeit und vollendeten Umgangsformen lebte. Die Steins hingegen waren »wuchtig und schwerfällig« und wirkten in ihren mönchischen Gewändern und Sandalen wie Propheten. »Sie bemühten sich immer wieder um Leichtigkeit«, schrieb Hapgood, »sie wollten mit diesem Ort und seiner Atmosphäre harmonieren, aber bei Leo war es die Leichtigkeit eines verlegenen Schwergewichtlers, dem es nicht an Witz und verächtlicher Kritik mangelte. Gertrude jedoch fügte sich trotz ihres beachtlichen Körpergewichts (sie wog damals über zwei Zentner) durch Liebenswürdigkeit und bedeutungsschwangeres Schweigen recht gut in den Rahmen und war damals ihrem Bruder, dessen Qualitäten und Begabungen sie spürte und pries, ganz und gar ergeben.« Berenson selbst teilte Hapgoods Meinung, wenn man Aline B. Saarinen glauben darf, die in ihrem Buch *The Proud Possessors* schreibt: »Die Steins waren nicht Berensons Typ. Gertrude verletzte die ästhetischen Gefühle, die Berenson so viele Jahre kultiviert hatte, und in Leo sah er einen ermüdenden Langweiler. Er konnte jedoch einem Mann, der ganz aus dem Verstand heraus lebte, nicht widerstehen (auch wenn er diesen Verstand medioker fand) und war deshalb gewillt, Leo aus seiner intellektuellen Klemme zu erretten.«

Die ausgedehnten Sommerferien, in denen Gertrude das Leben

Leos und seiner kosmopolitischen Freunde kennenlernte, hatten sie wanderlustig gemacht. Sie vernachlässigte ihre Studien, vor allem die grundlegenden schriftlichen Arbeiten und zeigte sich im Mündlichen schlampig und oberflächlich. Als das Schlußexamen ihres letzten Jahres näherrückte, verhehlten mehrere Professoren nicht den Ärger über ihre Unaufmerksamkeit. Andere, die anscheinend, ebenso wie William James, von ihrem Ruf für originelle Arbeiten, der noch aus der Zeit ihrer Forschungen unter Llewellys Barker stammte, beeindruckt waren, neigten zur Nachsichtigkeit. Die bedeutenden Ärzte Halstead und Osler machten die Prüfungen zu einer reinen Formalität, aber der Gynäkologe wollte ihr eine Lektion erteilen und drohte, er würde sie glatt durchfallen lassen. Dem Bericht eines Kommilitonen zufolge blieb Gertrude jedoch unerschüttert, das »alte, kraftvolle Selbst, das durch Stadt und Land trampelt und voller Leben, Gesundheit und Humor durch die Gänge der Universität schlenderte«. Ihre nahe Freundin Marion Walter versuchte, entsetzt von dem Gedanken, Gertrude könnte sich blamieren, ihr den Ernst der Lage durch einen Appell an ihre Weiblichkeit klarzumachen. Sie meinte, daß von Gertrudes Erfolg oder Mißerfolg »die Stellung der Frau« abhinge. Aber Gertrude blieb gleichgültig. Sie interessierte sich weder für die Stellung der Frau noch für irgendwelche anderen Anliegen. Sie langweilte sich so sehr, daß sie auch an ihrer eigenen Zukunft kein Interesse mehr hatte. Als Leo in Florenz von ihren akademischen Schwierigkeiten erfuhr, beschlich ihn eine leise Angst. »Was höre ich da für heillosen Unsinn, der mir aus deiner Ecke zugetragen wird?« schrieb er. »Soll ich das als eine vorübergehende Phase oder einen Allgemeinzustand auffassen? Es wäre zu arg, wenn der erste Mensch unsrer Familie, der es einmal soweit gebracht hat, die Flinte ins Korn werfen würde. Nun, ich nehme an, daß du das nicht tun wirst, zumal es für dich gar keine Alternative gibt. Hättest du meine überragende Begabung für das Nichtstun, dann würde es vielleicht angehen, aber du hast sie nun einmal nicht.«

Nach wiederholten Drohungen ihrer Professoren und Ermahnungen ihrer Freunde fiel sie in der entscheidenden Prüfung durch; man gab ihr jedoch die Möglichkeit, das Versäumte in den Sommerferien nachzuholen. Dieses Angebot an sich war schon ein dicker Bremsklotz für ihr unbeschwertes Bummeln und verletzte ihren Stolz. Die Aussicht auf den Besuch der Ferienkurse war eine

Demütigung. Schlimmer noch, sie versagte ihr die Möglichkeit, wieder einige Monate in Europa zu verbringen. Sie verwarf also die gebotene Chance und damit auch die Aussicht auf eine medizinische Laufbahn. Dieses akademische Versagen, an sich nicht weiter tragisch, gestattete ihr, sich über den wahren Stand der Dinge klarzuwerden. Endlich sah sie ein, daß ihr das Medizinstudium von Anbeginn gegen den Strich gegangen war und daß ihr Ehrgeiz, Karriere zu machen, sowie die großen Hoffnungen, die William James auf sie gesetzt hatte, sie irregeleitet hatten. Sie hatte einen Weg eingeschlagen, der sie niemals dort hinführen würde, wo sie anzukommen wünschte. Nun, da sie sich über ihre Situation klar war, versäumte sie nicht, dem standhaften Professor zu danken, der ihr den Weg zum Diplom versperrt hatte, und kurz darauf machte sie sich zu ihrem Bruder nach Italien auf.

Zunächst lebten sie in einer Pension in Perugia, dann in Assisi. Ausflüge in die Umgebung, der Besuch von Bildergalerien und das Baden im Trasimenischen See vertrieben ihnen aufs angenehmste die Zeit, und Ende August reisten sie nach London. Nach einer kurzen Reise durch den Lake District mieteten sie eine Wohnung im Hause Bloomsbury Square 20, in der Absicht, dort den Winter zu verbringen. Noch ehe sie sich in Bloomsbury häuslich niederlassen konnten, wurden sie von Bernard Berenson und dessen Frau aufgefordert, ein Wochenende auf deren Landsitz Haslemere zu verbringen. Entzückt von einer Gegend, die nach Leos Worten »so durch und durch lieblich, so üppig und leuchtend in ihrer tiefen sonnenüberfluteten Farbigkeit und so schön in ihren Umrissen und in ihrer ganzen Anlage« war, beschlossen sie, ein nah gelegenes Landhäuschen namens »Greenhill« für einige Wochen zu mieten. Ihre freien Stunden verbrachten sie weiterhin mit den Berensons und deren Freunden, dem kränkelnden Romancier und Dramatiker Israel Zangwill und »einem jungen genialen Mathematiker«, Bertrand Russell, dessen Frau die Schwester von Mrs. Berenson war. Die Unterhaltung dieser Menschen wandte sich immer wieder wie zwangsläufig dem Vergleich zwischen dem englischen und dem amerikanischen Nationalcharakter zu. Im Verlauf einer dieser Unterhaltungen stritten sich Gertrude und Russell mit einer Heftigkeit, die sich bei ihrer zweiten und letzten Begegnung viele Jahre später wiederholen sollte. Russell vertrat die Meinung, das amerikanische Denken sei neuen politischen Ideen nicht zugänglich. Aus patriotischen Gründen – gewiß nicht aus echter Überzeugung oder Kenntnis – widersprach Gertrude. Ihr eigenes Denken war, wie die Zeit beweisen sollte, keinerlei neuen politischen Ideen zugänglich, und zumal während dieser Epoche war sie sich kaum bewußt, daß es derartiges überhaupt gab.

Im Jahr 1902 ahnten die Steins wohl kaum, daß sie für immer im Ausland bleiben würden, und sie sprachen häufig, wenn auch sehr vage, von dem Leben, das sie führen wollten, wenn sie in ein paar Monaten wieder in die Vereinigten Staaten zurückkehren würden. Ihre englischen Freunde und die anderen Amerikaner, die im Ausland lebten, konnten nicht begreifen, weshalb Menschen ihres Geschmacks und ihrer Neigungen an eine Rückkehr nach Amerika dachten. Aber die Steins blieben während der endlosen angloamerikanischen Dispute glühende Patrioten. Gertrudes Einstellung kann man vielleicht der brennenden Loyalität zuschreiben, die sie stets allem gegenüber empfand, was ihr durch Geburtsrecht oder Aneignung gehörte. Was Leo an Amerika zu bemängeln hatte, läßt sich in zwei Punkten zusammenfassen: Einmal war es vom Zentrum seiner ästhetischen und geistigen Interessen stets unendlich weit entfernt, und außerdem waren die wenigen amerikanischen Städte, in denen er sich sein Leben einigermaßen vorstellen konnte, so kalt. Dennoch glaubte er immer noch, daß in nicht allzu ferner Zeit er und Gertrude sich in Connecticut oder vielleicht auch in Massachusetts zu einem geruhsamen kontemplativen Leben niederlassen würden.

Im Oktober bezogen sie ihre Wohnung am Bloomsbury Square. Dort bahnte Leo sich seinen Weg »durch die ästhetische Wildnis«, Gertrude aber wurde eine tägliche Besucherin des Lesesaals im Britischen Museum, wo sie Wiedersehen mit alten Lieben feierte und neue Lieben entdeckte. Lange Jahre eines »kontinuierlichen Lebens im Rhythmus der englischen Sprache« hatten ihren literarischen Geschmack über die Reife hinaus bis zur letzten Verfeinerung entwickelt. Nun hatte sie zum erstenmal seit East Oakland die Muße, sich völlig den Büchern zu widmen. Sie fühlte sich von den Werken Robert Greens gefesselt, und als sie sich zum erstenmal in die Romane von Trollope vertiefte, konnte sie sich tagelang nicht mehr davon trennen. Sie fing an, in den umliegenden Buchläden Memoiren des 18. Jahrhunderts zu sammeln, kaufte sich Walpole und die Creevy Papers und las von nun an nur noch mit einem Notizbuch neben sich. Während sie Sätze abschrieb, die ihr besonders gefielen, erlebte sie freudig entzückt die Wiederbegegnung mit Sätzen, die ihr bereits als Kind besonders gut gefallen hatten. So folgte sie einer Neigung, die sie ihr ganzes Leben lang beibehalten sollte: dem Genuß, Worte und Sätze »zu liebkosen«.

Aber jenseits der Mauern des Britischen Museums lag das trübe und deprimierende London. Es erinnerte sie an das London von Charles Dickens mit seiner erschreckenden finsteren Szenerie und seinen armseligen Straßen und Gassen. Überwältigt von all dieser Trostlosigkeit, buchte sie eine Passage nach Amerika und »den weißfunkelnden Umrissen des New Yorker Hafens ... dem reinen Himmel und dem weißen Schnee und den hohen schlichten plumpen Gebäuden, die ohne Makel fleckenlos in die kalte klare Luft ragten«. Als sie ihre winterliche Reise hinter sich hatte, traf sie sich mit drei Freundinnen, Mabel Weeks, Estelle Rumbold und Harriet Clark, und verbrachte den Rest des Winters mit ihnen in Manhattan im »Weißen Haus« – einem hölzernen Mietshaus, das am westlichen Ende der 100. Straße in einem Garten am Hudson lag. Dort begann sie, einen Roman zu schreiben, eine psychologische Studie über junge Frauen, die exakt die gleiche Erziehung und Bildung und den gleichen sozialen Status hatten wie die Freundinnen, mit denen sie zusammenlebte. Diese Arbeit beschäftigte sie mit Unterbrechungen beinah ein Jahr lang. Dann sollte der Roman jedoch für beinah dreißig Jahre »verschwinden«.

Während Gertrude in Amerika war, verließ Leo am Weihnachtsabend London in der Absicht, über Paris nach Florenz zu fahren, um sich dann später mit ihr in Baltimore zu treffen. In Paris aber erhielt er einen neuen Anstoß, der ihn mit der Wucht einer Verkündigung traf. Eines Abends, er speiste gerade mit dem jungen Cellisten Pablo Casals, wurde er sich plötzlich bewußt, daß »der Gärstoff bildlicher Vorstellungskraft zu arbeiten begann« – er sagte Casals, er fühle, daß er im Begriff sei, ein Künstler zu werden, ging in sein Hotel, zog sich aus und fing an (augenscheinlich nackt), sein eigenes Spiegelbild zu zeichnen. Im Lauf der nächsten Woche zeichnete er im Louvre Statuen ab. Das Schicksal, so beschloß er, hatte bestimmt, daß er in Paris bleiben sollte; ihm blieb nichts anders übrig, als sich zu fügen. Das Wohnproblem war leicht zu lösen. Sein Vetter Eph Keyser, der Bildhauer, hatte eben nach langem Suchen ein ihm zusagendes Atelier mit entsprechenden Wohnräumen gefunden. Leo, dem der Gedanke, sich nach einer eigenen Wohnung umzusehen, zuwider war, fragte seinen

Vetter, ob ihm nicht während seiner Wohnungssuche vielleicht die eine oder andere passende Unterkunft aufgefallen sei, die ihm als Heim und Atelier dienen könne. Der Vetter empfahl ihm die leerstehenden Räume im Haus Nr. 27, Rue de Fleurus.

III

> Was ist Poesie, Geschichte ist Poesie, wenn man sich an die französische Sprache gewöhnt hat. *Gertrude Stein*

Der Mann mit dem Gesicht eines sanften hebräischen Schafbocks und seine beleibte, gebieterische Schwester, Mlle. Gertrude, wurden 1903 die neuen Mieter der Parterrewohnung des Hauses Nr. 27 in der Rue de Fleurus, einem stillen Sträßchen, das den Boulevard Raspail, der 1907 »durchgeführt« wurde, mit der Westseite des Luxembourg-Gartens verband. Ihr neues Heim lag in einer Gegend, die damals als ein Vorort von Montparnasse galt, ein etwas schäbiges Viertel, in dem sich bereits einige englische und amerikanische Maler niedergelassen hatten, das jedoch dem Montmartre als der Welt bekanntestem Künstlerviertel keine Konkurrenz machte. Die berühmten und berüchtigten Wahrzeichen von Montparnasse – die Rotonde, das Sélect, der Bal Nègre und die Boule-Blanche – entstanden im ersten Jahr, in dem die Steins dort wohnten, und das Café du Dôme, damals ein bescheidenes kleines Etablissement mit dem schlichten Namen »Le Dôme«, sollte schon nach kurzer Zeit der inoffizielle Treffpunkt der Exilamerikaner werden. Gertrude und ihr Bruder jedoch hatten Rue de Fleurus Nr. 27 einzig und allein deshalb gewählt, weil sie von hier aus zu allem, was ihnen in Paris von Bedeutung war, sehr rasch gelangen konnten. Die Wohnung schien sich für ihr erstes wirkliches und ständiges Heim seit East Oakland vorzüglich zu eignen.

Die Nomadenjahre ihres wahllosen Studiums und Dilettierens lagen hinter ihnen. Die Wanderlust hatte Leo westwärts auf eine Weltreise geführt, die ihn weitgehend gelangweilt hatte, und später hatte sie ihn, auf der Suche nach jener Traumstätte, an der er sich ausschließlich dem Studium der Kunst und, so hoffte er verbissen, auch deren Ausübung widmen wollte, nach Italien, Deutschland und England getrieben. Gertrude hatte in Oakland, Cambridge und Baltimore ihre Schulbildung hinter sich gebracht, sie hatte die Niederlande und Deutschland kennengelernt, ihre »Italienische Reise« absolviert, das englische Landleben genossen, sie war Privatgelehrte in London und schließlich frisch gebackene Schriftstellerin in New York gewesen. Ihr Weg war nicht so deutlich der einer Suchenden gewesen wie der Leos, dennoch zeigte er ihre Ruhelosigkeit wie auch die immer deutlicher werdende Vorliebe für ein Leben im Ausland. Noch immer pflegte sie den Kontakt mit der Familie in Amerika und glaubte, daß man sie in Baltimore stets willkommen heißen würde, aber die europäische Lebensweise, mit der Leo sie bekannt gemacht hatte, ließ sie sich dann letzten Endes gegen ein Leben in ihrem Heimatland entscheiden. Wie Leo, so blies auch sie »die amerikanische Trompete, als schmettere Susas ganze Blaskapelle«, nun aber war sie – mit dem festen Vorsatz, Amerika jedes Jahr zu besuchen – begierig, sich in das Pariser Leben zu stürzen. Leo versteifte sich, zumindest eine Zeitlang, darauf, daß seine angeborene Begabung ihm als Maler Erfolg bringen würde. Er sagte, daß für einen Menschen, der zum malerischen Sehen erzogen worden ist, »die Schönheit der Welt ungeheuer gesteigert wird; dann wird alles schön. Jeder Mann, jede Frau und jedes Kind ist schön, und jede Gruppe von Menschen ist schön. Das Übermaß an Schönheit wird manchmal überwältigend; man verspürt das Bedürfnis, etwas dagegen zu tun; man ist beinah gezwungen, sich als Künstler zu versuchen, nicht nur im Schauen, sondern in der Tat, man versucht zu malen«. Gertrude, die ganz unverhohlen nach Berühmtheit gierte, war noch nicht ganz sicher, auf welchem Gebiet sie sich schöpferisch betätigen würde, und wußte nur, daß sie »la gloire« nicht auf dem Feld der Psychologie suchen wollte.

Um sich auf dem zunächst gewählten Gebiet der Schriftstellerei weiter vorzutasten, arbeitete sie an dem kurzen Roman weiter, den sie in New York begonnen hatte. Als sie die Erzählung am 24. Oktober 1903 beendete, legte sie die beiden Notizbücher, die sie damit angefüllt hatte, beiseite. Sie blieben fast dreißig Jahre lang in Vergessenheit und kamen, scheinbar ganz zufällig, an einem Abend des Jahres 1932 wieder zum Vorschein. Anläßlich eines Besuchs des französischen Kritikers Bernard Fay und des Romanciers Louis Bromfield erzählte sie von ihren ersten Zeiten in Paris, suchte dabei in alten Papieren und stieß auf das verlorene Manuskript. »Das Aufregendste, wirklich das Alleraufregendste«, schrieb sie damals, »war das Finden der ersten Sache, die ich geschrieben hatte, sowie die Frage, ob ich sie wohl mit Absicht versteckt hatte.« Leo bejahte ihre Frage später. Das Manuskript war, so erinnerte er sich, bewußt aus dem Weg geräumt worden, weil Gertrude gleich ihm der Meinung war, es sei wertlos. Er hielt die Arbeit stilistisch für unmöglich und den Roman als ein Stück

Literatur für schwach. »Der Stoff war interessant«, schrieb er, »er war das Grundmaterial für Melanctha und hatte nichts mit Negern zu tun – die Schreibe war unmöglich. Es fehlte jede Objektivation.« Diese Meinung Leos, die er, lange ehe der verlorengegangene Roman im Druck erschien, von sich gegeben hatte, wird durch das Werk selbst kaum bestätigt. Einer von Leos Freunden ist der Meinung, daß Leo das Manuskript nie gelesen hat und daß seine Kritik sich auf andere Romanfragmente Gertrudes beziehen muß, mit denen er es verwechselte. Auf jeden Fall wurde der Roman schließlich unter dem Titel *Things As They Are* (der ursprüngliche Titel lautete *Q. E. D.*) vier Jahre nach Gertrudes Tod veröffentlicht. Diese erste von Gertrude Steins dichterischen Schriften gelangte in die Hände der Leser, als bereits mehr als dreißig Bände aus ihrer Feder erschienen waren.

Das erste Produkt der Steinschen Literatur, das die Autorin im Alter von 29 Jahren verfaßte, ist wohl vor allem als ein vorzügliches Beispiel für den konventionellen Roman von Bedeutung. Es ist der schlagende Gegenbeweis auf die Behauptung, Gertrude Steins schwer zu lesende und schwer zugängliche Spätwerke seien ein Beweis für ihre völlige Unfähigkeit, mit dem klassischen Englisch umzugehen. Es ist ein Jugendwerk, eine ernste Arbeit und durch Anklänge an Henry James naiv gefärbt. Zu diesen James-Tönen gehört auch eine deutliche Anspielung auf Kate Groy, eine Hauptfigur in seinem Roman *The Wings of the Dove*. Dennoch hat es in seiner Manier und in der Beherrschung delikater Themen – der Gefühlsbindungen zwischen drei hochgebildeten jungen Frauen – etwas durchaus Selbständiges.

Die Methode, die sie in *Q. E. D.* verwendet, ist die einer kontinuierlichen, erbarmungslosen Analyse, jede Situation wird klar umrissen, ihre Bedeutung wird unentwegt näher bestimmt und ausführlich dargetan. Gertrude Stein interessierte sich, wie ihr Meister Henry James, weit weniger für die einzelnen Geschehnisse oder Situationen als für die unerschöpflichen Möglichkeiten, welche die Interpretation von Geschehnissen oder die Registrierung des seelischen Klimas einer Situation dem Nachdenken bieten. Im Gegensatz zu all ihren späteren Werken, in denen sie den Autor als eine beherrschende Kraft und einen Arbeiter beinah stets eliminiert, wahrt sie hier die konventionelle Distanz zwischen Gegenstand und Beobachter. Ihre Geschichte ist »eingerahmt«, von einem *point de vue* geschildert, der für Autor und Leser mehr oder weniger derselbe ist. Aber sie strebt auch nach Abstraktion und nach der Geometrie, die der Originaltitel andeutet. Sie verfährt mit der Leidenschaft, als ob sie diese exhumiere, sie registriert ihre Spielarten und legt sie sich fein säuberlich zur Einzeluntersuchung zurecht.

Der wohl überraschendste Aspekt dieses Werkes ist sein leuchtender Charme. Die Erzählung mag von einem geometrischen Zwang beherrscht sein, aber Anmut der Formulierung und eine schwerelose, reife Freude an Menschen und Dingen verleihen ihr Gehalt. Als Zeitbild ist es weder gewichtig noch verschnörkelt, sondern von einer intellektuellen Strahlkraft, die der der Werke von James sehr nahekommt, wo die peinlich genaue Schilderung von Sitten und Gebräuchen, von Moden und Protokoll nur als Mittel zur Vermenschlichung ethischer Probleme und als eine Möglichkeit, diesen romantisches Interesse zu verleihen, fungiert. Die jungen Amerikanerinnen in »Things As They Are« sind frisch gestärkt und korrekt, ein wenig atemlos stehen sie, ihrer Fessel ledig, im Zeitalter der Frauenemanzipation, sie sind aber auch rührend, in Gefühle verstrickt, die im üblichen Zeitroman nur lächerlich wirken. Die Tatsache, daß es sich um Gefühle handelt, wie sie in der Literatur der damaligen Zeit nur selten erwähnt werden, weist dem Buch an sich schon eine besondere Stellung zu, seinen hohen Rang erhält es durch Gertrude Steins Fähigkeit, verbotene Themen nicht auszusprechen und dabei doch mit geometrischer Exaktheit und von vielen Gesichtswinkeln aus zu betrachten, während ihre Erzählung forsch der endgültigen Erfüllung und Auflösung des *Quod Erat Demonstrandum* zustrebt. Dieser verschwundene Roman, der in Paris geschrieben wurde und von amerikanischen Personen und Orten handelt, die aus dem Gesichtswinkel des Pariser Lebens gesehen sind, ist die erste greifbare Leistung in jener Phase von Gertrudes Laufbahn, von der sie sagte: »Ich habe mein halbes Leben in Paris verlebt, nicht jene Hälfte, die mich gemacht hat, sondern die Hälfte, in der ich das machte, was ich machte.« Während manche Amerikaner Paris als der Welt größten Markt und Jahrmarkt der Kultur und der größtmöglichen Freiheit betrachten, war es für Gertrude lediglich ein Ort mit einer heilkräftigen, geistigen und intellektuellen Atmosphäre. »Paris ist der Ort, der denjenigen unter uns, die die Kunst und Literatur des 20. Jahrhunderts kreieren wollten, angemessen war, kein Wunder... Frankreich konnte zivilisiert sein, ohne mit dem Gedanken an Fortschritt belastet zu sein, es konnte an eine Zivilisation als solche und um ihrer selbst willen glauben, und deshalb war es der natürliche Schauplatz für diese Epoche.«

Gertrude war der Meinung, daß der schöpferische Mensch unbedingt das Erlebnis einer anderen Kultur als der eigenen bedürfe, sie wies auf das Bedürfnis der Renaissancekünstler nach der Kultur Griechenlands hin, auf das der englischen Dichter der Romantik nach Italien, auf das der modernen Maler nach den Einflüssen der verschiedenen Kulturen Afrikas. Sie war der Meinung, daß der schöpferische Vorgang durch Distanz beschleunigt und bereichert wird; daß der Künstler, wenn er von seinen ersten Quellen abgeschnitten wird, seine Eigenart viel rascher herausarbeiten und seine eigenen Stilmittel viel rascher entwickeln kann. Der schöpferische Mensch läßt sich innerhalb der eigenen Kultur leichter verwirren, durch unwesentliche Einflüsse und Gegenströmungen hemmen und von unmittelbaren Gegebenheiten tyrannisieren. So wie jeder Schöpfer zwei Kulturen braucht, so sollte ihrer Meinung nach ein Schriftsteller auch eine Nebenbeschäftigung haben. Neben dem Lesen und Schreiben, das für sie ein Lebensinhalt war, beschäftigte sie sich mit dem Betrachten von Bildern. Paris, das nach den Worten von Paul Valéry, »die politische, literarische, wissenschaftliche, finanzielle, geschäftliche, sinnliche und üppige Hauptstadt eines großen Landes« war, befriedigte all diese Bedürfnisse in hervorragender Weise.

Dennoch schien ihr, daß Paris für sie und die anderen Künstler nicht so sehr deshalb ein gutes Pflaster war, weil es ihnen viel zu bieten hatte, sondern weil es ihnen ihre Eigenart ließ. Sie wählte Paris um der Ruhe und des Friedens willen, die sie für ihre Lebensform und ihre Arbeit brauchte, und sie liebte die Franzosen, weil sie herzlich, aber nicht aufdringlich waren. Sie war auch glücklich über die Eleganz ihrer Wahlstadt – »die Männer mit den schräg aufgesetzten Zylinderhüten, die sich im schrägen Winkel dazu schwer auf ihre Spazierstöckchen stützen, um das Gleichgewicht zu halten, der schwere Kopf und die schwere Hand auf dem Stockknauf, das war die Eleganz von Paris«. Insbesondere schien aber ihr Paris ein vorzüglicher Nährboden für den Künstler des 20. Jahrhunderts, weil es »wissenschaftliche Methoden, Maschinen und Elektrizität kannte, im Grunde aber doch nicht glaubte, daß diese Dinge irgend etwas mit dem eigentlichen Leben zu tun haben...«.

Vor allem schätzte sie an Paris die Lässigkeit, eine weitgehende Lässigkeit in den rein äußerlichen Dingen, aber – und das war das Wesentliche – auch die intellektuelle und geistige Lässigkeit. Gertrude Stein hatte nie das Bedürfnis des Visionärs, sich in mystischen Gefilden zu verlieren oder sich ihnen zu opfern; sie konnte sich stets nur in einer Umgebung sehen, in der sie sich behaglich und wichtig fühlte. Ein großer Glücksfall hatte sie zu einem Zeitpunkt nach Paris geführt, als die Aufregungen einer stürmischen schöpferischen Epoche nicht als legendäre Geschehnisse der ästhetischen und sozialen Geschichte, sondern als etwas Lebendiges erlebt wurden. Der Hintergrund, den jedermann um 1900 brauchte, war, so glaubte sie, »der traditionelle Hintergrund einer tiefen Überzeugung, daß Männer, Frauen und Kinder stets die gleichen sind, daß die Wissenschaft interessant ist, aber nichts ändert, daß es die Demokratie wirklich gibt, daß aber Regierungen, solange sie den Bürger nicht steuerlich überfordern oder vom Feind besiegt werden, bedeutungslos sind«. Rückblickend erkennen wir, daß Gertrude Stein auf der Woge einer Revolution herangeschwemmt wurde, die auch ihre Karriere mit sich brachte, einer Revolution, der in ihrer Person eine unbeugsame Sprecherin und ein wertvoller Impresario erwachsen sollte. In Paris hatte sie eine alte aufgeklärte Stadt gefunden, lebendig im Sinne des Intellektualismus. Das Milieu, in das sie kam, gestattete die Entwicklung des Empfindungsvermögens und die Entfaltung jeder Begabung, die in Amerika, wo Kultur noch immer mehr eine soziale Arabeske denn eine schöpferische Kraft war, verkümmern mußten oder beengt wurden. Vielfach von Wissenschaftlern unbewußt unterstützt, waren die Pariser Künstler aller Sparten zu Entdeckern auf Gebieten geworden, die jenseits jener Bezirke lagen, die das übliche und allgemeine Denken als die Grenzen der Realität betrachtete. Es war die Zeit und die Gelegenheit zu wunderbaren Begegnungen zwischen Theorien und schöpferischen Vorstellungen. Die einzelnen Werke, die von schreibenden, malenden oder komponierenden Künstlern hervorgebracht wurden, sollten sich bald als lebendige Illustrationen dessen erweisen, was man damals für die abseitigen Theorien und Untersuchungen von Männern wie Albert Einstein, Henri Bergson und Sigmund Freud hielt. In den Feuern jenes Schmelztiegels fand das 20. Jahrhundert zu seinem künstlerischen Selbst. Gertrude Stein sollte in vieler Hinsicht zum unverfälschten Beispiel für den Künstler dieser Epoche werden, in anderer Hinsicht jedoch schien sie überhaupt kein Künstler zu sein, sondern ein Wissenschaftler, der in einem Sprachlaboratorium kunstvolle Metaphern bastelte. Aber für sich selbst als eine Anwärterin auf den Ruhm hatte sie den rechten Platz im rechten Augenblick gefunden. Zu ihrem unerwarteten Vorteil – einem Vorteil, dem es nicht an einer gewissen Ironie mangelt – sollte sie erst dann zu großem Ruhm über die Bezirke der reinen Avantgardeliteratur hinaus gelangen, als sie aus ihrem Laboratorium trat und zum anekdotischen Chronisten einer Bewegung wurde, die unentwegt um sie herum und manchmal über sie hinweg und über sie hinaus strudelte und kreiste.

Leo und Gertrude begannen nun, ihr neues Heim in ihrer Wahlstadt mit Renaissancegegenständen einzurichten, die sie in Italien erworben hatten. Im Nu war die kleine Wohnung vollgestopft wie ein Warenhaus. Aber in den alten Stücken manifestierte sich, was ihnen beiden am Herzen lag: Strenge und Eleganz. Rasch gewöhnten sie sich an die großartigen Proportionen innerhalb ihres sehr beengten Wohnraums. Wichtiger als die Frage, wohin sie ihre Möbel stellen sollten, war ihnen überdies, wie sie ihre Gemälde hängen konnten. Da sie intelligent und im richtigen Augenblick kauften, hatten sie bereits den Grundstock zu einer Sammlung gelegt, die nach wenigen Jahren zu einer Institution der Rive Gauche und, auf ihre bescheidene Weise, ein sehr persönliches Wahrzeichen zeitgenössischer Kultur werden sollte.

Bei den Bilderkäufen gab Leo den Ton an, und es ist kaum eine Frage, daß diese Sammlung in den Anfangsjahren seinen persönlichen Geschmack repräsentierte. Manchmal befragte er Gertrude, wenn eine Neuerwerbung erwogen wurde, aber die letzte Entscheidung traf er meist allein. Gertrudes selbständiges Urteil sollte erst viele Jahre später zutage treten, als sie auf eigene Faust und mit eigenem Geld ihren ersten kubistischen Picasso kaufte. Ehe sie sich in Paris niederließ, hatte sie eine Reihe von Radierungen erworben und 600 Dollar für ein Gemälde des Amerikaners Alexander Schilling bezahlt. Aber dieses Bild stieß sie schon bald ab. Leos erste Erwerbungen waren etwas wahllos, nicht weil es ihm an Mitteln oder Wünschen gefehlt hätte, sondern weil nur sehr wenig von dem, was er in den Pariser Bildergalerien sah, sein Interesse erregte. Seine erste Erwerbung machte er kurz vor dem Umzug nach Paris in London. Es war ein Wilson Steer. Kaum hatte er seine Zelte in der Rue de Fleurus aufgeschlagen, kaufte er ein zweites Bild – ein kleines Gemälde von Du Gardier, das eine weißgekleidete Frau mit einem weißen Hund auf einem grünen Rasen darstellte. Aber auch dieser Kauf wurde ohne allzu große Begeisterung getätigt. Er hatte soviel Zeit mit Reden und Suchen verbracht, ohne zu einem Entschluß zu kommen, daß er den Du Gardier schließlich als Eintrittsbillett in die Welt der Sammler erwarb, in der Hoffnung, von nun an in den Galerien, in denen er soviel Zeit verbrachte, *persona grata* zu sein.

Als er Bernard Berenson gegenüber die geringe Auswahl in Paris beklagte, schlug ihm sein Freund vor, er solle sich doch einmal die Werke eines gewissen Paul Cézanne ansehen, die im Laden von Ambroise Vollard in der Rue Lafitte ständig ausgestellt seien. Bei seinem ersten Besuch bei Vollard kaufte Leo eine Landschaft. Aber sein eigentliches Interesse an Cézanne wurde erst im folgenden Sommer in Florenz geweckt. Dort, im zugigen Palast von Charles Loeser, einem ältlichen Kunsthistoriker und Connaisseur, entdeckte er eine Unmenge von Cézannes. Loeser, der Sohn eines Brooklyner Warenhausbesitzers, hatte aus seinem Florentiner Exil ein Privatmuseum gemacht, das er mit Gemälden und einer riesigen Sammlung von Bronzen, Fayencen, antiken Möbeln und Spazierstöcken mit Elfenbeinknäufen anfüllte. Leo verbrachte den ganzen Sommer auf der Suche nach Cézannes – provenzalische Landschaften, Stilleben und Akte. Loeser, als einer der ersten Sammler von Arbeiten Cézannes, hatte bereits einige der schönsten Werke, die dieser Maler jemals geschaffen hatte, in seinen Besitz gebracht und sich ein Musikzimmer eingerichtet, in dem er sie hängen konnte. In diesem Rahmen konnte man die Bilder betrachten, während das Lener-Quartett – das Loeser sich in höfischer Manier hielt, ehe es in den europäischen Konzertsälen zu Berühmtheit gelangte – die Nachmittage hindurch Haydn und Mozart spielte.

In den folgenden Jahren, den Geburtsjahren einer der bedeutendsten malerischen Epochen der Welt, erwarben Leo und Gertrude Werke von Renoir, Gauguin, einen Valloton, einen Manguin und weitere Cézannes – und das zu Preisen, die, obwohl bescheiden im Vergleich zu dem Wert, den diese Bilder bekommen sollten, doch ihr gemeinsames Einkommen erheblich belasteten. Glücklicherweise waren Michael Stein und seine Frau von San Francisco nach Paris übergesiedelt und hatten sich, bereits vor dem Einzug von Gertrude und Leo in die Rue de Fleurus, entschlossen, dort ständigen Wohnsitz zu nehmen. Unter Leos Einfluß hatten sie ebenfalls Sammlerleidenschaften entwickelt. Einmal konnte Michael seinen Geschwistern Geld für Gemälde vorstrecken, die sie sonst nicht hätten erwerben können. Die Wohnung der Steins ähnelte bald einem kleinen, überfüllten Museum; Gertrude war der Kurator, Leo der Führer.

Von überallher kamen Menschen, um sich sowohl die Bilder wie die Steins zu betrachten, von denen es allgemein hieß, sie seien exzentrische Millionäre, die, stets in Waschsamt gekleidet, in einem Pavillon – einem kleinen Häuschen in einem Hof – lebten, um anders als andere Leute zu sein. Die Besucher waren manchmal hellauf begeistert, manchmal snobistisch erfreut, auch dabei sein zu dürfen, manchmal aber auch ganz still und schlicht belustigt. Leo würzte diese Abende mit eigenwilligen Vorträgen, von denen er hoffte, daß man sie ihm als Improvisation abnehmen würde. Diese Plaudereien waren ihm wichtig – irgend jemand sagte einmal, daß er sich vom Leben nichts anderes wünsche als ein Ohr – als Ersatz für das Schreiben, für das er sich noch nicht reif glaubte, oder für das Malen, für das er im Augenblick psychologisch indisponiert war. »Menschen kamen«, sagte er, »und so erläuterte ich, denn es liegt in meiner Natur zu erläutern. Viele wollten wissen, weshalb ich nicht schreibe. Ich sagte, ich könne nicht schreiben. Das war, ehe ich von Freud gehört hatte, und so konnte ich ihnen nichts über psychologische Hemmungen sagen ...« Die meisten Gemälde waren sogar hochgebildeten Menschen ein Rätsel, und mitunter verließen die Besucher die Wohnung in einem Gefühl ohnmächtigen Zorns. Es wird berichtet, daß mancher Gast hinter dem Rücken der Steins in schallendes Gelächter ausbrach oder bissige Bemerkungen machte. Wer jedoch Leos Erwerbungen offen zu schmähen wagte, wurde von ihm in aggressivem und stolzem Ton zurechtgewiesen. Ganz darauf konzentriert, den anderen jede Nuance seines eigenen Empfindens aufzuzwingen, steigerte Leo sich so in seinen Besitzerstolz, daß er viele Zuhörer abstieß. Manche hatten das Gefühl, er verwechsle den Erwerb der Bilder mit dem Malen der Bilder.

Stets war er von einem Sendungsbewußtsein erfüllt: »Jemand mußte es ›entdecken‹, als ob es etwas ganz Neuartiges sei«, sagte er, »und dann bedarf es der Propaganda, die Anerkennung propagiert, um es den andern begreiflich zu machen. Ich habe entdeckt und propagiert, und ich weiß, wie es gemacht wird. Ein Mann, der mich in Paris besuchte, sagte mir, daß er nur von den Cézannes etwas hält, die er bei mir sah. Sie waren ganz gewiß nicht die besten Cézannes, aber in meiner Wohnung war die Atmosphäre mit Propaganda geladen, und er verfiel ihr.«

Leos Anstrengungen, ein Maler zu werden, scheiterten nach vielen ausgedehnten Versuchen, dennoch bemühte er sich verzweifelt um einen Platz in der neuen Bewegung. Beherrscht von seinem Glauben, daß »jede Handlung Kunst ist, die darauf abzielt, das eigene Interesse an der Form zu befriedigen«, maß er sich allmählich die Stellung eines Kritikpapstes an, die er seiner Ansicht nach unangefochten während des größeren Teils seines Daseins innehatte. »Wenn ein Maler nicht imstande ist, das entscheidende Wort zu finden«, sagte er, »dann bin häufig ich es, der es für ihn findet... Ein französischer Maler, den ich oberflächlich kannte, bat mich, seine Werke zu betrachten. Da ich nicht wußte, wie er es auffassen würde, machte ich konventionelle Bemerkungen, konnte mich aber dann doch nicht enthalten, auf eine leere Stelle zu deuten und ihm vorzuschlagen, wie man sie ausfüllen könne. Er war erfreut und fragte, ob mir sonst noch etwas aufgefallen sei. Ich sagte, mir sei vieles aufgefallen; also betrachteten wir seine Bilder von neuem, und er lernte sehr viel über Komposition.«

Seine autoritäre Pose beschränkte sich nicht auf die Malerei. Als ihn die flüchtige Lektüre von Henry James' »The Wings of the Dove« und »The Golden Bowl« langweilte, war er großzügig genug, diesen Büchern noch einmal eine Chance zu geben und es noch einmal mit ihnen zu versuchen, denn »die erste Lektüre gab mir die Überzeugung, daß sie Anwärter auf klassische Ehren sind. Die zweite Lektüre wird mir sagen, ob diese Überzeugung zu Recht besteht oder nicht«. Auf ästhetischem Gebiet kannte er in seiner angemaßten Vorrangstellung überhaupt keine Grenzen. »Eines Tages kam mir ein Gedanke, der für die Ästhetik fruchtbar zu sein schien – etwas, was Croce wenige Jahre später kundtat und was er als Philosoph für nachhaltig wichtig hielt, was ich aber, der ich mich für Kunst und nicht für Philosophie interessiere, schon bald als unwesentlich betrachten sollte.« Als er in späteren Jahren einen kühlen Blick auf die Essays von T. S. Eliot geworfen hatte, die zu einer Richtschnur der modernen Literatur geworden waren, äußerte er sich über »... die ungewöhnliche Banalität von Eliot. Er bemüht sich in gewisser Weise, seine Sachen sorgfältig und genau zu formulieren, es gelingt ihm aber im Grunde niemals, über den

Gemeinplatz hinauszugelangen – was vielleicht bei dieser Art von mittelmäßigen Dingen unvermeidlich ist. Wie ich schon sagte, sind es höchst langweilige Dinge – nicht interessant«. Zusammenfassend meint er: »Wir sind über die Zeit hinaus, da eine Naivität der Beurteilung wie die Eliots noch zulässig war.« Auch auf kulinarischem Gebiet konnte ihn niemand, zumindest nicht in seinem Familienkreis, übertreffen. »Alles, was Gertrude zu kochen versuchte, war miserabel«, sagte er und machte sich an solch schwierige Dinge wie Brot und Apfelstrudel, erfand neue Aufläufe und Pfannkuchen, die tatsächlich gegessen wurden. Seine schauspielerische Begabung setzte er in der Regel nicht der öffentlichen Kritik aus. Einmal jedoch, als er ein wenig angeheitert war, tanzte er à la Isadora Duncan eine Stegreifkomposition »Das junge Mädchen und der Tod« und ließ sich dabei von Georges Braque auf der Ziehharmonika begleiten. Leo berichtet, daß eine der Zuschauerinnen diese Darbietung als zu schön empfand, um in ihr eine Burleske zu sehen, und daß sie tief bewegt nach Hause ging, um ein Gedicht darüber zu schreiben. Aber das sind kleine Fische für einen Mann, der von sich behaupten konnte: »Ich bin kein produktiver Wissenschaftler, weil mir diese Art von Arbeit nicht liegt, vor allem fehlt mir die notwendige Geduld. Aber ich bin voll von wissenschaftlichen Ideen, die *mir* dienlich sind, mit denen ich mich aber nicht um ihrer selbst willen befasse und auf denen ich deshalb auch niemals beharre. Ich glaube, daß ich in dieser Hinsicht sowohl intelligenter als auch gewissenhafter bin als Freud und all die anderen Psychoanalytiker.« Unabhängig von andern hatte er, wie er später versicherte, den Pragmatismus von James, Peirce und Dewey entdeckt und die ganze Theorie des Kubismus schon um Jahre vorausgeahnt.

In den Augen vieler Menschen war Leo lediglich ein egozentrischer, aggressiver und lächerlicher Fant. Zu seinen besonders ärgerlichen Angewohnheiten gehörten auch seine wiederholten Versuche, Menschen, die ihn ihrer völligen Zustimmung versicherten, einzureden, daß sie im Grunde überhaupt nicht mit ihm übereinstimmten. »Aber aus der Entfernung«, schrieb Hutchins Hapgood, der Leo seit langen Jahren gut kannte, »erscheint Leo immer sympathisch; denn sein heftiges Bemühen, wahr zu sein und die Wahrheit zu sagen, ist beeindruckend. Er kann nur nicht über seinen eigenen Schatten springen, über die Würde, die er unter allen Umständen wahren zu müssen meint. Aber das Wohlergehen aller Menschen ist ihm ein echtes Anliegen, und er strebt nur nach dem Höchsten. Gewiß, er verquickt das Höchste allzusehr mit seiner eigenen Person, aber das ist besser als wenn man überhaupt nicht danach strebt. Seine geistige Regsamkeit kannte kein Ermüden; sie war vielmehr für die homogenen Teile seines Wesens allzu unermüdlich und intensiv. Sein Unterbewußtsein war nicht gehaltvoll genug, um seinem Verstand Gelegenheit zu geben, sich damit zu beschäftigen, und deshalb beschäftigte sich dieser Verstand meist mit sich selbst.«

Da er ein Kolumbus war, der »die Segel hißte, um eine Welt jenseits der Welt zu entdecken«, oder, nach Ansicht von Bernard Berenson, ein Mann, »der unentwegt den Regenschirm erfand«, beherrschte Leo in der Anfangszeit des Ateliers allein das Parkett. Gertrude hielt sich für gewöhnlich als stille Zuhörerin im Hintergrund, hinsichtlich dessen, was ihnen da eingeredet werden sollte, wahrscheinlich meist ebenso erstaunt und unsicher und ablehnend wie viele der Besucher. Der amerikanische Fotograf und Maler Alfred Stieglitz, ein häufiger Gast der Steins, zeigte sich von Gertrudes beherrschtem Schweigen angesichts der auf sie einstürmenden Provokationen tief beeindruckt. Er sagte, er sei nie einer Frau begegnet, die so lange still sitzen konnte, ohne den Mund aufzutun. Gertrude erklärte: »...Zu dieser Zeit schrieb ich, und das Argumentieren interessierte mich im Grunde nicht mehr. Nichts bedurfte einer Verteidigung, und wenn es einer Verteidigung bedurfte, war es zwecklos, es zu verteidigen. Auf jeden Fall war das der Anfang meiner schriftstellerischen Laufbahn, und zu dieser Zeit war mein Bruder bereits sehr schwerhörig geworden.«

Das Schreiben scheint zu diesem frühen Zeitpunkt für sie das natürlichste Mittel geworden zu sein, um Leos väterlicher Herrschsucht zu entgehen. Ihre Beziehung, die immer noch so unsentimental und so wenig persönlich war wie zu ihrer Kinderzeit, gründete auf gemeinsamen Interessen und bis zu einem gewissen Grad auf gleichen Vorstellungen. Aber die intellektuelle Initiative blieb weiterhin bei Leo, und seine aggressiven Selbstbestätigungen ließen sie häufig verstummen und verärgerten sie. Gertrude muß wohl geahnt haben, daß sie der übereifrigen Bevormundung des Bruders nur dann entkommen konnte, wenn sie eine selbständige Künstlerin wurde, die ihren eigenen Gesetzen folgte. Sie muß gespürt haben, daß sie sich eine Überlegenheit erobern könnte, indem sie etwas produzierte, während ihr Bruder in den schöpferischen Anfängen steckenblieb. »...Mein Bruder mußte reden, und er malte, aber er mußte über Malerei sprechen, um malen zu können, er mußte die Malerei verstehen, um malen zu können.« Ihr künstlerisches Leben, dessen Ungestörtheit sie unter großen Mühen zu wahren versuchte, war etwas, das Leo nicht dulden wollte. Die Ohnmacht, die er empfand, wenn sie ihn schweigend ausschloß, mußte zur Eifersucht führen. Auf Grund der Tatsache, daß er für ihr Tun keinerlei Interesse zeigte und sich unermüdlich für alles andere interessierte, darf man wohl annehmen, daß er in ihren Bemühungen eine bewußt gegen ihn gerichtete Kampfansage und einen Verrat sah.

Weil die Abende der Geselligkeit und der unentwegten Belehrung von Freunden und flüchtigen Besuchern gewidmet waren, machte Gertrude es sich zur Gewohnheit, nur in der Nacht zu schreiben. Sie begann meist gegen elf Uhr oder jedenfalls zu einer Zeit, da sie einigermaßen sicher sein konnte, daß niemand außen an der Haustür läutete, und arbeitete bis zum Morgengrauen. Wenn das Vogelgezwitscher in den Bäumen und auf den Dächern verkündete, daß es Zeit sei, die Feder niederzulegen, ging sie zu Bett und schlief bis in den späten Vormittag hinein. Überlas sie dann bei Tageslicht das Ergebnis der langen Nachtarbeit, fand sie nur wenig zu verbessern. Sie hatte das Gefühl, daß der Hauptteil der Arbeit vor der Niederschrift komponiert und endgültig formuliert worden war.

IV

> Keiner weiß, was ich tun will, aber ich weiß es, und ich weiß, wann es mir gelingt.
>
> *Gertrude Stein*

Als Gertrude Stein den »verlorengegangenen« Roman *Q. E. D.*, seine aseptischen Amerikanismen und seine Jamesische Finesse hinter sich gebracht hatte, begann ihre lange widerspruchsvolle eigentliche Karriere mit der englischen Übersetzung von Gustav Flauberts *Trois Contes* (1877), an der sie nun nächtelang stetig arbeitete. Das Übersetzen war für sie ein ungewöhnliches Unterfangen, und vermutlich hatte vor allem die Begeisterung ihres Bruders für den französischen Meister sie dazu verführt. Was sie dabei lernte, ersieht man aus den echten, wenn auch tastenden Affinitäten zwischen ihren frühesten Werken und den Geschichten, die zu Flauberts allerletzten Arbeiten zählen. Auf jeden Fall blieb es bei diesen ersten Übersetzungsversuchen. Nachdem sich einmal die Einflüsse Flauberts mit den Einflüssen Cézannes für sie als gleich fruchtbare Quellen der Inspiration und Methode erwiesen hatten, war der erste Schritt auf dem Weg ihrer späteren Karriere getan, die auf einer Verquickung der Malerei mit der Literatur beruhte.

Leo, ein begeisterter Flaubert-Leser, hatte während der ersten Monate, die er und Gertrude in der Rue de Fleurus verbrachten, nichts anderes gelesen und muß durch seine Exegesen über die Technik dieses Romanciers seine Schwester angeregt haben, ob sie ihm nun gern zugehört hat oder nicht. Auch ohne Leos Hinweis muß sie bei der Lektüre von Flaubert sofort erkannt haben, daß die Leidenschaft des französischen Schriftstellers für Genauigkeit, Ausgewogenheit der Komposition und analytisches Denken ihren eigenen Bestrebungen entsprach. Von den drei Erzählungen Flauberts – *Un Cœur Simple, La Lègende de Saint Julien l'Hospitalier, Hérodias* – ist allerdings nur eine, *Un Cœur Simple,* den drei Erzählungen, die Gertrude später unter dem Titel *Three Lives* veröffentlichen sollte, entfernt verwandt. Die Geschichte, nach der sie ihre Erlebnisse formte, war die von Félicité, »dem schlichten Herz«, deren Leben eine einzige lange Folge von Hingaben an das Leben anderer, deren tiefste Liebesbeziehungen geborgt oder gestohlen waren. Obgleich eine weit groteskere Figur als Emma

Bovary, ist Félicité doch wie diese eine Figur, die aus dem Dilemma zwischen einer mondänen Welt, die ihr veranlagungsmäßig verschlossen ist, und einer Phantasiewelt, die in ihrer leidenschaftlich romantischen Vorstellung existiert, nicht herausfindet. Als sie dann schließlich an den Rand des Wahnsinns – oder, wenn man will, der Heiligkeit – gelangt, glaubt sie, daß ihr geliebter ausgestopfter Papagei der Heilige Geist sei. Diese Heldin Flauberts, die durch ihr mitleiderregendes stummes Duldertum beinahe wahnsinnig wird, war eine Schwester vieler anderer analphabetischer Aschenputtel, denen Gertrude begegnet war. Zu einem Zeitpunkt, als der Stoff ihrer Geschichten bereits vorhanden war, die Form, die er annehmen sollte, jedoch noch keineswegs feststand, fand Gertrude in Flauberts Geschöpf einen Katalysator, der sie klarer sehen ließ und ihr gestattete, ihre eigenen Möglichkeiten auszuloten. Zur gleichen Zeit fand sie in den Worten des symbolistischen Dichters Jules Laforgue genau den Tonfall, in dem sie die grauen Proletariergeschichten, die sie erzählen wollte, vorbringen konnte – »Donc je suis un malheureux et ce n'est ni ma faute ni celle de la vie«. Stets hatte sie der Mensch, der sich nicht ausdrücken kann, gefesselt; nun sah sie eine Möglichkeit, den stummen und doch so sehr menschlichen Typ der Dienenden, wie sie ihn kannte, laut- und sinngemäß zum Ausdruck kommen zu lassen. Es bedurfte keiner weiteren Beobachtungen; jahrelang hatte sie in vielen Haushalten, einschließlich ihres eigenen, solche Frauen mit einer natürlichen menschlichen Neugierde wie auch mit ihrem wissenschaftlich geschulten Auge beobachtet. Aber dies abzuschildern und den richtigen Tonfall zu treffen, war zweierlei. Gertrudes Problem war ein zwiefaches, sollte aber durch eine Antwort gelöst werden.

Flaubert hatte die Lebensgeschichte der Félicité in seiner späten Schaffensperiode, in der er den Naturalismus aufs höchste verfeinerte, mit einer beißenden, fast klinischen Ironie erzählt. Gertrude, in deren Vorstellung ähnliche Dienstmädchentypen geisterten, machte sich daran, die Existenzen, die sie in *The Gentle Lena, The Good Anna* und *Melanctha* schilderte, nicht mittels der Ironie, sondern mittels eines überbetonten, mitfühlenden, langsam abrollenden Realismus auszudeuten. Ihr Stil beruhte auf einer rhythmischen Wiederholung der Gedanken und Reden, die, so hoffte sie, den präzisen farbigen Details gleichkam, welche Flauberts Geschichte so ungemein deutlich werden ließ. Die Lebendigkeit ihrer Geschichten sollte von dem Grad an Geschicklichkeit abhängen, mit der sie die Illusion des unmittelbar erfahrenen Redens und Denkens einfing. Während ihrer wissenschaftlichen Forschungsarbeit hatte sie beobachtet, wie die immer wiederkehrenden Rhythmen in der Sprache eines Menschen sein Verhalten gegenüber der Wirklichkeit zum Ausdruck bringen. Sie war der festen Überzeugung, daß der Charakter sich weniger in psychologischen Tests als in halbbewußten gesprochenen Sätzen und Rhythmen offenbart, durch die der einzelne seine Gefühle äußert und offenbart. Gesprochenes kann eine konventionelle Erzählung ergeben, aber viel wichtiger war ihrem Gefühl nach die Art und Weise, in der gesprochen wurde, die Bedeutung einer wirklich interessanten Geschichte lag nicht etwa in ihrer Moral, sondern mußte in jeder Zeit lebendig zum Ausdruck kommen. Sie war der Überzeugung, daß sie, sobald sie den Sprachmodus ihrer Charaktere nachgestaltete, diese mit einer Klarheit und Stärke darstellen konnte, die keine Kompilation biographischer Einzelheiten zu erreichen vermag.

Vergleicht man *Three Lives* und *Un Cœur Simple,* so deuten nur wenige stilistische Ähnlichkeiten darauf hin, daß Gertrude Stein beabsichtigt haben könnte, Flaubert zu imitieren. Sie trachtete von Anfang an danach, Charaktere zu schaffen, indem sie sich der verschiedenen sprachlichen Eigenheiten bediente, in denen ihre Heldinnen dachten und redeten. Flaubert wahrt im Verlauf seiner Contes die Stellung des freien, distanzierten und allwissenden Autors. Er erzählt uns, daß manche Geschehnisse Félicité traurig, manche sie glücklich gemacht hätten – eine simple Methode des Erzählens nach dem Muster einer Skizze Flauberts, die den Haushalt schildert, in dem das lebende Vorbild von Félicité bedienstet war: »Einförmigkeit ihres Daseins – wenig Ereignisse«. Gertrude Stein hingegen erzählt uns – zumal in *Melanctha* – nur sehr wenig über ihre Heldinnen. Statt dessen führt sie sie uns im sich beschleunigenden oder verlangsamenden oder sich endlos wiederholenden Rhythmus ihres Sprechens und Denkens vor. Nur selten verweilt sie bei Einzelheiten ihres häuslichen Lebens; bedarf es solcher Hinweise, so treten diese einfach im Denken der Dienstboten auf, deren Welt sie dann mit einer Selbstverständlichkeit umreißen, die dem idiomatischen Fluß durch und durch angemessen ist.

The Good Anna und *The Gentle Lena* halten sich weitgehend im Rahmen naturalistischer Erzählweise. Dennoch unterscheiden sie sich in charakteristischer Form vom üblichen Naturalismus. Der schlichte, hausbackene, beinahe litaneiähnliche Ablauf jeder dieser Erzählungen stellt eine entschiedene Abkehr vom typischen rhetorischen Stil des 19. Jahrhunderts dar. Die Folge ist Unmittelbarkeit, ein kontinuierliches Gefühl, die besondere Eigenart des Bewußtseins jeder dargestellten Figur zu hören und zu belauschen. Sie denkt sich ihre Situationen weniger wegen des dramatischen Geschehens oder wegen der Aneinanderreihung von Ereignissen aus, sondern um der Möglichkeit willen, den Charakter als einen Bewußtseinstyp zu beobachten. Die Welt, in der Gertrude Steins Figuren leben, ist stets den Grenzen ihrer Persönlichkeiten und ihrer intellektuellen Fassungskraft angepaßt. Sie wird nicht, wie bei Flaubert, durch das alles sehende Auge des Autors erweitert und erfordert deshalb eine ungewöhnlich innige Teilnahme des Lesers. Der Sinn der Geschichte hängt davon ab, wie die Figuren sich in ihrer persönlichen halbgebildeten Sprache anscheinend ausdrücken dürfen, und nicht von der vielsagenden Ironie und den geschickten Manipulationen des Erzählers. Es ist eine Romantechnik, die keine Mittlerdistanz vorsieht – jenen Raum zwischen dem Leser und der Erzählung, in dem Mitteilung und Meinung den Ablauf der Handlung näher bestimmen sollen. Bei Flaubert haben wir die Dokumentation eines einfachen Lebens durch eine Überfülle von entsprechend schlichten oder ausgefallenen Details und werden gleichzeitig immer wieder an den Intellektualismus und die Strenge des Erzählers selbst erinnert. Gertrude Stein verzichtet auf Detail und Dokumentation zugunsten einer derart abstrakten Wiedergabe, daß man den Autor darüber beinah vergißt. Sie glaubt, daß man Wirklichkeit nicht dadurch vermittelt, daß man die Habe dieser weiblichen Dienstboten aufzählt oder deren frühere Erfahrungen und Erlebnisse zusammenfassend berichtet oder ihre Gefühlsverfassung diagnostiziert, sondern allein durch die aufschlußreiche Wahrnehmung der Gefühle dieser Menschen während ihres Bemühens, ihren Gedanken Ausdruck zu verleihen.

Diese Technik führt unvermeidlich zu einer literarischen Verzerrung, die weit über die bislang akzeptable Vorstellung von den dichterischen Freiheiten hinausgeht. Wollen wir der Methode, deren sich Gertrude Stein in *Three Lives* bedient und die sie in *The Making of Americans* noch weiter entwickelt, auf den Grund kommen, dann müssen wir nicht bei Flaubert oder einer anderen rein literarischen Quelle suchen, sondern zunächst bei der Wissenschaft – der Wissenschaft von William James und der naiven Wissenschaft der Gertrude Stein in ihrem Forschungslaboratorium – und dann bei Cézanne. Gertrude Stein hat etwas Neues in Gang gebracht, das großen Widerhall finden sollte: Statt einer Erzählung in altbewährtem Sinn, die einen Anfang, eine Mitte und ein Ende hat, schuf sie eine Komposition, in der die Erzählung als eine Art Simultanbild präsentiert wird, wo sie mehr einem Wandgemälde als einer Sammlung von Enthüllungen gleicht, die Seite um Seite vorgebracht werden. Wie Cézanne betont sie die lebendige, solide, physische Gegenwart ihrer Objekte – in ihrem Fall Figuren. Dennoch wird sie die Tatsache, daß grundlegende Erfordernisse der erzählerischen Mittel ihr nicht erlauben, sich ausschließlich lyrischer Impressionen zu bedienen, niemals vergessen oder ignorieren. Wie Cézanne es sogar noch in seiner fortschrittlichen Epoche tat, so macht auch sie kurz vor dem unvermeidlichen Sprung in die Abstraktion halt. Sie war im Begriff, eine neue Art von Roman zu schaffen, in dem begriffliche Aspekte die Wahrnehmung beherrschten, in dem wissenschaftliche Formulierungen imaginativen Andeutungen wichen. Doch noch ging sie nicht so weit, auf die ungeschminkte Darstellung der rohen menschlichen Natur zugunsten rein zerebraler Projektionen zu verzichten oder, wie es schon bald ihre Gewohnheit werden sollte, dem Beobachter zu gestatten, die Figuren durch eine Betrachtung von allen Seiten aufzusplittern.

Wissenschaftliches Training und sorgfältig registrierte Alltagserfahrungen hatten sie davon überzeugt, daß im 20. Jahrhundert der frühere Zeitbegriff des Erzählers sich in ein Augenblicksbewußtsein verwandelt hatte. William James hatte gesagt, man könne auf dem Wege der Vernunft nicht weiter gelangen, als »im Augenblick Genüge zu finden«, und ihre eigene Erfahrung hatte diese Feststellung bestätigt. Also war es erste und letzte Voraussetzung, Unmittelbarkeit zu erreichen. Um ihre Absichten zu erfassen, bedurfte es keiner aufeinanderfolgenden Spannungsmomente im Aufbau der Erzählung und keiner fesselnden Details, die gewisse Aspekte der Kleidung, des Auftretens oder des décor erhellen. Der Sinn wurde deutlich, wenn der Leser an dem inneren Kampf der Figur teilnahm, der dieser Figur ihre besondere Kraft verleiht. Gertrude Stein versuchte, eine kontinuierliche Gegenwart zu schaffen, die vom Leser kontinuierliche Aufmerksamkeit verlangte, ein langes Verweilen bei Gedanken, die sonst nur kurz hätten gestreift werden können. Auf Leser, die an die Täuschungen und Tricks der Spannungsmomente gewöhnt sind, deren sich der Durchschnittsschriftsteller bedient, mußte dies natürlich als eine Herausforderung, wenn nicht gar als ein Affront wirken. Dabei griff sie mit ihrer Version der kontinuierlichen Gegenwart in gewisser Weise nur auf die Methoden von Samuel Richardson zurück, der zu einer ihrer ersten Lieben unter den englischen Schriftstellern gehörte. »Shakespeare, *Clarissa Harlowe* und Detektivgeschichten« sollten ihr Leben lang ihre Lieblingslektüre bleiben. Sie hat nie in Worten ausgedrückt, wie sehr sie Richardsons Heldin zu Dank verpflichtet war. Dennoch ahmte sie deutlich und vielleicht unbewußt den Prozeß der unmittelbaren Wiedergabe und spontanen Aufzeichnung von Gefühlen und Gedanken nach, durch den »Clarissa« denkwürdig wurde.

Während der ersten zehn oder zwölf Jahre ihrer schriftstellerischen Laufbahn rangen in Gertrude Stein zwei gleich starke Kräfte um die Vorherrschaft. Die eine wollte eine Künstlerin aus ihr machen; die andere wollte, daß sie eine Wissenschaftlerin bleibe. Ihre erste Arbeit *Quod Erat Demonstrandum* deutet schon durch den Titel an, daß hier versucht wird, ein menschliches Problem mit mathematischer Genauigkeit herauszuarbeiten; und die Konzeption der unmittelbar darauffolgenden Werke war stark beeinflußt von den Erkenntnissen über Charaktere und Typen, die sie während ihrer Studienzeit in Harvard gewonnen hatte. Ganz allmählich kam sie von ihrer wissenschaftlichen Einstellung ab, und das verdankte sie ihrem Interesse an der Malerei. Sie überließ sich dem Einfluß Cézannes und versuchte, die wissenschaftliche Haltung, die bislang all ihre Untersuchungen des menschlichen Gebarens bestimmt hatte, zu verdrängen. Hatte sie als Wissenschaftlerin die Figuren in *Three Lives* »behavioristisch« konzipiert, so trachtete sie nun danach, ihre Ausdrucksform in den Gegebenheiten des Mediums zu suchen, indem sie dem Beispiel Cézannes folgte, ging sie in ihren schöpferischen Bemühungen mit einem der ersten der großen modernen Maler konform und betrachtete die Natur als etwas, das man, dem eigenen Gefühl entsprechend, umformen, verzerren oder auf eine andere Weise gestalten konnte.

Three Lives war, um es in ihren Worten auszudrücken, folgendermaßen entstanden: »...Das war ein dauerndes Wiederholen und Neubeginnen, da zeigte sich ein deutlicher Hinweis, der auf ein Dasein in der Gegenwart wies, obgleich ich natürlich an Vergangenheit, Gegenwart und Zukunft gewohnt war, und zwar deshalb, weil die Konzeption, die sich um mich herauskristallisierte, eine verlängerte Gegenwart war... Natürlich wußte ich nichts von kontinuierlicher Gegenwart, aber es war mir ganz natürlich, eine solche zu schaffen, es war einfach, es war mir klar, und keiner wußte, weshalb ich es so machte, ich wußte es selber nicht, obgleich es natürlich für mich natürlich war.«

Sie verdankte jedoch diese Art von literarischer Komposition, zu der ihre neue Überzeugung sie nun trieb, nicht nur ihrer Beschäftigung mit der Wissenschaft und Cézanne, sondern war auch noch durch ein Kindheitserlebnis dazu prädestiniert. Mit ihrer Behauptung, »die Komposition, die sich um mich herauskristallisierte, war eine verlängerte Gegenwart«, beschwört sie, vielleicht unbewußt, einen Eindruck herauf, den sie mit etwa acht Jahren beim Anblick des ersten Ölgemäldes gewann, das ihr überhaupt etwas bedeutete – eines Zykloramas von der Schlacht von Waterloo. Schon damals waren ihr die Geschehnisse, die auf dem Gemälde dargestellt wurden, geläufig, und obgleich sie es aufregend fand, an diese erinnert zu werden, wurde ihr wirkliches Entzücken dadurch geweckt, daß sie begriff, daß all diese aufregenden Geschehnisse in einem Ölgemälde eingefangen waren, eine »alles umfassende Wirklichkeit, die nichts mit der Schlacht von Waterloo zu tun hatte«. Und so ist es mit *Three Lives:* Das Wesentliche ist die alles umfassende Wirklichkeit, die undefinierbare Aura des Gefühls, das von jeder abgeschlossenen Komposition ausgeht und, getrennt von den Persönlichkeiten und Geschehnissen, aus denen jede Komposition entsteht, seine eigene »Botschaft« enthält.

Mit einer Offenheit und einer Naivität, die sie nie verlieren sollte, gestand sie, daß sie diese Werke angesichts von Cézannes Porträt seiner Frau komponierte, das die Porträtierte in einem blauen Kleid auf einem roten Stuhl zeigte. Dieses seltsame Vorgehen riecht nach wissenschaftlichem Getüftel, aber Gertrude Stein war sich über sich selbst und auch über das grundlegend Neuartige des Gemäldes ganz im klaren. Sie wußte, daß ihr überlegtes und selbständiges Denken sie zu einer gänzlichen Loslösung vom konventionellen Romanstil trieb, einer Loslösung, die ebenso radikal war wie die Cézannes von Delacroix. Mittels eines unaufhörlichen Stroms halbartikulierter Gedanken, abgedroschener Phrasen und banaler Szenen aus dem häuslichen Leben wetteiferte sie mit Cézannes ständigem Wiederholen der Lichtwerte. Sie setzt die dumpfe animalische Kraft der menschlichen Natur und die grobe Wirklichkeit menschlicher Beziehungen auf die gleiche großzügige Art um, die Cézanne bei der Darstellung seiner Bauern, seiner Landschaften und seiner Äpfel verwendet. Ohne sich weiter um eine geschickte Herausstellung des Details, um symbolische Nuancen oder komische Effekte zu kümmern, zielt sie auf ein Gesamtbild hin, auf einen ganzen Lebensausschnitt, der aus seiner eigenen inneren Kraft heraus leuchtet und gehaltvoll wird. Ohne Rücksicht auf den folgerichtigen Ablauf der Handlung oder die üblichen Manipulationen, mit denen die Romanfigur entwickelt wird, hoffte sie, einen Klumpen Wirklichkeit zu schaffen und zu formen, in dem »Alles vorhanden, wirklich vorhanden war ...«. Ihre Gestalten und Orte glichen deren Entsprechungen in der Wirklichkeit, wurden aber nicht mit Hilfe von den Etiketten und Kniffen, mit denen konventionelle Schriftsteller Glaubwürdigkeit anstreben, auf einen »realistischen« Nenner gebracht. Sie glaubte, vielleicht allzu zuversichtlich, daß man die üblichen dramatischen Elemente nicht vermissen würde, wenn sie die »Essenz« der einzelnen Gestalten durch ein Zurschaustellen ihrer sprachlichen und gedanklichen Gewohnheiten vermittelte. Das Wesentliche war ihr die Schaffung einer unmittelbaren Wirklichkeit, eines so starken Eindrucks und einer so unverfälschten Substanz, daß jede akademische Frage nach Exposition, Motivierung, Hauptfigur und Fabel gegenstandslos wurde. »Ich kam zu Cézanne, und da wären wir«, sagte sie, »zumindest ich war da, nicht auf einmal, aber sobald ich mich daran gewöhnt hatte. Die Landschaft sah aus wie eine Landschaft, das heißt, was in der Landschaft gelb war, wirkte auch auf dem Ölgemälde gelb, und was in der Landschaft blau war, wirkte auf dem Ölgemälde blau, und wenn es das nicht tat, so war immer noch das Ölgemälde da, das Ölgemälde von Cézanne. Das gleiche galt für die Menschen, es besteht auch kein Grund, weshalb es nicht so sein sollte, aber es war so, das gleiche galt für die Stühle, das gleiche galt für die Äpfel. Die Äpfel sahen aus wie Äpfel, die Stühle sahen aus wie Stühle, und das alles hatte nicht das geringste mit irgend etwas zu tun, denn wenn die Dinge nicht aussahen wie Äpfel oder Stühle oder Landschaften oder Menschen, so waren sie doch Äpfel und Stühle und Landschaften und Menschen. Sie waren es so ganz und gar, daß sie kein Ölgemälde waren, und dennoch waren die Cézannes just das, sie waren

Ölgemälde. Sie waren so ganz und gar Ölgemälde, daß alles da war, ob sie nun fertig waren, diese Gemälde, oder ob sie unfertig waren. Fertig oder unfertig, sie waren stets das, als das sie erschienen, die Quintessenz eines Ölgemäldes, denn alles war da, wirklich da... Das war für mich eine große Erleichterung, und ich begann zu schreiben.«

Wenn Cézanne vor ihr als Leitstern hing, so flüsterte in ihrem Rücken William James als Führer – James, der gesagt hat, daß zwar die gleichen vorgegebenen Ideen eine Situation beherrschen mögen, eine Art von Bewußtsein jedoch weiterläuft, während »Gemütsverfassungen« einander ablösen. Als sie seine Lektion begriffen hatte, gewann für Gertrude Stein als Schriftstellerin die Wahrnehmung von Beziehungen innerhalb einer vorgegebenen Situation eine wesentliche Bedeutung. Und hätte sie weiter zugehört, dann hätte sie auch ihre langsame, stammelnde Wiedergabe von Gedankenassoziationen rechtfertigen können. Es war ebenfalls James, der gesagt hat: »Es gibt in der menschlichen Redeweise keine Konjunktion oder Präposition, kaum eine adverbiale Konstruktion, ein syntaktisches Gebilde oder eine Betonung, die nicht irgendeine Schattierung der Beziehung ausdrückt, von der wir in irgendeinem Moment tatsächlich glauben, sie bestünde zwischen den wesentlichen Dingen, mit denen sich unsere Gedanken befassen... Die Gewohnheit, nur das Vorhandensein der Substantive wahrzunehmen, ist derart eingefleischt, daß sich die Sprache beinah weigert, noch anderen Zwecken zu dienen.«

Im Rücken diese Geisterstimme und im Ohr die viel nähere Stimme ihres Bruders, die sich in allnächtlichen Sermonen und Monologen erging, gab sie *Three Lives* eine Form, die nicht, wie viele verwirrte oder schockierte Kritiker glaubten, ein launischer Einfall war, sondern die logische Entwicklung eines ehrgeizigen und schon jetzt ungeheuer einfallsreichen Talents.

Als begieriger Rezipient und geschickter Erforscher aller Operationen des rationalen Verstandes hatte Gertrude Stein sich den beherrschenden Impressionismus zu eigen gemacht, der bereits die größte Umwälzung im künstlerischen Ausdruck seit vierhundert Jahren eingeleitet hatte. Sie war zum praktizierenden Künstler innerhalb einer Bewegung geworden, die so neu war, daß sie weder über eine Theorie noch über ein Vokabular verfügte. Andere sollten diese revolutionäre Bewegung Generationen lang untersuchen, und die Terminologie, die sie erfanden, um diese Bewegung zu benennen und zu erklären, sollte schon bald die Seiten der Lehrbücher und der Tagespresse überschwemmen: Relativismus, Subjektivismus, Psychologismus, Kubismus, Expressionismus. Gertrude Stein in ihrer grandiosen Einfachheit benutzte keinen dieser Ausdrücke. Eine neue Geisteswelt war begründet worden. Gertrude Stein stand an ihrer Schwelle, faltete ihren Regenschirm zusammen und überschritt sie so selbstverständlich und mühelos, als beträte sie ein ihr wohlvertrautes Haus.

V

Mama liebt dich am meisten, weil du spanisch bist. *Gertrude Stein*

Es ist schwer, so schlau zu sein, daß einen der nächste Augenblick nicht übers Ohr hauen kann. *Leo Stein*

In der Welt der Kunst – halb irdischen, halb himmlischen Gefilden, die horizontal und vertikal von den berühmten, oft gemalten Straßen des Montmartre unterteilt werden – waren Entdeckungen und Neuerungen seit langem an der Tagesordnung. Dennoch bot jedes wunderbare neue Ereignis Anlaß zu Festen und früher oder später zu regelrechten Schlachten. Die Pariser hatten sich an das Schnellfeuer, das unentwegt von den Hängen der Butte widerhallte, allmählich gewöhnt. Aber in jenem brodelnden Winter des Jahres 1905 hatten selbst die abgebrühtesten Beobachter auf dem Schauplatz dieser Ereignisse einen neuen Gesprächsstoff – das Auftauchen des damals fünfunddreißigjährigen Henri Matisse. Er war das eigentliche Genie einer Schar aufbegehrender brillanter Maler, die niemand übersehen konnte. Vom kleinen unbekannten Kopisten im Louvre wurde Matisse zum anerkannten Führer einer aufsehenerregenden Künstlergruppe, die schon bald als *Les Fauves* bekannt werden sollten. Diese Gruppe, berühmt ob ihrer grellen, ungebrochenen, auf die Leinwand gespachelten Farben und ihrer nachlässigen Behandlung der plastischen Form und der Komposition, stand ganz deutlich unter dem Einfluß des gequälten Impressionismus van Goghs und der großen dekorativen Werke Gauguins, die mehr nach großen Wandflächen denn nach den zierlichen Proportionen einer Staffelei zu verlangen schienen. *Les Fauves* gelangten im Schlepptau des Impressionismus zu Rang und Ansehen, beschleunigten das Ableben dieser älteren Bewegung und konnten sie vorübergehend im Interesse der Öffentlichkeit sogar ausstechen.

Weil Gertrude und Leo Matisses *La Femme au Chapeau* erworben hatten – ein Gemälde, das bei seiner ersten Zurschaustellung im Petit Palais beim zweiten Salon d'Automne Stürme der Entrüstung hervorgerufen hatte –, kannten sie den neuen Maler bereits persönlich. Gertrude hatte eigentlich immer lange gebraucht, bis sie die Entdeckungen Leos schätzenlernte, und überraschte nun ihren Bruder, indem sie *La Femme au Chapeau* vom ersten Augenblick an bewunderte. Will man ihr glauben – Leo und seine Schwägerin Sarah Samuels Stein, Michaels Gattin, bestritten es später –, bot sie sofort 400 Francs für das Gemälde. Als der Sekretär der Galerie ihr sagte, Matisse könne einen so bescheidenen Betrag nicht annehmen, ging sie nach Hause, um am nächsten Tag wiederzukommen und das Bild ein zweites Mal zu betrachten. Als sie die schimpfenden Galeriebesucher davor erblickte (eine empörte Seele schien darauf erpicht, die dicke Farbschicht von der Leinwand zu kratzen), zahlte sie den von Matisse geforderten Preis von 500 Francs – damals 100 Dollar – ohne weiteres Feilschen. Später erklärte sie, daß eigentlich ihre Sympathie für die ästhetische Prahlerei des Künstlers sie zu diesem Kauf veranlaßt habe und nicht so sehr die Freude an dem Bild selbst. Der Spott und die Schmähungen, denen es im *cage des fauves* – wie der Ausstellungsraum der neuen »wilden« Maler genannt wurde – ausgesetzt war, »ärgerten und erzürnten sie, weil sie sie nicht begreifen konnte, denn in ihren Augen war das Bild völlig richtig, genau wie sie später nicht begreifen konnte, weshalb man sich über ihr Werk, das doch so klar und natürlich geschrieben war, entrüsten und mokieren konnte«.

Leos Version dieses Bilderkaufs war etwas anders als die Gertrudes. Das Gemälde hatte seine Aufmerksamkeit erregt, so sagte er, weil es erkennen ließ, daß Matisse die Epoche des Neoimpressionismus überwunden hatte, wo er, ein ungeschickter Imitator Seurats, die Farbe in pointillistischer Manier auftrug – eine Methode, die Leo zuwider war. Aber er konnte sich nicht an das Bild gewöhnen. Er fand es brillant und kraftvoll, meinte aber auch, es sei »das abscheulichste Farbgekleckse«, das er je gesehen habe. Er mußte sich tagelang mit einem Werk beschäftigen, ehe er sich zum Kauf entschloß. Er war im Kunsthandel beschlagen genug, um zu wissen, daß noch nie jemand den Katalogpreis bezahlt hat – in diesem Fall 500 Francs – und bot daher etwa zwei Drittel des geforderten Preises. Matisse kam ihm auf halbem Weg entgegen, und Leo kaufte das Bild. Sarah Stein modifiziert Leos Geschichte, indem sie berichtet, ihre Aufmerksamkeit an *La Femme au Chapeau* sei nicht nur durch »die noch nie dagewesene Pracht seiner Farben« entstanden, sondern auch durch die starke Ähnlichkeit des Porträts mit ihrer Mutter. Diese sentimentale Überlegung verführte sie dazu, Leo zu bitten, er möge es »für die Familie« erwerben. Angesichts all dieser Geschichten wird deutlich, daß die Entscheidung zu einem Ankauf des Werks eine Familienangelegenheit war, in der Leos Stimme den Ausschlag gab. Das Gemälde wurde für etwa 500 Francs gekauft. Zu Beginn der fünfziger Jahre erwarben Mr. und Mrs. Walter A. Haas aus San Francisco *La Femme au Chapeau* für 20 000 Dollar.

Kurz darauf machten Leo und Gertrude die Bekanntschaft des Malers und seiner Frau, die das Modell für *La Femme au Chapeau* gewesen war, als der Künstler Henri Manguin die beiden in Matisses pedantisch ordentliches Atelier brachte. Dort sahen sie zum erstenmal ein Bild – einen Markstein in Matisses früher Epoche –, das ein Prunkstück der Galerie in der Rue de Fleurus werden sollte: die große Leinwand *Le Bonheur de Vivre*. Sie fanden Matisse »gesellig und liebenswürdig, intelligent, gesprächig, aber ein wenig scheu. Ich spürte jedoch, daß es nicht einfach war, intim mit ihm zu werden«. Leo war von Anfang an der Meinung, Matisse sei der intelligenteste der neuen Maler, einer der wenigen, die genau das sagen konnten, was sie meinten, wenn sie über Kunst sprachen. Aber ebensowichtig für Leos begeistertes Urteil war die Tatsache, daß Matisse geneigt war, ihn anzuhören, und, wenn man Leo glauben darf, sich in seinem künstlerischen Schaffen sogar durch das, was Leo sagte, beeinflussen ließ. Leo glaubte, Matisse sei der Typ des ewigen Schülers, und betrachtete ihn jahrelang als seinen willigen – wenn auch schließlich abtrünnigen – Zögling. So ideal diese Beziehung für Leo gewesen sein muß – sie war von verhältnismäßig kurzer Dauer. Nachdem Leo Matisse entdeckt und gepriesen und ihm mit Unterstützung des Kunsthändlers Vollard zum Verkauf seiner Werke entscheidend geholfen hatte, kam Leo zu dem Schluß, Matisse sei rhythmisch »unzulänglich«. Ehe dieses Gefühl sich in ihm festsetzte, hatte die Familie Stein – außer Leo und Gertrude waren es Michael und Sarah – so viele Bilder von Matisse erworben, daß sie die zweitgrößte Matisse-Sammlung besaßen. Nur Sergei I. Shchukin, ein russischer Geschäftsmann, der schon zwei Jahre vor den Steins Bilder von Matisse gekauft hatte, überflügelte sie; seine große Privatsammlung sollte später der Grundstock für das Moskauer Museum der modernen Kunst werden. Der fortschrittliche Geschmack Michael Steins und seiner Frau, die 1902, als zu Hause Arbeiterunruhen und ihr persönlicher Wohlstand einen Umzug ratsam erscheinen ließen, nach Paris übergesiedelt waren, zeigt sich unter anderem darin, daß sie für ihren Salon in der Rue Madame den *Jungen Matrosen No. 1*, das *Blaue Stilleben* und die *Rosa Zwiebeln* erwarben. Im Jahr 1907 kam mit Sarah Steins Unterstützung eine Malklasse zusammen, die von Matisse geleitet wurde und in der Sarah selbst eine begeisterte Schülerin war. Sie und ihr Mann wurden bekannte Sammler nicht nur von Matisse, sondern vielen anderen Modernen; mit Haut und Haar hatten sich die beiden der extrem-modernen Kunst verschrieben, und viele Jahre später erteilten sie dem Architekten Le Corbusier einen seiner ersten Aufträge, den Bau der Villa Les Terrasses, ihres Heims in Garches.

Nachdem Leo zu der Überzeugung gelangt war, daß Matisse rhythmisch unzulänglich sei, verlor er das Interesse an dessen weiterer Entwicklung. Das führte 1914 zum Verkauf aller Gemälde dieses Künstlers, die in seinem Besitz waren. Da er obendrein zu der Ansicht gekommen war, die »sogenannte moderne Kunst« sei »nur sehr selten wirklich gut«, wandte sich sein erlahmendes Sammlerinteresse bis nach dem Ersten Weltkrieg anderen Dingen zu. Dann schien es Leo, daß Matisse Schwächen, die 1907 evident waren, überwunden oder ausgeglichen hatte. Er benannte diese neuen Tugenden nicht, meinte aber, sie kämen in Matisses Zeichnungen deutlicher zum Ausdruck als in seinen Gemälden; er war überzeugt, daß sie Matisse in eine Epoche führen würden, in der sich seine Bestimmung in Gemälden erfüllen sollte, die »vollkommen befriedigend« waren.

Gertrude war von *Le Bonheur de Vivre*, das später als Meisterwerk der Fauves-Bewegung überhaupt gelten sollte, tief beeindruckt und von seiner Fremdartigkeit und ungeheuren Einfachheit fasziniert. Als Leo sich einige Jahre darauf von seiner Schwester trennte, war *Le Bonheur de Vivre* der einzige Matisse, den sie nicht hergeben wollte, obgleich ihr Bruder ihn als das bedeutendste Gemälde der Moderne begehrte. Für Gertrude stellte dieses Gemälde den Augenblick des Sieges in Matisses unentwegtem Kampf dar. Sie sah darin ein Beispiel schöpferischen Ringens, auf das auch ihr ganzes Interesse konzentriert war. Matisses Verzerrungen stellten, bei all ihrer Brutalität, ein unentwegtes Bemühen um Klarheit und Einfachheit dar, und sie bewunderte die nackte Häßlichkeit des Bildes. Cézanne, so glaubte sie, war zur Unfertigkeit und Verzerrung durch eine nicht aufzuhaltende Entwicklung seiner Art des Sehens gelangt, nachdem er sich einmal vom Zwang der überlieferten Form befreit hatte; Matisse war ganz bewußt durch kenntnisreiche Anwendung dessen, was Cézanne entdeckt hatte, zu dem gleichen Ergebnis gekommen.

Gertrude, die sich mit den künstlerischen Leistungen und Zielen Cézannes und Matisses aufs gründlichste befaßte und ihrerseits in die ästhetische Revolution verwickelt war, deren Repräsentanten diese beiden Maler waren, sollte jetzt einem der wesentlichen Einflüsse ihres Künstlerlebens und einem ihrer – für viele Jahre – liebsten Freunde begegnen.

Auf seinen unablässigen Streifzügen durch die kleinen Galerien der Rue Lafitte, »*la rue des tableaux*«, war Leo auf Bilder von Pablo Picasso gestoßen – oder, wie er seine Werke manchmal signierte, Pablo Picasso y Ruiz. Er fand sie in einer Bilderhandlung, die früher eine Apotheke gewesen und in der noch viele abgestandene Medizinen aufgestapelt waren und die einem ehemaligen Zirkusclown, Clovis Sagot, gehörte. Während Picasso in der geschäftigen Kunstwelt noch kaum bekannt war, hatte der unwahrscheinlich wache Sergei Shchukin aus Moskau sein Werk, genau wie das Matisses, bereits erspäht und war zu seinem ersten ernsthaften Sammler geworden. Leos erste Erwerbung war ein Bild aus der blauen Periode – ein Marktschreier mit Frau und Kind und einem Affen, und Leo meinte: »Der Affe blickte das Kind so liebevoll an, daß Sagot überzeugt war, diese Szene müsse dem Leben abgelauscht sein; ich aber verstand mehr von Affen als Sagot und war überzeugt, daß ein solch gorillaartiges Geschöpf nicht in ein solches Bild gehörte. Picasso erzählte mir später, daß der Affe seine Erfindung sei, und das war ein Beweis dafür, daß er als Maler talentierter war denn als Naturforscher.« Als die Steins das Gemälde in ihrer Wohnung aufgehängt hatten, erregte es die Aufmerksamkeit eines ihrer nahen Freunde, Henri-Pierre Roché. Dieser, ein hochgewachsener, rothaariger Journalist, Maler und Kunstexperte, sollte später bei der Auswahl von Gemälden für die bedeutende John-Quinn-Sammlung in New York eine wichtige Rolle spielen. Damals aber galt er als ein wenig origineller und sehr neugieriger Mann, der wie Leo »stets viele Eisen im Feuer hatte, dem aber immer das Feuer ausging, ehe er sie schmieden konnte«. Rochés Interesse an Menschen war sein Beruf; er kannte fast jeden, der in der Kunstwelt einen Namen hatte, und ihm verdankte Leo auch die Bekanntschaft mit Picasso. Bei dieser ersten Begegnung in Picassos Atelier in der Rue Ravignan war Gertrude nicht anwesend. Leo war von Picassos »ungewöhnlich sehenden Augen« beeindruckt; er berichtet, sein Blick sei so intensiv, daß man das Gefühl hätte, Picassos Augen saugten die Zeichnung oder den Druck, den sie betrachteten, buchstäblich aus dem Papier. Als Persönlichkeit jedoch, so meinte er, könne Picasso Matisse nicht das Wasser reichen, da dieser außer einer lebendigen Intuition, die der Picassos gleichkam, eine unerhörte Konzentrationsfähigkeit besitze. Im Gegensatz zu Picasso, der in unordentlichem Elend hause, sei Matisse ordentlich; er habe »für alles einen Platz, und alles war auf seinem Platz, sowohl in seinem Kopf als auch in seiner Umgebung«.

Gertrude lernte Picasso 1905 bei Sagot kennen, als sie sich dort die *Jeune Fille aux Fleurs* ansehen wollte, deren Ankauf Leo erwog. Zufällig war auch Picasso in der Galerie. Als er Gertrude sah, fragte er: »Wer ist die Dame?« Und als Sagot es ihm sagte, antwortete Picasso: »Frag sie, ob sie mir Modell sitzen will«, und damit zog er sich zurück, um die Antwort abzuwarten. Als Gertrude den Vorschlag annahm, hatte diese erste scheue Begegnung bereits eine Harmonie geschaffen, die ihre fast lebenslänglich währende Beziehung weitgehend beherrschen sollte. Leos Bericht zufolge jedoch äußerte Gertrude im gleichen Augenblick, da Picasso schüchtern auf ihre Zusage wartete, lautstark ihre tiefe Abneigung gegen das Bild, das sie hatten besichtigen wollen. Ihr mangelnder Enthusiasmus konnte Leo nicht beirren; wenige Tage später ging er wieder zu Sagot und kaufte es. Als er Gertrude beim Abendbrot davon Mitteilung machte, verging ihr der Appetit. Sie haßte, so behauptete Leo, »das Bild mit den Affenfüßen« und ärgerte sich über die hinausgeworfenen 150 Francs, die es gekostet hatte. Wenige Jahre später war dieses Gemälde eines ihrer Lieblingsbilder. Sie weigerte sich, es für eine ungeheure Summe zu verkaufen – auch als Leo, dessen Begeisterung dafür geschwunden war, ihr einredete, sie könnten für den Erlös viel bessere Sachen kaufen. Die *Jeune Fille aux Fleurs* wurde schließlich das Herzstück, um das sich die immer wieder wechselnden Werke an den Wänden der Steinschen Wohnung gruppierten. Nach der Meinung der Experten würde die kleine Leinwand, die heute im Besitz der Steinschen Erben ist und ursprünglich 30 Dollar gekostet hat, auf einer Auktion den höchsten Preis für eine figürliche Darstellung des 20. Jahrhunderts erzielen.

Gertrudes Darstellung ihrer ersten Begegnung mit Picassos Kunst ist umstritten, aber ihre rückhaltlose Zuneigung zu dem Menschen Picasso bleibt unbestritten. Es mag lange gedauert haben, bis sie das Werk des Malers anerkannte und schätzte, als ihr aber dessen Bedeutung klar wurde, war Picassos Einfluß viele Jahre lang für sie bestimmend. Kaum hatten sie sich bei Sagot kennengelernt, besuchte man sich regelmäßig an den Nachmittagen. Schon bald begab Gertrude sich täglich in die schäbige Wohnung in der Rue Ravignan, die Picasso 1904 bezogen hatte. Sie ging durch den Luxembourg-Garten zum Odéon, wo jede halbe Stunde der berühmte Battignol-lès-Clichy-Odéon-Omnibus abging, den drei Apfelschimmel zogen. Manchmal auf dem Oberdeck thronend, fuhr sie über die Seine und dann bergauf bis zur Place Blanche auf den Montmartre; von dort mußte sie zu Fuß bis zu dem kleinen Platz hinaufsteigen, an dem Picassos baufällige Behausung lag. Etwa 80 bis 90 Tage saß sie ihm während des Winters 1905/06 Modell in einem großen lädierten Lehnsessel, neben dem, inmitten von Asche, zerbrochenen Möbeln, schmutzigen Paletten und verfilzten Pinseln ein mit Draht zusammengehaltener Kanonenofen stand. Picasso, obwohl noch immer bettelarm, hatte nun wenigstens die Phase überwunden, in der er und Max Jacob ein Zimmer im Hôtel du Maroc bewohnten und ein Bett teilen mußten. Zu jener Zeit arbeitete Picasso nachts und bedeckte den Fußboden mit Zeichnungen, während Jacob schlief. Wenn Jacob morgens aufstand, um Picasso das Bett abzutreten, hinterließ er häufig auf den Zeichnungen seine Fußabdrücke, die Jahre später von Kunstexperten sorgfältig entfernt werden mußten. Aber die Armut war kein Hindernis für die Seelenfreundschaft, deren Fundamente während der langen Porträtsitzungen Gertrudes bei Picasso gelegt wurden.

Picassos Lebensgefährtin war Fernande Olivier, eine üppige junge Frau, die im gleichen Haus gewohnt hatte und der er zum erstenmal auf einem der düsteren Gänge begegnet war. Mlle. Olivier war unter anderem auch eine begabte Rezitatorin. Während Gertrudes Sitzungen las sie sämtliche Fabeln von Lafontaine vor. Doch meist sprachen Gertrude und Picasso. Sie war entzückt von seiner lebendigen und originellen Art zu sprechen und amüsierte sich über seine Kleidung, die blauen Monteurhosen und den Pullover, wie sie die Pariser Installateure trugen. Sie war begeistert von den Ideen und Einfällen, die in seinem Kopf spukten und manchmal in seinen Gemälden ihren Niederschlag fanden. Laut Jaime Sabartés, einem intimen lebenslänglichen Freund des Malers, war es im Gespräch mit Picasso »schwierig, ihn bei der Stange zu halten und noch schwieriger, ein bestimmtes Thema streng logisch abzuhandeln. Niemand konnte voraussagen, wohin ein Gespräch mit ihm führen würde. Das lag teils an seiner Abneigung gegen jederlei Norm; seine Phantasie läßt einen immer wieder vom eingeschlagenen Kurs der Unterhaltung abkommen... Er ist sprunghaft, daß nichts und niemand ihn auf ein Thema festlegen kann, und meist läßt sich der Ausgangspunkt nicht mehr feststellen. Er wandelt das Thema beim Sprechen ab, wie er eine Linie verändert, wenn er sie während des Malens so zurechtbiegt, daß sie einer seiner unzähligen Phantasien Form verleiht«.

Gertrude entdeckte, daß sie Picasso Geheimnisse anvertrauen konnte, die sie vor ihrem Bruder sorgfältig verbarg. Sie verständigten sich mühelos über Probleme, die weder sie noch Picasso mit Leo diskutieren konnten. Damals hatte sie bei sich die ersten Ansätze zu persönlicher Unabhängigkeit entdeckt, aber das tief eingewurzelte Bedürfnis nach einem Mentor, das ihre langjährige Anhänglichkeit an Leo zur Genüge beweist, spielte ohne Zweifel in ihrer Freundschaft mit Picasso eine wesentliche Rolle. Doch mit der Zeit wurde sie immer selbständiger, und in Picassos Gesellschaft trat sie mehr und mehr aus ihrer Passivität heraus und gab häufig den Ton an.

Picasso, der sich schon als Kunststudent in Spanien mit seinen ersten verblüffenden Kompositionen als ein starkes Naturtalent erwiesen hatte, war auf seinem steten Weg nach oben von vielen Künstlern, vor allem von Toulouse-Lautrec, beeinflußt worden. Aber diese Einflüsse waren nur vorübergehend und verschwanden rasch, als er in die blaue Periode seiner ersten, von Armut gezeichneten Jahre in Frankreich eintrat. In den lyrischen Grüntönen und dem durchsichtigen Blau, den sentimentalen Gesten seiner Bettlerprostituierten und der anderen kranken, lahmen und hungrigen Gestalten dieser Epoche drückt sich, sieht man von gewissen dekorativen Faktoren ab, die an Gauguin gemahnen, weitgehend sein eigener Stil aus. Seine Begegnung mit Gertrude fällt in die Zeit seiner Rosaperiode und seiner Harlekinbilder, wo er sich einer neutralen Palette bediente, um zu einem weniger romantischen, dafür aber objektiveren Gefühlsausdruck zu gelangen, der nicht weniger theatralisch war als der der blauen Periode. Mit dem

Porträt der Gertrude Stein erreichte er das Ende seiner fruchtbaren Rosaperiode; und der Kubismus warf bereits die ersten Schatten auf sein Werk. In den Monaten, in denen Gertrude ihm Modell saß, verloren seine Werke mehr und mehr das Pathos der Zirkusgestalten, das für die Harlekinperiode so besonders charakteristisch war, und seine leichte anmutige Linienführung wurde in dem Maß schwerfälliger, wie seine Zeichnungen handfester wurden. Der Einfluß der primitiven iberischen Plastik, die ihm von Jugend an vertraut gewesen war, und der Negerplastik, die Paris vor kurzem entdeckt hatte, machte sich jetzt in seiner eigenen Malerei spürbar. Seine Porträts zeigten nun die streng umrissenen Züge einer archaischen Wesensart. Offensichtlich ging es ihm mehr darum, das Flächige eines Gesichts als die Charakterähnlichkeit wiederzugeben. Seine Farben grenzten fast an Monotonie; zumindest bediente er sich der erdfarbenen Terrakottatöne und -tönungen, die an pompejanische Fresken und andere römische Wandmalereien erinnerten.

Er war nun vierundzwanzig und hatte seit acht Jahren nicht mehr nach einem Modell gemalt, und Gertrude wunderte sich, daß er gerade sie gewählt hatte. Sie spürte schließlich, daß es damit zusammenhing, daß sie eine Amerikanerin war. Andererseits war es einfach ein glücklicher Zufall, daß sie sich in dem Augenblick trafen, als die Rosaperiode für ihn abgeschlossen war und der vorübergehende Einfluß negroider Kunst noch nicht begonnen hatte. Eines Tages, das Porträt schien gerade vollendet zu sein, übermalte Picasso das ganze Gesicht. Er sagte Gertrude, er könne nicht mehr »sehen«, wenn er sie betrachte. Er fuhr mit Fernande Olivier den Sommer über in die Pyrenäen, wo er in Gosol, einer kleinen Stadt in der spanischen Provinz Lérida, wohnte. Verlassen und ihres Gesichts beraubt, stand die mächtige Gestalt monatelang gegen die Wand des Ateliers gelehnt. Kaum aber war Picasso wieder nach Paris zurückgekehrt, malte er, noch ehe Gertrude aus ihrem eigenen Ferienaufenthalt in Fiesole zurück war, die endgültige Fassung des Kopfes. Wie das »Selbstporträt«, das er zur gleichen Zeit schuf, zeigte nun auch das »Porträt der Gertrude Stein« deutlich den Stil, der sich aus den Arbeiten, die in Gosol entstanden waren, herauskristallisiert hatte, besonders in seinen »Bauern aus Andorra« und der »Frau mit Brotlaiben«. Auch die Technik, deren er sich bald darauf in den grotesken, scheinbar mit Axtschlägen herausgehauenen Figuren der *Demoiselles d'Avignon* bedienen sollte, kündigt sich bereits darin an. Die meisten der Studien für die *Demoiselles* – manche zeigen den Einfluß Gauguins, andere den der iberischen Plastik, wieder andere den afrikanischer Masken – stammen tatsächlich aus der Zeit, in der er das Porträt von Gertrude vollendete, indem er ihr ein maskenartiges und leicht negroides Gesicht gab. Die schweren, ausgewogenen Proportionen der übrigen Figur wirken letzten Endes mehr als Staffage für den Kopf denn als dessen organische Basis. In der Zeitspanne zwischen der verhältnismäßig naturalistischen Darstellung des Körpers und der primitivistischen Anlage des Gesichts hatten sich zwei Stile in seine Leinwand eingeschlichen. Sie treffen sich auf dem Porträt selbst ohne Disharmonie und verleihen einem der »erfolgreichsten« Porträts des 20. Jahrhunderts erhebliches historisches Interesse.

Voll Freude über die eigene Leistung konnte Picasso es kaum abwarten, Gertrude das vollendete Werk vorzuführen. Sie war entzückt, so wie sie viele Jahre später entzückt war, als sie sagte: »Ich war mit meinem Porträt zufrieden und ich bin es noch immer, für mich bin das ich, und es ist die einzige Wiedergabe meiner Person, die für mich stets ich sein wird.« Picasso schenkte ihr das Bild, es war jene Epoche, in der »der Unterschied zwischen einem Verkauf und einem Geschenk unwesentlich war«.

Es sollte noch vier bis fünf Jahre dauern, ehe Gertrude sich selbst an Porträts wagte, wozu sie sich allerdings des Wortes und nicht der Farben bediente. Es war nur natürlich, daß Picasso eines ihrer allerersten Modelle war. Ihr Wortporträt von ihm, das die amerikanische Zeitschrift *Camera Work* publizierte, sollte als die erste öffentliche und im Druck erschienene Wertung des Malers in die Geschichte eingehen. Als Picasso Gertrude zum Modell erkor, war das eine heimliche Huldigung gewesen. Gertrudes Porträt von Picasso war, wie der folgende wahllos herausgegriffene Auszug beweist, eine Gegenhuldigung: »Manche folgten ihm ohne Zweifel und waren gewiß, daß der, dem sie folgten, einer war, der damals etwas hervorbrachte, was eine schwere Sache, eine solide Sache und eine vollständige Sache werden sollte ... Er hatte etwas hervorgebracht, gewißlich war es aus ihm gekommen, gewißlich war es etwas, gewißlich war es von ihm hervorgebracht worden und hatte eine Bedeutung, eine reizvolle Bedeutung, eine solide Bedeutung, eine kämpferische Bedeutung, eine klare Bedeutung ... Dieser eine war einer, der sein ganzes Leben lang etwas hervorbringen würde.«

Während Picasso seinen schöpferischen, zukunftsträchtigen Sommer in Gosol verbrachte, waren Gertrude und Leo wieder einmal in Italien, in der Villa Ricchi, einem Haus mit anmutig terrassierten Gärten auf den Höhen von Fiesole, von dem aus man Florenz überblickte. »Schwer arbeitend« begann Gertrude ihr Monumentalwerk *The Making of Americans*. Noch ehe der Sommer zu Ende war, hatten die Geschwister die Freude der kurzen Besuche des Ehepaars Matisse, des amerikanischen Malers Alfred Maurer und ihrer alten Freundin Etta Cone, einer einsamen jungen Frau aus Baltimore, mit der sie in engem Briefwechsel standen. *Three Lives,* damals noch *Three Histories* betitelt, war während der Monate, in denen Gertrude täglich Picasso Modell saß, abgeschlossen worden. Für Etta Cone, die den Winter in Paris verbrachte, hatte Gertrude nun eine zeitfüllende Beschäftigung gefunden, indem sie sie das Manuskript abtippen ließ, ehe es an den Verleger ging. Da es ihr sehr am Herzen lag, eine wortgetreue Abschrift dieses unorthodoxen Werkes zu bekommen, machte sie sich zuerst Sorgen, Etta könne durch die Geschichten verwirrt werden und versuchen, sie ihrem eigenen Sprachempfinden anzupassen. Sie war erleichtert, als sie merkte, daß die Freundin das Manuskript wortwörtlich, Buchstabe um Buchstabe, hingebungsvoll und ohne zu fragen, abschrieb. Die Abschrift war bald vollendet und ohne Fehler, und Etta Cones Ruf für romantische Freundschaftsdienste wurde dadurch nur noch gefestigt. Sie und ihre vornehme Schwester Claribel wurden häufig um Hilfe angegangen, wenn Picasso und Fernande in einer Geldklemme steckten. Das war recht oft der Fall, und Gertrude oder Leo führten dann die Schwestern Cone in Picassos Atelier und halfen ihnen, eine Zeichnung auszusuchen, und sahen es für selbstverständlich an, daß sie freudig zwanzig amerikanische Dollar dafür zahlten. Außer den Cones benutzten Leo und Gertrude auch andere ihrer wohlhabenden Freunde während Picassos schweren frühen Jahren zu solchen Liebesdiensten.

Gertrude sagte, daß zwischen 1906 und 1907 die Familie Stein aus Picassos neuem Werk nach Belieben wählen konnte, weil sich sonst niemand dafür interessierte. Man mißt der Tatsache, daß die Steins das Genie des Künstlers von ihrer beherrschenden Stellung in der Kunstwelt aus verkündet hätten, eine große Bedeutung bei. Damals jedoch, als Picasso dringend Geld brauchte, ohne das seine künstlerische Existenz ernsthaft gefährdet gewesen wäre, war die finanzielle Hilfe weit bedeutsamer. »Im Jahr 1910 kaufte ich mein letztes Bild von Picasso«, schrieb Leo, »und das war ein Bild, das ich eigentlich gar nicht haben wollte, aber ich hatte ihm von Zeit zu Zeit Geld vorgestreckt, und dieser Verkauf bereinigte das Konto. Wenn es Picasso schlecht ging, war er mitunter sehr komisch. Einmal, die Bilder Renoirs hatten erstmals auf einer Auktion hohe Preise erzielt, gab Picasso, der weder Kohlen hatte noch das Geld, welche zu kaufen, eine glühende Schilderung von Renoirs Haus, wo überall Säcke von Kohlen standen und lagen, einige besonders schöne Brocken sogar auf dem Kaminsims. Als ich Picasso einmal 100 Francs gab, um Kohlen zu kaufen, gab er auf dem Weg zum Kohlenhändler 60 davon für Negerplastiken aus.«

Für die Wohltäter, die man aus dem einen oder andern Grund für Picasso mobilisiert hatte, sollte sich ihre unberechnende Wohltätigkeit als ungeheuer profitable Investition erweisen. Am deutlichsten zeigte sich das im Fall der scheuen, langmütigen Etta Cone und ihrer dynamischen Schwester Claribel, die ihre Laufbahn im Women's Medical College in Baltimore begonnen und nach ihrem medizinischen Staatsexamen an der Universität von Pennsylvania eine leitende Stellung im Bloakley-Hospital für Geisteskranke übernommen hatte. Claribel Cone war eine tüchtige und willensstarke Frau, die mit Gertrude die Neigung, angebetet zu werden, gemein hatte und auch gern tat, was ihr gefiel, ohne sich um die Meinung anderer zu kümmern. Sie war bekannt dafür, daß sie mit einem geöffneten Regenschirm, der sie wohl vor Fledermäusen schützen sollte, durch Europas große Kathedralen spazierte. Wann immer sie und ihre Schwester, Erbinnen eines Baumwollvermögens, nach Europa kamen (und Claribels medizinische Forschungen führten sie fast jedes Jahr über den Ozean), holten die Steins sie in den immer größer werdenden Kreis ihrer Samstagabende. Picassos unverblümte Redeweise und sein ungehobeltes Benehmen versetzten ihnen manchen Schock, aber mit der Zeit gewöhnten sie sich an die rauhen Bohemesitten und vertrugen sich gut mit ihm. Engere Beziehungen knüpften sie mit dem Ehepaar Matisse, das sie auch durch die Steins kennengelernt hatten. Nach und nach erwarben sie von Matisse 43 Bilder und eine große Mappe Zeichnungen sowie einige seiner bedeutendsten Plastiken, so daß sie schließlich die vollständigste amerikanische Matisse-Sammlung besaßen. Als Claribel 1929 starb, hatten die Schwestern durch Ankäufe von Manets, Renoirs, Dégas, Bonnards und Cézannes eine der bedeutendsten Privatsammlungen der damaligen Zeit zusammengetragen. Der Tod Claribels berührte Gertrude zutiefst. Sie sandte Etta ein Porträt Leos von Picasso und erledigte damit gleich drei Dinge auf einmal: Erstens war dieses Geschenk eine Huldigung der toten Claribel, zum zweiten konnte sie das Bild ihres Bruders endlich auf eine unverfängliche Weise loswerden, und zum dritten erhielt Picasso einen wichtigen Platz in der Sammlung Cone. Claribel hätte ihre Sammlung gern der Stadt Baltimore vermacht, war sich aber nicht gewiß, ob man dieses Geschenk entsprechend zu würdigen wisse, und hinterließ ihren Anteil an der Sammlung Etta, die sie weiterhin in den riesigen altmodischen Marlborough-Räumen am Eutaw Place hängen ließ, wo die Schwestern und ihr Bruder Frederic drei verschiedene Wohnungen hatten. Nach Ettas Tod ging die Sammlung zusammen mit einem 400 000-Dollar-Fonds für weitere Ausbauten an das Museum von Baltimore. Dr. Claribel Cone hatte in ihrem Testament ausdrücklich erklärt, daß dies nur geschehen solle, wenn die Einwohner von Baltimore ihren hartnäckigen Widerstand gegen die moderne Kunst aufgeben würden. Während der zwanzig Jahre, die Etta Cone ihre Schwester überlebte, bereicherte sie die Sammlung mit Material über die Ursprünge der neuen Malerei und gab ihr damit den dokumentarischen und kunstpädagogischen Rahmen, der ihr schließlich zu der Anerkennung verhalf, die Claribel sich erhofft hatte. Als die Sammlung Cone, deren Wert man auf drei Millionen Dollar schätzte, im Jahr 1949, wenige Monate nach Ettas Tod, öffentlich ausgestellt wurde, war das Museum von Baltimore mit einem Schlag zu einem der bedeutendsten amerikanischen Museen für die moderne Kunst geworden. Mit Picassos verwahrlostem Atelier in der Rue Ravignan schienen diese Bilder nun nicht mehr das geringste zu tun zu haben, und tatsächlich hatten die Schwestern nach seiner kubistischen Periode keine weiteren Picassos gekauft, sondern sich den Werken Matisses zugewandt, aber sie waren, wie auch die Steins, durch Zufall mit einer ungeheuer bedeutenden künstlerischen Bewegung in Berührung gekommen, hatten sie in ihrer Bedeutung erkannt und sich bereitwillig für sie eingesetzt.

Unabhängig von der herrschenden Mode, gleichgültig gegen überlieferte Bräuche, wahrten die Steins ihren persönlichen Geschmack in der Kleidung und hielten sich in beneidenswerter

Selbstsicherheit an ihre eigenen Gesetze, die ihnen eine Ausnahmestellung verliehen. Leo gab sich gegenüber allen Menschen, die sich vornehmlich durch Wohlstand oder Adelstitel auszeichneten, betont gleichgültig, und Gertrude, die sich in ihrem späteren Leben gern mit Persönlichkeiten aus der *haut monde* umgab, vermied in jenen frühen Tagen den Umgang mit Menschen, die sich mit ihren ästhetischen Prätentionen in der Hauptsache einen gesellschaftlichen Hintergrund geben wollten. In ihrer kongenialen und engen Zweisamkeit war es den Steins ziemlich gleichgültig, ob man sie exzentrisch, theatralisch, verschroben und messianisch oder snobistisch und sybaritisch nannte. Sie sahen in ihrer Berühmtheit lediglich die Anerkennung einer Einmaligkeit, an der sie selber nie gezweifelt hatten.

Wiewohl Leo kaum »der amerikanische Mäzenas« und Gertrude gewiß nicht ganz »die Sibylle vom Montparnasse« waren, enthielten diese Epitheta den Samen zu einer Legende, die blühen und wuchern sollte. Aber Leo *war* ein wohlhabender, großzügiger Gönner der Schönen Künste, und Gertrude *war* von delphischer Veranlagung und spielte gern die Pythia, wenn sie Gelegenheit dazu fand. Da die Äußerungen, die über die Geschwister kursierten, ein Körnchen Wahrheit, ein Körnchen Falschheit und sehr viel faszinierende Vermutungen enthielten, gerieten sie unvermeidlich in ein gewisses romantisches Licht. Fernande Olivier, die längere Zeit ziemlich intim mit ihnen verkehrte, schildert sie wie folgt: »Er wie ein Professor aussehend, glatzig mit goldgeränderter Brille. Langer Bart mit rötlichen Lichtern, schlauer Blick. Ein massiger, ungelenker Körper mit eigenartigen Posen und fahrigen Bewegungen. Der Prototyp des deutsch-amerikanischen Juden.

Sie fett, gedrungen, massig, schöner Kopf, kraftvoll mit edlen Zügen, betont regelmäßig, intelligente Augen, klarer Blick, vergeistigt. Ihr Verstand war klar und luzid. Männlich die Stimme, der Gang... Beide in kastanienbraunen Cordsamt gekleidet, Sandalen an den Füßen, eine Mode, die ihr Freund Raymond Duncan kreiert hat. Zu intelligent, um Angst vor der Lächerlichkeit zu haben, zu selbstsicher, um sich um die Meinung anderer zu kümmern. Sie waren reich, und er wollte malen.«

Obwohl sie in den kleinen Galerien von Paris als kongeniales Paar auftraten, »eine Aristokratie, der eigentlich nur zwei Mitglieder angehörten«, differierten ihre Meinungen in ihren eigenen vier Wänden hinsichtlich der Kunst, der sie sich jeweils verschrieben hatten. Gertrude verbrachte jetzt allnächtlich lange Stunden an ihrem Schreibtisch. Leo zeigte für ihre Arbeit nur wenig Interesse, da er sich fast ausschließlich mit sich selbst und den fabulosen Ideen beschäftigte, die ihn teils in Hochstimmung, teils in tiefste Niedergeschlagenheit versetzten. Unentwegt mit seinen Neurosen beschäftigt, unternahm er immer wieder mißmutige Vorstöße in das Gebiet der Ästhetik, und hin und wieder versuchte er es tatsächlich mit der Malerei. Bei theoretischen Diskussionen und bei erregenden Beutezügen hatte sie viel Gemeinsames verbunden – das heißt, nachdem Gertrude durch Leos Unterweisungen ein hinlängliches Maß an Grundkenntnissen und Verständnis erworben hatte, um die eigenen Empfindungen definieren zu können. Als sie aber ihre getrennten Wege zu gehen begannen, hörten jede Gemeinsamkeit und jedes gemeinsame Interesse auf. Gertrude sagt: »Ich schrieb so wie ich schrieb. Ich zeigte meinem Bruder nicht, was ich tat, er sah es sich an und sagte kein Wort. Weshalb nicht. Es gab nichts dazu zu sagen, und ich hatte eigentlich nichts dazu zu sagen. Allmählich sprachen wir überhaupt nicht mehr darüber, das heißt, wir hatten niemals darüber gesprochen... Dann allmählich begann er zu erklären, nicht das was ich tat, sondern er erklärte und erklärte und vielleicht wäre erklären eine Erklärung gewesen. Hin und wieder hörte ich nicht zu. Das war mir bisher noch nie geschehen, bis dahin hatte ich stets zugehört, manchmal widersprochen, häufig war ich nur interessiert und interessant gewesen, und sehr häufig waren wir einfach zusammen gewesen, so wie wir es immer gewesen waren... Allmählich und in gewisser Weise war es nicht verwunderlich, aber allmählich wußte ich, daß ich ein Genie war, und das vollzog sich, und ich sprach nicht darüber, aber ich war beinah im Begriff, etwas zu sagen. Mein Bruder begann etwas zu sagen, und was er sagte, war dies.

Er sagte, das sei nicht es, das sei ich. Wenn ich nicht da wäre, um dazusein mit dem, was ich tat, dann wäre das, was ich tat, nicht das, was es war. In andern Worten, wenn keiner mich wirklich kannte, dann würden die Dinge, die ich tat, nicht das sein, was sie waren.«

Wieder und wieder sollte Gertrude Gelegenheit haben, sich dieses besonderen Aspekts der brüderlichen Kritik zu erinnern, aber sie sollte ihn später ebenso vollständig ignorieren, wie sie es beim ersten Anhören tat. Doch wenn sie Leos Mentordienste für ihr künstlerisches Leben ablehnte, entsprang diese Haltung weder

Schwäche noch Starrköpfigkeit. Leo war literarischen Experimenten gegenüber ebenso intolerant, wie er schon bald jeder Neuerung auf dem Gebiet der Malerei intolerant gegenüberstehen sollte. Ein Schriftsteller, so glaubte er, solle dem, was er zu sagen habe, nur mit der vollendeten Präzision eines Juweliers Ausdruck verleihen. Seiner Meinung nach »kann der billige Dichter mühelos Effekte erzielen, wenn er Worte verwendet, die über die natürlichen Grenzen der Bedeutung hinausquellen«, daß aber beim guten Dichter »die Worte sitzen wie Edelsteine in einer Fassung, während sie bei schlechten Dichtern ›wie geschmiert an ihren Platz rutschen‹«.

Gertrude, die sich bereits einer Methode verschrieben hatte, strebte allmählich auch auf ein Ziel hin. In der Person ihres gelehrten Bruders konnte sie die Reaktion des Durchschnittslesers erahnen, dennoch bestand sie darauf, zuerst auf die ruhige Stimme der eigenen Muse zu hören. Stets schrieb sie, wie sie sagte, »für mich und Fremde«. In ihre Weigerung, sich weiterhin gängeln zu lassen, spielt gewiß auch eine geschwisterliche Rivalität hinein. Leo war sich der doppelten Stellung seiner Schwester als seines intellektuellen Mündels wie seiner begabtesten Widersacherin stets bewußt. »Als Schuljunge«, erzählte er stolz, »erwarteten die andern von mir immer, daß ich fast jede Frage aus dem Stegreif beantworten konnte, und in den Jahren, in denen meine Schwester und ich zusammenlebten, erwartete sie, die niemals ein Wörterbuch oder ein Konversationslexikon benutzte und über keine Allgemeinbildung verfügte, daß ich all diese Art von Wissen auf Anhieb liefern konnte.« Gertrudes ruhiges Selbstvertrauen muß für Leo, der so schwer um sein Künstlertum rang, nicht leicht zu ertragen gewesen sein. Bereits im Jahr 1907 hatte Leo eine Reihe von Zeichnungen abstrakten Charakters verfertigt, aber die Resultate ließen ihn unbefriedigt und mögen sehr wohl seine Abneigung gegenüber abstrakter Kunst auch auf Gertrudes Experimente übertragen haben. »Ich kam zu dem Schluß, daß alles Komplizierte unmöglich ist«, sagte er, »weil Linien und Flächen, die einander überschneiden, Verwirrung erzeugen. Als Picasso und Braque mit ihren Abstraktionen begannen, interessierte ich mich dafür, konnte mir aber nicht vorstellen, daß sie Erfolg haben würden.« Ob nun Gertrude in irgendeiner Form »Erfolg haben« würde oder nicht, es wurde doch offenkundig, daß sie in der Schriftstellerei die einzige Möglichkeit gefunden hatte, über Leo hinauszuwachsen, und daß sie es nicht länger mehr duldete, sich in ihrer Entwicklung hemmen zu lassen. »Er sagte es nicht zu mir, aber er sagte es so, daß es auf mich zutreffen konnte. Und es störte mich nicht, und da es mich nicht störte, wußte er, daß es nicht zutraf... Aber es zerstörte ihn für mich, und es zerstörte mich für ihn.«

Leos eigene Diagnose der Gründe, die sie auf verschiedenen Wegen zu verschiedenen Zielen führen sollten, ist prägnant: »Gertrudes massive Selbstbewunderung und zum Teil ihre Selbstsicherheit erlaubten ihr, auf ihren Grundlagen etwas recht Wirkungsvolles aufzubauen. Ich hingegen konnte wegen der störenden, komplizierten und hemmenden Auswirkungen einer furchtbaren Neurose auf meine Intelligenz, die nur in Fragmenten und verzerrtem Stückwerk Ausdruck fand, nichts Wesentliches aufbauen.«

Die tatsächliche Trennung der Geschwister lag noch in einiger Ferne, dennoch erreichte Gertrude eine Gemütsverfassung, in der ihr eine Unterbrechung der lebenslänglichen Bindung willkommen sein sollte. Sie wollte den Weg zum Ruhm des Genies ganz allein gehen. »Es ist ein seltsames Ding, ein Genie zu sein, es besteht kein Grund dafür, es gibt keinen Grund, daß du es sein sollst und daß es nicht er hatte sein sollen, nicht den geringsten Grund, daß du es sein solltest, nicht den geringsten Grund.« Ihr sicheres Gefühl für ihre Fähigkeiten hatte sich vertieft und hatte ihre schöpferischen Kräfte entwickelt, während Leo weiter mit seinen eigenen Anzeichen von Genialität rang: »Erst kürzlich erklärte ich Matisse, Gertrude und anderen, weshalb ich mit der Malerei gänzlich aufhören wolle«, schrieb er an einen Freund. »Ich hatte eine Fülle von guten Gründen. In der gleichen Nacht um zwölf Uhr begann ich eine große Komposition und habe seitdem mein bisher bestes Werk geschaffen. Es ist schwer, so schlau zu sein, daß einen der nächste Augenblick nicht übers Ohr hauen kann.«

Die meisten von ihren wichtigen neuen Freundschaften teilte Gertrude noch immer mit dem Bruder, allmählich aber rückte sie aus den Bedürfnissen ihres Schöpfertums Picasso und seinem Kreis immer näher. Sie knüpfte neue Beziehungen, an denen Leo keinen Anteil hatte. Während Leo weiterhin mit Picasso freundschaftlich verkehrte, nahm Matisse sowohl in seiner kritischen Wertschätzung wie auch in seiner Zuneigung ohne Zweifel die erste Stelle ein. Leo mit seiner Leidenschaft zur Analyse und seiner ewigen Tendenz, aus seinen intellektuellen Experimenten eine Romanze zu machen, betrachtete jeden, der vorwiegend mit Hilfe der Intuition arbeitete, mit Mißtrauen. Da Picasso Wissen und Intellekt als für einen Künstler gefährliche Dinge ansah, gab es wenig gemeinsamen Boden, auf dem er und Leo sich treffen konnten.

Seine Unduldsamkeit gegenüber dem Menschen Picasso führte Leo schließlich auch zur Ablehnung des Künstlers Picasso. Seine Gründe waren eindeutig: »Picasso ist ein Mensch von höchster Empfindungskraft, schärfster Beobachtungsgabe und sehr männlich in seinem Wesen. Goethe sagte von Byron, er sei ein Kind, wenn er denke, aber dann ist Pablo ein Wickelkind. Sowohl er wie Gertrude benutzen den Intellekt, den sie nicht haben, um etwas zu tun, was höchstens kritischen Taktgefühls bedürfe, das sie ebenfalls nicht besitzen, und sie... bringen den ungeheuerlichsten Schund hervor, den man sich nur denken kann.«

Es sollte sich mit der Zeit herausstellen, daß Leo in bezug auf die neue Malerei ein gründliches und engstirniges Fehlurteil gesprochen hatte, wiewohl er nach Ansicht des Kritikers Alfred H. Barr jr. in den Jahren 1905 bis 1907 der vielleicht urteilsfähigste Kenner und Sammler der Malerei des 20. Jahrhunderts auf der ganzen Welt war. Liest man die Entwicklung der modernen Malerei an den geläufigen und einander mehr oder weniger ablösenden Kategorien des Impressionismus, Neoimpressionismus, Fauvismus, Kubismus, Dadaismus, Surrealismus und deren Spielarten und Splitterbewegungen ab, so war Leo Steins Beziehung zu dieser Geschichte zumindest nach der Geburt des Kubismus dürftig und peripher. Gertrude Stein hingegen stand vom Augenblick ihrer Freundschaft mit Picasso dem Zentrum dieser Entwicklungen immer nah, ob sie sie nun bejahte oder nicht. Nach den Kubisten verschrieb sie sich keiner Schule, noch war sie deren Anhängerin, ja sie verspottete das Programm einer Reihe der aufsehenerregenden und marktschreierischen Bewegungen, die auf den Kubismus folgten. Persönliches Interesse an einzelnen Malern ließ die Quellen ihrer ästhetischen Intelligenz nie versiegen, und auf die Dauer sah die Öffentlichkeit in ihr den kenntnisreicheren Mentor der zeitgenössischen Kunstgeschichte und bewertete ihren Einfluß höher. Im Gegensatz zu Leo und seinen vereinzelten Neigungen stand sie den Strömungen der Malerei stets aufgeschlossen gegenüber; manchmal ließ sie sich von ihnen treiben, manchmal bot sie ihnen Widerstand. Die Verschiedenheit der Anschauung, die sie von Leo trennte, basierte letzten Endes nicht auf abstrakten philosophischen oder ästhetischen Ideen, sondern auf der Verschiedenheit ihres Lebensgefühls und den getrennten Zielen, die sie anstrebten. Die Welt und das Klima, in dem Picasso und seine Freunde lebten – eine Welt, die impulsiv nach Freiheit und Bilderstürmerei verlangte und in der man aller Ordnung entfloh oder sie zerstörte – war Leo Stein im Innersten fremd, und er hatte für sie weder Verständnis noch Erbarmen.

VI

> Die Geschichte braucht ihre Zeit.
> Man sieht die Geschichte gerne von den eigenen Zeitgenossen illustriert.
>
> *Gertrude Stein*

Zu der Zeit, da Gertrude und Leo Stein mit ihren Ambitionen in die Rue de Fleurus übergesiedelt waren und Paris mehr und mehr als ihr Privatgehege betrachteten, war die europäische Malerei gerade dabei, vor ihren Augen von dem Kurs abzuweichen, den sie seit vierhundert Jahren, seit in der Renaissance die Perspektive aufgekommen war, eingehalten hatte. Der träge, angeschwollene Strom der »Tradition« beschleunigte plötzlich, als Reaktion auf den Donner über Montmartre und das Erdbeben in fernen spanischen Dörfern, seinen Lauf und suchte sich neue Wege, die bald zu tiefen Flußtälern werden sollten. Der gewundene Strom des Impressionismus war bereits in die verhangene Stille von Monets Seerosenteichen gemündet; der Fauvismus, trüb vom Schlamm, der aus den Pinseln der Matisse, Rouault und Derain troff, war bereits über seine Ufer getreten; und der Pointillismus, der sogar einen Sommertag in seine kleinsten Bestandteile auflöste, war zu einem Rinnsal geworden, das im Nichts verlief. Jede dieser Strömungen hatte neue Aspekte des Terrains sichtbar gemacht und Farben widergespiegelt, die noch nie ein Mensch gesehen hatte. Aber ihre wunderbare Fremdartigkeit hatte das Gesicht einer Landschaft, die ebensooft das Entzücken der Maler wie das Interesse scharfer Beobachter erweckt hatte, nicht wesentlich verändern können. Mit der Gewalt eines tobenden Katarakts war ein neuer Strom im Begriff, eine Schlucht in die Tradition zu höhlen. Über Hügel und Ebenen dahintosend, sollte er die Landschaft des 20. Jahrhunderts zerstören und unkenntlich machen. Dieser Strom war der Kubismus.

Bereits im Jahr 1905 bildeten die dynamischen Maler und die Schriftsteller, die den Kubismus ins Leben rufen und seine Interpreten und Presseagenten werden sollten, eine deutlich erkennbare eigene Gruppe. In dem zusammengewürfelten Haufen junger Männer, die aus den verschiedensten Teilen Europas nach Paris gefunden hatten, waren die Franzosen in der Minderzahl. Arm, einsam und unbekannt, wie sie waren, hatten sie sich bis nach Paris durchgeschlagen. Brillant, enterbt, an keine Tradition gebunden, versagten sie der »allgemeingültigen Wirklichkeit«, die im Lehrplan der Akademien eine so wichtige Rolle spielt, den Respekt. Weit entfernt, ihre angeblichen Schönheiten zu bestätigen, waren sie einzig und allein darauf aus, sie in die Schranken zu fordern. Die Phantasievollsten unter ihnen waren Spanier und Juden, ihre besten Theoretiker und Publizisten waren Franzosen. Eine »Schule« konnte man jene Gruppe damals nicht nennen, immerhin besaß sie den Zusammenhalt und die *joie de vivre* einer Bande. Ihre meisten Mitglieder wohnten in oder um ein windschiefes Zinshaus an einem kleinen Platz, der heutigen Plâce Emile Goudeau, wo die Rue Ravignan auf die Rue Norvins stößt. Dieses nachmals berühmte Gebäude hieß wegen seiner Ähnlichkeit mit den häßlichen Seinekähnen, in denen gewaschen wurde, Bateau Lavoir. Andere nannten es »Trapperhütte« und spielten damit auf die finsteren labyrinthähnlichen Gänge an, die sich von einer wackligen Treppe zur anderen durch das weitläufige Haus zogen. Es hatte weder Gas noch Elektrizität, der einzige Wasseranschluß befand sich über einem Ausguß, den die Bewohner von mehr als zehn Ateliers benutzten. Die Kargheit des Bateau Lavoir wurde nur noch von seinem rußigen Charme übertroffen, aber keiner seiner Einwohner konnte sich über zu hohe Mieten beklagen: Die schönsten Ateliers kosteten nur 450 Francs Jahresmiete. Bei jedem Windstoß in seinen Grundfesten erschüttert und an stürmischen Tagen von geisterhaften Lauten erfüllt, schien das Bateau Lavoir weniger auf den Hängen der Butte Montmartre zu stehen als sich daran zu klammern. Dieses Gebäude gelangte zu Ruhm als die Wohnstätte einer Reihe von Künstlern, die kaum mehr miteinander gemein hatten als Schmutz und Unbequemlichkeit. Außer Ateliers gab es im Bateau Lavoir etliche legitime wie auch »diskrete« Gewerbebetriebe, die von Schneiderwerkstätten bis zu den muffigen Salons von *filles de joie* reichten.

Hier und in der benachbarten Kutscher- und Maurerkneipe, dem Restaurant *Azon* in der Rue des Pyramides, gaben sich Menschen ein Stelldichein, deren persönliche Odysseen sie aus vielen Ländern Europas hierher verschlagen hatten: Guillaume Apollinaire, Max Jacob, André Salmon, Maurice Utrillo, Henri Matisse, Francis Picabia, Amedeo Modigliani, André Derain, Juan Gris, Pierre Reverdy, Georges Braque und ein »unerkannter, explosiver Fremdkörper«, Pablo Picasso. Das sentimentale, schummerige Künstlerviertel, das durch Henri Murgers »Scènes de la vie de

Bohème« zu Weltruhm gelangt war, gehörte mitsamt seinen in Lumpen gehüllten Helden und seinen dürren Opernheroinen der Vergangenheit an. Diese neue Boheme war ebenso verbissen fröhlich wie hoffnungslos arm. Ihr ansteckender *éclat* war unverkennbar mit Bitterkeit durchtränkt, aber ihr künstlerisches Dasein beruhte auf warmherziger Brüderlichkeit. In einem Buch, das sich mit den einflußreichsten Gestalten jener Epoche beschäftigt, *The Banquet Years*, versichert Roger Shattuck: »In weit größerem Ausmaß als zu irgendeiner anderen Zeit der Renaissance lebten und arbeiteten Maler, Schriftsteller und Musiker hier gemeinsam und versuchten sich in einer Atmosphäre unentwegter Zusammenarbeit in den verschiedenen Künsten.« Nicht gewillt, auf den Nachruhm zu warten, verwandelten sie alltägliches Geschehen in historische Augenblicke und behandelten beiläufige Geistreicheleien wie Worte von Ewigkeitswert. Rohe, oft kindische Schabernacke zelebrierten sie wie eine Herausforderung an überirdische Mächte, »man schließt sich dem Kubismus auf die gleiche Weise an wie einer politischen Partei«, schrieb der Kritiker M. C. Lacoste. »Und man mußte seinen Mut beweisen. Nicht die Ehrungen, die man errang, sondern die Zurückweisungen, die man erfuhr, entschieden darüber, ob man die Probe bestanden hatte. Der gefeiertste Held war der Künstler, dessen Werke von den meisten Salons abgelehnt wurden.«

In den langen Monaten, in denen sie Picasso Modell für ihr Porträt saß, hatte Gertrude Stein viele seiner Bateau-Lavoir-Freunde und Nachbarn kennengelernt. Aber mit wenigen Ausnahmen sollten sie flüchtige Bekannte bleiben. Schließlich war sie doch eine Bourgeoise, eine durch und durch amerikanische Bourgeoise, und ihr persönlicher Lebensstandard und ihr Verhalten wurzelten in einer langen Tradition. »Ist man mit seinem Kopf den andern weit voraus«, sagte sie, »dann ist man in seinem Alltagsleben selbstverständlich altmodisch und pedantisch.« Dem schmuddelig In-den-Tag-hinein-Leben der Boheme konnte sie sich naturgemäß nicht anpassen und auch keinerlei Reiz abgewinnen. Die jugendliche und besessene Leidenschaft ihrer Hingabe an das künstlerische Leben mußte sie zwar anziehen, sie ließ sich aber niemals in dieses Leben hineinziehen. Das mag bedauerlich erscheinen, weil Schriftsteller innerhalb dieser Gruppe besonders geachtet und einflußreich waren. Lange ehe die Maler ihrem *esprit nouveau* Ausdruck verliehen, hatten die Schriftsteller die Zielsetzung und Vorhaben der Gruppe verkündet und die Taten der einzelnen Mitglieder breit ausgewalzt. Wiewohl grundsätzlich an ästhetischen Fragen interessiert, kümmerten die meisten sich wenig um intellektuelle Dinge, und manche bekannten sich gar zu einer Art von hirnloser Anarchie. Vielen konservativen Beobachtern, die kaum merkten, daß sie in eine raffinierte Falle gingen, erschienen die Kubisten als eine Horde prahlerischer Bilderstürmer und Clowns, und ihr Benehmen, das so wild und lächerlich war wie das Zeug, das sie im Namen der Kunst hervorbrachten, war einfach *de trop*.

In der Literatur wie im Leben begeisterten sie sich am Paradoxen, priesen in einem Atemzug Baudelaire, Mallarmé und Rimbaud, im nächsten Augenblick Conan Doyle, die Groschenheftabenteuer von Fantômas und Nick Carter, *Les Histoires de Buffalo Bill.* Sie waren regelmäßige Besucher des Cirque Medrano wie auch der Dienstag-Soiréen, die Paul Fort, der Herausgeber der Zeitschrift *Vers et Prose* in der Closerie des Lilas gab, einem Café, das den Namen einer Tanzdiele übernommen hatte, die früher an derselben Stelle, Ecke Boulevard St. Michel und Boulevard Montparnasse stand. Unter der Führung von Picasso, Apollinaire, Salmon und Max Jacob bildeten sie eine verschworene Bistrogesellschaft. Aber hinter der harmonischen Fassade lauerte das Paradoxon: Den Zutritt zu dieser Gruppe erreichte man am leichtesten durch schamloses Lügen und Ehrabschneiden. Wer es in den phantasievolleren Formen der Verleumdung, des Betrugs und der Beutelschneiderei weit gebracht hatte, durfte zum Lohn die Vollmitgliedschaft erhoffen. Den zwanglosen und meist recht übermütigen Zusammenkünften dieser Gruppe erteilten die Kritiker in späteren Jahren die ehrenvolle Bezeichnung einer *Ecole de la rue Ravignan*. Aber ehe die Kritik ihr einen verantwortlichen Platz in der Geschichte anwies, lebte die Gruppe nach einem Motto, das André Salmon einer Figur in seinem *La Négresse du Sacré Cœur* in den Mund legte: »Es gibt nur eine unverrückbare, heilsame und gesunde Wahrheit, und das ist das Absurde.«

Von den Bewohnern des Bateau Lavoir wurde der Bücherrevisor und Aktuar Maurice Princet heiß geliebt. Obgleich er mit ihnen allen die Prüfungen der Armut teilte, glaubte man allgemein, er müsse rasch zu Reichtum gelangen. Apollinaire hat einmal ein Couplet auf ihn verfaßt:

Princet, de l'Institut des Actuaires membre,
Ce mois-ci n'a pas du payer sa pauvre chambre.

Princet, ein gelehrter Mann, der an der Ecole Polytechnique studiert hatte, lieferte völlig unbeabsichtigt einen wichtigen Beitrag zum Kubismus, indem er seinen Künstlergefährten die Welten der Mathematik und Physik erschloß – Wunderwelten für seine Zuhörer, die gerade auf ihre Weise dabei waren, der Kunst und der Literatur eine vierte Dimension hinzuzufügen.

Obgleich Gertrude zu Picasso und später zu Juan Gris in enger und vertrauter Beziehung stand, sollte sie doch nur eine Randerscheinung in der Gruppe der Rue Ravignan bleiben und, zumindest in ihren eigenen vier Wänden, nur sehr wenige ihrer Mitglieder sehen. Georges Braque war etwa ein Jahr lang ein häufiger Besucher, aber seinem Werk gegenüber hatte Gertrude starke Vorbehalte. Sie glaubte, daß »auf jeden bedeutenden Schöpfer ein zweiter Mann folgt, der zeigt, wie man die Sache auch einfach machen kann. Picasso kämpfte und schuf sein Neues, und dann kam Braque daher und zeigte, wie es schmerzlos gemacht werden konnte.« Sie neigte dazu, ihn als einen »unbedeutenden Dichter mit musikalischem Rhythmus zu sehen, der imstande war, diese Eigenschaften in Farbe auszudrücken«, und nicht den großen und originellen Maler, der neben Picasso den gleichen Anspruch auf den Namen »Vater des Kubismus« hat. Immerhin stand auch sie, wie die französischen Maler, für die das neue Leben in der Malerei ebenso eine nachhaltige neue Bewegung wie eine *cause célèbre* war, unter dem Einfluß dieser Gruppe, wenngleich sie sich nie zu deren Clownerien herabließ. Trotzdem sollte sie schließlich in ihren Bemühungen, die Lehren der neuen Malerei in die Literatur zu übersetzen, alle Schriftsteller, die der Gruppe angehörten, weit überflügeln. Die Gruppe war heterogen, und die Individuen innerhalb der Gruppe waren viel zu unabhängig, als daß sie sich ihrer in irgendeiner persönlichen Form hätte bemächtigen können. Da es aber für sie stets notwendig war, andere gewissermaßen in Besitz zu nehmen, hielt man sie sich vom Leibe. Außerdem hatte sie bezüglich des Auftretens in der Künstlerwelt grundlegend andere Ansichten als die Gruppe. Sie konnte ihre Überzeugung, daß es von essentieller Wichtigkeit sei, »durch und durch konservativ, das heißt, besonders traditionsgebunden zu sein, um frei zu sein«, gar nicht oft und deutlich genug betonen. In ihren späteren Jahren nahm sie einzelnen Persönlichkeiten dieser Gruppe gegenüber eine gönnerhafte Haltung ein: Sie betrachtete sie als Adjunkten ihrer persönlichen Geschichte, als eine Art von Privatbesitz. Zwar stand sie als Künstlerin in ihren Reihen und gehört in die gleiche kunstgeschichtliche Epoche, in der sie eine führende Rolle spielten, aber sie kränkte viele von ihnen durch die Behauptung, sie sei mit ihnen weit vertrauter gewesen, als es der Fall gewesen war.

Der widerspenstige Liebling der Gründerzeit des Bateau-Lavoir-Kreises war der perverse, geistsprühende Alfred Jarry. Am 10. Dezember 1896 hatte Jarrys respektlose dramatische Farce *Ubu Roi* Paris vor den Kopf gestoßen und, das sei am Rande erwähnt, den zu Besuch weilenden jungen irischen Dichter William Butler Yeats zu dem Ausruf veranlaßt: »Nach uns der Heidengott!« Jarrys Stück, das der Autor im Alter von fünfzehn Jahren verfaßt hatte, war eine Art literarisches Denkmal für die Allmacht der Ignoranz und des Geizes und traf seine erste Zuhörerschaft mit der Wucht eines Manifests. Junge rebellische Künstler reagierten darauf, als hätten sie nun endlich einen Führer, wenn nicht gar einen Erlöser gefunden, und erhoben den Autor zu einem lebenden Symbol. Keiner hatte ihre Revolte gegen den ehrwürdigen Staub der Akademie und die Fesseln des kleinbürgerlichen Milieus, dem die meisten von ihnen erst vor kurzem entflohen waren, in eine derart leidenschaftliche dramatische Fassung gebracht. Die Figur des Ubu Roi, literarisch gesehen ein Nachfolger von Flauberts Yuk, dem Gott des Grotesken, ist ein König der Ausschweifungen, der Lasterhaftigkeit und jeder anderen Manifestation gemeiner menschlicher Instinkte. Gleichzeitig aber drückt sich in ihm auch das Urteil über die Prätentionen der Gesellschaft aus, sowie eine demütigende Bestätigung der Kräfte, durch die sie aufrechterhalten werden.

Der dreiundzwanzigjährige Jarry, der plötzlich zu Ruhm gelangt war, erhielt den Spitznamen *Père Ubu*. In dem Bemühen, eine Ironie zu rechtfertigen, die er sehr wohl als erster wahrgenommen haben mag, entwickelte er selbst Züge seiner monströsen Schöpfung. Ständig durch Absinth, sein heiliges Kraut, körperlich und geistig aufgeputscht, behauptete er eine zynische Vormachtstellung in den Kreisen der Rebellenkünstler. Auf seinen Wegen durch Paris trug er stets eine Pistole bei sich, mit der er bei jeder Gelegenheit, die seinem Ruf als gefährlicher Kunde zuträglich schien, herumfuchtelte. Aber die wahre Macht über seine Freunde verdankte er nicht seinem Schießeisen. Hochgebildet und von scharfem Verstand, unverschämt und brutal, konnte er mit seinen ebenso gelehrten wie obszönen Reden jede Versammlung stundenlang in Atem halten. »Wenn man über Dinge spricht, die verständlich sind«, sagte er, »belastet man nur den Verstand und verfälscht das Gedächtnis, aber das Absurde trainiert den Verstand und bringt das Gedächtnis in Gang.«

Er lebte in einer Art stolzer, geheiligter Armut und ließ sich in seinem gesellschaftlichen Auftreten ausschließlich von seinen Launen bestimmen. Einmal erschien er im Theater in seinem schmutzigen weißen Leinenanzug und in einem Hemd, das er selbst aus Papier angefertigt und auf das er mit Tusche eine Krawatte gezeichnet hatte. In Paris lebte er eine Zeitlang in einer Mietwohnung, die ein erfindungsreicher Hauswirt, der offenbar am liebsten Liliputaner aufnahm, horizontal unterteilt hatte. Trotzdem fühlte Jarry sich dort in Gesellschaft von zwei Eulen und einer Katze durchaus wohl. Seine berühmte Pistole war lediglich ein Requisit seines gepflegten Weltekels; er ballerte damit auf jeden Gegenstand, der seinen Ärger erregte. Als er sich einmal damit amüsierte, Äpfel von einem Zweig zu schießen, gefährdete er einige Kinder, die unter den Obstbäumen spielten. Auf die Vorwürfe der reizvollen Mutter der Kinder soll er ihr geantwortet haben: »Keine Sorge, Madame, ich werde Ihnen neue machen.«

Jarrys Dichtung, die gewisse Einflüsse Mallarmés aufweist, vereinigt in sich wilde Phantasie mit perverser Erotik und dem *humeur noire* der Anarchie. Wirklichkeit und Unwirklichkeit vermischte er nach freiem Belieben. Seine Lieblingsbemerkung bei jeder beachtenswerten Gelegenheit war: »Nicht wahr, das war doch so schön wie Literatur.« Jarrys Sonderstellung war die eines allseits anerkannten Mannes. Auch in geheiligteren Bezirken des literarischen Paris hatte er Zutritt und genoß dort zumindest einige Geltung. Als Picasso im Jahre 1905 Apollinaire kennenlernte, nahm Jarry jedoch an den Geschehnissen in der Rue Ravignan keinen aktiven Anteil mehr. Noch immer war er der Held der Bohemiens und sein *Ubu Roi* der berühmteste literarische Skandal seit Menschengedenken, er selbst aber hatte sich nach Corbeil zurückgezogen. Dort hauste er, von ständigen Wahnvorstellungen verfolgt, wie ein Eremit in einem umgebauten Stall, im Jahr 1907 starb er, vierunddreißig Jahre alt. »Jarrys Leben scheint von einer philosophischen Konzeption bestimmt gewesen zu sein«, schrieb der Kritiker Gabriel Brunet. »Er opferte sich dem Spott und der Lächerlichkeit der Welt. Sein Leben ist eine Art humoristisches und ironisches Epos, das bis zur freiwilligen, komödiantenhaften und vollständigen Zerstörung des Ich getrieben wurde. Jarrys Lehre läßt sich dahin zusammenfassen: ›Jeder Mensch kann seine Verachtung für die Grausamkeit und die Torheit des Universums zeigen, indem er sein eigenes Leben zu einem unverständlichen und absurden Poem macht.‹«

Nachdem der Hanswurst auf dem Königsthron Bohemias tot war, ging sein Zepter logischerweise auf seinen Freund Guillaume Apollinaire über, der die chimärische Gegenwart des Absurden und des Anarchischen im schöpferischen Leben einer weiteren Generation wahren sollte.

Als Picassos Vertraute hatte Gertrude Stein nicht nur Anteil an seinen Inspirationen und ästhetischen Problemen, sondern auch an den Verwirrungen in häuslichen Dingen und Herzensangelegenheiten, unter denen er fortwährend litt. Aber auch mit Matisse stand sie auf freundschaftlichem Fuß, und sie sah ihn beinah ebensooft wie Picasso. Obwohl noch nicht offenkundig, hatten Matisse und Picasso, jeder auf seine Weise, bereits damit begonnen, die Fundamente für zwei vollkommen verschiedene Malweisen zu legen. Picasso hatte, von Braque unterstützt (»wie zwei aneinandergeseilte Bergsteiger«), angefangen, Anregungen der primitiven Kunst aufzunehmen und sie unter dem Eindruck gewisser Vorstellungen aus der Raumphysik, die er bei gelegentlichen Unterhaltungen mit seinem Nachbarn Princet aufgeschnappt haben mochte, in Bilder umzusetzen. Die unmittelbare Folge waren Gemälde, die, wie sich heute zeigt, den Kubismus ins Leben riefen. Matisse hingegen hatte eine Richtung eingeschlagen, die ihn vom Fauvismus, dessen Meister er gewesen war, fort und zu einer anmutigen Klarheit der Linienführung brachte, einer neuen Einfachheit der Zeichnung, in die er riesige Flächen ungebrochener Farbe einbettete. Matisse hatte *Le Bonheur de Vivre* bereits gemalt, Picasso, um, wie manche Leute mutmaßten, dieser Herausforderung zu begegnen, vor kurzem *Les Demoiselles d'Avignon* geschaffen, ein Bild, das, wie er Braque sagte, »großen Lärm verursachen« würde. Rückblickend bilden diese Gemälde, die sich beide weitgehend an Cézannes große Kompositionen von Badenden in Landschaften und Seestücken anlehnen, die Landmarken, an denen sich die Verschiedenartigkeit der Entwicklung von Cézannes berühmtesten Nachfolgern vorzüglich ablesen läßt. Hinter dem einen steigt in weiter Ferne gewaltig und drohend *Guernica* auf, hinter dem andern erhebt sich, in einer womöglich noch weiteren Ferne, die rosa und weiße Schlichtheit der kleinen Rosenkranzkapelle in Vence. Wenn die Führerelite der Pariser Malerei sich auch gespalten hatte, so trafen sich Picasso und Matisse doch weiterhin häufig und in bestem Einvernehmen im Atelier Stein, wo sie sich zum erstenmal begegnet waren. In dem wimmelnden Gehege von Montmartre und Montparnasse waren Treue und Verrat an der Tagesordnung, aber das Haus Nr. 27 in der Rue de Fleurus blieb, zumindest für den Augenblick, eine friedliche Zufluchtstätte. Gertrude und Leo Stein hatten bewiesen, daß sie Freundschaften gewinnen und auch halten konnten.

Aber es waren gefährliche Zeiten. Gertrudes enge Beziehung zu zwei so bedeutenden Rivalen mußte früher oder später dazu führen, daß man sie der Bevorzugung und der Untreue beschuldigte. Matisse war der erste, der diese Beschuldigung vorbrachte. In seinen Augen war Picasso noch immer ein Außenseiter. Es schien ihm undenkbar, daß ein in Geschmacksdingen so anspruchsvoller Mensch wie Gertrude eine echte Beziehung zu Picasso haben konnte. In der Tat war Picasso immer noch nichts anderes als ein bettelarmer Neuankömmling (man sagt, daß er einmal im Winter 1902 seine Skizzen verbrennen mußte, um sich zu wärmen), dessen einzige Pariser Freunde mit Ausnahme des Jarry-Apollinaire-Kreises, in den er erst kürzlich aufgenommen worden war, die Künstler aus seiner katalanischen Heimat waren. Und nicht einer dieser Maler ragte bislang aus der namenlosen Menge der Tausende von anderen Malern heraus, von denen es auf der Butte wimmelte.

Matisse, von Gertrudes Treubruch tief enttäuscht, zerbrach sich den Kopf, weshalb sie dem unbedeutenden Spanier die größere Zuneigung bewahrte. Er glaubte, daß es letzten Endes Gertrudes sattsam bekannter Hang zu allem Überempfindlichen und Theatralischen sein müsse – Eigenschaften, die Picasso im Überfluß besaß. Matisse mag sich auch seine Gedanken über die Duldsamkeit gemacht haben, mit der sie Picassos Freunden begegnete, deren »ubueskes« Benehmen ihm zuwider war und die er mit gutem Grund jedweder Missetat verdächtigte. An den Mauern und Zäunen von Montmartre konnte man seit kurzem Kreideschmierereien wie »Matisse macht die Menschen verrückt!« und

»Matisse hat mehr Schaden gestiftet als der Alkohol!« lesen. Auf jeden Fall blieb Gertrudes Verhältnis zu Matisse ziemlich gemäßigt, weil Gertrude Matisses Werk niemals dem Picassos vorgezogen hat. Als Matisse ihr schließlich vorwarf, daß ihr Interesse an seinem Werk erlahme, antwortete sie in Wendungen, die ihm völlig unergründlich geschienen haben müssen: »In Ihnen ist nichts, das mit sich kämpft – also hatten Sie den Instinkt, die Feindseligkeit anderer zu erwecken, um dadurch zum Angriff angestachelt zu werden. Und nun hat man darauf reagiert.« In ihr hatte sich das Gefühl gefestigt, daß Matisses wachsender Ruhm zu einem Nachlassen der für seinen Anfangserfolg »wichtigen Gefühle in seinem Innern« geführt habe. Er schien jetzt seine eigenen Konventionen zu akzeptieren und zu wiederholen, als hätte er das Lebendigste in sich im Stich gelassen. Seit man ihn nicht mehr schmähte und er eine berühmte Erscheinung innerhalb der Malerei geworden war, hatte er die Eigenschaften verloren, deretwegen Gertrude in ihm einen »wahrhaft Großen« gesehen hatte. Sein berühmtes Credo von 1908 – er proklamiert darin eine »Kunst der Ausgeglichenheit, der Reinheit und Heiterkeit, frei von beunruhigenden oder deprimierenden Vorwürfen, eine Kunst, die wie ein bequemer Lehnstuhl sein kann« – sprach von einer Kunst, die sie schwerlich bejahen konnte.

Obgleich Gertrude noch viele Jahre lang von Matisse als *cher maître* sprach und ihn häufig bei sich sah, zeigten sich doch bereits die Anfänge einer zunehmenden Entfremdung. Ihre Einstellung gegenüber seiner Entwicklung und seinem Erfolg ließ Matisse keineswegs unberührt: Wenn sie ihn wohl auch nie zu irgendeiner Änderung seines Stils veranlaßt hat, so war ihm doch offensichtlich jahrelang an ihrer Anerkennung seiner Bemühungen gelegen, und er sprach zu ihr von seinem schöpferischen Ringen. »Das Malen fällt mir stets sehr schwer« – schrieb er 1912 an sie, »stets dieser Kampf – ist das natürlich? Ja, aber weshalb muß ich soviel kämpfen? Es ist so wohltuend, wenn etwas von selbst kommt.« Die Freundschaft zwischen den beiden sollte erst ganz in die Brüche gehen, als Gertrude, in ihren Erinnerungen an diese Epoche, Mme. Matisse als »eine sehr aufrechte dunkle Frau mit einem langen Gesicht und einem dezidierten großen schlaff herunterhängenden Pferdemaul« beschrieb.

Gertrudes Freunde befanden sich bereits auf dem Weg, die bedeutendsten Maler ihrer Zeit zu werden. Während der ersten

Jahre ihrer Bekanntschaft mit ihnen steckte sie selber tief in der angestrengtesten Arbeit ihrer schriftstellerischen Laufbahn, in *The Making of Americans*. Eine literarische Generation lang sollte dieses Buch unveröffentlicht dahindämmern. Als es dann endlich veröffentlicht und immer wieder aufgelegt wurde, erwies es sich als Markstein einer weit zurückliegenden, aber unsterblichen Karriere. »Weiterhin ist es eher verzeihlich, wenn einer den natürlichen Neigungen nachgibt oder auch von solchen Begierden getrieben wird, die allen Menschen gemeinsam sind. Nun liegen Heftigkeit und Unwille mehr in der menschlichen Natur als die Lüste, die sich auf ein Übermaß und auf das richten, was nicht zur Notdurft gehört. So sagte jener Mensch, um sich zu entschuldigen, daß er seinen Vater schlage: Er hat seinen Vater auch geschlagen und dieser den seinigen; und auf seinen kleinen Sohn weisend: Dieser wird wieder mich schlagen, wenn er ein Mann geworden ist; das ist einmal so in unserem Hause. Ein anderer mahnte seinen Sohn, als dieser ihn fortschleifte, er solle ihn nicht weiter als bis zur Tür schleifen; denn er selbst habe seinen Vater auch nur so weit geschleift.«

Dieses Zitat stammt aus der Nikomachischen Ethik des Aristoteles, Buch VII, Kapitel 6. Weder in Gertrudes Werk noch in den Aufzeichnungen über ihre Lektüre finden wir auch nur eine Andeutung, daß sie bewußt etwas aus andern Schriften übernahm, dennoch heißt es im ersten Absatz von *The Making of Americans:*

»Einst schleifte ein zorniger Mann seinen Vater durch dessen Obstgarten. ›Hör auf‹, schrie der stöhnende alte Mann schließlich, ›hör auf! Ich habe meinen Vater auch nur bis zu diesem Baum geschleift.‹«

Indem sie sich an Aristoteles orientierte und unzählige Tabellen und Diagramme anfertigte, die auf großen Blättern die verschiedenen Persönlichkeitstypen und Bewußtseinsarten festhielten, hatte Gertrude Stein sich langsam in ihr längstes und sie am stärksten beschäftigendes Werk hineingearbeitet. Sie hatte ihre Familiengeschichte zu erzählen, und in ihrer Erzählung sollte diese Geschichte nichts Geringeres werden als eine Parabel des amerikanischen Lebens mit all seiner Freiluftunruhe und seinem Wandertrieb, seinem Reichtum, seinen Ambitionen und seiner ungeheuerlichen Mittelstandsvitalität. Über 900 Seiten lang ist dieser Roman, für den Donald Sutherland in seinem Buch *Gertrude Stein: Eine Biographie ihres Werks* die Worte findet: »Wie das Pentagon ist es abschreckend und großartig zugleich. Gertrude Stein hat recht, als sie ihn ein ›monumentales‹ Werk nannte. So wie der Escorial Ausdruck des spanischen Volks in seinen unvergänglichen Begriffen, Nichtigkeit und Glorie, ist, und so wie Versailles das vollkommen ausbalancierte Nationalgefühl zwischen konzentrierter Gewalt und sinnlicher Pracht repräsentiert, so ist oder war das Pentagon ein in sich vollkommenes Labyrinth simpler wesentlicher Abstraktionen.«

The Making of Americans ist der wissenschaftliche Beweis und das gewaltigste Zeugnis für Gertrudes festen Glauben an die letztliche Absolutheit des menschlichen Charakters. Als literarisches Werk entbehrt es nahezu jedes glücklichen Einfalls hinsichtlich Detail, Farbe und Anekdote, wie er in bedeutenden oder auch weniger bedeutenden Büchern die Aufmerksamkeit fesselt. Aber Gertrude Stein hatte genug von reizvollen Verbrämungen und diffuser Sentimentalität, die dem unersättlichen Leser die Romane verlockend erscheinen lassen. Sie wollte zum Wesentlichen kommen – zu Gedanken, die sich nicht hinter einer Formulierung verbergen, sondern die selbst am Werk sind, und zu Gestalten, die nicht wie Schmetterlinge aufgespießt, sondern lebendige runde Figuren sind. Sie wollte herausfinden, ob die Kraft des Intellekts der Kraft der Gefühle im Kampf um die Vermittlung lebendiger Erfahrung überlegen ist und war auf das Ergebnis gespannt.

Wenn man sich *A la Recherche du Temps Perdu* als eine Folge von ausgebleichten Landschaften vorstellen könnte, deren sämtliche Figuren auf eine Gesellschaft von auf sich selbst beharrenden Theorien reduziert sind, dann hat man das Buch eingeordnet und ist dem Wesen der von Gertrude Stein dargestellten Figuren nahegekommen. Die Seiten von *The Making of Americans* stecken so voll von rollenden und wiederholten Kadenzen wie die Bibel, aber der vorherrschende Klang ist, wie bei einem orientalischen Ritual, die Musik der kontinuierlichen Gegenwart, die immer weitergeht und die sich immer, beinah immer, aber doch nicht ganz, gleich bleibt. Die Menschen, die diese Seiten bevölkern, gleichen weniger Abbildern des Lebens als entfleischten Ungeheuern, deren Knochen über Gattung und Spezies Auskunft geben.

Schon frühzeitig hat Gertrude Stein die Ansicht gehabt, die ihr schöpferisches Leben beherrschen sollte; nämlich, daß die »kontinuierliche Gegenwart und das Verwenden von allem und jedem und das Wiederbeginnen« die letzte Wirklichkeit des Tatsächlichen und somit auch die letzte Wirklichkeit sei, die Worte vermitteln können. Indem sie sich von den Konventionen des Anfangs, der Mitte und des Endes freimachte, legte sie nur eine Fläche an – eine Fläche, deren Proportionen so groß waren wie eine Leinwand von Jackson Pollock. Danach ging sie daran, sich zu versichern, daß diese Fläche stets »mit Bewegung« gefüllt war. In einer grandiosen Negierung der Schranken, die die Literatur von der Malerei trennen, brachte sie ein Werk hervor, das die Faszination eines Symbols hat, welches sich der Phantasie nachdrücklich einprägt, lange ehe der Gegenstand, den es symbolisiert, dem Verständnis zugänglich ist.

Sie machte einen Entwurf, indem sie die Zeit wie eine große Fläche »bedeckte«, auf der sie nach Belieben arbeiten konnte. In der die Enden verschluckenden Abfolge ihrer Sätze und Absätze und Kapitel wahrte sie gerade noch genug Satzinhalt, um ihren Leser daran zu erinnern, daß sie eine Geschichte erzähle, »die Geschichte von der Entwicklung einer Familie«, in der sich tatsächliche Geschehnisse ereignen. Diese Geschehnisse dienten wie die zerstückelten Züge der Porträts oder Landschaften in der frühkubistischen Malerei als Verbindungsglieder zwischen ihrer individuellen und der allgemeinen Sicht. Wie die kubistischen Gemälde, so erfordert auch ihre Komposition die unentwegte Anteilnahme des Beschauers. Ruhepunkte – informative Stellen, dramatische Wendungen, beschreibende Passagen – sind selten und stehen in weiten Abständen, während Stunden der Abstraktion die Augenblicke der Darstellung überwältigen.

Sie benutzte Menschen ihrer Umgebung und trieb sie einen nach dem andern in die großen Pferche ihrer angreifenden und Widerstand leistenden, abhängig-unabhängigen und unabhängig-abhängigen Typen. Dort verloren sie nach und nach ihre Individualität und wurden weniger Gestalten denn Entwürfe zu Gestalten, wie sie Gertrude Stein vorschwebten. Trotz der großen Länge des Buches will sie im Grunde nur vier Gestalten in ihrer Vollständigkeit darstellen. 288 Seiten sind der Erbmasse und »den alten Menschen in der Neuen Welt« gewidmet. 198 Seiten sind Martha Hersland gewidmet, die zu den »neuen Menschen, die aus den alten hervorgingen«, zählt, und deren Vorbild eine ihrer Cousinen war. 244 Seiten beschäftigen sich mit Alfred Hersland und Julia Dehning, die ebenfalls zu den »Neuen« gehören und ihrem Bruder Michael und einer anderen Cousine nachgebildet sind. 184 Seiten sind David Hersland gewidmet, dessen lebendes Vorbild ihr ehemaliger wissenschaftlicher Kollege Leon Solomons ist.

Das Buch wird von einem einzigen Problem beherrscht, von dem man glauben sollte, daß seine Lösung für die wissenschaftliche Forschung wichtiger wäre als für die literarische Ästhetik. Ist der motorische Impuls ein zuverlässigerer Schlüssel zum Charakter als das äußere Auftreten? In welcher Weise ist die unbewußte und essentielle Persönlichkeit mit dem Bewußtsein, mit der Persönlichkeit und mit den motorischen Impulsen verbunden? Während andere Schriftsteller ihre Gestalten »umreißen« und ihre Sprache und Bewegungen durch Kulissen und Kostüme verdeutlichen, die ihnen einen Platz in der Welt der Wirklichkeiten anweisen, lehnt sie solche verschleiernden Mittel bewußt ab, weil sie entschlossen ist, allem und jedem »auf den Grund zu gehen«. Nur die handelnde Gestalt, so glaubte sie, nur die Figur in Abwehr, Angriff oder ihrer sonstigen Eigenschaft als gegenwärtig Handelnder konnte die wahre Persönlichkeit festhalten. Als sie dann die Tabellen und Diagramme und ihre Aussagen über den Menschen untersucht hatte, war die Musik ihrer kontinuierlichen Gegenwart eine ganz besondere Musik geworden, in so hohen oder tiefen Tonlagen, daß die meisten Menschen sie nicht mehr wahrnehmen konnten. Nichtsdestoweniger waren ihre Anstrengungen heroisch, und viele Jahre lang sollte es ebenso schwierig sein, das gigantische Werk, das diese Anstrengungen erforderte, zu verdammen, wie das Buch selbst zu lesen. Wie fast hinter allem, was Gertrude Stein hervorbrachte, so stand auch hinter *The Making of Americans* schützend jene schöpferische Logik, die das Gedankengebäude des Buches bedeutend machte. Die Narren, die hineinstürmten, sollten bald wieder hinausstürmen, um ihre verwirrten und meist törichten Urteile auszuposaunen. Die Weisen, beeindruckt, aber wenig glücklich, verweilten meditierend darin, und die meisten von ihnen schwiegen. Andere wiederum, die noch weiser waren, sprachen mit der Autorität des schöpferischen Genies darüber. »Dieses Epos über uns selber«, schrieb Marianne Moore, »erinnert uns an gewisse frühe deutsche Kupferstiche, auf denen Adam, Eva, Kain und Abel in Gesellschaft aller bekannten Raubtiere und Haustiere unter einem großen Baum an einem Fluß stehen. *The Making of Americans* ist eine Art lebendiger Stammbaum, der noch ausschlägt. Hier haben wir eine wahrhaft psychologische Darstellung des amerikanischen Lebens – einen Bericht über das

Glück und das Unglück, das für diejenigen, die es an sich erfahren, so zufällig ist wie für diejenigen, die ein angeborenes Verständnis für Ererbtes und Milieu haben.« Und im Jahr 1927 schrieb Katherina Anne Porter, daß diese Seiten »ein psychologisches Nachschlagewerk und das Tagebuch eines ästhetischen Problems darstellen, das unmittelbar unter den Augen des Lesers entwickelt wird ... Ich bezweifle, daß alle Menschen, die es lesen sollten, es in absehbarer Zeit lesen werden ... Und die Lektüre dieses Buches ist ohnehin eine Art Dauerbeschäftigung. Es jedoch zu kürzen, hieße es in seinem Lebensnerv verstümmeln, und es ist ein sehr notwendiges Buch.«

Gertrude Stein konnte diese Bemerkungen erst zwanzig Jahre später lesen, doch während sie arbeitete, war ihre Konzentration so groß und ihr Zutrauen so stark, daß weder Lob noch Tadel sie später überraschen konnten. Tief verstrickt in die Windungen und Verschlingungen eines Werkes, das sich wie eine diabolische Maschinerie unentwegt zu erneuern schien, beschloß Gertrude plötzlich, als sie eines Tages 1908 allein in Paris war, ihren Helden aus dem Buch zu streichen. Als sie am Abend desselben Tages ihre Freundin Mildred Aldrich besuchte, war sie in einem Zustand heftiger Erregung. Auf Miss Aldrichs Frage, was los sei, antwortete Gertrude: »Mein Held – ich habe ihn umgebracht!«

»Du lieber Himmel, weshalb denn?« fragte Miss Aldrich.

»Ich kenne ihn durch und durch«, sagte Gertrude, »und auch die andern, und überhaupt alle in dieser Geschichte.«

Das war ihr Augenblick der Offenbarung, der Punkt, an dem sie erkannte, daß das ganze Buch »eine kleine Schilderung war, wie man soviel Weisheit erlangen kann«. Aber wenn sie auch für sich Weisheit daraus gewonnen hatte und an dem entscheidenden Punkt angelangt war, an dem sie sagen konnte: »Wenn man es tun kann, weshalb sollte man es dann tun?«, so hatte sie doch viele ihrer künftigen Leser gründlich genarrt und im Stich gelassen. Wer in Gertrude einen ungeheuerlichen Spaßvogel sieht, den ein »hektisches, täppisches, furchterregendes Zeitalter« hervorgebracht hat, kann die unselige Beziehung zwischen der Künstlerin und ihrem Publikum nicht deutlicher ausdrücken als B. L. Reid in seinem Buch *Art by Subtraction:* »Ich habe gesagt, ihr Denken ... sei sophistisch«, schrieb Reid, »aber auch das entspricht wiederum nicht ganz der Wahrheit. Das Rationale ihres auf fortgesetzter Wiederholung beruhenden oder ›insistenten‹ Stils ist symptomatisch für eine tödlichere Krankheit, als die Sophisterei es ist. Es ist eine andere Manifestation ihrer schizophrenen Trennung von Ästhetik und Kunst und zeigt das, was ihr schließlich den künstlerischen Rang abspricht, in seiner extremsten Form. Es ist ihre ganz große Schwäche, ihre Weigerung oder vielleicht ihre tatsächliche Unfähigkeit, die unvermeidliche Kluft zwischen dem Wahrnehmungsvermögen eines individuellen überempfindlichen Denkers und Schriftstellers und dem Wahrnehmungsvermögen einer Leserschaft, die nicht nur mit dem Schreibvorgang oder der Theorie, sondern auch mit dem Endprodukt ins reine kommen muß, zu erkennen. Unvermeidlich ist ihre ›Insistenz‹ unsere Wiederholung, und das Resultat ist nicht Kunst, sondern Betäubung.«

Während Gertrude in die langen langsamen Schlangenwindungen ihres zweiten Buches verwickelt war, hatte sie noch mit dem mühseligen und – wie sich herausstellen sollte – langwierigen Problem zu kämpfen, einen Verleger für das erste zu finden. »Mein Buch ist nun beendet«, schrieb sie an einen Freund, »und das Schlimmste wird sein, einen Verleger dafür zu finden... Gewiß werden sich angesichts des verzwickten klingelnden Stils ihre Haare sträuben, aber mir liegt es sehr am Herzen.« Sie hatte zunächst daran gedacht, *Three Histories* unter dem Pseudonym Jane Sands einzureichen. Als aber das Manuskript in die Hände von Agenten und Verlegern kam, heftete man einen Zettel mit ihrem eigenen Namen an das Vorsatzblatt. Hutchins Hapgood, der das Manuskript in Europa gelesen hatte, versuchte es bei seinem Verlag Duffield & Co. unterzubringen. Aber Mr. Duffield wies die Geschichten mit der Begründung zurück, sie seien zu unkonventionell und zu literarisch und schlug vor, sie einer Agentin, Flora M. Holly, anzuvertrauen. Miss Holly, die an der Absatzmöglichkeit zweifelte, versuchte die Geschichten an Zeitschriften zu verhökern, aber ihre Bemühungen führten zu nichts. Schließlich schickte sie sie an Gertrudes Studienfreundin Mabel Weeks, die zu dieser Zeit am Barnard College unterrichtete. Diese wiederum sandte sie an eine andere gemeinsame Freundin, Georgiana King, nach Bryn Mawr, und diese beiden Frauen kamen überein, das Buch dem Verlag Macmillan einzureichen. Als dieser das Manuskript ablehnte, ging es wieder an Mabel Weeks zurück, die es an Bobbs-Merrill schickte. Auch dort wurde es abgelehnt, aber nicht ohne Begründung: »Aus dem Bericht unserer Lektoren über dieses Manuskript geht hervor, daß ihre Aufmerksamkeit gefesselt und ihre Sympathie durch eine gewisse Originalität des Werks, seine aufrechte Schlichtheit und das Eigenwillige, das ihm anhaftet, geweckt wurde, aber die vorgebrachten Einwände schienen diese unbestrittenen Vorzüge zu überwiegen. Wiewohl man dem Manuskript – trotz der stilistischen Ausgefallenheiten – literarische Qualitäten bescheinigt, erschienen den Lektoren die ungebrochene Intensität zu belastend und die Charakterstudien zu gekünstelt, die Porträts von übertriebener Genauigkeit und im Detail viel zu ausgetüftelt. Auch bei einer Miniatur kann man des Guten zuviel tun, und das war es augenscheinlich, was unsere Lektoren in bezug auf ›Die Gute Anna‹ und andere Gestalten der Autorin empfanden ...«

Irgend jemand schlug die Open Court Publishing Company in Chicago vor, was aber nur zu einer neuerlichen Ablehnung führte. Schließlich gab Mabel Weeks das Buch der literarischen Agentin Mrs. Charles Knoblauch. Nach einigen erfolglosen Versuchen machte Mrs. Knoblauch Gertrude den Vorschlag, das Buch im Eigenverlag herauszubringen – sie sollte die Druckkosten tragen, und die Grafton Press in New York sollte es herstellen und vertreiben. Dort erschienen in der Hauptsache genealogische und historische Werke, die meist auf Kosten der Autoren gedruckt wurden. Die Druckkosten für *Three Histories* wurden auf 660 Dollar geschätzt. Gertrude fragte Etta Cone, ob sie sich mit ihr in die Kosten teilen wolle. Etta aber wollte gerade ihr ganzes derzeit verfügbares Einkommen in einen Renoir investieren, und so mußte Gertrude die Gesamtkosten übernehmen. Am 16. November 1908 schloß man einen Vertrag über eine Auflage von 1000 Exemplaren, von denen vorläufig nur die Hälfte gebunden werden sollte.

Frederick H. Hitchcock, der Präsident der Grafton Press, versprach sich von einem anderen Titel größere Verkaufschancen, und Gertrude erklärte sich einverstanden, es *Three Lives* zu nennen. Als Hitchcock jedoch weiterhin vorschlug, ein Pariser Mitarbeiter, den er gerne in die Rue de Fleurus schicken wolle, solle »ein paar schlimme grammatikalische Schnitzer korrigieren, die vermutlich bei der Abschrift entstanden sind«, wurde Gertrude wütend. Sie bestand darauf, daß keine Änderungen vorgenommen würden. Hitchcock fügte sich, konnte sich aber nicht enthalten, das letzte Wort zu sprechen: »Ich möchte doch ganz offen sagen, daß Sie meiner Ansicht nach ein sehr seltsames Buch geschrieben haben und daß es schwer sein dürfte, die Leute dazu zu bringen, es ernst zu nehmen ...«

Obgleich Gertrude verbissen darauf beharrte, daß das, was sie geschrieben hatte, nicht angetastet werden dürfe, hatte sie doch mitunter Zweifel wegen ihres Werks. »Ich fürchte, ich werde niemals den großen amerikanischen Roman schreiben können«, schrieb sie einmal an Mabel Weeks.

VII

Das Kernthema des Romans ist, daß sie sich freuten, einander zu sehen.

Gertrude Stein

Eine der Folgen des Erdbebens und des großen Brandes von San Francisco im Jahre 1906 war nicht zuletzt Gertrude Steins Begegnung mit Miss Alice Babette Toklas, einer kleinen, dunklen, samtigen jungen Frau, die als ihr Schatten und Trabant berühmt werden sollte. Als Gertrude sich nach mehr als dreißig gemeinsam verbrachten Exiljahren entschloß, die »Autobiographie« ihrer Gefährtin zu schreiben, schlüpfte sie ganz selbstverständlich in eine Persönlichkeit, von der sie sonst ebenso selbstverständlich behandelt worden war. Einige der ausgefallenen Vorlieben hinsichtlich Essen, Landschaft und Literatur sind wirklich die der fiktiven Schreiberin der Autobiographie von Alice B. Toklas. Und mindestens zum Teil gilt das auch für den Sprachrhythmus und für die persönlichen Streiche und Abenteuer. Doch der impulsive Egoismus, der dem Buch die Würze gibt, der altkluge Stil, das egozentrische Reminiszieren und das mütterliche Murmeln sind reinste Gertrude Stein.

Kaum hatten sie von der Katastrophe gehört, da beschlossen Michael Stein, Gertrudes ältester Bruder, und seine Frau Sarah, nach San Francisco zurückzukehren, um den Schaden festzustellen, den ihr Immobilienbesitz, von dem ein großer Teil ihres Einkommens in der Fremde abhing, erlitten hatte. Obgleich sie Paris in ziemlicher Eile verließen, versäumten sie es nicht, einige der Schätze mitzunehmen, die sie als angehende Sammler der erstaunlichen neuen Malerei des 20. Jahrhunderts erworben hatten. Dazu gehörten eine Zeichnung und drei kleine Ölgemälde von Matisse, darunter das *Portrait à la Raie Verte,* oft nur *Der grüne Strich* genannt. Um den damaligen amerikanischen Bilderzoll zu umgehen, heckten die Steins eine List aus. Michael Stein sollte dem Zollinspektor am New Yorker Pier erzählen, Matisse sei zweifellos der größte Künstler der Welt und der Wert seiner Werke unschätzbar. Dem Verwirrten sollte Sarah dann hinter dem Rücken ihres Mannes mit mitleidigen Blicken und Kopfschütteln bedeuten, daß das natürlich Unsinn sei. Wie sich dann später herausstellte, brauchten sie dieses Vorhaben nicht in die Tat umzusetzen und konnten die Werke – vermutlich die ersten Ölgemälde von Matisse, die jemals den Atlantik überquerten – ungehindert auf amerikanischen Boden bringen.

In San Francisco sollten sie als Sammler der verrückten Maler vom Montmartre viel Spaß haben. Sarah schrieb an Gertrude nach Paris: »Ich hatte es nicht leicht mit einigen der hiesigen Künstler ... Weißt du, Mikey hat aus purem Spaß einem von ihnen die Matisses gezeigt, und seit der erregenden Kunde, daß solches Zeug sich in der Stadt befindet, bin ich äußerst populär; es war nicht immer ... ›angenehm‹. Oh, Albert Bender erwies sich wie stets als unser getreuester und ergebenster Freund ... aber durch die *Femme au nez vert* wurde seine Freundschaft auf eine harte Probe gestellt. Auf seine Frage nach dem Bild sagte ich ihm, es sei vielleicht besser, wenn ich ihm diese Prüfung ersparen würde, da ich wisse, daß ihm sein Glaube an meine Unfehlbarkeit sehr teuer war. ›Nein‹, sagte er, ›ich werde niemals, niemals, niemals wie andere behaupten, du seist verrückt.‹ Nun, er sah das Bild – zwei Minuten lang war er sprachlos –, dann fragte er ganz kleinlaut: ›Aber glaubst *du* nicht, daß du verrückt bist?‹ Wurde während meines Bemühens, dies zu Papier zu bringen, sechsmal ans Telefon gerufen – wieder sechs Einladungen, habe sie alle angenommen. So geht es morgens, mittags, nachmittags, abends, nachts – es ist recht lustig. Und ich führe so gern meine Kleider vor! Sie sind jedesmal eine Sensation!«

Zu den Freunden und Bekannten, die sich einstellten, um Sarah und Mike willkommen zu heißen, sich ihre verblüffenden Neuerwerbungen zu betrachten und aus erster Hand über das Leben im Ausland berichten zu lassen, zählte auch eine wohlerzogene junge Dame, die für die elegante Anmut ihrer Haltung und ihren Hang zu taubengrauen Kleidern berühmt war, Miss Alice Toklas. Eindrucksfähig, intelligent und, mit achtundzwanzig Jahren, begierig, mehr von der großen Welt kennenzulernen als San Francisco ihr bieten konnte, kehrte Alice, nachdem sie geschaut und gelauscht hatte, mit wunderbaren neuen Vorstellungen zu ihren praktisch eingestellten Verwandten und in ihren Junggesellenhaushalt zurück. Bald nach dieser Begegnung mit den Steins fing sie an, ihrem Vater zu suggerieren, es wäre gut für sie, eine Zeitlang nach Europa zu gehen. Da er sich keine großen Illusionen über ihre Heiratsaussichten machte und gewittert haben muß, daß ein recht nettes Talent zum Klavierspielen und eine Vorliebe für die Romane von Henry James nicht ausreichten, um darauf eine berufliche Karriere aufzubauen, nahm er den Vorschlag seiner einzigen Tochter wohlwollend auf. Aber wie sollte man das Geld für ein so großes Vorhaben beschaffen? Da starb, just im rechten Augenblick, Alices Großvater, der ausgedehnten Landbesitz im San Joaquin Valley besaß, und hinterließ der Enkelin ein bescheidenes Legat. Sie zögerte keinen Augenblick, ihren Plan zu verwirklichen. Zusammen mit Harriet Levy, einer nahen Freundin, fuhr Alice noch im selben Jahr nach Europa. Da sie den Winter in Paris verbringen wollten, mieteten sie eine kleine Wohnung in der Rue Notre Dame des Champs.

Die Michael Steins hatten inzwischen ihre Angelegenheiten geordnet und Matisse den amerikanischen Markt erschlossen – sein erstes Werk ging an den Maler George Of aus San Francisco – und waren in ihr Heim in der Rue Madame zurückgekehrt. Ihre Pariser Freunde gaben ihnen einen Empfang, auf dem die erste Begegnung zwischen Alice Toklas und Gertrude Stein stattfand. In der »Autobiographie« läßt Gertrude Alice sagen, daß sie bei dieser Gelegenheit zum erstenmal das übersinnliche Klingelläuten vernahm, das ihr die unleugbare Gegenwart des Genies ankündigte. Obwohl sie Tausenden von talentierten Männern und Frauen begegnen sollte, die allen möglichen geistigen und künstlerischen Beschäftigungen nachgingen, hörte sie die Klingel nur noch bei zwei weiteren Gelegenheiten: als sie Pablo Picasso begegnete, und sieben Jahre später, als sie dem Philosophen Alfred North Whitehead zum erstenmal die Hand drückte.

Alice Toklas' polnisch-jüdische Familie hatte sich 1849, zur Zeit des Goldrauschs, in Kalifornien niedergelassen, sie selbst wurde in San Francisco geboren. Ihre Jugendzeit verbrachte sie vornehmlich in Kreisen des gehobenen Mittelstands, aber auch, durch unglückliche Familienverhältnisse, unter Bedingungen, die denen des dienenden Stands gleichkamen. Nach dem Tod ihrer Mutter zog sie auf Wunsch ihres Vaters zu den Großeltern, Mr. und Mrs. Louis Levinson, und deren erwachsenen Söhnen, denen sie fortan in der O'Farrell-Street 922 das Haus führte. Als Haushälterin und Köchin wurde Alice zur Hauptperson in einem überwiegend männlichen Haushalt, dessen Interessen vorwiegend geschäftlichen Dingen galten. Das Leben einer »armen Verwandten« war eher beengt und monoton, doch mindestens einmal im Jahr wußte Alice ihrem Gefängnis zu entfliehen. Mit dem Erlös aus dem Verkauf abgelegter Kleider und ausrangierter Möbel finanzierte sie alljährlich einige Ferienwochen im nahegelegenen Sommerparadies Monterey. Dort tauschte sie die graue oder schwarze Nonnenkleidung, die sie später ausschließlich tragen sollte, gegen farbenprächtigen, manchmal chinesischen Putz ein und genoß in dem exotischen alten Lehmhaus *Sherman's Rose* inmitten anderer Sommerfrischler kurze Urlaubsfreuden. *Sherman's Rose* verdankte seinen Namen der Legende, General Sherman habe dort zu Ehren einer Tochter des Hauses, um die er vergeblich geworben hatte, einen Rosenstock gepflanzt. Alice befreundete sich mit der ehemaligen Liebe des Generals, die inzwischen eine alte, aber sehr agile Dame geworden war. »Sie pflegte mir eines ihrer Schultertücher umzulegen«, berichtete Alice, »und mit boshaft blitzenden Augen zu sagen: geh raus und stell dich unter den Rosenstock und laß dich von den Touristen aus Del Monte fotografieren!« Doch jene Ausflüge in das fröhliche Sommerleben ließen Alice die Enge, in die sie zurückkehren mußte, um so schmerzlicher empfinden.

Als Jahre zuvor der Tod ihrer Mutter ihrem behüteten, sorglosen Leben ein jähes Ende setzte, hatte Alice sich dem Entschluß ihres Vaters gehorsam gefügt. Bis auf die tägliche Sorge um die häuslichen Angelegenheiten war ihr Leben in San Francisco ganz angenehm, ziemlich banal und ohne Aussicht auf Veränderung gewesen. Sie traf sich weiterhin mit den Freundinnen aus ihrer Mädchenzeit, aber nach und nach heirateten diese, während Alice sich immer noch ihrem Vater und ihrer musikalischen Ausbildung zu widmen hatte. Weil man zur damaligen Zeit alle Bestrebungen junger Mädchen, die in andere Richtung zielten als in den Hafen der Ehe, verdächtig fand, ermutigte man sie nicht, sich Gedanken über berufliche Möglichkeiten zu machen. Und da ihr überdies das Zutrauen und die Mittel fehlten, auf eigene Faust eine musikalische Laufbahn einzuschlagen, blieb sie in des Wortes engstem Sinn »zu Hause«.

»Für ein bürgerliches Gemüt, das in sich den Drang nach ein wenig Abwechslung verspürt«, schrieb Gertrude Stein, »gibt es nichts Reizvolleres als ein gewisses Einzelgängertum, das jedoch die Grenzen konventioneller Ehrbarkeit streng wahrt, sozusagen ein Einzelgängertum in schicklicher Gewandung und Umgebung.« Gertrudes eigenes Einzelgängertum zeigte nur wenig, was nicht entschuldbar war oder sich aus der bewußt lässigen Atmosphäre, in der sie lebte, erklären ließ. Jahre häuslicher Langeweile hatten in

Alice beinah jeden »Drang nach Abwechslung« erstickt, aber in Paris war sie ihrer Fesseln ledig und konnte sich einem Leben, das sie bislang nur vom Hörensagen und aus romantischen Romanen kannte, ungehemmt hingeben. Obgleich sie selbst jenen oberen Regionen der Gesellschaft von San Francisco entstammte, die sich als Aristokratie fühlte (die Vulgarität New Yorks, pflegte sie zu sagen, entlockte den Kindern San Franciscos Tränen des Heimwehs), machte ihr Paris mit seiner kosmopolitischen *haute monde* des geschmäcklerischen Müßiggangs und der großen Verlockung eines Lebens inmitten von Kunst und Künstlern gewaltigen Eindruck. An der Schwelle zur Altjüngferlichkeit war sie, wie sich herausstellte, dennoch empfänglich für die Zärtlichkeit und Freundschaft, die anstelle einer Ehe schon bald den Lauf ihres Lebens bestimmen sollte.

Es war seit langem Gepflogenheit, daß Gertrude und Leo Stein an Samstagabenden ein offenes Haus hielten. Meist veranstalteten sie vorher ein Abendessen für einige Freunde, in der Hauptsache Kunstsammler, Maler und manchmal Schriftsteller. Als Alice das erstemal zu einem dieser Abende in die Rue de Fleurus 27 gebeten wurde, sagte man ihr, Pablo Picasso, damals bereits ein intimer Freund der beiden Steins, und seine hochgewachsene, gertenschlanke Maitresse, Fernande Olivier, würden ebenfalls zum Essen erscheinen. Alice durchquerte einen kleinen, mit Steinplatten ausgelegten Hof, in dessen Mitte sich ein Rundbeet befand, läutete, wurde von Gertrude begrüßt und vom Entree mit den Spiegeln, dem Schirmständer, dem Barometer und den kostbaren Wandleuchtern durch einen Verbindungsgang in das Atelier geführt, das mit schweren Renaissancemöbeln ausgestattet war. Zunächst fiel ihr ein Tisch auf, auf dem ein Stapel Hefte lag, deren Umschläge feuerspeiende Vulkane, Erdbeben und ähnliches zeigten. Gertrude sagte ihr, dies seien Schulhefte, wie sie die französischen Kinder benutzten, und sie selbst schätze sie wegen ihrer Handlichkeit und ihrer Billigkeit. Gasampeln warfen ihr Licht auf weißgetünchte Wände, die bis zur Decke mit einer verwirrenden Vielzahl von Gemälden bedeckt waren. Ein kleiner Eisenofen gloste am einen Ende des Raumes, und in einer Ecke stand ein Tisch, auf dem sich eine Unmasse Trödelkram türmte: Nägel aus Hufeisen, Kieselsteine, Zigarettenspitzen in Form von Pfeifen, Muscheln, Knochen, Knöpfe und Streichholzschachteln. Es stellte sich heraus, daß all dieses Zeug von Gertrude und Picasso zusammengetragen wurde, die damals so vertraut miteinander waren, daß sie nicht nur das Gerümpel in ihren Köpfen, sondern auch den Inhalt ihrer Taschen gemeinsam sondierten.

Während die zum Abendessen eingeladenen Gäste noch speisten, versammelten sich die übrigen bereits in der kleinen Galerie auf der andern Seite des Hofes. Alice hatte als Tischnachbarn Picasso, dessen Genie ihre »Klingel« bereits laut angezeigt hatte. Sie fand ihn überraschend klein, agil, doch keineswegs ruhelos. Ihr fiel auf, daß seine Augen »stets auf der Lauer nach Überraschungen« waren, sich wie Vogelaugen vergrößern konnten und die Dinge, die es ihm besonders angetan hatten, förmlich aufsaugten. Eine Aura stolzer Einsamkeit umgab ihn, und Alice verglich seine Kopfhaltung später mit der eines Stierkämpfers, der den Matadoren voran in die Arena schreitet. Die dunkeläugige Fernande Olivier, in seltsame Gewänder gehüllt, schien ihr von ungewöhnlicher Schönheit zu sein. Im Verlauf der Unterhaltung fragte Picasso Alice, ob sie finde, daß er Lincoln ähnlich sehe. Viele Leute hätten ihm das gesagt. Sie musterte ihn mit einem raschen Blick und sagte, sie finde das ganz und gar nicht. Darüber war Picasso sehr unglücklich, denn er hatte sogar seine Frisur nach Fotografien von Lincoln zurechtgemacht.

Als man sich nach dem Essen ins Atelier zurückzog, stellte Alice fest, daß es überfüllt war, daß man kaum sein eigenes Wort verstand und daß alle auf das Stichwort warteten, damit Leo seinen abendlichen Diskurs aufnehmen oder sich in ein ausgedehntes Streitgespräch stürzen könne. Gertrude, die Schloßherrin, bewegte sich ununterbrochen zwischen der Tür und ihrem Sessel neben dem kleinen schwarzen Ofen hin und her. Kamen Fremde, so fragte man – es war eine reine Formsache, da jeder, der Interesse hatte, kommen konnte, ohne sich auf einen gemeinsamen Bekannten berufen zu müssen – nach Referenzen, gewährte ihnen aber fast immer Einlaß. Daß Henri Matisse und seine Frau an jenem Abend zu den Gästen gehörten, war keineswegs ungewöhnlich. Hingegen gab es merkwürdig viele Ausländer. Gerade damals herrschten in Steins Salon die Ungarn vor, da ein junger Maler über die Abende, die er dort verbracht hatte, vor kurzem überschwengliche Nachrichten nach Budapest gebracht hatte. Doch es waren auch Deutsche da, eine Anzahl Franzosen und vereinzelte Amerikaner, von denen Picasso gern behauptete: »Ils sont pas des hommes, ils sont pas des femmes, ils sont des Américains.«

Bald nach jenem Abend wurde Alice Gertrudes ständige Begleiterin. Man besuchte gemeinsam, manchmal auch mit Leo, die Galerien, Konzerte und Theater, und allmählich lernte Alice auch den großen Freundeskreis der Geschwister kennen. Die altmodische Bohemewelt der Murger und Konsorten war nur ein kleiner Teil des schäumenden Paris, das sie nun kennenlernte, aber die von den Romanciers geschilderte Armut schien bei den meisten Künstlern an der Tagesordnung zu sein. Nur wenige konnten sich die Annehmlichkeit einer Ehe leisten oder auch nur in Erwägung ziehen. Wenn Alice die lockere Moral des Montparnasse nicht ganz so selbstverständlich hinnehmen konnte wie Leo und Gertrude, so lag das allein daran, daß diese längst in der Atmosphäre jugendlicher Bilderstürmerei lebten, während sie aus einem behüteten Häkeldeckchenmilieu kam. Sie merkte bald, daß man als Freund der Steins auch in die ewigen romantischen Zerwürfnisse und offenherzigen Vertraulichkeiten von deren Freunden einbezogen wurde. Fernande Olivier hatte Picasso kurz nach jener Abendgesellschaft bei den Steins verlassen und mußte nun in ihren eigenen vier Wänden besucht werden. Alice wollte bei ihr Französischstunden nehmen, und man einigte sich auf ein Honorar von einem halben Dollar für die Stunde. Um ganz sicherzugehen, daß die erste Stunde ohne Komplikationen verlaufen würde, begleitete Gertrude die neue Freundin. Auf dem Hinweg besuchten sie Picasso, wo Alice das seltsame und erregende Bild *Les Demoiselles d'Avignon* sah, das Picasso »das philosophische Bordell« genannt hatte und das als das erste Meisterwerk des Kubismus in die Kunstgeschichte eingehen sollte.

Leo hatte sein Urteil über dieses Bild bereits gesprochen. Er bezeichnete es als ein »fürchterliches Geschmier«, und Picassos erster Sammler, der russische Geschäftsmann Shchukin war von der Häßlichkeit des Bildes so überwältigt gewesen, daß er darin das Ende der modernen französischen Kunst zu sehen glaubte. Alice fand das Bild schmerzlich, doch auch wieder schön; sie spürte, daß es die Kraft von etwas Bedrückendem und Eingesperrtem hatte. Während man sie allein ließ, damit sie sich das Werk in Ruhe betrachten konnte, begannen Gertrude und Picasso eine ihrer üblichen getuschelten Unterhaltungen, die von langen Pausen und einsilbigen Ausrufen in einem dreisprachigen Argot aus Französisch, Spanisch und Englisch unterbrochen waren. Beim Abschied schenkte Gertrude Picasso die Sonntagsbeilage einer

Baltimorer Zeitung mit den Comic strips »Little Jimmy« und »Katzenjammer Kids«.

Fernande bot ihnen Tee an, um die erste Französischstunde ein wenig freundlich zu gestalten, aber da sie unglücklich war und noch unter ihrem Bruch mit Picasso litt, wollte keine rechte Teetischkonversation zustande kommen. Der Schatten des abwesenden Picasso verhinderte einen ausgiebigen Klatsch, weil ja doch früher oder später Picassos Name hätte fallen müssen. Als man endlich mit dem Unterricht begann, war Alice verzweifelt: Fernandes einziges Gesprächsthema, so schien es, waren Hüte, Parfums und Pelze. Die beiderseitigen Bemühungen, ein Gespräch in Gang zu bringen, scheiterten kläglich. Als Fernande plötzlich merkte, daß die Comics dieser Woche bei Picasso gelandet waren, verlor sie die Fassung. Sie wurde mürrisch und einsilbig, erklärte sich für betrogen und zwang Gertrude zu dem Versprechen, daß sie die nächste Nummer erhielte. Zum Glück für alle Beteiligten waren Fernande und Pablo wieder vereint, als die nächste Sonntagsnummer aus Baltimore eintraf. Die delikate häusliche Situation stellte also keine weiteren Anforderungen an Alices diplomatisches Geschick, doch ihre erste Französischstunde bei Fernande blieb auch ihre letzte.

Alices Rolle als Famulus und Privatsekretärin begann, als die Grafton Press in New York die Korrekturfahnen von Gertrudes *Three Lives* schickte. Gleichzeitig machte sie sich auch daran, das gewaltige, mehr als tausend Seiten umfassende Manuskript von *The Making of Americans* auf Gertrudes klappriger alter Schreibmaschine abzuschreiben. Als der Sommer kam, begleiteten sie und Harriet Levy die Steins nach Italien, wo sie sich in Fiesole in der Casa Ricci einmieteten, während Gertrude und Leo ein größeres Haus, die in der Nähe gelegene Villa Bardi, bezogen. Die Casa Ricci, an einem Berghang gelegen, blickte westwärts über das Arnotal und die ganze Stadt Florenz. Von diesem luftigen Horst aus mit seinen säuberlich terrassierten hängenden Gärten, seinen Orangenbäumen in den Holzkübeln und seinem Seerosenteich mit den Goldfischen zeigte Gertrude Alice all die Stätten Italiens, die ihr bereits wohlvertraut waren. Sie besuchten Rom, Siena, Perugia und Assisi, wohin sie zu Ehren des demütigen Franziskus, eines von Gertrudes drei Lieblingsheiligen, zu Fuß pilgerten. Gegen Ende des Sommers erhielt Alice ein Telegramm von Harriet Levy, die inzwischen nach Paris zurückgekehrt war, mit der Nachricht, daß Michael und Sarah wieder einmal besuchsweise nach San Francisco führen und daß sie sich ihnen anschließen wolle. Alice stand vor einer großen Entscheidung. Sie wollte weder nach Amerika noch allein in die kleine Wohnung in der Rue Notre Dame des Champs zurück. Mit Leos Einwilligung bot ihr Gertrude an, zu ihnen in die Rue de Fleurus zu ziehen. Sie akzeptierte diesen Vorschlag und wurde somit das dritte Mitglied des Steinschen Haushalts.

Wenn Alice Toklas sich auch für eine passive Natur hielt, so war sie doch niemals das abhängige, sich anklammernde Geschöpf, das die Legende aus ihr gemacht hat. Von wacher Intelligenz, herb und eigenwillig, *wählte* sie sich die Rolle, die sie bei Gertrude Stein beinah vierzig Jahre lang mit größtem Erfolg spielen sollte. Daß sie sich aus freien Stücken für diese Rolle entschied, sie ausfüllte und ohne Unterbrechung beibehielt und nicht zufällig in eine Lage geriet, aus der sie sich nicht mehr befreien konnte, ist von allergrößter Bedeutung. Wer sie gekannt hat, weiß, daß sie über beträchtliche Talente verfügte und daß es ihr ohne Zweifel gelungen wäre, selbst eine interessante Karriere zu machen. Alices Haltung stand zu Gertrudes großzügiger Unbekümmertheit und ihrem wahllosen Enthusiasmus für Menschen und Ideen in schroffem Gegensatz. Sie war in gewisser Weise Gertrudes natürliche Ergänzung, wie auch ihr »Schutz und Schirm«, und nur dank Alices treuer Gefolgschaft und ihrem hingebenden Dienen konnte Gertrude so hemmungslos ihren Neigungen frönen, wie sie es zeit ihres Lebens getan hat.

Alices Vater, ein einsamer und, Berichten aus San Francisco zufolge, schrulliger alter Mann, hatte geduldig auf die Heimkehr seiner Tochter gewartet. Obwohl er seine Enttäuschung über die neue Wendung der Dinge deutlich äußerte, fragte er nie, wann man sie, wenn überhaupt, wieder erwarten dürfe. Bald konnte kein Zweifel mehr bestehen, daß er sich in eine dauernde Trennung geschickt hatte. Nachdem er sich mit dem Fernbleiben seiner Tochter abgefunden hatte, schien er sich sogar in seiner Rolle als finanzielle Stütze der Stein-*ménage à trois* im fernen Paris zu gefallen. Alices alte Freunde jedoch wollten noch immer nicht wahrhaben, daß sie nicht mehr zurückkehrte. Fotografien, die sie nach Hause schickte, erschreckten Harriet Levy derart (Alice schien enorm an Gewicht verloren zu haben), daß sie mit der Veröffentlichung des Bildes drohte, sie versprach sich davon, daß besorgte Freunde Alice dann sofort nach San Francisco zurückbeordern würden. Gleichzeitig ersah Harriet aus Alices Briefen, welch glückliche Wende in ihrem Leben eingetreten war, und sie merkte, daß San Francisco in Alices Gedanken und Zukunftsplänen keine Rolle mehr spielte. Sie hielt Alice über die gesellschaftlichen Ereignisse in ihrer Heimatstadt auf dem laufenden und sorgte später dafür, daß die von Alice geschickten Schriften Gertrudes, die ihrer Meinung nach doch nur Stirnrunzeln hervorgerufen hatten, vor Mr. Toklas und den »profanen Blicken« von Alices alten Bekannten verborgen blieben.

Doch nicht alle Blicke in San Francisco schienen profan zu sein. Harriet berichtet, daß sie ein Opus Gertrudes bei einem Frauenklubessen vortrug. »Das Auditorium«, berichtete sie doppelsinnig, »brüllte vor Begeisterung.«

Gertrude Stein, der es von Natur leicht fiel, das Unorthodoxe im Leben und in der Kunst zu bejahen, und die jeder Exzentrizität wohlwollend gegenüberstand, hatte sich längst daran gewöhnt, daß ihre Pariser Zeitgenossen den größeren Teil ihrer Zeit und Kraft damit verbrachten, neue Möglichkeiten zu ersinnen, den Bürger zu schockieren. Alice Toklas hingegen fand die Vorgänge im kampflustigen Künstlervölkchen beklagenswert und ein wenig beängstigend. Aus einem sittenstrengen Hause stammend und von Natur empfindsam und wählerisch, war sie plötzlich Mitglied, zumindest Ehrenmitglied, einer Gesellschaft geworden, die es sich zum Ziel machte, systematisch allen Anstands- und Moralbegriffen zu spotten. Picassos berühmte Abendgesellschaft für den Zöllner Rousseau sollte ihr die Augen öffnen und ihr helfen, die Welt, die sie noch kaum kannte, besser zu begreifen, wenn nicht zu bejahen.

Das *banquet Rousseau*, eines der bemerkenswertesten gesellschaftlichen Ereignisse des neuen Jahrhunderts, war weder eine Orgie noch eine Völlerei. Dieses farbige Ereignis inmitten einer revolutionären Kunstbewegung zu einem Zeitpunkt, da diese Bewegung ihre ersten Erfolge hatte, verdankt seinen Ruhm der Tatsache, daß Persönlichkeiten daran teilnahmen, die noch viele Generationen lang die Welt der Kunst aufs stärkste beeinflussen sollten. Viele Jahre später beschwor der französische Schriftsteller André Salmon das Fest in Picassos baufälligem Atelier im *Bateau Lavoir* wieder herauf: »Hier verdämmerten die Nächte der blauen Periode ... Hier blühten die Tage der rosa Periode ... Hier hielten die *Demoiselles d'Avignon* im Tanz inne, um sich nach den Gesetzen des Goldenen Schnitts und dem Geheimnis der vierten Dimension neu zu gruppieren ... Hier verbrüderten sich die Poeten, die ernste Kritik für würdig befunden hatte, in die Schule der Rue Ravignan aufgenommen zu werden ... Hier in diesen schattendunklen Gängen wohnten die wahren Anbeter des Feuers ... Hier entfaltete sich eines Abends im Jahre 1908 das Gepränge des ersten und letzten Banketts, das für den Maler Henri Rousseau, genannt der Zöllner, von seinen Bewunderern veranstaltet wurde ...«

Rousseau, ein ungebildeter kleiner Mann, der keinerlei künstlerische Prätentionen, sondern nur den Glauben an sein eigenes angeborenes Talent hatte, war von Alfred Jarry entdeckt worden, als einige seiner Gemälde im *Salon des Indépendants* gehängt wurden. Jarry führte ihn in die *bistro*-Gesellschaft von Schriftstellern und Malern ein, die teils in Rousseau den lächerlichen Meister des *style concierge* sahen, teils großes Aufhebens von ihm machten als einem seltenen Vertreter kindlicher unverdorbener Schau. In den Augen von Guillaume Apollinaire war Rousseau »der sentimentale Herodes, der prächtige, kindliche alte Mann, den die Liebe zu den Außenbezirken des Intellektualismus geführt hat, wo die Engel kamen, um seinen Kummer zu lindern und um ihn daran zu hindern, das furchtbare Königreich zu betreten, dessen Zöllner er geworden war; schließlich nahmen sie den alten Mann in ihren Kreis auf und statteten ihn mit schweren Flügeln aus.« Aber selbst Rousseaus Verteidiger waren sich nicht ganz einig über ihn; manchmal begönnerten sie seine Kauzereien, dann wieder hoben sie seine unschuldigen Schöpfungen in den Himmel. Sie fanden ihn ungeheuer rührend und amüsant als Mensch, was sie aber nicht daran hinderte, Schindluder mit ihm zu treiben. Ihr überschwengliches Lob für seine naiven Bilder war meist nichts anderes als ein weiterer Protest gegen die akademischen Banalitäten, die sie verabscheuten.

Leo Stein hielt sich für den eigentlichen Urheber jener Abendgesellschaft, die später von beinah jedem der Anwesenden verdreht und zu einem epochalen Ereignis aufgebauscht wurde. Leo berichtet in diesem Zusammenhang, daß er gerade bei Picasso und Fernande zu Besuch gewesen sei, als Rousseau, den Geigenkasten in der Hand, im Atelier erschien. Seit seiner Pensionierung, nach einer fünfzehnjährigen Tätigkeit als kleiner Angestellter des Pariser Stadtzolls, hatte Rousseau sich als Professor für »Sprachkunst, Musik, Malerei und Solfeggio« und insbesondere als Violinlehrer niedergelassen. Leo bat den kleinen alten Mann zu spielen, aber Rousseau sagte, er sei zu müde, um den Bogen zu heben; daraufhin lud Fernande ihn ein, bald zum Essen zu kommen und für sie, Picasso und ihre Freunde zu spielen. Man stellte eine Einladungsliste zusammen, am festgesetzten Abend fand sich jedoch eine Horde ungebetener Gäste ein und verdoppelte die Zahl, mit der Picasso gerechnet hatte.

Ehe sie die Butte hinauf zu Picassos Atelier zogen, versammelten sich geladene und ungeladene Gäste in Fauvet's Café zu einem gemeinsamen Apéritif. Als Alice und die Steins eintrafen, mußten sie sich durch eine dichte Menschenmenge drängen. Inmitten dieses Haufens vollführte eine große, schlanke Frau, die Malerin Marie Laurencin, bacchantische Verrenkungen zu der dröhnenden Musik eines Orchestrions. Mlle. Laurencins Herzensbeziehung zum Idol der Pariser Boheme, dem Dichter Guillaume Apollinaire, war erst vor kurzem unter Tränen und lautstarken Anschuldigungen von beiden Seiten abgebrochen worden. Da Apollinaire ebenfalls bei Picasso erwartet wurde, hatte es den Anschein, als wolle Marie sich für die Begegnung mit dem Exfreund nicht nur mit Wein stärken, sondern auch durch ihren Solotanz in eine Art von Selbsthypnose versetzen.

Mit Entsetzensschreien stürmte nun Fernande in das Café: Félix Potin, der Restaurateur, hatte versäumt, das bei ihm bestellte Essen zu schicken, und nun war sein Laden geschlossen. Alice, die große Übung in der Bewältigung häuslicher Krisen besaß, nahm die Sache sofort in die Hand. Die laut jammernde Fernande im Schlepptau, klapperte sie sämtliche Kolonialwarenhändler der Umgebung ab und besorgte ausreichenden Proviant für ein Ersatzmenu. Inzwischen waren die meisten Gäste den Hügel emporgestiegen. Die beiden Frauen folgten dem ungeordneten Haufen und holten bald Gertrude und Leo ein, die die verzweifelte Marie Laurencin daran zu hindern versuchten, sich den Berg hinunterrollen zu lassen. Marie, die sich weigerte, im Schrittempo zu gehen, tänzelte hügelaufwärts und begleitete sich dabei mit einem Lied. Fernande, wütend auf »Coco« (wie Marie genannt wurde), schubste Alice vor sich her. Kaum im Labyrinth des Bateau Lavoir angekommen, bereiteten die beiden in großen Töpfen Fernandes Spezialität, Reis à la Valenciennes, ein Gericht aus Huhn, Fisch,

Hummer, Wurst, Pimiento, Reis, Artischocken und grünen Erbsen. Der Küche stand als Chef der Dichter Max Jacob vor, der ein Stockwerk unter Picasso wohnte. Max hatte sich mit ihm zerstritten und war nicht eingeladen worden. Desungeachtet hatte Fernande selbstherrlich entschieden, er habe sich »um den Reis und die Herrengarderobe« zu kümmern.

Inzwischen hatte sich oben die Gesellschaft um einen riesigen Tisch versammelt, den man eilig aufgeschlagen hatte. Am Kopfende hing eine riesige Leinwand, das *Porträt de Mme. M.*, das Rousseau von seiner polnischen Geliebten, einer Lehrerin, gemalt hatte. Picasso hatte dieses Bild eines Tages im Laden des Trödlers Père Soulier in der Rue des Martyrs gesehen. Als er nach dem Preis fragte, sagte der Händler: «Fünf Francs. Sie können die Leinwand ja wieder verwenden!« Aus jener unwürdigen Umgebung errettet, prangte das Bild, das Picasso als »eines der aufschlußreichsten französischen psychologischen Porträts« bezeichnete, nun, mit Fähnchen und Blumen umrahmt, an der Wand des Ateliers. Statuetten, die man darum gruppiert hatte, gaben ihm noch einen Anstrich akademischer Würde. Als Rousseau, von Apollinaire geleitet, eintraf, herrschte einen Augenblick lang Stille. Alle Anwesenden waren gerührt von dem einfältigen Lächeln und der Freude des alten Mannes, der umständlich seinen Ehrenplatz, einen Sessel auf einer Kiste, einnahm. Darüber war ein Transparent mit der Aufschrift *Honneur à Rousseau* angebracht. Von seinem Karnevalsthron winkte Rousseau Picasso heran. »Schließlich«, flüsterte er ihm ins Ohr, »sind wir beide große Maler; ich im modernen Stil und Sie im ägyptischen Stil.«

Obwohl man im benachbarten Café Azon Unmengen von Geschirr für dieses Bankett ausgeliehen hatte, reichten die Gläser nicht für alle, und so mußte der Wein in alte Senftöpfe gegossen werden. Nachdem alle Platz genommen hatten, wurde Fernandes Spezialgericht dampfend die Treppe heraufgetragen. Das Mahl hatte noch kaum begonnen, da machte sich ein Mißton in der festlichen Atmosphäre bemerkbar: Apollinaire hatte sich neben Marie gesetzt, die kurz zuvor in ein Tablett mit gezuckerten Törtchen gefallen war, das man vorübergehend auf einem Diwan abgestellt hatte. Sie zeigte noch deutlich die klebrigen Spuren ihres Unfalls, aber auch ein Dutzend anderer Leute, die sie inzwischen umarmt hatte, waren in Mitleidenschaft gezogen worden. Die Tuchfühlung mit ihrem ehemaligen Liebhaber war mehr, als sie im Augenblick ertragen konnte, und dem ersten Bissen Reis à la Valenciennes folgte ein hysterischer Ausbruch. Apollinaire hob die schreiende und weinende Marie von ihrem Stuhl und schleppte sie in ein Nebenzimmer. Als sie kurz darauf wieder auftauchten, wirkte Marie etwas mitgenommen, aber merklich ernüchtert, und das Essen nahm einen friedlichen Verlauf. Nach dem Essen erschien Frédé, der Besitzer des berühmten Cafés Le Lapin Agile mit seinem Esel Lolo, um kurz guten Tag zu sagen, und wurde freudig begrüßt. Etlichen italienischen Straßensängern, die Einlaß heischten, warf Fernande jedoch die Tür vor der Nase zu. Die Tischmusik bestritt auch weiterhin der Maler Georges Braque auf seiner Ziehharmonika.

Überwältigt von Gefühlen, Alter und Wein war Rousseau bereits zu Beginn der Mahlzeit eingeschlafen und konnte der Gesellschaft auch weiterhin seine Aufmerksamkeit nur hin und wieder schenken. Das Wachs, das von den Lampions heruntertropfte, fiel auf sein Haar und bildete eine Art Narrenkappe. Fernande meinte, er sähe aus wie eine Kerze, die noch nicht angezündet sei. Aber man war nun auf die angekündigten Lieder und Gedichte gespannt und kümmerte sich nicht darum, ob Rousseau selbst sie hören konnte oder nicht. Um dem Fest einen offiziellen Anstrich zu verleihen, wurde dem verschlafenen Rousseau ein würdevoller weißbärtiger Mann aus der Nachbarschaft, der alte Gemälde restaurierte, feierlich als Kultusminister vorgestellt. Anschließend trug Apollinaire, als Krönung des Abends, eine improvisierte Ode vor, die in Knüttelversen Episoden aus Rousseaus Geschichte, einschließlich seiner mexikanischen Abenteuer, berichtete. Rousseau war niemals in Mexiko gewesen, doch über derart belanglose Kleinigkeiten war Apollinaire erhaben:

Rousseau, entsinnest du dich der Aztekenhimmel,
der Ananas und Mangoblüten dort?
Die Affen spritzten der Melonen Blut auf Bäume,
Die vom Kanonenhall des blonden Kaisers zitterten.

In Mexiko, da sahst du dein Bilder schwärmen.
Über Bananenbäume eine rote Sonne troff.
Doch gabst du löblich deine Uniform
Und trugst fortan die blaue Bluse des bescheidenen Zöllners.

Das Unglück, das sich einsam fühlte, spürte deinen Wohnsitz auf,
Es nahm dir die geliebten Kinder und die Frauen.
Da wähltest du die Malerei zum Weib und fandst dein Heil,
Indem du neue Bilder, neue Leben dem Kummer abrangst.

Heut sind wir hier, um dich zu feiern
Mit Wein, den dir zu Ehren Picasso ausgeschenkt.
Wir trinken ihn in dieser Stunde deines Ruhms
Und rufen laut aus vollem Herzen: »Lang lebe Rousseau!«
O glorreicher Maler unsrer mächtgen Republik,
Die Unabhängigen haben dich auf ihr Banner geschrieben,
Und dein Gesicht, pentelisch marmorgleich,
Wird stets zum Ruhme unsrer Ära leuchten.

Rousseau lauschte in schläfriger Zufriedenheit, aber André Salmon erhob sich im Protest. Apollinaires Eloge, so erklärte er, werde der Bedeutung des Gefeierten nicht gerecht. Er sprang auf den Tisch und ließ eine Ruhmeslitanei vom Stapel, die ebenso bombastisch wie unsinnig war. Er verstieg sich zu immer lauteren und verwegeneren Lobsprüchen und brach plötzlich, wie vom delirium tremens befallen, zusammen. Mit Schaum vor dem Mund hob man ihn gewaltsam vom Tisch und schleppte ihn, der unentwegt weiterschrie, in das vordere Atelier, wo man ihn einsperrte. Später entdeckte man, daß er dort eine Streichholzschachtel zerkaut, Zeichenpapiere angefressen und auch ein Telegramm verspeist und schließlich sein Mahl damit gekrönt hatte, daß er, wie eine Ziege, den Putz von Alice Toklas' neuem Hut verschlang.

In die Versammlung war wieder Ruhe eingekehrt, als Marie Laurencin mit ihrer süßen Stimme traurige normannische Lieder zum Besten gab. Fernande Olivier zufolge sollen Alice, Leo und Gertrude während des ganzen Abends entsetzt dreingesehen und ohne Erfolg versucht haben, ihre angeborene Steifheit abzulegen, »wie Schiffbrüchige, die an eine barbarische Küste verschlagen worden sind.«

Hin und wieder wachte der kleine alte Rousseau auf, blinzelte verschlafen in die Runde der Feiernden, murmelte seinen Dank und fiel dann wieder in tiefen Schlaf. Einmal blieb er lang genug wach, um auf seiner Violine eigene kleine Kompositionen »Die Glücklichen« und einen Walzer mit dem Titel »Milde« zu spielen, und den Chor zu seinem Lieblingslied anzuführen: »Aie, aie, aie, que j'ai mal aux dents...« Dann erklärte jemand, nun wäre Alice an der Reihe, etwas zum Besten zu geben. Und weil sie doch aus dem berühmten Wilden Westen komme, müsse sie mit einem Indianersong aufwarten. Doch Alice wehrte ab, und irgendwann nach drei Uhr morgens, Rousseau und seine Violine waren bereits unter der Obhut eines alten Kutschers nach Hause spediert worden, löste sich die Versammlung auf. Als man in der Dunkelheit den langen Weg über den Hang hinunterstolperte, zerrissen die gellenden Schreie eines Wahnsinnigen die Luft: Der aus seinem Gefängnis befreite Salmon schoß wie ein Komet vorbei und verschwand in der Nacht.

Als Gertrude Jahre später Alices Bericht über dieses Bankett veröffentlichte, focht Salmon ihre Version an. Was ihn anbetreffe, behauptete er, bestätigten ihre Eindrücke von jenem Abend nur die Naivität, deren er sie stets verdächtigt habe. Seine Darbietungen hätten zu dem üblichen Repertoire der Faxereien gehört, die er, Apollinaire, Jacob und andere Freunde damals oft veranstalteten. Er habe in der Hauptsache beabsichtigt, die »anwesenden amerikanischen Damen« ins Bockshorn zu jagen. Der Schaum vor dem Mund, sagte er, sei mittels Rasierseife erzeugt worden.

VIII

Wie gehts, ich verzeihe dir alles,
und es gibt gar nichts zu verzeihen.
Gertrude Stein

Three Lives, ein schmales Bändchen ohne Empfehlung und ohne Gönner, das aus der dunklen, unterirdischen Sphäre der sogenannten »Vanity Press« kam, in der Verleger obskure Leute und ihre Unternehmungen nur zu oft Eintagsfliegen sind, stand schließlich als Einzelstück in den Regalen einiger weniger Buchläden. Nichts an diesem sang- und klanglosen Debut konnte vermuten lassen, daß dieses Buch einmal »der Beginn der modernen amerikanischen Literatur« genannt werden würde, und das nicht nur von Gertrude Stein selbst, sondern von einem so nüchternen Kritiker wie Carl Van Doren. Immerhin galt das Bändchen viele Jahre lang allgemein als der Höhepunkt und die Höchstleistung jener Laufbahn, an deren Beginn Gertrude Stein jetzt stand.

Abgesehen von Baltimore, wo Gutman & Co. durch ihre Reklame eine bescheidene Zahl von lokalpatriotischen Lesern für das Buch interessieren konnten, fand es nirgendwo Beachtung. Etta Cone, die in Paris die Geschichte abgetippt hatte, ohne über sie nachzudenken, war gerade wieder in Amerika und berichtete Gertrude, das Buch habe in manchen Kreisen wie eine Bombe eingeschlagen. Die unorthodoxen Erzählungen erregten die rückhaltlose Bewunderung einiger weniger Leser, und auch Etta selbst war tief beeindruckt. Sie meinte, sie spielten für die Literatur die gleiche Rolle wie Matisses Gemälde und Skulpturen für die Kunst, wenn sie auch eingestehen mußte, daß die meisten Leser über den Mangel an Stil und die leichtfertige Mißachtung jedweder rhetorischen Regel und die »abscheuliche Unmoral« tief enttäuscht seien. Einige Leser hätten Gertrude sogar kritisiert, weil sie dem kleinen Hund, der sich in der Obhut der Guten Anna befand, gestattete, seine »natürlichen Bedürfnisse« sozusagen vor dem Leser zu verrichten. Man fand allgemein, daß Gertrude »peinlichen Dingen« zuviel Raum widmete.

In dem Jahr, das auf die Veröffentlichung folgte, fand das Buch im ganzen Land kurze Erwähnungen, aber mit Ausnahme einer intelligenten Besprechung im *Kansas City Star* gewann Gertrude nicht die geringste verständnisvolle Unterstützung. Heute, nach fünfzig Jahren, erscheint uns diese eine Besprechung noch genau so bemerkenswert wie damals Gertrude. Die Besprechung erschien anonym, man kennt den Namen des Kritikers nicht. Der folgende Auszug ist nahezu vollständig:

»*Three Lives* von Gertrude Stein sind Erzählungen, die kein Leser je wieder vergessen wird, dennoch handelt es sich hier um ein Buch für einen streng begrenzten Leserkreis ... In diesem außergewöhnlichen Werk sieht man den Menschen in den Nebeln des Daseins tastend seinen Weg suchen. Als Charakterstudie kann man es nur in Superlativen werten. Die Originalität der Erzählweise ist bemerkenswert. Wie die menschlichen Leben in Verwirrung tasten, so tastet auch die Erzählweise. Das Buch ist nicht in Mundart geschrieben, wirkt aber so. Zunächst meint man, die Autorin bediene sich der Wiederholung, wie ein Dichter sich in seiner Dichtung des Refrains bedient. Aber hier handelt es sich um etwas viel Subtileres, um eine Verquickung, um ein Rückschauen, ein Suchen nach neuem Beginn, nach dem verlorenen Faden im Geweb. Das macht aus diesem Buch ein Meisterwerk des Realismus, denn der Leser kann sich der Atmosphäre der geschilderten Lebensläufe nie entziehen, so stark ist der Zauber der Beschwörungsformel, die aus diesen schlichten Seiten tönt. Hier begegnen wir einer literarischen Künstlerin von solcher Originalität, daß es nicht leicht fällt, die einzelnen Einflüsse herauszuspüren, aus denen sie hervorgegangen ist. Aber was diesem Buch innewohnt, ist süßes, erleuchtendes Mitgefühl, ein wacher Humor und erlesene Sorgfalt im Detail ...«

Im allgemeinen waren die Besprechungen nicht ungünstig, dennoch war Gertrude enttäuscht, daß es so wenige waren und daß niemand von Bedeutung (sie hatte Exemplare des Buches an H. G. Wells, George Bernard Shaw, John Galsworthy und Arnold Bennett geschickt) sie nun »entdeckte«. Dieser Kummer wurde gelindert, als H. G. Wells ihr in einem Briefchen mitteilte, der ungewöhnliche Stil habe ihn zwar zunächst abgestoßen, aber schließlich habe er das Buch »mit zunehmender Freude und Bewunderung« gelesen, und er sehe ihren künftigen Werken »sehr gespannt und begierig» entgegen. Aber William James' Antwort war entmutigend. »Was *Three Lives* anbetrifft, so habe ich ein schlechtes Gewissen«, schrieb er, drei Monate vor seinem Tod, aus Deutschland. »Sie wissen ja(?), wie schwer es mir fällt, Romane zu lesen. Nun, ich habe dreißig oder vierzig Seiten gelesen und sagte mir:

›Das ist eine schöne neue Art von Realismus – Gertrude Stein ist großartig!‹ Ich werde mir das Buch genauer ansehen, wenn ich in der richtigen Stimmung bin. Ich war aber augenscheinlich nie in der richtigen Stimmung. Ich glaubte, ich hätte das Buch in meinem Koffer gepackt, um es hier zu Ende zu lesen, aber beim Auspacken fand ich es nicht. Ich verspreche Ihnen, daß ich es irgendwann einmal lesen werde! Sehen Sie, welchem Schwein Sie Ihre Perlen vorgeworfen haben! Im allgemeinen fällt mir das Romanlesen ebenso schwer wie ein Ziel zu treffen, auf das ich mit Federn werfe. Ich brauche *Widerstand*, mein Gehirn muß zum Arbeiten gezwungen werden!«

Three Lives konnte Gertrudes Namen nicht in dem Ausmaß bekannt machen, wie sie es sich erhofft hatte, und doch war das Erscheinen dieses Buches ein Ereignis in der Literaturgeschichte. Nach und nach fand es seinen Weg in die amerikanische Literatur. Wenn auch von nur wenigen begeistert aufgenommen, konnte es doch nicht totgeschwiegen werden. Allmählich wurde es berühmt. Da Gertrude schon in den darauffolgenden Werken sich über jedes literarische Gesetz hinwegsetzte, wurde *Three Lives* die Säule der Konvention, der sich die verwirrten Leser ihrer späteren Werke hilfesuchend zuwenden konnten, um sich zu versichern, daß sie nicht die Opfer literarischen Schabernacks geworden waren.

Melanctha, die vollkommenste der drei Geschichten, sollte einen Platz in den Anthologien finden. Sie verdankt das zum Teil ihrer stilistischen Originalität, zum Teil aber auch der ungewöhnlichen Selbstverständlichkeit, mit der hier Neger und Negerthemen in die Romanliteratur eingeführt wurden, was bislang nur in soziologischen Abhandlungen üblich gewesen war. Viele Kritiken rühmten an dem Buche ebenso sehr seine erfrischend nicht-gönnerhafte Einstellung zu den Negern wie seine stilistischen Neuerungen. Der Romancier Richard Wright, der noch nicht geboren war, als das Buch geschrieben wurde, bezeichnet *Melanctha* als eines der Prosastücke, die auf die Anfänge seiner Laufbahn den größten Einfluß hatten. Lange vor seiner intimen Freundschaft mit Gertrude veröffentlichte er in der New Yorker Zeitung *PM* eine Erinnerung an seine erste begeisterte Begegnung mit dieser Geschichte. »Aber mitten in meiner Begeisterung«, schreibt Wright, »bekam ich einen Schlag versetzt. Ein linksgerichteter Literaturkritiker, auf dessen Urteil ich sehr viel gab, verdammte Miss Stein in einem scharfen Artikel, der andeutete, daß sie ihre Tage auf einem seidenen Diwan in Paris Haschisch rauchend verbringe, daß sie das willenlose Opfer von Halluzinationen sei und daß ihre verquälten Wortgespinste der Revolution den Garaus machten. Ich war verstört. Hatte ich mich soweit täuschen lassen, daß ich die Dekadenz anbetete? Da ich gewohnt war, den Stier bei den Hörnern zu packen, verfiel ich auf ein Mittel, das mir Klarheit darüber verschaffen sollte, inwieweit Miss Steins Prosa vom Geist der Gegenrevolution gefärbt war. Ich versammelte eine Gruppe halbgebildeter Neger, die im Schlachthof arbeiteten, ›echte Proletarier mit revolutionären Instinkten‹, ... in einem Erdgeschoß des Negerviertels und las ihnen *Melanctha* vor. Sie verstanden jedes Wort. Verzückt schlugen sie sich auf die Schenkel, grölten, lachten, stampften und unterbrachen mich immer wieder, um ihre Ansichten über die einzelnen Figuren zu äußern. Von diesem Augenblick an hat mich meine Zuneigung zur Steinschen Prosa nie mehr beunruhigt.«

James Weldon Johnson meinte aus *Melanctha* zu ersehen, Gertrude Stein sei »der erste weiße Autor, der die Geschichte einer Liebe zwischen einem Neger und einer Negerin schrieb und diese Figuren wie normale Mitglieder der menschlichen Gesellschaft behandelte«. Und die Schriftstellerin Nella Larsen schrieb an Gertrude: »Ich muß immer wieder staunen, wie Sie wohl dazu gekommen sind, dieses Buch zu schreiben, und weshalb ausgerechnet jemand wie Sie und nicht unsereiner den Geist meiner Rasse so bis ins Letzte erfassen konnte.« Aber nicht alle Negerschriftsteller waren dieser Meinung. »Ich habe in dieser Erzählung«, schrieb Claude McKay, »nichts Bemerkenswertes oder Informatives über das Negerleben entdecken können. Melanctha, die Mulattin, könnte ebensogut eine Jüdin sein. Und der Mulatte Jeff Campbell ist nicht charakteristisch für die Mulatten, die ich kennengelernt habe. Er erinnert mich vielmehr an den Typ des weißen Liebhabers, wie er von einer farbigen Frau geschildert wird. Melanctha schien mir mehr wie eine kurze amerikanische Paraphrase von Esther Waters denn eine Geschichte aus der Negerwelt. Die echte Esther Waters bedeutet mir mehr.«

Der zornigste Verriß von *Three Lives* erschien jedoch erst, als es durch Carl Van Vechten zu einer *cause célèbre* geworden war und als Gertrude sich bereits auf dem Weg in noch abgelegenere Gefilde befand. Er stammt aus der Feder des englischen Malers und Literaten Wyndham Lewis, jenes begabten *enfant terrible*, das so oft seine Pfeile gegen Picasso, Proust, Joyce und andere moderne Meister der Malerei und Literatur richtete. »In einem zähflüssigen, monotonen Prosasingsang drückt Miss Stein charakteristischerweise ihre Anstrengung, ihre Energie und den bitteren Fatalismus ihes Wesens aus...«, schrieb Lewis. »Am Schluß endet das Ganze in dem unleidlichsten Klagegesang, den man sich vorstellen kann, und dieser schwere, gefühllose, gewöhnliche Prosasingsang stolpert und stampft stückweise dahin... Der Fehler des Ganzen liegt wahrscheinlich darin, daß es so *tot* ist. Gertrude Steins Prosasingsang ist wie kalter, schwarzer Hammelfettpudding. Wir können uns dieses Werk als eine kalte Hammelfettroulade von sagenhafter Wurmlänge vorstellen. Welche Stelle man auch anschneidet, es ist immer das gleiche, ein und dieselbe schwere klebrige, undurchsichtige Masse, durch und durch in seiner ganzen Länge... Es ist larmoyant und monströs, aus toter, unbeseelter Masse gefertigt. Es ist nur fett, ohne Nerven... Das Leben, das es hat, ist minderwertig, aber zäh; von jener Wurst-am-Meter-Qualität... Indem Miss Stein sich die Einfalt und den Analphabetismus der Durchschnittsmasse der Melancthas und Annas zu eigen macht, macht sie sich zum Sprachrohr des falschen ›revolutionären‹ propagandistischen *plainmanism* ihrer Zeit. Die monströsen verzweiflungsvoll schwammigen *Längen* voll primitiven Massenlebens... sollen zweifellos ein epischer Beitrag zur heutigen Massendemokratie sein. Die Beschaffenheit der Sprache muß dementsprechend billig, ungrammatikalisch, wirr und zähflüssig sein. Nur das Metrum einer quälenden *Zeit* mußte eingefügt werden. Es mußte rhythmisiert werden; und diese Sucht der Miss Stein, die auch die Sucht all derer ist, für die sie schreibt, zerstört zumindest die ›Realität‹ und verleiht dem Leben, das es begönnert, die mechanische Einseitigkeit seiner Schöpferin.«

Es war typisch für Gertrude Steins Karriere, daß sie, während die Kritiker noch über die Kühnheit eines gerade erschienenen Werkes wetterten, bereits tief in einem neuen unklassifizierbaren Opus steckte. Als sie endlich die Kritiken von *Three Lives* lesen konnte, hatte sie *The Making of Americans* beendet und beiseite gelegt, und war in eine Phase eingetreten, die ihr nicht endenwollenden Tadel, Lächerlichkeit und einen Weltruf von so ungeahnten Ausmaßen eintragen sollte, daß sie *nolens volens* einen bleibenden Platz in der Literatur wie in der Sozialgeschichte fand. Das von ihren Kritikern und zum Teil auch von ihren Freunden geschaffene

Frankenstein-Ungeheuer, das durch mehrere Generationen stampfen sollte, war bereits eine festumrissene Figur. Inzwischen gab sich Gertrude Stein in der Stille ihren Studien und Meditationen hin und ging ganz in einer Laufbahn auf, deren ausgeprägter Ernst und Hingabe in einem anderen Zeitalter vielleicht nur die Aufmerksamkeit von Philosophen und Gelehrten erregt hätte.

Three Lives und *The Making of Americans* werden in der Regel als Produkte des »unverständlichen« Teils ihrer Schriften in einem Atem genannt. Aber das hat nur dann einige Berechtigung, wenn man sie mit *Tender Buttons* vergleicht, das sich von diesen beiden an sich sehr verschiedenartigen Werken beträchtlich unterscheidet. *Three Lives* gehört in die literarische Ära, die durch den französischen Naturalismus gekennzeichnet ist, und kann heute noch ohne weiteres neben den Werken von Willa Cather, Frank Norris und Stephen Crane bestehen. Dem amerikanischen Charakter, seiner Entdeckung und seiner Bewertung gehörte Gertrude Steins lebenslängliches Interesse. Dabei trägt sie, wie ihre Zeitgenossen, ein Nationalbewußtsein zur Schau, das nichts anderes ist als eine Erweiterung ihres Selbstbewußtseins. Obgleich sie besonderen Wert auf Rhythmus und Satzstellung legte und Dingen, die andere Schriftsteller nur am Rande behandelten, peinlichste Aufmerksamkeit widmet, sind die Charaktere von *Three Lives* mehr oder weniger aus dem gleichen Stoff wie die aller andern Romanschriftsteller. Sie sind keineswegs aus Zeichen und Echos zusammengesetzte Konstruktionen, wie es ihre späteren Romanfiguren bald werden sollten. *The Making of Americans* kann trotz all seiner Blässen und Wiederholungen und Schlangenwindungen auch heute noch als ein Roman mit nachweisbarer Beziehung zu vielen anderen Familienromanen des späten 19. und frühen 20. Jahrhunderts gelten. Als sie jedoch den nächsten Entwicklungsbogen vollendet hatte – den Bogen, der von *The Making of Americans* zu *Tender Buttons* führt –, hatte sie ein Stadium erreicht, in dem sie innerhalb der englischen Sprache ohne Vergleich und Vorbild war. In nur sieben kurzen Jahren hatte sie derartige Fortschritte erzielt, daß sie bereits die Zone literarischer Schwerkraft verlassen hatte. Während sie in den folgenden Jahren in der Stratosphäre schwebte, hielten einige aufmerksame Beobachter sie in ihrem Scheinwerferkegel fest, wohl wissend, daß man mit ihr zu rechnen hatte. Aber für die allgemeine Öffentlichkeit war sie so fern wie ein Planet. Ihre charakteristische Redewendung lautete:

»Hier bin ich. Wo sind alle andern?« Doch diese Frage war rein rhetorisch. Sie wollte keine Anhänger, und sie interessierte sich nicht für »alle andern«.

Sie war drauf und dran, die literarische Repräsentantin einer künstlerischen Bewegung zu werden, an deren letzten öffentlichen Erfolgen sie auffälligerweise nicht teilhaben sollte. Mehr als zwanzig Jahre lang mußte sie sich mit der Tatsache abfinden, daß sie zwar viele Zuschauer, aber kläglich wenig Zuhörer hatte. Schließlich holten die Schwerkraft ihrer eigenen Lebensgeschichte und die Aufregungen eines zweiten Weltkriegs sie aus ihren luftigen Höhen herunter, und Tausende bejubelten ihe Landung. Sie sollte die große Zuhörerschaft bekommen, die sie sich stets gewünscht hatte. Und sie sollte diese und sich verzaubern, indem sie berichtete, wo sie gewesen und wie sie dorthin gelangt war.

IX

Sie würden es lächerlich finden, wenn jemand, den Sie nach seinem Namen fragen, antwortete: »Mein Name ist der, der Ihnen am besten gefällt.«
Sie würden solch eine Antwort lächerlich finden. Und wenn der Betreffende dann noch hinzufügte: »Ich habe jeden Namen, den Sie mir gerne geben würden, und das ist mein wahrer Name«, so würden Sie ihn für verrückt halten. Und dennoch sollten wir uns vielleicht gerade an das gewöhnen: die Unbestimmbarkeit ist ein positives Faktum geworden, ein positives Wissenselement.

Paul Valéry

Kubistisch ist das üblichste Etikett für das, was aus Gertrude Stein wurde, aber in der damaligen Zeit bezeichnete man damit in der Hauptsache einen Zustand und nicht so sehr irgendwelche Hervorbringungen. Gertrude hat, wenn sie über sie selbst sprach, nur selten – und auch dann mehr beiläufig – geäußert, daß sie in der Literatur das gleiche mache wie Picasso in der Malerei. Im allgemeinen vermied sie das Wort Kubismus und kümmerte sich nicht um die Theoretiker, die schon 1910 damit begannen, sich über das, was Picasso und Braque zufällig entdeckt hatten, Gedanken zu machen, und einen kritischen Kanon aufstellten, der diese Entdeckung erklären sollte. Obwohl sie selbst sich nicht als literarische Kubistin ausgab, schien es sie nicht zu stören, daß andere sie so bezeichneten. Aber sie fühlte sich nie an die gerade unter so viel Aufsehen aufgekommenen Formulierungen der Prinzipien dieser Bewegung gebunden, und es gibt auch keinen Anhaltspunkt dafür, daß sie ihr Werk gern als die literarische Manifestation des Kubismus verstanden wissen wollte.

Einige ihrer frühen Kritiker ahnten die Zusammenhänge zwischen ihrem Werk und dem der neuen Maler und beharrten auf dieser Ansicht. Für viele von ihnen war mit dem Wort Kubist alles über Gertrudes Ziele gesagt, andere gebrauchten es als eine zwar vage Definition, in der Hauptsache jedoch als Entschuldigung. Wollte man ein Werk in die exzentrischen Randgebiete der Kunstgeschichte verweisen, brauchte man nur das umstrittene Wort in die Debatte zu werfen. Wie die Tagespresse und auch die künstlerisch interessierte Öffentlichkeit, hatten sich diese Männer erst vor kurzem an den Begriff »Impressionismus« gewöhnt. Als die neue Malerei ihr reich facettiertes Haupt erhob und ihnen aus hundert Augen entgegenstarrte, da wollten sie sie wie einen Alptraum von sich weisen. »Kubismus« schien ihnen das Wort zu sein, das ihnen dazu verhelfen würde. Als ein Kennzeichen alles Lächerlichen und aller Dinge, die sich dem normalen Fassungsvermögen entziehen, wurde es gang und gäbe.

Die Kritikskandale der Geburtsjahre des Kubismus – die zagen Rückzieher einiger Kritiker und die *nouveaux* und ignoranten Enthusiasmen anderer – sind in die Geschichte eingegangen. Manche von Gertrude Steins frühen Kritikern standen dem Kubismus feindselig und unverständig gegenüber, aber sie wiesen ihr mit Recht einen Platz im kubistischen Lager an, obwohl sie sie damit am bequemsten ad acta zu legen glaubten. Vielleicht ahnten sie vage, was schon bald deutlich zutage treten sollte: daß Gertrude Stein in jeder Epoche nicht darauf abzielte, eine Literatur zu schaffen, die lediglich an dem bilderstürmerischen Geist des Kubismus teilhaben wollte – oder am Geist des Postimpressionismus, wie man das Neue im allgemeinen gerne nannte –, sondern selbst einen wesentlichen Teil des Kubismus zu repräsentieren. Wie die Maler vor ihr, so verdankte auch sie Cézanne zunächst den Geist und die innere Einstellung und dann eine Methode, die ihr zur vollen Entfaltung ihrer Erfindungskraft verhalf. Als Picasso und Braque, die gemeinsamen Schöpfer des Kubismus, Bilder herzustellen begannen, die vor Cézannes Erfindungen nicht möglich gewesen wären, war ihnen Gertrude Stein, die nach Mitteln suchte, mit denen sie eine neue Art von Literatur konstruieren könnte, um eine Länge voraus. Nachdem der Bruch mit der visuellen, erzählerischen, vernunftgebundenen Wirklichkeit einmal erfolgt war, ließ sich die weitere Entwicklung nicht mehr aufhalten.

Im allgemeinen waren die Kubisten unbeschwerte Menschen, die mit Überraschungen aufwarteten. Aber hinter dem vielfältigen Drang, sich selbst ebenso zu überraschen wie die Öffentlichkeit, stand ein ernsthaftes Suchen. Sie waren Pioniere einer Epoche, die in den Worten des amerikanischen Dichters Wallace Stevens »trotz ihres Reichtums letzte Armut durchmachte«, einer Epoche, in der es letztlich darum ging, »die Wirklichkeit über die Grenzen der Wirklichkeit hinaus zu projizieren, sich alles zu eigen zu machen, was immer es auch sein mochte, sich nicht einengen zu

lassen, jederzeit und in jeder Form der Erregung nachzujagen ...«
Stevens glaubte, daß die meisten Dichter und Maler wußten, wonach sie suchten; dennoch hielt er es, wie im Fall vieler der Kubisten, die sich possenreißend zur ästhetischen Heiligsprechung hinaufalberten, »für möglich, einem hohen Ziel zu dienen, ohne es zu kennen«. Obwohl sich nicht sagen läßt, in welchem Ausmaß sich die einzelnen Kubisten ihrer Sendung bewußt waren, beweist ihre Geschichte, daß sie entschlossen waren, Zeichen der Grundsubstanz der Wirklichkeit aufzudecken, die hinter den Fassaden der Konvention verborgen ist, und an dem Grundsatz festzuhalten, demzufolge der »einzige Fehler, den man in der Kunst begehen kann, die Nachahmung ist«. Auf ihre Weise, wenn auch nicht in einer so exklusiven Monopolstellung, wie sie zu glauben schien, stand Gertrude anderen Kubisten an Entschlossenheit nicht nach. Ebenso wie den anderen ging es ihr jetzt noch um eine Reproduktion, eine Imitation der Natur: Ihre wie der Kubisten Konstruktionen vergewaltigten die Natur, und ihre Methoden erwuchsen aus einer undefinierbaren Mischung von Intuition und Kalkulation. Der Sinn der Malerei bestand, Braque zufolge, nicht darin, daß man »sich bemühte, einen anekdotischen Tatbestand *nachzuschaffen,* sondern daß man einen malerischen Tatbestand schuf«. Die Fotografie und die Reportage, die wichtigsten graphischen und literarischen Mittel zur Nachrichtenvermittlung großen Stils, konnten von jedem Gegenstand und von jedem Geschehnis einen mehr oder minder exakten Bericht liefern. Ihre Arbeit war nicht eine Sache der Phantasie. Die Arbeit der schöpferischen Phantasie war es nicht, die Welt wiederzugeben, sondern sie zu erfinden. Gewissermaßen wie blinde Forscher gingen die Maler vor, als sie nun in die Welt eindrangen, das Augenscheinliche niederrissen und verborgene Spielarten der Wirklichkeit ans Licht förderten. Anfangs schien allein die Intuition ihre Funde zu sanktionieren. Plötzlich aber, an der Schwelle des 20. Jahrhunderts und seiner Raumphysik, erfuhren sie zu ihrem Trost, daß sie die volle Unterstützung des Intellekts hatten. Die Anfänge des Kubismus erwiesen sich als eine erregende malerische Vorschau auf die Zusammenhänge im Weltraum, die in der Wissenschaft und in der Metaphysik so bald als völlig selbstverständlich behandelt wurden.

Wie die jungen Maler Werke unabhängig von äußerer Wirklichkeit schufen – oder, um es mit Apollinaire zu sagen, »auf eine völlig neue Kunst zustrebten, die zur bisher üblichen Malerei in der gleichen Beziehung steht wie die Musik zur Literatur« – fing Gertrude Stein nun an, die Worte als unabhängig von äußerer Wirklichkeit zu sehen, das heißt, unabhängig von festgelegten Bedeutungen, und sie als »rein« zu betrachten wie die Noten der Musik. Von den vielen Dichtern und Malern, die im gleichen schöpferischen Klima lebten, hat wohl noch nie ein Schriftsteller mit so unverfrorener Buchstäblichkeit versucht, sich Methoden, die der malerischen Theorie und Praxis entstammen, zu eigen zu machen. In der Tat haben selten zuvor die Umstände einem Schriftsteller oder Maler gestattet, seine Werke nach Gesetzen zu schaffen, die er Stück für Stück einer anderen Kunst als der seinen entlieh. Bislang hatte man Dichter und Maler und ihre Werke meist unter den Gesichtspunkten von Thema und Haltung verglichen. Solche Vergleiche sind, zwangsläufig, rein »literarisch«. Die Themen und Vorbilder von Gemälden und die Absichten und Vorstellungen der Maler werden mit den Themen und Vorbildern der Gedichte und der Absichten und Vorstellungen der Dichter verglichen. Als die Kubisten das Gegenständliche über Bord warfen, war ein solcher Vergleich nicht mehr länger möglich. Wollte die Literatur weiterhin mit der Malerei wetteifern, konnte sie sich nur mit ihrer eigenen Struktur und ihren eigenen Bildvorstellungen beschäftigen. Als der literarische Gehalt der Malerei zugunsten frei erdachter mathematischer oder intuitiver Bemühungen um rein plastische Werte aufgegeben wurde, versuchte auch Gertrude Stein, auf jedwede Gegenständlichkeit zu verzichten und sich allein auf die »plastischen« Möglichkeiten der Sprache selbst zu konzentrieren.

Auf ihrem Weg zur Abstraktion konnten die Maler sich auf eine reiche Tradition arabischer Keramik, persischer Textilien, römischer Ornamentik und auf viele andere Vorläufer stützen. Gertrude Stein hätte sich notfalls auf die Dichter von Alexandrien, auf den Engländer John Lyly und auf den Spanier Góngora – Picassos Lieblingsdichter –, ja sogar auf den späten Henry James stützen können. Obwohl Gertrude Stein jeden literarischen Vorläufer außer Henry James abstritt, dessen Methoden sie in ihrem Werk weiterzuführen vermeinte, war sie eine Schriftstellerin mit einer weit zurückreichenden literarischen Ahnenreihe. Sie war zu der Überzeugung gekommen, daß das 20. Jahrhundert sich weder für Impressionen noch für Emotionen, sondern ausschließlich für Konzeptionen interessiere. Ihr Werk wurde zunehmend zerebraler, abstrakter und, paradoxerweise, lyrischer.

Was sie jetzt produzieren wollte, sollte sich nicht mehr mit visuellen Vorbildern beschäftigen oder die Nuancen im menschlichen Charakter und Verhalten beleuchten, sondern sollte Dinge behandeln, die der klinischen Dokumentation entgingen. Sie wollte die Gegebenheiten der Dokumentation in klangvolle Einzelteile zergliedern und damit eine neue Abfolge und Ordnung erreichen. Sie gelangte zu ihren literarischen Porträts, weil sie überzeugt war, daß »die Worte, die jemand sprach, dem ich vor kurzem zuhörte, den gleichen Rhythmus hatten, den ihr Niederschreiben auslöste«. Jene Porträts waren keine analytischen Studien, sondern Gedichte, die aus Andeutungen, aus wörtlichen und bildlichen Andeutungen, zusammengesetzt und mit größter Sorgfalt zu Mustern gefügt wurden, mit einer Sorgfalt, die sogar dem Zufall Rechenschaft trug, so wie Picasso sie bei der kubistischen Konstruktion visueller Elemente in Bildern, etwa in der Folge *Ma Jolie*, walten ließ. Wie Picasso, so versuchte auch sie, in Worten das zu porträtieren, »was man nicht sieht, von dem man aber weiß, daß es da ist«.

Sie war nicht, wie ihre amerikanischen Leser allgemein vermuteten, die einzige, die dergleichen versuchte. Auch daß sie ihre schöpferischen Impulse unmittelbar von der Malerei bezog und nur indirekt von jener Entwicklung in der Literatur beeinflußt wurde, die sich am deutlichsten in Mallarmé manifestiert, dem sie eng verwandt ist, war nichts Einmaliges. Mallarmé hatte bereits längst die kubistische Einstellung zu den Möglichkeiten der Form entdeckt, als er auf den plastischen Valeurs der Worte beharrte und sie von Begriffsinhalt und Gefühlsinhalt löste. Die Kubisten behandelten Raum und Form ohne Rücksicht auf den Gegenstand, den dieser Raum und diese Form verkörperten. Sie bekümmerten sich ausschließlich um die dem Objekt innewohnende Ausdruckskraft und ahmten dabei ungewollt Mallarmés Bemühen nach, die reine Kraft der Silben wiederzugeben. Aber eine Theorie des Kubismus wurde erst formuliert, als die Maler ihre Entdeckungen gemacht hatten. Die kubistische Literatur ging direkt von der Malerei und nur indirekt von Mallarmé aus. Gewisse Schriftsteller waren zu den Verfechtern des Kubismus und dessen einzigen klar verständliche Theoretiker geworden. Die Maler gelangten auf dem natürlichen Weg der Entdeckung zum Kubismus, die Schriftsteller erst, als der Kubismus soweit definiert war, daß man ihn in Begriffen formulieren konnte, die eine literarische Nachahmung möglich erscheinen ließen.

Guillaume Apollinaire hatte stundenlang albernd und ernsthaft diskutierend als Intimus der Kubisten im Lapin Agile und in Aux Enfants de la Butte gesessen und mit ihnen verwirrt und erregt dem Buchhalter Maurice Princet gelauscht, der über Unendlichkeiten und vierte Dimensionen sprach und auch sonst versuchte, die erstaunlichen Wunder neuer mathematischer Formulierungen zu erläutern. Apollinaire war mit den Kubisten über die Hänge des Montmartre getollt, er hatte die Goldkörner seiner onkelhaften Weisheit an sie verschenkt, ihnen das Beispiel seines methodischen Wahnsinns vorexerziert und war schließlich der Verteidiger ihrer Ziele und Ehrgeize geworden. Seine erste Verbindung zu den Kubisten rührte ausschließlich von seiner angeborenen Sympathie für Künstler her, die etwas Neues wollten; ob er im einzelnen von ihren Leistungen überzeugt war, spielte anfänglich nur eine untergeordnete Rolle. Aber allmählich begriff er, was um ihn herum geschah, und erfaßte die ungeheure Bedeutung dieses Geschehens. Zu dem Zeitpunkt, da er sagen konnte: »L'art des peintres nouveaux prend l'univers infini comme idéal«, hatte er sich in weitschweifenden Diskussionen und privaten Meditationen das Anrecht erworben, den Platz des Vorkämpfers für das gesamte kubistische Abenteuer einzunehmen. In den folgenden Jahren wurde er sein hervorragendster Publizist. Mit einer Zeichnung, die Apollinaire als Papst des Kubismus mit einer Mitra auf dem Kopf, einer Pfeife im Mund und einer Uhr am Handgelenk zeigt, zollte Picasso seiner Vorrangstellung spöttischen Tribut. In seinem eigenen Werk verwandte Apollinaire teils die neuen Methoden, über die er als Kunstkritiker schrieb, teils jene, die in Frankreich weit verbreitet waren, seit Mallarmé in der Nachfolge Baudelaires eine Theorie der Dichtkunst aufgestellt hatte, in der das Thema hinter dem Ausdruck zurücksteht. In einem Brief an Henri Cazalis hatte Mallarmé 1864 nicht, wie viele Kritiker annahmen, den Impressionismus, sondern den Kubismus vorausgeahnt: »Endlich habe ich meine *Hérodiade* begonnen; mit Schrecken, denn ich erfinde eine Sprache, die aus meiner ganz neuen dichterischen Konzeption entspringen muß, einer Konzeption, die ich in kurzen Worten dahin definieren kann: Nicht die Sache selbst, sondern die Wirkung, die sie auslöst, zu beschreiben. Daher müssen die Verse nicht nur aus Worten, sondern aus Intentionen entstehen, und die Sprache muß sich den Gefühlen beugen.«

Apollinaires Gedichte, insbesondere die der Sammlung *Alcools*, sind für das kubistische Experiment innerhalb der französischen Literatur wahrscheinlich weit bezeichnender als das Werk seiner Freunde Max Jacob und Pierre Reverdy, die beide ausgedehnte Phasen durchmachten, in denen Poesie und Malerei ganz natürlich versuchten, mehr oder weniger das gleiche zu erreichen. Hinsichtlich der Prüfung der Macht des Wortes als Instrument geistiger und mystischer Offenbarung hatte keiner von ihnen bis jetzt Mallarmé übertroffen, aber Apollinaire folgte nun dem wahren, vom Meister vorgezeichneten Weg. Seine Methoden, bei denen das Schwergewicht auf der Intuition lag, waren gänzlich verschieden von denen Mallarmés und auch wiederum gänzlich verschieden von denen Gertrude Steins.

Ein Gedicht von Mallarmé enthält eine kompakte, reich facettierte Gedankenordnung, die man wahrnehmen kann, wenn man das Gedicht mehrmals liest und die diversen Ebenen des Begreifens auslotet. In einem »Gedicht« von Gertrude Stein findet ein Prozeß statt – das »Gedicht« bedeutet nur das, was der Leser, während der aufeinanderfolgenden Augenblicke, in denen er es liest, empfindet. Ein Gedicht von Apollinaire ist voll von Gedankenstrahlungen, die den Leser vom geschriebenen Gedicht fort und in die freie Welt der Vorstellungen hinausführen, in die Poesie aller natürlichen oder geschaffenen Dinge. Apollinaire wollte für den Dichter das neue Universum der wissenschaftlichen, mikroskopischen, teleskopischen, radiographischen Schau erobern und entwickelte in der Praxis die Möglichkeiten, dieses ehrgeizige Ziel zu erreichen, indem er von der Annahme ausging, daß in bezug auf Beobachtung und Messung die Vorstellung jedem wissenschaftlichen Instrument ebenbürtig sei. Seine eigentliche schöpferische Tat war die Freimachung des Unterbewußtseins – ein Sammeln expressiver Kräfte durch beschwörende Sätze, die sich, jenseits einer bewußten Kontrolle, frei entfalteten.

In dieser Hinsicht machte er sich die Möglichkeiten des automatischen Schreibens weit mehr zunutze, als es Gertrude Stein je getan hat. In der Tat verfolgte er dasselbe Ziel, das Leon Solomons und Gertrude Stein mit einigen ihrer Experimente in Harvard erreichen wollten – die Freimachung einer »zweiten« Persönlichkeit, die infolge des Ausschaltens der bewußten, beherrschten, »ersten« Persönlichkeit Empfindungen und Gefühle äußern sollte, die beim normalen schriftlichen Ausdruck entweder unterdrückt oder verflacht wurden. Schon wandte er sich dem Surrealismus zu und vom Kubismus ab, der in all seinen frühen Manifestationen nicht eine Kunst des unbewußten, sondern des überbewußten Intellekts war.

Apollinaires Tendenz, eine Verschmelzung malerischer und poetischer Effekte zu verwenden, ist am deutlichsten in seinen späteren Kompositionen bildhafter Gedichte zu erkennen, die in dem Bändchen *Calligrammes* veröffentlicht wurden. Auch hier führt er wieder eine Neuerung von Mallarmé weiter, der sagte: »Laßt uns Schluß machen mit den ständigen, unentwegten Hin- und Herbewegungen unserer Augen, die von einer Zeile zur nächsten wandern und dann wieder von vorn anfangen.« In seinem berühmten Gedicht *Un Coup de Dès* versuchte Mallarmé, die Buchseite in der Art einer Partitur zu benutzen, indem er primäre und sekundäre Motive typographisch trennte und dabei gleichzeitig Hervorhebungen und den Ersatz für die übliche Interpunktion durch einen ausgetüftelten Umbruch erreichlich macht: Das Weiße einer leeren Seite wird zum visuellen Äquivalent des Schweigens, die Schriftverteilung auf anderen Seiten stimmt unmittelbar überein mit dem beabsichtigten Innehalten oder dem Fluß der betreffenden Passage im Gedicht.

In einer Reihe von Apollinaires Bildergedichten – modernen Abwandlungen der manieristischen Renaissanceverse in Kreuzform, Blütenform und Flügelform oder der *technopaegnia,* wie die Dichter des alten Griechenland sie nannten, jener Gedichte in Form von Altären, Eiern, Äxten oder Schäferflöten – spielte er mit Fahrrädern, Krawatten, Harfen, Automobilen und dem Regen, der auf Regenschirme niederfällt. Von bedeutenden modernen englischen Dichtern hat sich, abgesehen von einer einzigen Ausnahme im Werk von Dylan Thomas, *Vision and Prayer,* nur E. E. Cummings mit solchen Experimenten befaßt. Bei Cummings soll die unorthodoxe Typographie weniger eine bildliche Vorstellung als die wesentlichen Stellen und die Interpunktionen betonen. Jene Phase im Werk von Apollinaire war kurz, aber als ein Versuch, im fundamentalen kubistischen Sinn, den Worten, die durch Gebrauch abgenutzt worden sind, ihre Schalheit zu nehmen, und den »Rahmen« eines Gedichtes zu sprengen, war sie sowohl legitim als auch notwendig. Als Gertrude Stein so dramatisch auf die Wege kubistischen Ausdrucks einschwenkte, handelte sie weder opportunistisch noch verfolgte sie die Absicht, ein Bündnis einzugehen, das einzugehen sie nicht berechtigt war. Zu dem Zeitpunkt, da sie sich die kubistische »Sehweise« zu eigen machte, hatte sie bereits auf literarischem Gebiet die gleichen Experimente hinter sich, die die andern auf dem Gebiet der Malerei hinter sich hatten. Der Kubismus war zum Teil der Schößling einer malerischen Entwicklung, die sich in Cézannes Spätwerk zum erstenmal und nur vage erkennen ließ. Gertrude Steins Kubismus war der Schößling ihrer höchsteigenen Entwicklung, die man, bei aufmerksamer Lektüre ihres Werks, durch mehrere suchende, tastende Phasen bis zur endgültigen Ausformung verfolgen kann. Die Manifestationen des Kubismus in der Malerei dienten ihr in der Hauptsache als Anhaltspunkte für ihr eigenes unabhängiges Denken. Mit der Annahme, sie habe einfach zu der neuen Methode gegriffen und sie ohne literarische Berechtigung für ihre eigenen Zwecke benutzt, würde man ihr eine Erfindungs- und Gedankenarmut unterstellen, welche sowohl die vorkubistische wie die nachkubistische Epoche ihrer schriftstellerischen Laufbahn Lügen strafen.

Hätte sie sich bei ihrem ersten Auftreten als kubistische Schriftstellerin auf so gewichtige – wenn auch nicht immer klar definierte – Prinzipien stützen können wie jene, die die Stellung der kubistischen Maler untermauerten, dann wäre vielleicht die Kritik, mit der man sie zu dieser Zeit empfing, ein wenig gemäßigter gewesen. Kraft ihrer Freiheit im Formalen ist die Malerei, zumal in unsrer Zeit, der Schriftstellerei weit voraus, und wenn damals sogar die Malerei weitestgehend Fehlinterpretation und Mißbilligung ausgesetzt war, dann waren Gertrude Steins Chancen, ein aufgeklärtes Publikum vorzufinden, außerordentlich gering.

Die beiden Formen des Kubismus – den analytischen, bei dem der intellektuelle, geometrische, begreifliche Aspekt der Dinge betont wurde, und den synthetischen, bei dem Imagination, Überraschungsmoment, Komposition und Lyrismus vorherrschten – hat Gertrude Stein nacheinander verwandt: die eine bei *The Making of Americans*, die andere bei *Tender Buttons*.

Als sie die kontinuierliche Gegenwart von *The Making of Americans* ausgeschöpft hatte oder, besser gesagt, als die kontinuierliche Gegenwart jener träge kreisenden Chronik sie erschöpft hatte, machte Gertrude Stein sich an die seltsam beschwörenden Aufzählungen und die sich kaum wahrnehmbar voneinander unterscheidenden Wiederholungen, die in der Literatur die frühe, verhältnismäßig hermetische Epoche des Kubismus verkörpern. Die Maler, die im analytischen Kubismus arbeiteten, hatten natürliche Gegenstände zerstückelt und ihre Leinwand in Felder visueller Geometrie aufgeteilt. Genauso zerstückelte Gertrude Stein die natürliche Abfolge von Gedanken und machte aus deren verbalen Grundelementen Kompositionen.

Als sie endlich von *The Making of Americans* sagen konnte: »Wenn man es tun kann, weshalb es dann tun«, da war sie bereit, etwas zu tun, was man nicht tun kann. Später berichtet sie von dieser Periode des Übergangs: »So sagte ich mir denn, ich wolle wieder beginnen. Ich wollte nichts wissen von dem, was ich von allem wußte, was ich von irgend etwas wußte... Und so war es notwendig, das auf mich zukommen zu lassen, was zufällig auf mich zukam...« Mit *A Long Gay Book*, einem Bericht über alle möglichen Beziehungen zwischen zwei Personen, *Many Many Women*, und *G. M. P. (»Matisse, Picasso and Gertrude Stein«)*, alle zwischen 1909 und 1912 geschrieben, ging sie mit fliegenden Fahnen zum Kubismus über. Mit diesem Schritt gab sie Geschichte, Erinnerung, Wissenschaft und zusammenhängendes Denken auf, mit dessen Hilfe das geschriebene Wort im allgemeinen die Erkenntnis festhält. Wie andere Zeitgenossen mit überspitzter Ästhetik, zu denen Eric Satie, Apollinaire und der französische kubistische Dichter Max Jacob gehörten, hatte sie bewußt ihre Gelehrsamkeit und ihren Intellekt geopfert wie eine unerträgliche Bürde, unter deren Last der schöpferische Mensch bewegungsunfähig wird. Wenn die Erlösung von dieser Last auch nicht im Primitivismus resultieren sollte, so konnte der schöpferische Mensch doch zumindest etwas empfinden, was der Freiheit des Primitiven nahekam, diesem über dem Leichnam der akademischen Kunst die Hände reichen und somit eine Idee bekräftigen, die Vico folgendermaßen ausdrückt: »In zivilisierten Epochen kann Poesie nur von denen geschrieben werden, die imstande sind, den Intellekt abzuschalten, dem Geist Fesseln anzulegen und zurückzukehren zu der spontanen Denkweise, die für die Kinderzeit der menschlichen Rasse charakteristisch ist.«

Wie Picasso, der sich unentwegt von den Fesseln seines Erfolgs freimachen und stets durch eine neue Vision und eine neue Art von Lösung in die Schranken gefordert werden mußte, so mußte auch Gertrude Stein, im stillen und ohne auch nur annähernd einen derartigen »Erfolg« zu haben, stets in Bewegung bleiben.

X

> Einstein war der schöpferische philosophische Geist des Jahrhunderts, und ich bin der schöpferische literarische Geist des Jahrhunderts gewesen...
>
> *Gertrude Stein*

Gertrude Steins gründliche Betrachtung eines einzigen Werks von Cézanne wirkte sich unmittelbar auf Form und Struktur von *Three Lives* aus. Ihre nächste schriftstellerische Phase gründete unmittelbar auf ihren Beobachtungen während des Psychologiestudiums sowie auf den Beobachtungen, die sie als Angehörige der dritten Generation einer amerikanischen Familie von bewegter Vergangenheit gemacht hatte. Wieweit sie sich bewußt der Malerei zuwandte oder unwiderstehlich von ihr angezogen wurde, steht dahin; auf jeden Fall hatte ihre nächste Schaffensphase eine enge Beziehung zu einem entscheidenden Wendepunkt in der Laufbahn von Picasso, und zwar in den Jahren, in denen sie ihm häufig Gesellschaft leistete und seine Vertraute war.

Das unvergleichliche Draufgängertum, mit dem Picasso seine ersten kubistischen Bilder gemalt hat, resultierte in nichts Geringerem als dem Durchbruch durch die räumliche und zeitliche Begrenzung, innerhalb derer die Kunst der Malerei jahrhundertelang mehr oder weniger geruhsam angesiedelt gewesen war. Was das im Endeffekt für die Malerei bedeuten sollte, ist in der erstaunlichen Geschichte der Kunst der ersten Hälfte des 20. Jahrhunderts gründlich abgehandelt worden. Kritiker, die sich nur schwer damit abfinden konnten, daß es überhaupt eine Entwicklung in der Kunst geben sollte, die keine logische Weiterentwicklung aus Vorläufern und Traditionen ist, standen Picassos Tat natürlich sprachlos gegenüber, und eine vielbändige Bibliothek erläuternder Literatur sowie unzählige vergröberte Versionen seiner Methode in der Gebrauchsgraphik und der Plakatmalerei haben den größeren Teil der Öffentlichkeit noch immer nicht dazu erziehen können, im Kubismus etwas anderes zu sehen als bestenfalls einen Jux, schlimmstenfalls eine Verirrung. Das Problem, das eine Lösung unmöglich zu machen scheint und ewig neu bleibt, ist lediglich das alte Problem des Wagens, der vor das Pferd gespannt wird: Ehe die Werke des Kubismus analysiert oder »begriffen« werden können, muß man sie mit Augen betrachten, die von jeder Erwartung frei sind oder die jede andere Malerei, die sie jemals gesehen haben, vergessen können. Weil das geschulte und von der Tradition beeinflußte Auge des Kritikers in gewissem Sinn am allermeisten getrübt und von Erinnerungen belastet ist, scheint es kaum verwunderlich, daß man in der Hitze der ästhetischen Polemik die Bilder selbst manchmal ganz vergaß. Als Picasso durch den Spiegel der Kunst sprang, sich aufraffte und sich in tausend Splittern widergespielt sah, da war die einzige Möglichkeit, die Größe seiner Tat zu ermessen, die, ihm nachzuspringen. Wieder einmal stand man vor dem Dilemma des Menschen, der sich ausschließlich auf seine Erfahrung und seine Intelligenz verläßt.

»Wir müssen begreifen lernen«, schrieb Herbert Read, »daß wir es im Augenblick nicht mit einer logischen Entwicklung der Malerei in Europa zu tun haben, nicht einmal mit einer Entwicklung, zu der es irgendeine historische Parallele gibt, sondern mit einem abrupten Bruch mit allen Traditionen, mit allen Vorstellungen dessen, was Malerei sein sollte ... alle Verbindungsglieder mit der objektiven Welt sind gerissen ... Die Liebe zum Konkreten, die jahrhundertelang die europäische Kunst charakterisiert hat ... wird bewußt negiert.« Diese Bemerkung, mit der einer der führenden Ästhetiker der modernen Kunst das Werk Picassos in jener Epoche bejaht, mag hier als ein Ausgangspunkt für die Betrachtung von Gertrude Steins ziemlich ähnlicher Entwicklung dienen. Ihre Absicht war tollkühn, die Durchführung mutig; und dennoch beging sie hier den folgenschweren und großen Irrtum, den kein Literat von Rang wiederholt hat, sei es aus Mangel an Tapferkeit oder Torheit. Ironischerweise hat gerade jener Irrtum ihren zeitgenössischen Ruhm begründet und ihren Einfluß vereitelt. Der Historiker muß jedoch anerkennen, daß es sich um einen Irrtum handelte. Einen Fehler, den nur ein großes und originelles Talent begehen kann. Während ihre vielgelesenen Zeitgenossen die Buchläden mit gekünstelten Romanzen und journalistischen Enthüllungen der fauligen Kehrseite der Gesellschaft füllten – und das alles im Namen der Kunst! –, blieb sie allein beharrlich bemüht, der englischen Sprache eine neue Dimension zu geben, Mittel zu finden, kraft derer die Sprache ein Bild der wahrnehmbaren Welt wiedergeben könnte, weil die Projektionen der subjektiven Vorstellung neben den grotesken und beklemmenden Fakten des Einsteinschen Universums allmählich wie verblichene Fotografien wirkten.

Die Jahre 1908 bis 1910 waren die bahnbrechende oder, wie sie später genannt wurde, die »heroische« Periode des Kubismus. Mochten die Maler nun eine klare Vorstellung von den Aussagen der Wissenschaftler haben oder nicht – ihre Intuition hatte sie bereits Werke hervorbringen geheißen, die als Illustrationen für die wissenschaftlichen Theorien hätten dienen können. Herman Minkowski schrieb 1908 in *Time and Space:* »Von nun an sind der Raum an sich und die Zeit an sich dazu verurteilt, zu Schemen zu verblassen, und allein eine Art von Verbindung der beiden wird eine unabhängige Wirklichkeit bewahren.« Minkowskis Behauptung bezieht sich auf eine Reihe von Entdeckungen in der Mathematik, in der Chemie und in der Psychologie, die schon bald zu einer ganz neuen Auffassung von der Struktur des Universums, des Menschen und seiner Erfahrungen führen sollte. Der Begriff der stofflichen Substanz war aufgehoben worden; Phänomene wurden als bisher unerkannte Anordnungen von Komplexen und Verbindungen rekonstruiert; neue Entdeckungen über die Beschaffenheit des Verstandes führten zu der Überzeugung, daß unangefochtene Maßstäbe und unumstößliche Tatsachen höchst willkürlich waren. Die feste Welt wurde in eine fluktuierende Welt verwandelt, und jeden Augenblick konnten neue Experimente und Entdeckungen die behagliche Wirklichkeit weiter zerstückeln, umstoßen oder sonstwie stören. Auch jene Künstler, welche die Grundlagen dieser Verwandlungen nur ungefähr begriffen, waren von den Berichten, die zu ihnen drangen, begeistert. Es war eine jener Epochen, in der gleichlaufende Entdeckungen auf so verschiedenen Gebieten wie der Malerei und der Kernphysik vermittelst einer ansteckenden Stimmung ausgelöst werden. Die Verwandtschaft war intuitiv – dennoch sollte man bald die erstaunlichste Kongruenz zwischen dem reinen Wissenschaftler und dem Künstler wahrnehmen.

Nur wenige Schriftsteller waren so sehr an die Disziplin wissenschaftlichen Denkens gewöhnt wie Gertrude Stein, und nur wenige waren für neue Gesichtspunkte und unerforschte Probleme so aufnahmebereit wie sie. Man hätte meinen sollen, sie besäße den ungeheuren Vorteil eines Bildungsganges, der es ihr ermöglichte, das Neue nicht nur intellektuell, sondern auch gefühlsmäßig zu begreifen; dennoch versagte sie, indem sie das, was andere Künstler uneingeschränkt in ihre eigene Sprache zu übertragen vermochten, buchstäblich interpretierte und buchstäblich anwandte. Seit

Baudelaire hatten Dichter Gedichte geschrieben, in denen eine Dissoziation zwischen Vision und Thema bestand. Wie die Kubisten, so hatten auch sie die Logik, wenn auch nicht den Schein der Natur gewahrt, aber keiner von ihnen hatte die Sprache so behandelt, als habe sie nichts mit dem Denken zu tun. Sprache ist plastisch, aber ihre Plastizität muß von der Philosophie oder zumindest von der Aussage, die sie zu machen hat, beseelt und bestimmt sein. In ihren frühen Werken geht Gertrude Stein ganz natürlich von diesen Voraussetzungen aus; später aber sollte sie ihre Faszination für die Malerei dazu verführen, deren Freiheit im Formalen auch in der Literatur anzustreben und schließlich so zu schreiben, als verfüge die Literatur tatsächlich über diese Freiheit. »Der Maler«, sagte Georges Braque, »kennt die Dinge vom Anschauen; der Schriftsteller, der sie mit Namen nennen kann, zieht Nutzen aus einem ihm günstigen Vorurteil.« Diesen Nutzen hat Gertrude Stein vertan.

Der Kubismus beschäftigt sich vor allem mit dem Raum. Das perspektivische Gefühl, das seit der Renaissance die Malerei des Abendlandes beherrschte, wird vom Kubismus negiert oder aufgehoben. Wie die physikalischen Theoretiker sich seit Beginn des 19. Jahrhunderts vom dreidimensionalen »Schauen« freigemacht hatten, so versuchten die Kubisten sich in einer neuen Darstellung des Raums, indem die Gegenstände gleichzeitig von mehreren Gesichtswinkeln aus betrachtet werden. Sie wollten damit Simultaneität erreichen, jene Qualität, die einem Gemälde innewohnt, wenn ihm »Zeit« hinzugefügt wurde. Im Jahre 1905, genau zu dem Zeitpunkt, da die Freiheit einer neuen Gesetzgebung eine Reihe von Malern veranlaßte, sich dem Kubismus zuzuwenden, führte Albert Einstein seine »Elektrodynamik bewegter Körper« mit einer sorgfältigen Definition der Simultaneität ein.

Technisch erreicht der Kubismus die Auflösung und Neuordnung der dreidimensionalen Sicht dadurch, daß er mit der »Zeit« die vierte Dimension hinzufügt. Dennoch war den Kubisten selbst weniger an den technischen als an den geistigen Aspekten des Kubismus gelegen. Für Guillaume Apollinaire, dessen einschlägige Schriften zum Dogma eines halben Jahrhunderts wurden, war der Kubismus »die Kunst, neue Strukturen zu malen, die nicht der Wirklichkeit der Sicht, sondern der Wirklichkeit der Einsicht entlehnt waren«. Für andere Theoretiker, wie zum Beispiel die Maler Albert Gleizes und Jean Metzinger, war ein Kubist »ein Realist, der das Wirkliche in seiner Vorstellung nachbildet, denn es gibt nur eine Wahrheit, und das ist die unsere, sobald wir sie anderen aufoktroyieren«. Der echte Kubist, so glaubten sie, suchte »das Wesentliche, aber wir suchen es in unserer Persönlichkeit und nicht in einer Art von Ewigkeit, die von Mathematikern und Philosophen mühsam aufgeteilt ist«.

Für den kubistischen Maler bestimmt die Sicht die Mittel, und er kann darangehen, seine Sicht durch neue Methoden, aber ohne wesentliche Vergewaltigung des Materials, mit dessen Hilfe er sich ausdrückt, zu realisieren. Was hingegen kann der kubistische Schriftsteller im gleichen Fall tun? Weil die Malerei eine räumliche Kunst ist, wird das, was auf einem Bild »geschieht«, durch die Art und Weise, in der der Raum ausgefüllt, aufgeteilt oder sonstwie durch Lichteffekte und Figurierung belebt wird, dem Beschauer übermittelt. Das Schreiben ist keine räumliche Kunst, sondern, wie die Musik, eine zeitliche Kunst. »Der Raum« ist in der Schriftstellerei eine Illusion, die nur hervorgerufen werden kann, wenn eine Folge von Bildern, Gedanken und Situationen in zeitlicher Abfolge komponiert und gelesen werden. Die Regeln der Prosodie und des Versbaus haben den Raumbegriff nie zugelassen, genauso wie das Vokabular der Malerei vor den Kubisten dem Zeitbegriff nie Rechnung getragen hat, es sei denn in so naiven Bilderzählungen wie Masaccios *Zinsgroschen* oder Botticellis *Leben und Wunder des heiligen Zenobius*.

Gertrude Stein machte sich daran, diesen Mangel zu beheben. Sie wollte den Raum in das Vokabular einer Kunst einführen, deren Ästhetik sich auf die Behandlung der Zeit beschränkte. Sie wollte den kubistischen Malern folgen, einen Gegenstand von allen Seiten betrachten, seine verschiedenen Erscheinungsformen festhalten, diese in ein einziges Bild einschmelzen und dann den Gegenstand in der Zeit rekonstituieren. Die Folge davon ist, daß die Werke, mit denen sie diese neue Dimension in die Literatur einzuführen versucht, für alle Leser außer denen, die von der Literatur nichts mehr von dem erwarten, was sie bisher zu bieten hatte, unlesbar sind. Auf einem Gemälde, in dem die vierte Dimension mitspielt, sieht der Beschauer »alles auf einmal«, und er kann sich mit ihm so kurz oder so lange beschäftigen, wie sein Interesse gefesselt wird. Aber ein literarisches Werk, das »räumlich« gemacht wurde, erfordert so viel Aufmerksamkeit und stellt die Geduld auf eine so harte Probe, daß der Leser bald unwillig wird.

Der ungeübte Verstand, mag er noch so willig sein, ist nicht in der Lage, das Bild in sich aufzunehmen, weil die Zeit, die das »Lesen« erfordert, so lang und so bar jeden Interesses ist. Zwar gelingt es Gertrude Stein, den Begriff der Dauer zu schaffen, sie tut es aber auf Kosten einer scheinbar absoluten Dauer: Bringt man die Phantasie – ja sogar die Erwartung – zum Stillstand, so schafft man ein Vakuum, in dem lediglich das unangenehme Gefühl entsteht, man sei gezwungen, sich mit einem Problem zu beschäftigen, dessen Lösung nicht unerreichbar, sondern unmöglich ist. Nach Ansicht von Malcolm Cowley ist ihre Methode »irreführend und irritierend und schickt den Leser auf eine vergebliche Suche, als müsse er einen Stoß verstaubter Zeitungen nach einer Notiz durchsuchen, von der er weiß, daß er sie niemals finden wird«.

Leo Stein teilte die Gefühle vieler Leser von Gertrudes Frühwerk und machte sich zu deren Sprecher. »Sobald man einmal weiß, daß eine Nase keine Nase keine Nase ist«, schrieb er, »kann man sich daran machen zu entdecken, was alle andern Dinge nicht sind, und zu dem Schluß kommen, daß die Methode, ›wirkliche‹ Dinge aufzubauen, darin besteht, die Bruchstücke und Disharmonien einer einstmals herrlichen Verbindung zusammenzufügen. Ist aber die Analyse nur eine Art Ulk, dann wird auch die Synthese nichts anderes als eine Art Ulk sein.«

Gertrude Steins Versuch, die Poesie der Malerei anzugleichen, ist am einfachsten und augenfälligsten mit der Bemerkung abzutun, daß die malerischen Mittel – Farbe, Linie, Raum – niemals den poetischen Mitteln – Klang, Rhythmus, verbale Dichte – gleichgesetzt werden können, es sei denn auf formaler Ebene. Die Mittel der Malerei oder der Musik können also sogar abgelöst von jedem Ordnungsprinzip an sich Entzücken erwecken. Sie können uns manchmal auf bezaubernde Weise anrühren, ohne etwas anderes zu sein als was sie sind. Wörter jedoch drücken in dem Augenblick, da ihr Klang wahrgenommen wird, etwas aus, das über sie selbst hinausgeht. Nicht einmal die höchste Aufmerksamkeit, die man ihrer plastischen Struktur, ihrer Dauer oder Dichte widmet, kann dem Zuhörer die Bürde ihrer individuellen Aussage abnehmen. Und sobald ein Wort seine Aussage getätigt hat, sobald es verstanden worden ist, wird es bis zu einem gewissen Grad anarchisch, einfach deshalb, weil der Autor die Gedanken- und Erinnerungsassoziationen in der Vorstellung des Hörers oder Lesers nicht völlig kontrollieren kann.

Gertrude Stein hatte einen Weg eingeschlagen, auf dem ihr kein anderer Schriftsteller der englischen Sprache folgen sollte. Indem sie ihr schriftstellerisches Rüstzeug bewußt beschränkte und die (vieldeutige) Aussagekraft der Wörter zerstörte, hatte sie all jene Reichtümer der Sprache vertan, kraft deren der literarische Künstler seine Aussage nach Farbe, Ton und Gewicht endgültig bestimmen und präzisieren kann. Ihr Versuch, sich von der konventionellen Wortbedeutung zu lösen, um evokativere Interessensphären anzurühren, war durchaus gerechtfertigt; ihr Versuch, den stofflichen Gehalt der Literatur auf die strenge Exaktheit musikalischer Noten und Akkorde zu reduzieren, mußte jedoch zwangsläufig in einer Sackgasse enden. Ein Komponist, der einen Ton anschlägt, beschränkt sich nicht selbst, weil der Ton, der erklingt, durch den Mechanismus seines Instruments »kontrolliert« wird; aber ein Autor, der ein Substantiv oder ein Verb niederschreibt, kann die verschiedenartigen Assoziationen, die diese Worte in der Vorstellung des jeweiligen Lesers auslösen, nicht kontrollieren. Infolgedessen bedeutet die Reduktion der Wörter vom Status des Symbols oder der simplen Aussage zu »reinen« verbalen Spannungsmomenten eine Verleugnung der normalen Funktion des Wortes. Ein Schriftsteller, der solches tut, steht so weit außerhalb jeder überlieferten Tradition, daß ein vergleichendes Urteil über sein Werk unmöglich ist, weil es einfach nichts gibt, mit dem man es vergleichen könnte. Da er sich entschlossen hat, nur mit einem Teil der Ausdrucksmittel seines Mediums zu arbeiten, kann auch sein Höhenflug nichts anderes als ein Teilerfolg sein. Auf die Dauer läuft er das Risiko, die Artistik, die er vielleicht beherrscht, zu verleugnen, indem er sie nur auf einen Aspekt seiner Ausdrucksmöglichkeiten anwendet – so als ob Rembrandt sich auf Tapetenentwürfe oder Shakespeare auf die Grundregeln der englischen Sprache beschränkt hätte.

Gertrude Stein ignorierte diese Gefahr und machte sich daran, die Worte zu benutzen, als wären sie unbeschwerte plastische Einheiten von dieser oder jener Beschaffenheit, von diesem oder jenem Gewicht und von ganz bestimmter Widerstandskraft. So wie die Kubisten eine »reine« Kunst anstrebten, setzte auch sie sich die »reine« Literatur zum Ziel und gelangte damit zu einer Sprache, die sich sowohl der Logik wie der Semantik entzieht. Denn wenn die Sprache der Literatur »rein« sein soll, dann müßte man sie vom Gedanken trennen. Es scheint, daß Gertrude vorübergehend zu dieser Folgerung gelangte – als ihre abstrakten Experimente sie dazu verführten, Worte aus einer neuen und privaten Sprache zu bilden. Zunächst hielt sie das für einen logischen und vielleicht unvermeidlichen Schritt, sie änderte jedoch bald ihre Meinung. »Es bedarf eines ungeheuerlichen inneren Zwanges, um auch nur ein einziges Wort zu erfinden«, sagte sie. »Man kann nachahmende Lautrhythmen und Empfindungen erfinden, und in der poetischen Sprache einiger Sprachen gibt es das. Die deutsche Sprache leidet als Sprache daran, daß die Bedeutung der Worte klanglich dem, was sie ausdrücken sollen, zu sehr gleichkommt. Und Kinder verfahren ähnlich, indem sie allerlei erfinden, aber das hat im Grunde nicht das geringste mit Sprache zu tun. Die Sprache als eine Wirklichkeit ist keine Nachahmung von Lauten oder Farben oder Gefühlen, sie ist eine intellektuelle Neuschöpfung, und darüber besteht nicht der geringste Zweifel, und das wird sie auch sein, solange die Menschheit besteht. Also muß jeder zur Sprache stehen, zu seiner Sprache, wie sie gesprochen und geschrieben wird und in sich die ganze Geschichte ihrer intellektuellen Neuschöpfung einschließt.«

Als sie von diesem letzten logischen Schritt Abstand nahm, wandte sie sich den verschiedensten Formen der nachkubistischen Literatur zu, ohne daß sie ihren ursprünglichen Fehler erkannt hatte oder ihn eingestehen wollte. Es hätte ihr vielleicht gelingen können, ihre Schau zu purifizieren, Vorstellungen und Bilder bis zu einem Punkt zu verbalisieren, wo deren konventionelle Aussage aufgehoben wird, aber die Schau ist etwas anderes als der Ausdruck. Da die Worte als die Symbole der menschlichen Mitteilung gelten, mußten sie wie Flüchtlinge, von den Bündeln und Ballen ihrer Vergangenheit umgeben, dahocken und Gertrude den Weg versperren. Gebraucht sie die Worte, als hätten diese keine Geschichte, bleibt ihre Schau persönlich und ungeteilt; ihr Leser muß zusehen, wie er ihrer Bedeutung gewahr werden kann, denn sein einziger Anhaltspunkt ist die Niederschrift eines Echos.

Ihr Experiment war wertvoll als Rekognoszierung von Gebieten, die früher oder später kartographisch aufgenommen werden mußten, und sei es nur, um andere vor ihnen zu warnen.

A Long Gay Book kann als ihr literarischer Beitrag zum »zersetzenden« oder analytischen Kubismus betrachtet werden, in der die Maler die konventionelle Perspektive durch die Simultaneität einer Gesamtansicht zu ersetzen versuchten. Genau wie *The Ma-*

king of Americans geht es auch hier wieder um die Überzeugung, daß »jedermann in sich eine Grundnatur hat und eine Denkweise, die dieser Natur entspricht«. Die Begrifflichkeit war jedoch zu diesem Zeitpunkt aufgehoben. Die Charaktere erhielten Namen, aber das war auch ihre ganze Identifizierung. Wie Gertrude auf den ersten Seiten von *A Long Gay Book* sagt: »Paare und ihre Beziehungen werden besprochen, unzählige Leute werden skizziert werden: Ollie, Paul; Paul, Fernande; Larr und ich, Jane und ich, Hallie und Ollie, Margaret und Philip, Claudel und Mrs. Claudel, Claudel und Martin, Martin und Jane, Helen und John, alle, die ich kenne... alle, die mir nur einfallen, Erzählung nach Erzählung, Menschenpaare...«

Zwar resultierte ihr Versuch, Menschenpaare festzuhalten, in kaum mehr als einer Aufzählung von Namenpaaren, aber Gertrude hatte in ihrer Vorstellung wesentliche und bedeutungsvolle Einzelheiten für ihre Tabellarisierung zu notieren. In den Aufzeichnungen, die sie für sich als eine Art Leitfaden macht und die sie dem Text einverleibt, bemerkt sie: »Graces Gruppe neu gestalten, praktisch, pseudomaskulin. Dann mit Fanny und Helen und den Geschäftsfrauen von neuem beginnen, erdgebundener Typ und gutmütig von Gesinnung. Sich darüber verbreiten und dann auf das Aroma, Pseudoaroma, Mildreds Gruppe und am Schluß auf die konzentrierten Gruppen zurückkommen. Von da an komplizieren und komplettieren, alle möglichen Bilder bringen, um dann wieder die Männer einzuführen. Hier mit der Victor-Herbert-Gruppe beginnen und davon abzweigen. Dann weiter zu der Frage, wie der einzelne lieben würde und geliebt werden würde, als Mann oder Frau von jedem einzelnen, der jemanden lieben könnte oder würde.« Aber die sorgfältigen Unterscheidungen, die ihre Konzeption kennzeichnen, werden in der Praxis außer acht gelassen, und das Werk wird zu einer abstrakten Übung, Vorgänge schriftlich festzuhalten, und nur zufällig zu einer Charakteranalyse. Gegen Ende des Buches jedoch, und nachdem der Leser eine Erfahrung gemacht hat, die dem mehrtägigen Leben in einem Haus aus lauter Lochkarten gleichkommt, geschieht etwas ganz Neuartiges. Einige wenige Strahlen hellen Tageslichts zwängen sich langsam durch die gestanzten Löcher, einige wenige Rhythmen ertönen, die dem Gesang spielender Kinder auf der Straße gleichen, und den statistischen Alptraum, in dem der Leser gefangen war, scheinen einige wenige Bilder zu verscheuchen.

Wer Gertrude Stein aufmerksam liest, nimmt an allen Phasen ihrer Entwicklung teil und gelangt genau im gleichen Augenblick wie sie zu ihren Erkenntnissen. Im Fall von *A Long Gay Book* ahnen Leser wie Autorin, daß ein neuer Weg eingeschlagen wird, der sich schon sehr bald deutlich zeigt. Dieser neue Weg war die neue Idee des Porträtschreibens. Die ersten Arbeiten, die sie in dieser Form schrieb, unterscheiden sich nach Art und Inhalt kaum von den Abstraktionen, welche den Anfang von *A Long Gay Book* füllen, und ihre späteren Porträts wie auch die Methode von *Tender Buttons* erwachsen unmittelbar aus dem Schlußteil. Hätte sie gewollt, so hätte sie ihre Porträtgalerie ganz einfach zusammenstellen können, indem sie einzelne Seiten aus diesem Buch herausgenommen und mit Titeln versehen hätte, auf jeden Fall stand sie am Beginn einer langen Periode, die durch die besonderen Interessen, die sie zum Schreiben von *The Making of Americans* und *A Long Gay Book* brachten, ausgelöst wurde und in der sie immer wieder Porträts schreiben sollte. Hinsichtlich der Porträts bemerkte sie: »Ich mußte herausfinden, was es war, das in dem einzelnen steckte, und mit dem einzelnen meine ich alle. Ich mußte bei allen herausfinden, was in ihnen aufregend war, und ich mußte es herausfinden, nicht durch das, was sie sagten und nicht durch das, was sie taten, nicht inwieweit sie einem anderen ähnelten, sondern ich mußte es herausfinden durch die Intensität der Bewegung, die in jedem von ihnen vor sich ging.«

Als der literarische Kubismus in Frankreich seine zwei divergierenden Tendenzen entwickelt hatte – die eine strebte eine abstrakte Architektur von Namen, Gegenständen, Fakten, die andere eine mehr »poetische« Aufzählung der Assoziationen und der Grundgehalte von Namen, Gegenständen und Fakten an –, hatte Gertrude Stein sich bereits ausführlich mit der ersteren beschäftigt und war im Begriff, die zweite zu erforschen. Auf dem Gebiet der Malerei war der analytische Kubismus trotz all seiner zuversichtlichen neuen Freiheit noch immer lediglich eine Darstellungsform, in der die Häufung von Ansichten, die die Maler brachten, die Gegenstände aus der gleichzeitigen Schau von mehreren Blickwinkeln aus zeigten. Das Kunstwerk als ein Akt der totalen Schöpfung trat erst in Erscheinung, als der synthetische Kubismus dem Maler gestattete, die Analyse der Formen aufzugeben, um visuelle Aspekte im Sinn ihrer kompositionellen Möglichkeiten miteinander zu verbinden. Im Kubismus der Maler wird dieser Unterschied etwa beim Vergleich von Picassos *L'Accordéoniste* (1911) mit seiner *Carte à jouer, compotier, verve* (1914) deutlich. Das Drum und Dran des Kaffeehauses war zur Ikonologie einer reinen und unendlich geschmeidigen visuellen Poesie geworden. Die gitarrenspielenden Frauen oder die einfachen Schachbretter und Musikinstrumente auf den Gemälden aller Freunde des Kubismus hatten ihren guten Grund. »Das waren seine wesentlichen Symbole. Einige Jahre lang war ihr Werk mit seinen rührenden Versuchen, die Rundung einer Violine, den Fuß eines Glases und eine Tonpfeife zu den ausreichenden und notwendigen Akteuren in einem bezaubernden Ballett zu machen, das Keuscheste, was die Welt jemals gekannt hat«, schrieb André Chastel.

Parallel dazu schien es, als habe sich Gertrude Steins wissenschaftliches Denken erschöpft. Der Dichter in ihr war nun bereit, die Führung zu übernehmen. Jetzt sollte ihre künstlerische Kraft in vollem Umfang beansprucht werden. Sie hatte durch ihre großartigen Kataloge und minutiösen Klassifizierungen fraglos bewiesen, daß sie die Fähigkeiten eines Wissenschaftlers besaß; nun mußte sie noch beweisen, daß sie auch jene engelhafte Vertrautheit mit Worten und Rhythmen besaß, an der man den Dichter erkennt.

Wie zu erwarten, diente ihr Alice B. Toklas als Modell für das erste Porträt. Aus persönlichen Gründen gab Gertrude diesem Werk den Titel *Ada*. Sie schrieb das Porträt an einem Sonntagabend, als die Köchin Ausgang hatte und Alice wie gewöhnlich eine amerikanische Mahlzeit zubereitete, um sich von den französischen und italienischen Speisen der übrigen Woche zu erholen. Gertrude »malte« in einen kleinen Ausreißblock rasch und sicher die erste Rohskizze eines Porträts, das etwas Einmaliges werden sollte. Da sie es nicht liebte, anderen beim Arbeiten und insbesondere bei Hausarbeiten zuzusehen, hatte sie sich aus der Reichweite der Töpfe und Pfannen entfernt, solange Alice in der Küche beschäftigt war. Als aber das Porträt beendet war, eilte sie in die Küche: »Du mußt alle Töpfe vom Herd nehmen...«, sagte sie, »und überhaupt sofort mit Kochen aufhören... Du mußt das lesen.« Als Gertrude anfing, laut vorzulesen, meinte Alice, sie wolle sich einen Scherz erlauben. Aber nach wenigen Augenblikken erkannte sie den seltsam persönlichen Gehalt der straff gewobenen Sätze. Wohl in keinem anderen Werk Gertrudes findet das tiefe Zusammengehörigkeitsgefühl, das die beiden Frauen verband, zarteren Ausdruck. Aber über seine Bedeutung als Dokument einer Zuneigung hinaus zeigte es Gertrude in ihrem besten Moment, was den Gebrauch schlichter Sprache sowie subtiler, aber dabei fließender Rhythmen angeht, und überdies ist es ein höchst gelungenes Beispiel ihrer frühen Porträts. Der folgende Auszug beendet das Werk:

»Sie wurde glücklicher als irgendein anderer Mensch, der damals lebte. Es fällt leicht, dies zu glauben. Sie erzählte es jemandem, der jede Geschichte, die reizvoll war, liebte. Jemandem, der lebte und der beinah stets lauschte. Der, der liebte, erzählte davon, daß er jemand sei, der damals lauschte. Der, der liebte, erzählte damals Geschichten, die einen Anfang, eine Mitte und ein Ende hatten. Ada war damals diejenige, und ihr ganzes Leben war damals ein einziges Erzählen von Geschichten, die einen Anfang, eine Mitte und ein Ende hatten. Zittern war Leben, Leben war Lieben, und einer war damals der andere. Gewiß liebte damals dieser eine diese Ada. Und gewiß war damals Adas ganzes Leben glücklicher durch das Lieben, glücklicher als es jemals ein anderer sein könnte, der war, der ist, der jemals leben wird.«

Diesem ersten Versuch folgten schon bald Porträts von Matisse und Picasso. Alfred Stieglitz, der damals als Mentor des avantgardistischen Kunstlebens von New York größten Einfluß besaß, wurde auf diese beiden Porträts aufmerksam. Er meinte, daß Gertrude »fraglos Matisse und Picasso in Worten dargestellt hat«, aber später gestand er, die Porträts seien ihm trotz der seltsamen Erregung, die sie auslösten, rätselhaft vorgekommen. Immerhin publizierte er die Porträts im August 1912 in einer Sondernummer seiner Zeitschrift *Camera Work*. Zum erstenmal war damit eine Arbeit Gertrudes in einer Zeitschrift veröffentlicht worden. Und bis auf die wenigen Exemplare von *Three Lives*, die von Hand zu Hand gingen, war es auch das erstemal, daß sie sich der amerikanischen Leserschaft vorstellte. *Camera Work* wurde trotz seiner geringen Auflage von einflußreichen Leuten der Kunstwelt aufmerksam gelesen. Ihr Erscheinen in diesem Heft war für sie ein würdiges, wenn auch verhältnismäßig stilles Debüt auf der literarischen Bühne Amerikas.

In jenen Porträts, die zwischen *The Making of Americans* und *Tender Buttons* entstanden, schreibt Gertrude nicht nur als Kubist, sondern sie bedient sich auch noch einer anderen neuen Errungenschaft, der kinematographischen Kunst des 20. Jahrhunderts. Die von den Kubisten bewirkten Veränderungen im bildlichen Raum und die phantastischen neuen Verwendungmöglichkeiten der Bewegung im Raum eines Bildschirms entsprangen beide aus der gegenseitigen Durchdringung von Raum und Zeit. Es sollte nicht mehr lange dauern, bis die Beschauer beider Kunstarten mit den Collagen der Maler ebenso vertraut waren wie mit den Montagen der Filmhersteller. In ihren frühen Porträts bediente Gertrude sich einer Methode, die zu der Vermittlung einer Erzählung im zeitlichen Ablauf, wie sie der Filmstreifen liefert, parallel läuft. Ein Vergleich zwischen dem Film und einem ihrer typischen frühen Porträts macht diese Parallele sehr deutlich. Wie jedes Bild auf dem Filmstreifen dem Bild gleicht, das ihm vorangeht, und doch ein ganz klein wenig anders ist, so gleichen sich Gertrude Steins aufeinanderfolgende Sätze: Jeder ist um ein weniges anders als der vorangehende. Die Bewegung einer Figur auf dem Bildschirm wird als eine fließende Bewegung wahrgenommen, obgleich sie in Wirklichkeit aus einer Folge statischer Bewegungen zusammengesetzt ist, die sehr rasch aufeinanderfolgen. In einem Steinschen Porträt wird die Bewegung der Figuren derart verlangsamt, daß es scheint, als betrachte der Leser einen Filmstreifen, der auf einer ebenen Fläche ausgebreitet wird. Die Figur wird nicht in zeitlicher Bewegung wahrgenommen, sondern als eine Vielzahl statischer Bewegungen, die in ihrer Abfolge dargestellt werden. Dennoch besteht die Absicht, die Bedeutung der Bewegung summarisch und sofort mitzuteilen.

Ihrer Meinung nach lag das Wesentliche, auf dem sie ein Porträt aufbaute, nicht im gesprochenen Wort oder in den zum Ausdruck gebrachten Attitüden, sondern in dem von ihr erzeugten »Klangempfinden«. Wie die Maler, so hatte auch sie die Modelle per se aufgegeben. »Es ist seltsam«, sagte sie, »wenn man bedenkt, daß bis zum Beginn des 20. Jahrhunderts das Modell alles war und daß heute kaum ein Maler von Interesse sich überhaupt noch darüber klar ist, daß früher jeder ein Modell benutzte.« Sie wollte weder die Natur nachahmen, noch etwas Vertrautes reproduzieren, sondern den Rhythmus und die Worttönung finden, die etwas Neues schufen. Das Klangempfinden war für sie eine Parallele zum Farbempfinden des Malers: »Ich beobachte die Redeweise einer Anzahl von Menschen«, sagte sie. »Früher oder später zeigt sich bei jedem ein ganz bestimmter Rhythmus in allem, was er tut. Es sind nicht so sehr die Worte, die gesprochen werden, als das Klangempfinden, das sie hervorbringen. Diesen Eindruck habe ich festzuhalten versucht...«

Es liegt in der Natur der Sache, daß jedes Porträt letztlich ein Teilporträt von Gertrude selbst ist. Die Dargestellten drücken ihre eigenen Gefühle aus, wenn sie diese Gefühle erfolgreich zu verbergen meint, und zeigen häufig ihre Reaktionen, wenn sie jede Spur einer wortgetreuen Wiedergabe verwischt zu haben meint. Sie bieten Blickwinkel oder Wellenlängen, durch die aus Farben, Vorstellungen und Lauten Personen geschaffen werden, geben jedoch niemals ein Bild wieder, dessen Objektivität anders als rein zufällig ist. Daß ihre Porträts mit Namen etikettiert sind, ist ohne Bedeutung. Mit Ausnahme der Porträts von Matisse und Picasso und einigen wenigen anderen, in denen die dargestellte Person ganz deutlich mit einer interpretierenden Aussage verbunden, oder in anderen Porträts, in denen die Person durch Hinweise erkennbar gemacht wird, versuchte sie, einen Typ abzukonterfeien und nicht eine Persönlichkeit zu umreißen. »Impressionen« und nicht »Porträt« wäre die exaktere Bezeichnung für diese Arbeiten, aber für Gertrude Stein war diese Bezeichnung, vielleicht aus Protest gegen den Impressionismus als einen veralteten Stil in Malerei und Literatur, unannehmbar. Die Bezeichnung »Impression« besagt, daß es sich um die subjektive Wiedergabe eines in der Erinnerung haftengebliebenen Augenblicks der Wahrnehmung handelt. Sie wollte den Augenblick der Wahrnehmung, ohne Relation zu einer zeitlichen Bestimmung und völlig frei von jeder Information, allein aus der Erinnerung heraus schaffen. Die Rechtfertigung dieses Augenblicks der Erkenntnis wäre der Umstand, den Apollinaire in *Les Peintres Cubistes* schildert: »Das Bild wird unweigerlich da sein. Die Schau wird umfassend, wird vollständig sein, und ihre Unendlichkeit wird lediglich die Beziehung zwischen einer Neuschöpfung und einem neuen Schöpfer ausdrücken und auf keine Unvollkommenheit hinweisen.«

Klug ersonnene Analogien zwischen den Möglichkeiten der Sprache und denen der Malerei oder des Films könnten Gertrude in gewisser Weise unterstützen; in anderer Weise auch ein *Fiat,* das den Künstler von dem Zwang befreit, anderen Gesetzen und Überlieferungen zu gehorchen als seinem eigenen Gefühl für ästhetische Notwendigkeiten. Auf jeden Fall hatte Gertrude Stein sich einer künstlerischen Bewegung verschrieben, die erst ganz definiert werden konnte, als die vielen Erzeugnisse dieser Bewegung von Leuten betrachtet und gewertet wurden, die weniger voreingenommen und befangen waren als Apollinaire. Da die Kubisten sich mit Aussagen an die Welt wandten, die ernst, blumig, anarchisch und drängend und, häufig bewußt und aus Selbstherrlichkeit, unklar waren, sollten Kritiker und Kunsthistoriker Jahrzehnte damit verbringen, die feingesponnenen Theorien der Kubisten von ihrem praktischen Wirken zu trennen. Aber etwas war von Anfang an klar, und das illustriert Gertrude Stein in ihrem Werk aufs allerdeutlichste. Wie viele andere Dichter und Maler hatte auch sie versucht, »ein Modell der Verwirrung zu schaffen, eine Metapher für die moderne Gemütsverfassung, in der sich das Interesse auf die Simultaneität der Bewußtseinsinhalte konzentriert; eine Gemütsverfassung, in der die Erfordernisse der gegenwärtigen Wirklichkeit der Erinnerung und der Geschichte den Zugang verwehren; eine Gemütsverfassung, in der das Zeitgefühl zu einer Wahrnehmung des Zeitablaufs wird und die Erfahrung in halbartikulierten Phantasien und amorphen Bruchstücken objektiviert ist«.

Doch selbst diejenigen Leser, die ihr durch die verhältnismäßig geringen Unklarheiten ihrer beiden ersten Bücher treu geblieben waren, konnte keine Erklärung, ob sie nun von ihr oder von anderen kam, wirklich beschwichtigen. Pierre Roché, der sie und Leo mit Picasso bekanntgemacht hatte und selber literarische Ambitionen hegte, gibt der Verwirrung, die fortan ihre Leser ergreifen sollte, auf eine etwas gallische Weise Ausdruck: »Ich lese diese Schrift von neuem durch, alles in allem liebe ich sie manchmal«, schrieb er an Gertrude. »Ist es eine Diamantenmine?... Aber all die schwere Arbeit des Grabens, Suchens, Reinigens, das Polieren des Steins bleibt noch zu tun... Zuviel Sand klebt daran. Ich ärgere mich über Sie, weil Sie mir durch diese verdammten Wiederholungen, durch so viele Wortdoubletten die Freude verderben. Viele der Wiederholungen sind sehr sinnvoll und wirkungsvoll, aber sie schwimmen in einem Ozean von Geschwistern, die, so glaubte ich, für niemanden außer für Sie eine erkennbare Bedeutung haben. Nur wenn ich mich sehr stark fühle und in gewisser Weise leiden möchte, mache ich mich daran, Ihren Stil zu lesen. Nach wenigen Minuten bin ich schwindlig, dann seekrank, und wenn auch Inseln zu sehen sind – es ist kein Fluß, kein Meer, *c'est une inondation, l'hiver dans le campagne*. Ihr Stil wird in zunehmendem Maße sonderlich – die Schau bleibt groß und auch der Glanz einiger Seiten – Rhythmus? O ja. Aber diese Art von

Rhythmus berauscht Sie ... Quantität! Quantität! Ist dein Name Frau? Sicherlich ist es höchst genußreich, sich gehen zu lassen und hemmungslos drauflos zu schreiben, aber ... Weshalb beenden, korrigieren Sie das chaotische Material nicht zehnmal, weshalb schreiben Sie es nicht zehnmal um, bis es endlich die Form annimmt, die seiner Fülle entspricht? Eine Straffung von sechzig bis neunzig Prozent wäre meist genug? Kennen Sie irgend jemanden – einen Menschen, keinen Literaten –, der, ohne Sie oder die Modelle für Ihre Porträts oder beides zu kennen, irgend etwas davon verstanden hat? Melanctha ist in meiner Erinnerung großartig. Ihr fühlte ich mich ganz vertraut, wenn ich mich auch hier bereits schon anstrengen mußte. Ich glaubte, Ihr Stil würde konzentrierter, er ist gewaltig in die Breite gegangen. Die letzten Dinge hängen von der Kraft Ihrer Persönlichkeit ab. Sind sie Ihren Augen entrückt, zerfallen sie in Stücke. Ihr eigener starker Glaube an sich selbst erschüttert anderer Leute Zweifel hinsichtlich Ihrer Ausdrucksweise – vermutlich äußern sie diese Zweifel Ihnen gegenüber nicht. Sind Sie im Grunde eigentlich nicht sehr faul? Aufrichtig, demütig und vielleicht ungeheuer dumm, Ihr sehr ergebener H. P. Roché.«

Dieser Brief enthält beinah alle Einwände und Vorwürfe, denen das neue Werk schon bald ausgesetzt sein sollte. Gertrude war verärgert und gekränkt. Roché hatte zu denen gehört, die sie früher gepriesen und nur gepriesen hatten; sie ignorierte seine Kritik und nahm Zuflucht zu einer weiblichen und höchst uncharakteristischen Antwort, indem sie Roché sagte, einem Mann würde er niemals einen solchen Brief geschrieben haben, er habe ihre Stellung als Frau ausgenutzt. Rochés Antwort klingt ein wenig gemildert, aber noch beharrt er auf seinem Standpunkt: »Ich habe zu Ihnen wie zu einem männlichen Freund gesprochen *et même comme à un camarade à une table de café* ... Ich habe gründlichen Respekt vor Ihrer Arbeit und vor Ihrem Verstand. Hinsichtlich der Qualität Ihrer Kunst bin ich ganz Ihrer Meinung ... (nicht aber hinsichtlich des unvermeidlichen Charakters Ihrer heutigen *Gesamt*form).«

Dieser Briefwechsel hatte eine vorübergehende Abkühlung der Freundschaft zur Folge, Roché nahm jedoch nach einiger Zeit die schärfsten kritischen Einwände zurück, und viele Jahre später verband ihn noch immer eine herzliche Freundschaft mit Gertrude. Er übersetzte viele ihrer kürzeren Arbeiten ins Französische, und machte auch Jean Cocteau auf ihr Werk aufmerksam. Cocteau besaß als einer der wenigen französischen Schriftsteller eine ungefähre Vorstellung von dem Ziel, das sie als Künstlerin anstrebte, und war einer der ganz wenigen, die nicht nur ihrem Werk Achtung zollten, sondern ihr auch als Mensch zugetan waren.

XI

Toasted Susie is my ice cream.
Gertrude Stein

Im Frühjahr 1912 fuhr Gertrude mit Alice nach Spanien und schrieb dort eine Reihe von reinen, lebendigen und für den Durchschnittsverstand undurchdringlich rätselhaften literarischen Stilübungen nieder, die in vieler Hinsicht Gegenstücke zu den Stilleben der kubistischen Maler waren, auf denen das Innere nach außen gekehrt wurde. Zwei Jahre später erschienen sie in einem Sammelband mit dem Titel *Tender Buttons,* entsetzten die Literaten, lösten bei den Lesern verzweifeltes Lachen aus und provozierten schließlich eine Reaktion, wie sie noch auf kein Buch des 20. Jahrhunderts erfolgt war.

Im alten Avila, das die beiden Frauen in gemächlichen Etappen über Burgos erreichten, machten sie für längere Zeit halt. Begeistert von den schattendunklen Mauern, die das mittelalterliche Heiligtum einschlossen, sagte Alice, sie wolle sich für den Rest ihres Lebens in Avila niederlassen. Gertrude fand das baren Unsinn, und nach zehn Tagen fuhr man, wie geplant, nach Valladolid, und von dort nach Madrid. Dennoch hinterließ der kurze Besuch von Avila bei Gertrude einen tiefen und nachhaltigen Eindruck. Da sie es sogar fertigbrachte, Heilige als ihren persönlichen Besitz zu betrachten, belegte sie bald die Figur der heiligen Teresa, Avilas berühmtester Tochter, die sie schon als Kind verehrt hatte, mit Beschlag. Die heilige Teresa, Avila, die Landschaft um Avila und die Tauben, die regungslos im gläsernen Himmel zu stehen schienen – die Seele und Substanz von *Four Saints in Three Acts* –, sollten in Kürze in die Annalen des modernen amerikanischen Theaters eingehen.

Die beiden Damen erregten in Spaniens Hauptstadt ein gewisses Aufsehen und wurden bei ihren Ausflügen in Andalusien von der ländlichen Bevölkerung als Kuriositäten bestaunt. Gertrude trug für gewöhnlich einen braunen Waschsamtrock und eine Jacke mit weiten Taschen, eine handgeflochtene Strohmütze, Sandalen (von denen einige aufgebogene Spitzen hatten, die an den Bug einer Gondel erinnerten), und in der Hand schwang sie einen Spazierstock mit Bernsteinkopf. Alice trug »spanische Verkleidung«, einen langen schwarzen Seidenumhang, schwarze Handschuhe und einen schwarzen Hut. Dies gab ihr ein feierliches und priesterliches Aussehen. Nur der grellfarbene Blumenstrauß, der aus ihrem Kopf zu wachsen schien, bildete einen frivolen Akzent und vermittelte den Eindruck, sie sei eine Nonne auf Abwegen. Einige Bauern hielten sie für Edelfrauen, betrachteten sie mit unverhohlenem Staunen und behandelten sie mit großer Ehrerbietung. In Cuença fügte Gertrude ihrem Kostüm noch eine gewaltige Brosche aus falschen Brillanten hinzu. Als die örtliche Bevölkerung ihr Interesse nicht mehr zügeln konnte (unter dem Eindruck, Gertrude sei ein durchreisender Bischof, strömten die Menschen herbei, um den Ring an ihrer Hand zu küssen), bot der Gouverneur der Provinz an, ihnen fortan einen Polizisten zur Begleitung mitzugeben. Derartig dramatische Reaktionen auf ihre äußere Erscheinung verstörten die Damen zunächst ein wenig, doch schon bald nutzten sie ihre Auffälligkeit zu ihrem Vorteil. Wenn sie auf ihren späteren Reisen Beanstandungen hatten und Gertrudes eingefleischtes Bedürfnis nach höchstem Komfort nicht befriedigt wurde, ließ Alice den Hoteldirektor kommen und verkündete mit finsterer Miene: »*La baronne n'est pas satisfaite!*«

In Madrid trafen sie sich mit ihrer Freundin Georgiana King aus Bryn Mawr und entdeckten gemeinsam die Tänzerin Argentina, deren Vorstellungen sie allabendlich besuchten. Alice, die über mannigfache Talente zu verfügen schien, hielt sich auch für eine hervorragende Kennerin der Tanzkunst. Ihrer Meinung nach waren die Argentina, Isadora Duncan und Nijinsky die drei »wahrhaft großen Tänzer«. Weniger begeistert war sie, als Gertrude darauf beharrte, sie zu den Stierkämpfen mitzunehmen. Immerhin stellte sich heraus, daß sie das meist recht brutale Schauspiel ertragen, wenn auch nicht genießen konnte. In Granada stiegen sie im Washington-Irving-Hotel ab, das Gertrude von einem früheren Besuch mit Leo, kurz nach dem spanisch-amerikanischen Krieg, kannte. Von dem hochgelegenen Hotel begaben sie sich täglich hinunter in die Stadt, vorbei an den leuchtend rosa Mauern der Alhambra, die in den langen Schatten ihrer Türme dämmerte. Granada, provinziell, von seiner Bedeutung herabgesunken, voll von stolzen Granden, die über die letzten Reste römischer und maurischer Eroberungen herrschten, war trotz allem eine lebendige und geistvolle Stadt. In der Geschichte zu leben, ohne jedoch daran teilzuhaben, war für Gertrude immer die idealste Voraussetzung für ihre schöpferische Betätigung. Wie das ihr unvergeßliche

Zyklorama von Waterloo war auch Granada »ganz da«, eine alles umfassende Realität, und dennoch konnte man sich jeden Augenblick völlig davon freimachen. Auf ihren Streifzügen durch Granada hat ihr Auge vielleicht irgendwann einmal auf der leicht hinkenden Gestalt des Schulknaben Federico Garcia Lorca geruht. Doch obwohl der größte moderne spanische Dichter zu ihren Lebzeiten aufwachsen und seinen tragischen Tod finden sollte, hat sie bei aller Liebe zu Spanien und den Spaniern Lorca nie geliebt, ja, sie war sich seines Beitrags zur Weltliteratur nicht einmal bewußt.

Sie arbeitete nun täglich in dem Hotel, dessen Fenster auf rauschende Zypressenhaine hinausgingen, und manchmal auch »im Hof der Alhambra, die Schwalben beobachtend, die durch die Mauerritzen ein- und ausflogen, umspült von weicher Luft, die vom Duft der Myrte und des Oleanders erfüllt war, die brennendheiße Sonne auf Gesicht und Händen. Im Verlauf dieses Aufenthalts in Granada wurde ihr die Bedeutung der neuen Technik, in der sie schrieb, überwältigend bewußt und erfüllte sie mit Jubel. Schon so lange mit der Funktion des menschlichen Denkens, mit den immer wieder aufs neue faszinierenden, im letzten aber doch vorauszusagenden Reaktionen des Individuums beschäftigt, hatte sie nun ein neues Ziel vor Augen: die Beschreibung, die »den Rhythmus der sichtbaren Welt« wiedergeben sollte. Ihr gewichtiger Katalog menschlicher Reaktionen war voll; zu lange hatte sie als Wissenschaftler mit dem Notizbuch gearbeitet und mechanische Aufzeichnungen gemacht, anstatt die nervösen und aufschlußreichen Schocks der Imagination und der Phantasie zu registrieren. Um das Schwergewicht auf die Seite ihrer Persönlichkeit zu verlagern, wo der Künstler die Oberhand hatte, schrieb sie eine Reihe von Improvisationen über die Natur, um dann zu weiteren Improvisationen über häusliche Gegenstände überzugehen. Wie die kubistischen Maler und die Psychologen, unter denen sie gearbeitet hatte, galt ihr Interesse nicht der äußeren Erscheinung, sondern den Beziehungen. Die ganze sichtbare Welt sollte nun ihr Arbeitsgebiet werden. Mühelos und rasch beendete sie *Susie Asado, Preciosilla* und *Gypsies in Spain*. Nachdem sie die metaphorische Beziehung zwischen Schau und Klang gefunden hatte, war es, als habe sie mit einemmal neue Pfade durch den Urwald der Worte gehauen, in dem sie ständig lebte. »Dieser metaphorische Prozeß«, schrieb Donald Sutherland, »oder vielmehr diese Metamorphose durch Worte gleicht in ihrer Art ein klein wenig den farblichen und linearen Verzerrungen von Matisse oder auch den vollständigeren Verwandlungen in Picassos kubistischen Gemälden. Wie Matisse beim Anblick einer leichten Biegung oder eines angenehmen Farbflecks seines Vorwurfs diese zu einer üppigen Krümmung oder einer glühenden Farbfläche auf seiner Leinwand steigert, und wie Picasso jede einigermaßen ebene oder einigermaßen eckige Fläche des Vorwurfs auf der Leinwand in ein ausgesprochenes Viereck verwandelt, so erzielt Gertrude Stein durch Intensivierung und Umwandlung der Ureigenschaften ihres Vorwurfs mittels Isolation oder Metapher ein Resultat, das wie ein Gemälde in sich und für sich lebt.«

Aber während sie neuen Pfaden folgte, folgten ihr Mißverständnis und Kontroverse. Als Edmund Wilson in seiner großen Studie *Axel's Castle* seine Eindrücke von ihrem Werk sichtete, bemerkte er, daß typische Stücke »einem kubistischen Gemälde, das aus nicht identifizierbaren Bruchstücken komponiert ist, analog sind«. Aber nachdem er diese exakten Feststellungen von Gertrudes Absichten gemacht hat, reiht er sie unter die Nachfahren des französischen Symbolismus und begibt sich damit der Möglichkeit, die ihn hätte veranlassen können, ihr in seinem kritischen Pantheon einen ebenso bedeutenden Platz anzuweisen wie Proust, Joyce, Eliot und Valéry. Wilson meint, daß »sie durch die Benutzung von Worten zum Zweck der reinen Andeutung jeden Symbolisten weit überflügelt hat – sie ist soweit gegangen, daß sie nicht einmal mehr andeutet. Wir können die immer größer werdenden Kreise auf der Oberfläche ihres Bewußtseins wahrnehmen, sie gibt uns aber keinen Anhaltspunkt mehr dafür, welche Gegenstände dort eingetaucht sind.«

In Wirklichkeit hatte sie die Symbolisten nicht überflügelt, sondern einen völlig anderen Weg eingeschlagen. Wie ihre dichtenden französischen Zeitgenossen rebellierte sie gegen den bedrückend ästhetischen Charakter des Symbolismus und seine letztliche Abhängigkeit vom Gefühl, von Aussage und Haltung. Ihrer Meinung nach gehörte diese Bewegung der Vergangenheit an, und nur deren letzter Widerhall hatte sie noch erreicht. Überdies war der Symbolismus etwas Französisches, und sie war Amerikanerin, die Erbin des Vermächtnisses von Henry James und all dessen, was sich unter dem unendlichen Himmel Amerikas abgespielt hatte. »Der große Einwand gegen die symbolistische Schule«, schrieb André

Gide, »ist ihr mangelndes Interesse am Leben ... Die Symbolisten waren alle pessimistisch, entsagungsvoll, resigniert, ›des traurigen Siechenhauses müde‹, als das die Erde ihnen erschien – unsres ›eintönigen und unverdienten Vaterlands‹, wie Laforgue es nannte. Die Poesie war für sie zur Zuflucht geworden, zum einzigen Ausweg aus der abscheulichen Wirklichkeit; mit dem Feuer der Verzweiflung stürzten sie sich hinein.« Daß Gertrude Stein mit einer derartigen Bewegung irgendeine schöpferische Gemeinsamkeit hat, ist nach ihrem intellektuellen Werdegang wie nach ihrer Veranlagung undenkbar. Bei weitem mehr als sie ist Alfred Jarry berechtigt, den Platz am äußersten Rand des symbolistischen Spektrums einzunehmen. Da Edmund Wilsons Buch einen ungeheuren Einfluß auf akademische Gemüter ausübte, hat seine Plazierung Gertrudes unter die Nachfahren der Symbolisten vermutlich mehr als alles andere dazu beigetragen, daß verantwortliche Kritiker sie vernachlässigten. Freilich darf nicht vergessen werden, daß auch ihre allzulang und allzubreit vorgetragenen Gedanken über Sprache und Bewußtsein daran schuld waren.

Trotz aller Gedankenverrenkungen und der chromatischen Sprachsynthesen steht das Werk der Symbolisten doch immer noch im Einklang mit dem Gefüge der traditionellen Literatur. Sie erstrebten die Wiedergabe – durch Verzerrung, in Andeutungen, aus höchst individueller Perspektive – von Gedanken und Gefühlen, deren Gegenstände den Nährboden der Weltliteratur bilden. Als sie es schließlich wagten, Gefühle an die Stelle von Gedanken zu setzen, die Wirklichkeit mit Hilfe des Gefühls zu erobern, da entdeckten sie einfach, mittels Erweiterungs- und Verfeinerungsprozessen, eine neue Möglichkeit zur schöpferischen Befreiung.

Die Kubisten hingegen schworen dem Erdichten, der Tradition und allen Gefühlen, die Restbestände ihrer Assoziationen waren, ab. Um etwas Einmaliges zu schaffen – ein Gemälde oder ein Gedicht, das nicht die Bestätigung einer alten Wahrheit oder die abermalige Dramatisierung eines alten Themas ist –, brachten sie visuelle und verbale Kunstgebilde hervor, die in sich selbst Gegenstände ästhetischer Kontemplation waren. Bis zu dem Augenblick, in dem diese völlige Trennung der Bestrebungen deutlich wird, ist der Kritiker versucht, den kubistischen Schöpfungen Gesetze und Erwartungen zuzuschreiben, die der kubistische Schriftsteller oder Maler verworfen hat. Im Gegensatz zu den Symbolisten schöpften die Kubisten – zumindest in der Anfangsphase der synthetischen

Periode, die *Tender Buttons* am meisten beeinflußte – weniger aus der entfesselten Phantasie oder den irrationalen Tiefen der Psyche als aus der Fähigkeit des Intellekts, aus dem vertrauten Drum und Dran des Kaffeehauses und des Ateliers überraschende neue Kompositionen zu machen. »In dieser Periode beeindruckte mich die Art und Weise, in der Picasso Gegenstände zusammenstellen und eine Fotografie daraus machen konnte, sehr stark«, sagte Gertrude Stein. »...indem er die Gegenstände zusammenbrachte, veränderte er sie bereits zu etwas anderem, nicht zu einem anderen Bild, sondern zu etwas anderem, zu Dingen, als die Picasso sie sah.«

Als die Kubisten sich auf die Inschriften und Etiketten von Wein- und Kognakflaschen, auf Pfeifen, Zigarettenpapier, Streichhölzer, Stuhllehnen, Tischplatten, Spielkarten und Würfel konzentrierten, hatten sie sich von den Feinheiten der überlieferten Malerei ab- und Szenen zugewandt, die aus vulgären, nichtssagenden Elementen zusammengesetzt waren, die sie wiederum poetisch zu verschmelzen und zum Leuchten zu bringen versuchten. Im gleichen Sinne wandte sich Gertrude Stein bei ihrer Erforschung der literarischen Möglichkeiten des Kubismus der banalen Ikonologie des häuslichen Lebens, den »Speisekammerobjekten« zu. Eine Karaffe, eine Schachtel, ein Teller; Sellerie, Spargel, Würste und Lachs – reale Dinge in einem realen Raum – waren ihre Themen, und sie versuchte ihnen eine Wirklichkeit zu geben, die poetisch frisch und neu und dennoch so solide war wie die simple Wirklichkeit, die sich einem alltäglichen Besucher darbieten mochte. Sie gestattete diesen Gegenständen nicht, ihre natürliche Gegenwart zu behalten, sondern benutzte sie in Verbindungen, die eine Art von Supersynästhesie schufen, in der Farben durch Tätigkeiten, Laute durch Feststellungen und Formen durch Verhaltensweisen angedeutet werden. Jeder Psychologiestudent kennt das Experiment, bei dem der Lehrer die Studenten bittet, die Augen zu schließen, während er auf der Tafel durch Kratzen einen unerträglichen Laut hervorbringt, der gleichzeitig im »blinden« Gesichtsfeld des Zuhörers einen plötzlichen Farbblitz aufflammen läßt. Bewußte Verwirrung der Sinne gehörte zu Gertrude Steins Versuch, Aufmerksamkeit schockartig auszulösen, um dadurch den Leser die geschilderten Erlebnisse nachempfinden zu lassen.

In diesem Versuch, unverfälschte Wahrnehmung zu vermitteln, über die üblichen Kunstgriffe der Literatur hinaus zu uneingeschränkten Wahrnehmung vorzudringen, bedient sich Gertrude

Stein einer Reihe von Mitteln, die sie bei den Malern der äußersten Strenge entlehnt hatte. Sie war einer jener Autoren geworden, von denen Picasso sagte: »Beim Lesen eines Buches hat man häufig die Empfindung, daß der Autor viel lieber gemalt als geschrieben hätte. Man spürt die Freude, die ihm aus der Schilderung einer Landschaft oder einer Person erwächst, als male er das, was er sagt; denn tief in seinem Herzen hätte er lieber Pinsel und Farben benutzt...« Zur gleichen Stunde versuchten andere Schriftsteller – vor allem die amerikanischen und englischen Dichter des Imagismus –, eine ähnliche Reinheit der Wahrnehmung festzuhalten. Dennoch hielten sich all diese Schriftsteller innerhalb der Grenzen der literarischen Gesetze. Zwar zeigten die frühen Gedichte eines Dichters wie William Carlos Williams eine unverkennbare Affinität zu der neuen Malerei, und manche seiner Gedichte konnte man am besten verstehen, wenn man sie unter dem Gesichtspunkt der kubistischen Techniken las. Dennoch hätte man Williams nicht vorwerfen können, er habe versucht, mit seiner Feder zu malen. Gertrude Stein mit ihrer kindlichen Buchstäblichkeit setzte sich derartigen Anschuldigungen aus, ja, sie forderte sie geradezu heraus.

Tender Buttons erschien 1914 in New York, im Verlag Claire Marie, einer kleinen Firma, die sich der Veröffentlichung von »Neuen Büchern für den ausgefallenen Geschmack« widmete. Über Gertrude sagten die Ankündigungen: »Sie ist ein Schiff, das unter keiner Flagge fährt, und sie steht außerhalb des Gesetzes der Kunst, doch läuft sie jeden Hafen an und hinterläßt eine Erinnerung an ihren Besuch... Textlicher Zusammenhang und Abfolge sind ihrer letzten Fesseln ledig, jeder Satzteil steht für sich und hat keine Verbindung mit seinem Vorgänger oder Nachfolger. Die erste Lektüre bewirkt eine Art Schaudern...« Das Buch wurde zu einem *succès de scandale*. Es fand jedoch kaum ernsthafte kritische Beachtung, hatte nicht den geringsten Einfluß auf die Schriftsteller und verursachte kein Erdbeben in der Literaturgeschichte. Trotzdem hatte Gertrude, wie immer man es später auch bewerten sollte, in der Literatur ebenso revolutionäre Dinge geschaffen, wie es die Collagen oder *papiers collés* von Picasso und Braque in der Malerei waren.

Bei ihren Porträts, so erklärte sie, konzentrierte sich ihre Methode auf »den ganz persönlichen Rhythmus«, den jedes Individuum zum Ausdruck bringt, und auf »das Klangempfinden, das es vermittelt«. In *Tender Buttons* hatte sie versucht, »das gleiche Gefühl, das ich aus Menschen herausgeholt habe, auch aus Dingen herauszuholen«.

Bei seinem Versuch, »die Dinge nicht so wiederzugeben, wie man sie kennt, sondern so, wie sie sind, wenn man sie ansieht, ohne sich daran zu erinnern, daß man sie schon einmal gesehen hat«, sah Picasso sich gezwungen, darauf zu verzichten, ein Bild als ein Fenster zu empfinden, durch das man die Gegenstände so betrachtet, daß ihre übliche Beziehung zueinander gewahrt wird. Als er diesen Schritt getan hatte, war die Verzerrung nicht länger mehr ein Abweichen von einer Norm, sondern die Grundlage einer Methode. Gertrudes diesbezügliche Bemerkung über Picassos Werk gilt auch für ihr eigenes Schaffen: »Ein Kind sieht das Gesicht seiner Mutter, es sieht es auf eine völlig andere Weise als andere Menschen es sehen. Ich spreche nicht vom Geist der Mutter, sondern von den Zügen und von dem ganzen Gesicht. Das Kind sieht es von ganz nah, es ist ein großes Gesicht in den Augen eines kleines Gesichts, es ist ganz sicher, daß das Kind für kurze Zeit nur einen Teil des Gesichts seiner Mutter sieht, es sieht nur gewisse Züge und andere nicht, eine Seite und nicht die andere, und auf die gleiche Weise sieht Picasso Gesichter, so wie ein Kind sie sieht, und auch den Kopf und den Körper. Dann begann er mit dem Versuch, dieses Bewußtsein auszudrücken ...«

In der folgenden Auslassung Gertrudes, die auf Picassos Arbeitsmethoden Bezug nimmt, finden sich Gedanken, die ebensogut auf ihr eigenes Werk passen: »In Wirklichkeit sieht man meist nur eine Seite der Person, mit der man es zu tun hat, die übrigen Züge sind durch einen Hut, durch das Licht, durch Kleidung verdeckt, und wir alle sind gewöhnt, das Gesamtbild rein aus dem Wissen heraus zu ergänzen. Aber wenn Gertrude Stein ein Auge sah, existierte das andere Auge nicht für sie, und nur das Auge, das sie sah, existierte für sie, und als eine Schriftstellerin und ganz besonders als eine amerikanische Schriftstellerin war sie im Recht. Man sieht, was man sieht, das übrige ist Rekonstruktion aus der Erinnerung, und Schriftsteller haben nichts mit Rekonstruktionen zu tun, nichts mit Erinnerung zu tun, sie beschäftigen sich ausschließlich mit sichtbaren Dingen, und so war die Schriftstellerei von Gertrude Stein ein Bemühen, aus diesen sichtbaren Dingen eine Komposition zu schaffen, und das Resultat war für sie und für die anderen verwirrend. Aber was hätte sie anderes tun können, ein

Schöpfer kann nur das eine tun, sie kann nur fortfahren, das ist alles, was sie tun kann.«

Ihren Absichten getreu, beschäftigte sich *Tender Buttons* nur mit sichtbaren Dingen. Ihr Interesse an Menschen, Typen, an der Klassifizierung von Gemüts- und Geistesverfassungen war vergessen; nun interessierte sie sich nur noch für die Oberfläche. Diese versuchte sie, unter Verzicht auf ihr Gedächtnis und was dieses daraus hätte machen können, wahrzunehmen und in Worten festzuhalten, die weniger ein Hinweis auf Gegenstände als vielmehr selber zum Gegenstand werden sollten. Dieses Abweichen von der üblichen Ordnung in der Wahrnehmung des Beschauers stellte eine Art bewußter Barbarei dar. Französische Dichter hatten bereits ähnliche Versuche gemacht, und die Kritiker hatten ihren Mut nicht nur verteidigt, sondern für notwendig erklärt. »Erst wenn das Wort von seiner buchstäblichen Bedeutung befreit wird«, sagte Pierre Reverdy, »bekommt es einen poetischen Wert. Das ist der Augenblick, da das Wort seinen freien Platz in der poetischen Wirklichkeit finden kann.« André Gide zitierte bei einem Vortrag im Jahr 1911 Charles Louis-Philippes Formulierung: »Die Zeit der Süßlichkeit und des Dilettantismus ist vorbei. Was wir jetzt brauchen, sind Barbaren.« Diese Feststellung kommentiert Gide: »Das Merkwürdige daran ist, daß Philippe sich der *Legitimität* dieses Gefühls durch die Kultur bewußt wird.« Andere Kritiker legen jenes Zitat dahingehend aus, daß sie auf jede Kunstform verzichten und ihre Erfahrungen wiedergeben sollten. Gertrude Steins Erklärung war die klarste: »Ich wußte nicht«, sagte sie schlicht, »was ich wußte.«

Der Kritiker Marcel Raymond empfand diese Auffassung der Erfahrung als der von William James eng verwandt; denn auch bei ihm »wird die Erfahrung zu einer Gewißheit, die das ganze Sein durchdringt und den Menschen wie eine Offenbarung aufrüttelt; ein euphorischer Zustand, der dem Menschen die Welt zu schenken scheint und ihn zu der Überzeugung bringt, daß er diese Welt ›besitzt‹. Aber dies ist nur denen möglich, die sich von der gewohnten Schau, von der utilitaristischen Konvention freimachen... Durch geduldige und fortschreitende Ent-Intellektualisierung ein Barbar zu werden, bedeutet vor allem, Empfindungen aufzunehmen und ihnen einen gewissen Spielraum zu lassen, nicht aber sie in einen logischen Rahmen einzuordnen und den Objekten zuzuschreiben, die die Empfindungen verursacht haben; dies ist eine

Methode, sich von der überlieferten zivilisierten Form zu lösen, um eine größere Plastizität neu zu entdecken und sich dem Eindruck der Dinge auszusetzen.«

Als Gertrude Stein sich entschloß, diese Form der Barbarei zu praktizieren – und das nicht, weil sie unfähig gewesen wäre, die von ihrer Kultur sanktionierten Formen zu praktizieren, sondern weil sie den Drang in sich verspürte, die Stützpfeiler der Sprache und Rhetorik niederzureißen, hatte sie *nolens volens* jenen Punkt erreicht, an dem die Literatur nicht mehr länger zusammenhängende Aussage, sondern ein schwankendes Abstraktum ist. Für sie selbst jedoch war die Vitalität ihrer freien Übertragung des Erlebnisses alles andere als abstrakt; denn ihrer Meinung nach konnte jeder erkennen, daß auf ihren Seiten »Dinge, so wie sie sind«, lebten, unverbrämt und ohne Beiwerk.

Auch Picasso war 1912 an einem Punkt angelangt, wo er kurz vor der Abstraktion stand, und sein unmittelbarer Einfluß auf Gertrudes Entwicklung darf nicht übersehen werden. Andere Maler – insbesondere Malevitch, Kandinsky und Mondrian – sollten schon bald über die Phase der Collage hinausgehen, in der Picasso und Braque eine so wesentliche Rolle spielten, und sich der reinen Abstraktion zuwenden. Aber Picasso behielt die Wirklichkeit oder deren Darstellung vermöge seiner geschickten Manipulationen mit erkennbaren, wenn auch häufig höchst heterogenen Materialien leicht und spielerisch im Griff. Da Gertrude Stein nicht zur reinen Abstraktion überwechseln konnte, ohne zuerst eine synthetische Sprache zu erfinden, bleibt *Tender Buttons* innerhalb der kubistischen Entwicklung der Collage und kann am besten durch diese erläutert werden. Ihre *Poems* sind Kompositionen, haben aber weder Gedanken noch Thema; sie erfordern die Aufmerksamkeit des Lesers, aber nicht für einen Schriftsteller mit einer Botschaft, sondern für einen literarischen Akrobaten, der versucht, Gedanken im Prozeß der Aufzeichnung niederzulegen. Diese Kompositionen stellen eine persönliche Anordnung von Materialien in rhythmischer und visueller Form dar. Die Materialien kann man mühelos erkennen, sie dienen jedoch nicht dazu, eine programmatische Bedeutung zu vermitteln. In dieser freien Entfaltung der plastischen Imagination arbeitet sie so sorgfältig wie Picasso, aber die Doppeldeutigkeit und der assoziative Halbschatten jedes beliebigen Wortes in der Gegenüberstellung zur plastischen Bestimmtheit jedes gegebenen Gegenstands ließ ihre

Bemühungen um ein verbales Äquivalent zur Collage von vornherein scheitern.

Dennoch schuf sie zu ihrer eigenen Befriedigung Versionen der Collage. »Die Botschaft kann dort sein, wo das Gedruckte aufgeklebt ist«, schrieb sie.

In Gertrude Steins Abrücken von der analytisch-kubistischen Phase ihrer *Many Many Women* und in ihrem Hinüberwechseln in die Collagephasen von *Tender Buttons* zeigt sich die exakte literarische Parallele der malerischen Entwicklung. Sogar ihre Titel weisen eine auffallende Ähnlichkeit mit den Titeln der Collagen auf. Und ihre Auslotungen nachkubistischer Möglichkeiten sollten bald so vielfältig und freizügig sein wie die Picassos. Sie hatte eine Revolution gemacht, aber es war eine private Revolution in einem leeren Palast gewesen. Die Freiheit, die sie eroberte, war für niemanden notwendig als für sie selbst. Indem sie wagte, das zu tun, was andere Schriftsteller nur erwogen, hatte sie Mut bewiesen, aber auch gezeigt, wie rasch ein Dichter in die Zone des Schweigens geraten kann. Früher oder später mußte jemand derartige Experimente wagen, und sei es nur um festzustellen, daß die Mondlandschaft kein menschliches Leben beherbergen konnte. Gertrude Stein brachte den Beweis zurück, daß die uns bekannte Welt der einzige Planet ist, auf dem Literatur, die dem rationalen Denken unterworfen ist, leben kann. Sie veröffentlichte ihre Entdeckungen, die leider noch immer nach wissenschaftlichem Labor schmeckten, und sie wurde berühmt. Was immer sie auch danach tat, es wurde entweder mit flammender Empörung oder unkritischem Respekt hingenommen. Alles hing davon ab, inwieweit der Kritiker Dokumenten vom Mond einen Wert beimaß. Es war sehr bequem, sie töricht zu nennen, und fast jeder tat es. Aber in den Augen der Menschen, die sich mit der Literatur als einer unendlich lebensfähigen Kunst beschäftigten, hatte sie in mutigem Alleingang ein wesentliches Problem in Angriff genommen und vielleicht sogar gelöst: das Problem, wieweit es möglich ist, ein völlig persönliches Idiom zu haben und doch eine verbindliche Aussage zu machen.

War Picasso ihr beim Schreiben von *Tender Buttons* als stummer Helfer (da er nicht Englisch lesen konnte, hatte er keine Ahnung, es sei denn vom Hörensagen, daß sie literarisch Ähnliches tat) beigestanden, so schöpfte sie noch aus einer anderen Quelle Vertrauen, die mit den Theorien der Maler nicht das mindeste zu tun hatte: aus ihrer langjährigen Überzeugung, daß beim Entstehen der Kultur die Wörter den Gedanken vorangingen. Sie war fest davon überzeugt, daß in jeder neuen literarischen Epoche die Wörter zunächst Einheiten sind, mit denen sich spielen läßt, die man durcheinanderwerfen, umkehren und zu Mustern zusammenfügen kann. »Die englische Sprache von Chaucer bis zu den elisabethanischen Dichtern«, schrieb sie, »spielte mit Wörtern, endlos spielte sie mit Wörtern, weil es etwas so Erregendes war ... sie zu besitzen, Wörter, die zu den Wörtern geworden waren, die damals gerade eben in Gebrauch gekommen waren ... In der frühen englischen Literatur bewegten sich die Wörter, sie bewegten sich von selber, das geschieht in der Epoche, die mit dem Ende der elisabethanischen Dichtung endet, damals bewegten sich die Wörter, sie schufen sich selbst, sie waren da und sie genossen dieses Dasein, sie genossen es dazusein, diese Wörter, und wer etwas mit ihnen zu tun hatte, mit dem Dasein dieser Wörter, wußte das, wußte, daß die Wörter sich dessen erfreuten, sich ihres Daseins erfreuten.«

Nach Gertrudes Meinung bildet den Höhepunkt in der Behandlung der Wörter als geschmeidiger und greifbarer Einheiten in der gesamten englischen Literatur das elisabethanische Zeitalter, die Zeit, in der Shakespeare »Worte neckte und sich amüsierte«. Sogar Swift, so meinte sie bezüglich seines Traktats über die irischen Bettler, »hatte ein ausgeprägtes Gefühl für die Qualität, das Gewicht und die eingeborene Kraft der Wörter«. Allmählich aber, gegen Ende des 18. Jahrhunderts, steigerte sich dieses Gefühl ins Pompöse und erlosch schließlich. Im 19. Jahrhundert hatte man den alten Reichtum der Wörter beinah vergessen. Die einzige Möglichkeit, diesen Schatz der Wörter wieder zu heben, war ihrer Meinung nach eine Rekonstruktion des Wortgefühls an sich, und diese hatten sie und ihre amerikanischen Vorläufer bewirkt: »In der amerikanischen Literatur begannen Wörter in sich jene gleichen Wörter zu beherbergen, die in der englischen Literatur völlig stumm waren oder sich ganz langsam bewegten, begannen sie in sich das Bewußtsein absoluter Bewegung zu haben; begannen sie sich von jedweder Solidität zu lösen, sich selbst erregt zu fühlen, als seien sie irgendwo oder irgendwas. Denken Sie an die amerikanische Literatur der Emerson, Hawthorne, Walt Whitman, Mark Twain, Henry James und an die meine ... und Sie werden begreifen, was ich meine. Wie in der Werbebranche ... fühlen Worte, die mehr und mehr allein gelassen werden, daß sie in Bewegung sind, und alles ist losgelöst und löst jedes von jedem, und in dieser Loslösung und in dieser Bewegung schafft es auf seine Weise sein Dasein.«

Obwohl der Einfluß von William James aus jedem ihrer Werke bis zu *Tender Buttons* herauszulesen ist, gab sie diesen Einfluß nicht gern und immer nur mit Einschränkungen zu. *The Making of Americans* und die unmittelbar darauf folgenden Werke mit ihrer einseitigen Betonung der kontinuierlichen losgelösten Gegenwart, ihrem Beharren auf dem jamesischen Zeitgefühl lesen sich wie literarische Illustrationen zu den Theorien eines Psychologen. Und doch konnte Gertrude noch im Jahr 1914 sagen: »Es stimmt nicht, daß der stärkste Eindruck durch den stärksten Geist hervorgerufen wird. Nur durch Zufall oder Umstände geriet ich unter den Einfluß von William James, doch ich habe ein Ergebnis dieses Einflusses oder Eindruckes noch nicht feststellen können.«

Alice Toklas meint, diese Behauptung sei buchstäblich wahr, da Gertrude sich nicht bewußt war, daß ihre Schreibmethoden den Ideen von James verwandt oder durch diese angeregt waren. Gertrude hielt es für angebracht, James eher einen Einfluß auf ihre Persönlichkeit als auf ihre schriftstellerische Laufbahn zuzubilligen. Dieses Leugnen stellt eine Ausnahme dar, denn im allgemeinen liebte sie es, sich mit ihrer persönlichen Entwicklung angelegentlich zu beschäftigen und jedem, der es hören wollte, weitschweifige Erklärungen dazu abzugeben. Wie ein besessener Wissenschaftler hatte sie für den Augenblick alle Maße ausgemessen – das heißt, alle bis auf ihre eigenen.

XII

> Eine Tür soll eine Tür muß eine Tür, soll und muß zum Öffnen und Schließen sein. Schließ die Tür und zieh die Gardinen zu. Schließ die Läden und öffne das Fenster. Öffne das Fenster und öffne die Tür. Jeder kann dieses Lied verfassen. Haben Sie besten Dank.
>
> *Gertrude Stein*

Zu den Freunden, die Gertrudes Freunde in die Rue de Fleurus brachten, gehörte auch Mabel Dodge, eine reiche Amerikanerin mit einer ausgesprochenen Neigung zur Kunst und zu Künstlern und einer unermüdlichen Freude daran, Leute einzuladen, die wegen ihres Charmes, ihrer Prominenz oder ihrer Leistungen berühmt waren. Mrs. Dodge, die ihre Tage im unruhigen Mittelpunkt eines transportablen *salon* zu verbringen schien, hatte sich mit ihrem Architektenehemann Edwin vorübergehend in der Nähe von Florenz niedergelassen, in einem Haus, das die beiden nach eigenen Entwürfen wieder aufgebaut hatten – in der Villa Curonia, an der Via delle Piazzole in Arcetri. Als Gertrude und Alice von ihrer Reise durch Spanien zurückkehrten, nahmen sie freudig die Einladung an, als Hausgäste in die Villa Curonia zu kommen.

Gertrudes Freundschaft mit der Gastgeberin war bisher nicht sehr innig gewesen. Aber die Begeisterung, die Mabel Dodge für *The Making of Americans*, das sie im Manuskript gelesen hatte, an den Tag legte, erfüllte sie mit Dankbarkeit. »Das ist eines der bemerkenswertesten Bücher, die ich jemals las«, schrieb Mabel an Gertrude. »Hier werden Dinge aus dem Bewußtsein in Schwarz und Weiß gemeißelt, die noch nie zuvor ausgedrückt worden sind – jedenfalls soweit ich es übersehen kann. Seinszustände sind in Worte gefaßt, das *noumenon* erfaßt worden – wie es nur wenige getan haben. Ein Ding benennen, heißt praktisch es schaffen und das ist, was Ihr Werk ist – wahre Schöpfung. Es ist fast beängstigend, der Wirklichkeit in dieser Form zu begegnen. Wie ich Ihnen schon sagte, erfaßt mich beim Lesen Ihrer Werke stets ein Schaudern. Und Ihre Palette ist eine so simple – die Primärfarben in der Wortmalerei, und Sie drücken damit jede bekannte und unbekannte Schattierung aus. Das ist auf seine Art so neu und kraftvoll und gewaltig wie der Nachimpressionismus, und ich bin vollkommen überzeugt, daß es der Vorläufer einer ganzen Epoche neuer Form und neuen Ausdrucks ist. Auch ist es höchst moralisch instruktiv, denn ich glaube, es wird die uns bisher bekannte Wirklichkeit verändern und uns helfen, zur Wahrheit zu gelangen, statt uns von ihr zu entfernen, wie es die ›Literatur‹ so beklagenswert häufig tut.«

Gertrude traf an einem heißen Tag in der Villa Curonia ein und trug, laut Beschreibung ihrer Gastgeberin, »eine Art von Kimono aus braunem Waschsamt ... schwitzend, mit krebsrotem Gesicht. Und als sie sich setzte und sich mit ihrem breitkrempigen Hut mit dem zerknitterten dunkelbraunen Band fächelte, schien sie förmlich zu dampfen. Als sie aufstand, zog sie ungeniert die Kleider, die an ihren dicken Beinen klebten, wieder zurecht. Und dennoch war sie trotz allem keineswegs abstoßend. Im Gegenteil, sie war in ihrer ausladenden Massigkeit ungemein anziehend. Außerdem hatte man immer den Eindruck, daß sie ihr eigenes Fett liebte, und das trägt ja meist dazu bei, daß auch andere Menschen es hinnehmen. Sie war bar der komischen Verlegenheit, die die Angelsachsen dem Fleisch gegenüber haben. Sie sonnte sich in dem ihren.«

Im Arbeitszimmer von Edwin Dodge, der sich zu dieser Zeit in Amerika befand, arbeitete Gertrude während ihres Aufenthalts in der Villa bis tief in die Nacht hinein bei Kerzenlicht. Ihre Schrift war so großzügig, daß sie nur vier oder fünf Zeilen auf eine Seite brachte, und sie hinterließ stets einen Stapel von Blättern, die Alice am Morgen einsammelte und abschrieb. Zu Mrs. Dodges großer Erleichterung schien diese geistige Inanspruchnahme Gertrude für das Herzensdrama, das sich sozusagen unter ihren Augen abspielte, blind zu machen.

Während der Abwesenheit ihres Mannes, so berichtet Mabel Dodge in ihren Memoiren, hatte sie »ungewollt« eine Eroberung in der Person eines jungen Hauslehrers ihres Sohnes gemacht. Sie charakterisiert den zweiundzwanzigjährigen Fußballspieler als einen »weißblonden Jungen, süß wie frisches Heu und Milch und Honig«. Eines Nachts, Gertrude arbeitete noch, schlich sich dieser Anbeter an der Tür des Arbeitsraums vorbei und erzwang sich den Eintritt in Mabels Zimmer. Die Wände waren dick, dennoch war Mrs. Dodge ängstlich. Als sie ihr Ohr an die Wand legte, hörte sie keinen Laut. Gertrude schien für alles außer für die Stimme ihrer Muse taub zu sein. Mabel wehrte mehrere Stunden lang die beharrlichen Avancen des jungen Mannes erfolgreich ab, bis er ihr zuflüsterte: »Ich liebe dich so – und das Wunderbare an dir ist, daß du so *gut* bist!« In dieser Stimmung bezähmter Leidenschaft eilte er an dem Raum vorbei, in dem Gertrude »wie eine gewaltige Sibylle dunkel vor dem rot und goldenen Damast saß und mit kratzender Feder ihre Silben niederschrieb.«

Mabel Dodge, die Gertrude ihrerseits als eine »dickliche Frau mit borstigen Simpelfransen auf der Stirn, dichten langen Wimpern, sehr hübschen Augen und einer sehr altmodischen Koketterie« beschrieb, gestand, daß sie keinen Zugang zu Alice B. Toklas fand. Obgleich Mrs. Dodge ohne Zögern zugegeben hätte, daß sie auch sich selbst nicht verstehen konnte (man hat sie einmal als »ein Rätsel auf der Suche nach Rätseln« bezeichnet), fand sie, Alices Leben müsse unerträglich langweilig sein. Das einzige Interesse, das Alice nach ihrer Feststellung für sich selbst bewies, war eine Leidenschaft für Maniküre, denn sie feilte und polierte täglich stundenlang ihre Nägel. Auf Mabel Dodges Frage, was sie denn in solchen Einklang mit der Welt bringe, antwortete Alice schlicht: »Mein Gefühl für Gertrude.« Die beiden sollten niemals Freundinnen werden. In Alices aristokratischer Sicht war Mabel Dodge ihr Leben lang dazu verdammt, eine *arriviste* zu bleiben.

Mrs. Dodge jedenfalls schätzte Gertrude aus Gründen, die viele andere Menschen aus Mangel an Einfühlungsvermögen nicht begreifen konnten oder aus Mangel an Wohlwollen nicht wahrhaben wollten. Ihrer Meinung nach hatte Gertrude als erste Schülerin Leos begriffen, daß man, um auf Bilder wie auf Menschen zu reagieren, vollkommen frei sein und sich auf seinen eigenen subjektiven Geschmack verlassen müsse. Dies machte sie, in Mabel Dodges Augen, »in einer versnobten Kunstepoche zur mutigen Einzelgängerin. Ich entsinne mich, daß sie jene lächerlichen Miniaturspringbrunnen aus Alabaster mit den zwei winzigen weißen Tauben am Rand bewunderte, die von den Touristen in den Läden am Lung'Arno gekauft wurden. Und sie hatte ein Penchant für Mosaikbroschen mit Vergißmeinnicht und allen möglichen Krimskrams, den sie auf kindliche Art liebte.« Bei wertvolleren Gegenständen interessierte es Gertrude nicht, ob sie nun *bon goût* waren oder nicht, ob Quattrocento oder präraffaelitisch. Ihre Freude, nicht die Herkunft oder der Stil der Gegenstände, war ausschlaggebend für ihre persönliche Beurteilung.

Während Gertrudes Aufenthalt in der Villa Curonia kamen und gingen viele andere Gäste. Gertrudes und Alices besonderes Gefallen erregte Constance Fletcher, die auch in Gertrudes Galerie früher Porträts Aufnahme fand und viele Jahre später als eine der *dramatis personae* ihrer letzten Oper auftritt. Constance Fletcher, die aus Newburyport in Massachusetts stammte, war mit ihrer Mutter und dem Liebhaber ihrer Mutter, der der Hauslehrer der Kinder gewesen war, nach Italien gekommen. Constance, die schon als ganz kleines Kind unter dem Skandal gelitten hatte, der das Familienleben überschattete, wuchs in dem venezianischen Palazzo ihrer unsteten Mutter und ihres Stiefvaters auf und arbeitete heimlich an Liebesgeschichten. Einer dieser Romane hieß *Kismet* und erschien unter dem Pseudonym George Fleming. Als das Buch ein Bestseller wurde, erfuhr die Öffentlichkeit zu Constances größter Verzweiflung von ihrer Urheberschaft, und der Familienskandal kam wieder ins Gespräch. Immerhin hatte diese überraschende Wendung des Schicksals bewirkt, daß sie vorübergehend ihrem abgeschlossenen Leben in Venedig entfliehen konnte. Als unabhängige Frau und berühmte Autorin ging sie nach England, wo sie die Bekanntschaft von Oscar Wilde und Henry James machte, und, erstaunlich lange, mit dem Enkel von Byron, Lord Lovelace, verlobt war. Schließlich hatte Lord Lovelace sie sitzen gelassen und sich nach Afrika davongemacht, nicht ohne sie großzügig mit Juwelen und jenen Briefen von Byron zu beschenken, die Henry James als Unterlage für seinen kurzen Roman *The Aspern Papers* dienten. Aus jener Zeit haftete ihr ein lebenslänglicher Nimbus an. Nach einer erfolgreichen Laufbahn als Bühnenautorin in London zog es sie nach Venedig und in die Schatten zurück, die ihre verstorbene Mutter dort hinterlassen hatte. Gemeinsam mit ihrem sentimentalen Stiefvater hielt sie in komplizierten täglichen Ritualen die Erinnerung an ihre willensstarke Mutter wach und bestreute die Treppe, über die diese einst geschritten war, mit Rosenblättern. Constance Fletcher lebte so ausschließlich in ihrer bewegten Vergangenheit, daß sie fest überzeugt war, sie stehe in direkter Verbindung mit den Geistern, die in den Palazzi am Canale Grande ihr Wesen trieben. Ertönten in der Villa Curonia nachts, wie es häufig geschah, seltsame Klopfgeräusche und ein unheimliches Rauschen, dann glaubte Constance, daß der eine oder andere ihrer abgeschiedenen Freunde sie besuchte. Und was sie am nächsten Morgen erzählte, erregte das Gruseln der anderen Gäste.

Auch André Gide erschien eines Abends in der Villa, aber in den nüchternen Aufzeichnungen seiner *Journals* mißt er diesem Besuch keine Bedeutung bei. Er und Gertrude hatten einander nichts zu sagen. Die Unfähigkeit, sich auf einer gemeinsamen Ebene zu begegnen, mag sich aus der Verschiedenheit ihrer Persönlichkeiten erklären. Denn auf dem Gebiet der Literatur hatten die beiden mehr miteinander gemeinsam, als sie ahnten. Jeder von ihnen war auf seine Weise der Verwirklichung des Kubismus in der Literatur nähergekommen als wohl irgendein anderer zeitgenössischer Autor. Der amerikanische Kritiker Wylie Sypher weist darauf hin, daß es Gide in seinem Roman *Die Falschmünzer* gelang, im intellektuellen Bereich gewisse kubistische Methoden erfolgreich zu benützen, die Gertrude im rein formalen Bereich anwandte.

Die Arbeit an zwei neuen Porträts – das ihrer Gastgeberin, das berühmte *Portrait of Mabel Dodge at the Villa Curonia,* und das von Constance Fletcher – beschäftigte Gertrude während der ganzen Dauer ihres Aufenthalts. Die Zeile, mit der das Porträt von Mabel Dodge anhebt, sollte zum geflügelten Wort eines erlesenen Kreises der Avantgarde werden: »Die Tage sind wunderbar und die Nächte sind wunderbar und das Leben ist angenehm.« Nach diesem milden und ziemlich nichtssagenden Anfang setzt sie das Porträt in kleinen Abschnitten fort und schließt mit folgendem Absatz: »Da ist alles was da ist wenn da alles war was da war wo da ist was da ist. Das ist was getan ist wenn da getan ist was getan ist und die Verbindung erreicht ist und die Trennung ist der letzte Sinn des Besuchs. Es gibt nichts Vollständiges von keinem Besuch.«

Im Gegensatz zu den meisten von Gertrudes Werken erregte das *Portrait of Mabel Dodge* Leos Interesse und regte ihn an, rasch eine Kritik in Form einer Persiflage zu schreiben, die er unverzüglich an seine Schwester schickte.

»Größe ist nicht Umfang es sei denn der äußere Umfang dehnt sich aus. Projektion des Zwecks in der Begrenzung definiert. Es ist die Finsternis deren Mittelpunkt das Licht ist.

Die Bewegung kann kaum innehalten. Formalität ist Zweckdienlichkeit. Auflösung die durch einen tieferen Sinn mit einem Ziel verbunden ist verfeinert das Elementare. Die Bedeutung wird größer aber die Wirkung wird aufgehoben.

Alle Menschen sind so aber nicht in jeder Hinsicht. Es ist der Gedankenprozeß aber ohne Objektivität. Beziehungen können verfeinert werden und Erleuchtung bewirken. Auch wenn der Maulwurf blind ist bleibt die Erde ganz.«

Gertrude nahm diese kritische Parodie wohlwollend auf, und Leo war verwirrt. »Gertrude und sogar Alice haben die Frechheit vorzugeben, sie würden dies begreifen (was ich manchmal teilweise kann)«, schrieb er an Mabel Weeks. »Da es aber Gertrude sehr hübsch fand und ich äußerst sarkastische Intentionen hatte, scheinen wir offensichtlich eine verschiedene Auffassung davon zu haben.« Aber Mabel Dodge war von ihrem Porträt derart geschmeichelt, daß sie es unverzüglich in einer Auflage von 300 Exemplaren drucken und in Florentiner Kleisterpapier binden ließ. Sie äußerte zu Gertrude, es würde sich vielleicht für sie lohnen, als eine Art fahrender Blaustrumpf-Minnesänger von Landsitz zu Landsitz zu reisen, um Wortporträts der Schloßherrn zu verfertigen.

Kaum waren Gertrude und Alice wieder in Paris, blühte »der Salon« in der Rue de Fleurus von neuem auf, aber Gertrude war ruhelos und unzufrieden. Annähernd zehn Jahre lang war sie eine fruchtbare und hingebungsvolle Schriftstellerin gewesen. In ihrer literarischen Vorratskammer türmte sich Manuskript auf Manuskript, aber trotz der Begeisterung einflußreicher Freunde zeigte nicht ein Verleger Interesse an den neuen Werken oder ihrer Autorin. Gertrude, die keine Lust mehr hatte, die Rechnungen ihrer Drucker aus eigener Tasche zu bezahlen, war überzeugt, daß ihr Werk einen Verleger von Rang finden würde und finden mußte. Als ihr ein Freund erzählte, daß John Lane, ein führender englischer Verleger, nicht abgeneigt sei, unorthodoxe Literatur zu bringen, beschloß sie, im Januar 1913 England einen kurzen Besuch abzustatten.

Dort angekommen, wohnten Alice und sie im Haus eines Colonel Rogers und seiner Frau in Riverhill in der Grafschaft Surrey. Am englischen Landleben gefielen ihnen besonders die behagliche Atmosphäre, die ständig brennenden Kaminfeuer, die hochgewachsenen Dienstmädchen, die ihnen wie »Engel der Verkündigung« vorkamen, die gepflegten Gärten, die wohlerzogenen Kinder und die Art und Weise, in der all diese Dinge geheimnisvoll in einer vorbestimmten Harmonie zu existieren schienen. Gertrude fand sich mühelos mit den Annehmlichkeiten eines solchen feudalen Haushalts zurecht, aber die nie versiegende zwanglose Unterhaltung irritierte sie. Die nie verstummende menschliche Stimme, zumal wenn sie englische Laute von sich gab und nicht ihre eigene Stimme war, ging ihr wider die Natur, und sie zog sich immer wieder stundenlang zurück.

Aber dem Komfort und der großzügigen Gastlichkeit war Gertrude Stein nie abhold gewesen, aus der Geschäftsreise wurde mehr und mehr eine Ferienreise. Die beiden Frauen übersiedelten auf den Landsitz von Roger Fry, den sie von seinen vielen Besuchen in der Rue de Fleurus kannten. Fry, den Aline B. Saarinen als einen »empfindsamen Ästheten, stets in der Defensive, allergisch gegen Amerikaner und Millionäre«, schildert, war von 1905 bis 1910 Direktor des Metropolitan-Museums in New York gewesen und hatte später J. P. Morgan beim Aufbau seiner Kunstsammlung beratend zur Seite gestanden. Nun, in London, war er tief verstrickt in die Geschicke der aufstrebenden Bloomsbury-Gruppe. In Gertrudes Augen war der Bloomsbury-Verein ein »Verein christlicher junger Männer ohne Christus«, aber sie mochte Fry, der nun sein ganzes Interesse seinen »Omega Workshops« am Fitzroy-Square widmete, wo sorgfältig ausgebildete Handwerker eifrig damit beschäftigt waren, primitive Formen den neuzeitlichen Erfordernissen anzupassen, in der naiven Hoffnung, damit dem wachsenden Einfluß der Industrialisierung und Massenproduktion entgegenzuwirken. Fry hatte seine brillante, wenn auch weitgehend konservative Stellung als Kritiker aufgegeben, um Sprachrohr und Vorkämpfer für die Nachimpressionisten zu werden, zu denen er in ähnlicher Beziehung stand wie William Morris zu den Präraffaeliten. Die Kunstwelt oder zumindest deren überwältigend konservative Mehrheit hatte sich noch nicht von dem Schock erholt, den dieser Platzwechsel Frys ausgelöst hatte. Als die englische Öffentlichkeit durch eine von Fry im November 1910 veranstaltete Ausstellung *Manet und die Nachimpressionisten* die neue Ära der französischen Malerei kennenlernte, reagierte sie darauf mit Enthusiasmus, aber auch mit allen Zeichen der Empörung und Enttäuschung. »Ich glaube nicht, daß mehr als fünfzig Leute in England Bilder von Matisse oder Picasso gesehen hatten«, schrieb Clive Bell, »aber alle echten Kunstliebhaber wußten instinktiv, daß sie sie haßten.« Die Ausstellung war ein finanzieller und propagandistischer Erfolg, und eine zweite, noch radikalere nachimpressionistische Ausstellung wurde 1912 in den Grafton-Galleries gezeigt. England begeisterte sich für das Primitive, und Kunstgebilde aus den entlegensten Teilen des Empire waren mit einemmal Gegenstände aufmerksamster Betrachtung. Clive Bell berichtet: »Galerien und Museen, in denen man Sammlungen primitiver und exotischer Kunst finden konnte, wurden besucht;

die Leiter der ethnologischen Abteilungen waren erstaunt über den Zustrom interessierter und neugieriger Besucher, und die armen Wärter in den abgelegeneren Teilen des Britischen Museums und des Victoria-und-Albert-Museums wurden grausam aus ihrem Dämmerschlaf aufgeschreckt.«

Frys prononcierter Enthusiasmus für Gertrudes Werk war eine natürliche Folge seiner neuen Interessen. »Weshalb«, so grübelt er, »waren alle britischen Romanciers in kindische Probleme der fotografischen Wiedergabe vertieft?« Nachdem Fry selbst zu der Überzeugung gelangt war, daß der Vorwurf in der Kunst keine Rolle spielte, machte er sich daran, Beweismaterial für diese These in den Werken der neuen Maler zu suchen, die sich bemühten, vor allem »Systeme der Zusammenhänge« herzustellen, und fand eine weitere Erhärtung seiner Theorie in den Gedichten Mallarmés. Mehr als zwanzig Jahre lang arbeitete er an der Übersetzung vieler dieser Gedichte, die er dann auch in Buchform herausbrachte. Fry war der Überzeugung, daß die Maler neue Wege gebahnt hätten, indem sie zur »strengen Linienführung zurückgekehrt waren, die sie im Verlauf der eifrigen Bemühungen um naturalistische Darstellung beinah aus den Augen verloren hatten«. Fry, der in Cambridge ein Studium der Naturwissenschaften mit Auszeichnung absolviert hatte, widmete sich nun der Erforschung der Kunst. Edith Sitwell beschreibt in ihrem Beitrag zu der Memoirensammlung *Coming to London* eines seiner Experimente: »Mr. Fry erfand ein Instrument, das aus einem Stück Schnur und einem Bleiklumpen bestand und den exakten Grad von Gefühl registrieren sollte, das der Mensch, der es in der Hand hielt, empfand, wenn er zum erstenmal vor einem bedeutenden Kunstwerk stand. Die Fama behauptet, daß Mr. Fry beim ersten Versuch (mit der Schnur in der Hand) vor einen grünen Apfel, den Cézanne gemalt hatte, geführt wurde und daß das Instrument völlig außer Rand und Band geriet und ihn zuerst heftig gegen den Magen und dann mit solcher Wucht gegen die Stirn schlug, daß er bewußtlos wurde.«

Als Fry seinen wissenschaftlichen Blick auf die Literatur richtete, glaubten einige seiner Freunde, er wolle allen Schönheiten der Kunst einen zweitrangigen Platz anweisen und das Schwergewicht seines Interesses ausschließlich auf Formel und Abstraktion verlegen. Einmal – er wählte Miltons *Ode on the Nativity* als Beispiel – erfand er ein Kauderwelsch in Gedichtform, von dem er behauptete, es enthalte die essentielle Kraft des Originalgedichts ohne den Ballast des Beiwerks der Bilder. Ein Mann, der derartige Dinge glauben konnte, mußte natürlich das Werk von Gertrude Stein als beglückende Entsprechung empfinden.

An den Sonntagnachmittagen besuchten Gertrude und Alice John Lanes wöchentlichen *jour fixe* in London. Lanes Frau, eine Amerikanerin, hatte *Three Lives* gelesen und war davon so beeindruckt gewesen, daß sie es ihrem Mann zur Veröffentlichung empfahl. Als er eine Veröffentlichung ernstlich in Erwägung zog, schrieb Gertrude an Mabel Dodge: »Wir verbringen hier eine höchst amüsante Zeit, und bis jetzt hat sich noch nichts entschieden, aber John Lane und die *English Review* knabbern. John Lane ist ein furchtbar komischer Mann. Er verhält sich abwartend und stellt eine Frage, und man glaubt, er habe einen verstanden, und dann merkt man, daß es nicht der Fall ist. Roger Fry wird versuchen, ihm zu helfen, mich zu lancieren ...« Die Hoffnungen, die sie auf John Lane setzte, sollten sich schließlich realisieren, aber die *English Review* sah in ihr nicht den guten Fang, der sie zu sein glaubte. Das Schreiben des Herausgebers war kurz und bündig: »Sehr verehrte gnädige Frau, diese seltsamen Studien kann ich beim besten Willen nicht veröffentlichen. Ihr sehr ergebener Austin Harrison.« Mit Ausnahme von John Lane zeigte das literarische London eine betonte und nicht zu erschütternde Gleichgültigkeit gegenüber dem, was Gertrude zu bieten hatte. Doch die Nachrichten aus New York, wo Mabel Dodge die Trommeln schlug und den Messias verkündete, waren ermutigend. »Ihre Stunde wird bald gekommen sein«, schrieb sie. »Jeder, der mir begegnet – und andere, die dort verkehren, wo ich nicht mein Sprüchlein sage – alles redet von Gertrude Stein!«

XIII

Hurrah for gloire!
Gertrude Stein

This will be a scream!
Mabel Dodge

Unabhängig bis zur Bilderstürmerei und fernab von der allgemeinen literarischen Welt ging Gertrude Stein ihren Weg. Sie war ein Phänomen, das niemand entsprechend erklären konnte, eine Art kultureller Witz, und völlig einmalig: der einzige Autor englischer Sprache, der die Lektionen der abstrakten Malerei buchstäblich übernahm. Da sie ein Mitläufer der furchtlosen Künstlerbanden war, die über die Hänge des Montmartre und die Boulevards von Montparnasse schwärmten, war es nur natürlich, daß sie ihren amerikanischen Landsleuten just in dem Augenblick vorgestellt wurde, in dem die Maler ihr sensationelles Debüt auf dem Neuen Kontinent machten. Das ihr und ihnen förderliche Ereignis – die Eröffnung der epochalen Armory-Show – fand am 17. Februar 1913 in New York statt. Später übersiedelte die Ausstellung nach Chicago in das Art Institute. Dort mußte man sie vor allen möglichen Angriffen von Ortseinwohnern, empörten Kunststudenten und der Liga für Recht und Ordnung schützen. Schließlich ging sie nach Boston, wo eine Dame, die vor einem kubistischen Gemälde in Ohnmacht fiel, Raymond Duchamp-Villons Baudelaire-Büste mit sich riß und zerschmetterte. Aber das war auch der einzige Schaden, der dort entstand. Da der Ausstellung Skandalgeschichten aus anderen Teilen des Landes vorausgeeilt waren, ließen die dadurch abgekühlten Bostoner sie mehr oder weniger links liegen.

Knapp zwei Monate vor der New Yorker Eröffnung ahnte noch nicht einmal ein auf kulturelle Strömungen so empfindlich reagierender Pionier wie Alfred Stieglitz, daß diese Ausstellung im amerikanischen Kunstleben einen Aufruhr verursachen sollte. Stieglitz erholte sich gerade von seiner Arbeit als Direktor seiner *Little Galleries of the Photo-Secession,* die unter dem Namen *291* bekannt war, und schrieb an Gertrude: »Wir haben hier furchtbar schwere Zeiten. Man darf auch nicht vergessen, daß es hierzulande kein echtes Gefühl für Kunst und auch keine Liebe zur Kunst gibt. Man betrachtet sie in den Vereinigten Staaten bis jetzt noch als einen großen Luxus, als etwas, was nicht absolut notwendig ist.

Und das alles trotz des sogenannten Interesses an alten Meistern und der Millionen, die Leute wie Altman und Morgan dafür ausgeben. War Altman nicht der Hausherr unserer kleinen *291*? Hat er die Miete nicht buchstäblich am gleichen Tag um das Doppelte erhöht, an dem wir das Haus kauften und er zufällig einen neuen Rembrandt erwarb? Hat er je begriffen, daß *291* in diesem ungeheuren Land ohne jeden Beistand um sein nacktes Leben kämpfte, um genau das kämpfte, was er zu lieben glaubte?«

Zeichen und kleinere Wunder hatten sich vor der Attacke aus Übersee bemerkbar gemacht, aber hauptsächlich bei Kennern und ein paar Sammlern wie Mrs. Potter Palmer in Chicago, die auf ihren Auslandsreisen mit dem Impressionismus in Berührung gekommen war, oder anläßlich der Ausstellung, die der Kunsthändler Durand-Ruel in New York veranstaltet hatte. Maler wie Maurice Prendergast, der die Bedeutung des Impressionismus fühlte, hatten die impressionistischen Methoden bereits auf einheimische Themen angewandt. Gertrudes guter Freund und häufiger Besucher Alfred Maurer, einer der ersten Amerikaner, die sich der »Pariser Schule« anschlossen, hatte dem Naturalismus abgeschworen und auf eine erfolgreiche akademische Laufbahn gepfiffen. Andere amerikanische Künstler, die in Paris die neue Kunst mit eigenen Augen gesehen hatten – unter ihnen Bernard Karfiol, Max Weber, Abraham Walkowitz, John Marin und Arthur Dove – waren auf diese oder jene Weise Anhänger der neuen Richtung geworden. Stieglitz hatte Zeichnungen von Matisse, Plastiken von Rodin, japanische Holzschnitte von Utamaro und verschiedene Arbeiten von Toulouse-Lautrec ausgestellt und war seiner Zeit sogar so weit voraus, daß er Kindermalereien zeigte. Im Jahr 1909 hatte er eine Kollektivausstellung für Alfred Maurer und John Marin veranstaltet, der eine Ausstellung von Lithographien Renoirs und Cézannes, Zeichnungen Picassos sowie Gemälden von so hervorragenden, aber noch immer unklassifizierbaren Amerikanern wie Marsden Hartley und Arthur Dove folgten. Amerika war mit der modernen Kunst bekanntgemacht worden. Die Habitués der Galerie, die Stieglitz 1906 im dritten Stockwerk des Hauses 291 Fifth Avenue eingerichtet hatte und die nach Van Wyck Brooks' Worten »für so viele, die sich damals im Indianerland wie Pioniere vorkamen, eine Art von Schutz- und Trutzburg war«, hatten die starke Wirkung, wenn auch nicht immer die Bedeutung bereits klar erkannt. Aber erst mit der Eröffnung der

Armory-Show verspürte die amerikanische Öffentlichkeit den Wirbelwind, der seit Cézanne über Paris und den Kontinent gefegt war, die Küsten der Neuen Welt jedoch bisher noch kaum berührt hatte. Freigeister wie Mabel Dodge, die begierig auf Anzeichen lauerten, daß die Menschheit endlich auf höherer Ebene der Unendlichkeit begegnete, hielten diese Ausstellung für »das bedeutendste Ereignis seit der Unterzeichnung der Unabhängigkeitserklärung«. Andere wiederum feierten dieses Ereignis als einmalig in der Geschichte der Spießbürgerfopperei. Aber für einige wenige, zu denen auch Leo Stein gehörte, der die frühe und, wie er glaubte, bereits pervertierte Phase der neuen Kunst längst hinter sich gebracht hatte, waren es »olle Kamellen«. Eine Woche vor der Eröffnung distanzierte er sich von dem Unternehmen, dessen Unterstützung man auf Grund seiner früheren Position in Paris logischerweise hätte erwarten können. »Ihr Leute in New York werdet bald in den Strudeln der modernen Kunst zappeln«, schrieb er an Mabel Weeks. »Ich hingegen habe mich daraus befreit. Im Augenblick begeistert man sich für den Kubismus in seinen verschiedenen Formen, und ich halte den Kubismus, ob in Farbe oder Tinte, für puren Blödsinn. Mir erscheint er als das intellektuelle Produkt der Nicht-Intellektuellen, und mir ist es lieber, wenn die Intellektuellen sich auf einer rein intelligenten Ebene manifestieren ... Picassos letzte Arbeiten sind für mich der schiere Graus. Jemand fragte mich, ob ich sie nicht für verrückt hielte. Ich sagte traurig: ›Nein, dazu sind sie nicht interessant genug; sie sind nur dumm ...‹ Der Kubismus mag gewisse Resultate zeitigen, aber ich kann mir nicht vorstellen, daß er sich als etwas Integrales lange halten wird.«

Der Bildhauer Jo Davidson, später ein guter Freund Gertrudes, hatte ebenfalls Einwände. In der Sondernummer, die *Arts and Decoration* der Armory-Show widmete, brachte er sie nüchtern zum Ausdruck: »Diese Leute lehnen sich gegen die Objektivität auf. Sie weisen darauf hin, daß jede Kunst bis zur heutigen auf der Erinnerung gründet. Wenn ihre Theorie stimmt, so bedeutet das, daß man die Vergangenheit nicht nur in der Malerei und Plastik ignorieren kann, sondern auch in der Literatur, und daß man Worte, die Gedanken oder Gefühle zum Ausdruck bringen sollen, durch Laute ersetzen kann. Das waren die Ursprünge der Sprache, aber erst als man ein Vokabular entwickelt hatte, entstand das kontinuierliche Denken. Nehmen Sie zum Beispiel Gertrude Steins Porträt von Mabel Dodge. Dieses Stück Prosa – wenn man es

Prosa nennen kann – übt eine gewisse Faszination aus. Kann sich aber irgend jemand, und sei es der intelligenteste Leser, daraus irgendein Bild von Mabel Dodge machen? Wäre es nicht ausdrücklich als ein Porträt bezeichnet, wer ahnte überhaupt, um was es hier geht? Betrachten Sie sich Picassos Porträt von Kahnweiler. In beiden Fällen zwingt uns die Bezeichnung, sofort nach irgendeiner Andeutung von Mrs. Dodge oder Kahnweiler zu suchen. Und beinhaltet schließlich nicht allein schon das Wort Porträt eine gewisse Objektivität der Darstellung? Die Behauptung, diese Etikettierung sei eine Konzession an die bestehende Konvention, klingt schön und gut. Aber weshalb Konzessionen an bestehende Konventionen machen, wenn die bestehenden Konventionen alle falsch sind?« Mit seinen Fragen nimmt Davidson ähnliche Fragen späterer Kritiker Picassos und der Stein vorweg, die in jeder Spur von begrifflichem oder programmatischem Gehalt in den Werken der beiden eine Art bewußter Fopperei, wenn nicht gar eine Art von Betrug sahen. Das wahrnehmbare Auge oder die wahrnehmbare Nase auf einem kubistischen Bild, der erkennbare Name oder das verständliche Zitat in einem kubistischen Gedicht waren für sie Schlüssel zu Dingen, die man unmöglich entdecken konnte. Da sie diese gewisse Verspieltheit nicht von der humoristischen Seite nehmen wollten, brachten sie sich selbst in die paradoxe Lage, anscheinend eine »reine« Kunst und keinen Flitter zu fordern, während ihre persönliche Neigung in Wirklichkeit ganz und gar einer darstellenden Kunst gehörte.

Einen Monat nach der Eröffnung hatten mehr als hunderttausend Menschen diese Ausstellung besucht. Zu ihnen gehörten der ehemalige Präsident Theodore Roosevelt und Enrico Caruso, der einige der Gemälde karikierte und den belustigten Zuschauern die Zeichnungen zuwarf. Die Hauptattraktion – die Zielscheibe des allgemeinen Spotts – war Marcel Duchamps *Nu descendant un escalier,* von der ein Berichterstatter meinte, sie sähe aus wie »die Explosion einer Ziegelfabrik«. Die zweite Sensation war Brancusis *Mademoidelle Pogany,* die Plastik eines Kopfes mit riesenhaften Basedowaugen. Alle bislang in Amerika unbekannten Modernen – Picasso, Matisse, van Gogh, Gauguin, Braque, Léger, Kandinsky, Picabia – waren zum großen Kummer der Boulevardpresse, die sie mit empörtem Schimpfen begrüßte, stark vertreten. Ihre Reaktion unterschied sich kaum von den Schreckensschreien, die aus den Akademien ertönten.

Eine Erklärung der Association of American Painters and Sculptors – so nannte sich eine Gruppe von Leuten, die sich ausschließlich zu diesem einen Zweck zusammengetan hatten – klang offen und bescheiden: »Hier handelt es sich nicht um eine Institution, sondern um eine Gesellschaft. Sie setzt sich aus Personen der verschiedensten Geschmacksrichtungen und Neigungen zusammen, die in einer Sache gleicher Meinung sind: daß die Zeit gekommen ist, der Öffentlichkeit hierzulande Gelegenheit zu geben, die Resultate von neuen Einflüssen auf die Kunst anderer Länder zu betrachten. Die Gesellschaft bezweckt mit der Ausstellung von Werken der europäischen Maler keine Propaganda. Sie möchte auch keiner Institution die Fehde erklären. Ihr einziges Ziel ist es, die Gemälde, Plastiken usw. auszustellen, damit die Einsichtigen sich ein Urteil bilden können ...«

Aber auf die allgemeine Öffentlichkeit, für die Malerei soviel war wie sentimentale Landschaften, getönte Ansichten des Canale Grande, orientalische Sklavenmärkte und pausbackige Kinder beim Seifenblasenspiel, für die eine Plastik aussehen mußte wie ein naturalistisches Denkmal oder wie die Statuen der vollbusigen Matronen, die die Freiheit und die Aufklärung verkörperten, wirkte diese Ausstellung als ein abscheuerregender Affront. Der Humorist Irvin S. Cobb machte sich zum Sprachrohr des Mittelstands: »Ich erhielt meine Ausbildung in der Rutherford B. Hayes School of Interior Decoration«, schrieb er in der *Saturday Evening Post,* »und ich entsinne mich noch ganz deutlich der Zeit, da an den Wänden jedes wohlhabenden amerikanischen Hauses unter anderem zwei Standardölgemälde hingen – ein Stilleben im Eßzimmer, das einen toten Fisch auf einer Platte zeigte, und eine ländliche Szene im Salon, die eine Versammlung von Kühen zeigte, die aus einem plätschernden Bächlein saufen.«

»Anarchie« war die häufigste Bezeichnung im Zusammenhang mit der Ausstellung; ein erschrockener Kritiker meinte, die Ausstellung sei »eine Revolution, die eine Bombe unter die Bevölkerung geschleudert habe«. »Von den Leinwänden eines Matisse«, schrieb der Maler Kenyon Cox, »starrt einem nicht nur der Wahnsinn, sondern auch die nackte Unverschämtheit entgegen.« In New York veranstaltete eine Gruppe, die sich die *Akademie für Falschangewandte Kunst* nannte, eine karikierte Armory-Show, und in Chicago gaben Studenten des Art Institute der allgemeinen Empörung dadurch Ausdruck, daß sie eine Nachahmung von

Matisses *Blauem Akt,* der jahrelang zu den Schätzen der Rue de Fleurus gehörte, öffentlich verbrannten. Die Behörden schritten dagegen ein, aber der Drang nach Gewalttat hatte endlich ein Ventil gefunden. FUTURISTISCHE KUNST ERREGT AUFMERKSAMKEIT DER STAATLICHEN SITTENPOLIZEI lautete die Schlagzeile einer Zeitung, und als Untertitel war zu lesen: UNTERSUCHUNG ERGIBT, DASS AKTBILDER DIE AUFMERKSAMKEIT JUNGER MÄDCHEN ERREGEN.

Durch derartige Berichte verwirrt, sah Matisse sich veranlaßt, der amerikanischen Journalistin Clara MacChesney, die ihn in Paris interviewte, zu erklären: »Ach, sagen Sie doch bitte den Amerikanern, daß ich ein normaler Mann bin; daß ich ein liebender Gatte und Vater bin, daß ich drei prächtige Kinder habe, daß ich das Theater besuche, gerne ausreite, ein gemütliches Heim und einen schönen Garten habe, und daß ich Blumen liebe... so wie jeder andere Mann.« Wie in New York, so strömte auch in Chicago das Volk in die Ausstellung, um sich die dort gezeigten Werke zu besehen – etwa sechzehnhundert Gemälde und Plastiken von dreihundert Künstlern. Fast dreihundert Werke wurden verkauft – zweihundertfünfzig gingen an Käufer in New York, in die übrigen fünfzig teilten sich Sammler aus Chicago und Boston.

Nicht alle Kritiker dieser Zeit sprachen sich gegen die Ausstellung aus oder hielten ihre Meisterwerke für »neurasthenische Machwerke, die von den europäischen Hauptstädten ausgespien wurden«. Henry McBride und Joel Spingarn, um nur zwei ihrer Verteidiger zu nennen, gelangten dank ihrem Scharfblick zu Ruhm. McBride, der kurz darauf ein intimer Freund von Gertrude Stein werden und sie sein Leben lang verteidigen sollte, fand die Ausstellung »bezaubernd – bezaubernd wie Schwarze Magie, und ebenso schockierend«. Spingarn, ein amerikanischer Anhänger von Benedetto Croces Theorie vom »schöpferischen Expressionismus«, registrierte ebenfalls ein neues Beben und sichtete neue Horizonte. »Die Vernissage«, schrieb er, »war eines meiner erregendsten Abenteuer, und dieses erregende Gefühl teilte sich fast jedem der Anwesenden mit. Es war nicht allein die Stimulanz der Farben oder der ungeheure sinnliche Reiz, nicht das Hochgefühl, das jedes erfolgreiche Unternehmen auslöst, das Gefühl, daß man, wie bescheiden auch immer, an einem historischen Ereignis teilnahm... Was mich aufs seltsamste berührte, war dies: Ich fühlte zum erstenmal, daß die Kunst endlich ihre persönliche essentielle

Verrücktheit wiederfand, und daß der moderne Maler-Bildhauer sich einen Anspruch auf Mut errungen hatte, der auf allen anderen Kunstgebieten fehlte.«

Spingarn hoffte, daß die amerikanischen Schriftsteller den Malern in ihrer »göttlichen Befreiung von Brauch und Konvention« folgen würden. Zu seinen Lebzeiten wurde diese Hoffnung in vielen englischen und europäischen Werken der Literatur verwirklicht, aber mit Ausnahme von Gertrude Stein blieben die amerikanischen Schriftsteller verhältnismäßig unberührt. Der weitblickende Spingarn sollte jedoch einen bedeutenden Beitrag zur Geschichte der amerikanischen Literatur leisten. Er war es, der 1911 den Begriff des *New Criticism* einführte und immer wieder darauf bestand, daß »die amerikanische Kritik von heute vor allem zu ästhetischem Denken erzogen werden müsse«. Dieser so oft mißbrauchte Ausspruch sollte noch lange durch die Bezirke der literarischen Gelehrsamkeit geistern und Mittelpunkt einer Kontroverse sein, die noch längst nicht abgeschlossen ist.

Mochten auch viele Künstler die Armory-Show bejahen, so konnten doch nur wenige sich für die Heftigkeit der neuen Kunst begeistern oder sich von ihrer Gültigkeit überzeugen lassen. Manche unter ihnen, wie zum Beispiel Arthur B. Davies, den die Gesellschaft zum Direktor wählte, waren berühmte Konservative. Davies, ein Schüler des französischen Romantikers Puvis de Chavannes, hatte sich einen Ruf als Maler züchtig bekleideter Nymphen erworben, die sich in einem Bilderbuch-Arkadien tummelten. Aber Toleranz und Liberalismus waren die Parole des Tages, und obwohl einige der Künstler in ihren eigenen Arbeiten stur am Konventionellen festhielten, so waren sie doch der Überzeugung, daß das Fremdartige und das Neue zumindest ausgestellt zu werden verdiente. Jeder ausübende Künstler hatte unter der Stagnation des amerikanischen Kulturlebens gelitten. Mit der Zeit sollte sich erweisen, daß die Unterstützung, die sie ihren ausländischen Kollegen gaben, letzten Endes ihnen selbst zugute kam. Als die Gesellschaft gegründet wurde, war ihr Ziel, eine große Ausstellung amerikanischer Kunst zu veranstalten, die, aus Gründen des Interesses, einige wenige radikale Werke aus dem Ausland zeigen sollte. Als es dann aber zu finanziellen Schwierigkeiten kam und man Arthur Davies die Leitung übertrug, kehrte dieser den Spieß um. Die Amerikaner mußten sich mit einem kleinen Raum innerhalb einer großen internationalen Schau begnügen.

Als Walt Kuhn, der Sekretär der Gesellschaft, 1912 nach Europa fuhr, ließ sich zunächst alles ganz harmlos an. Er wollte Köln, München, Berlin und Paris besuchen und Roger Frys zweite Nachimpressionistenausstellung in der Grafton-Galerie in London sehen. Da das Ziel der Gesellschaft nur erreicht werden konnte, wenn eine große Menge und eine ungeheure Vielfalt von Bildern ausgestellt wurde, traf Kuhn eine großzügige Auswahl. Dennoch legte die Gesellschaft den größten Wert auf die Schule von Paris. Bei der Auswahl der französischen Bilder hatte der amerikanische Maler Walter Pach einen besonders starken Einfluß. Pach hatte mehrere Jahre in Frankreich gelebt. Zu seinen Freunden – Renoir, Monet, Rouault, Braque, Derain, Brancusi und Picasso – zählten Künstler, die sowohl zur Entwicklung des Impressionismus wie des Nachimpressionismus viel beigetragen hatten. Pach, der auf kunstgeschichtlichem Gebiet sehr beschlagen war, gehörte zu den wenigen Amerikanern, die ein instinktives Verständnis für die Beziehung zwischen der neuen Malerei und der Kunst der Vorrenaissance wie zu der nichtbildlichen Kunst Ägyptens, Chinas, Griechenlands und Perus besaßen. Bildete die Armory-Show die große Demarkationslinie zwischen der Tradition und dem 20. Jahrhundert, so war der Geschmack von Walter Pach weitgehend verantwortlich für das *risorgimento,* das jene Ausstellung auslöste. Dennoch gab sie kein vollständiges und objektives Bild. Den Franzosen zuliebe vernachlässigten Pach und andere Verantwortliche die italienischen Futuristen und gewisse avantgardistische englische Maler, vor allem Wyndham Lewis, und wiesen ihnen nicht den Platz an, den sie zumindest in historischer Sicht auf Grund ihrer Beiträge verdient hätten.

Walt Kuhn trug in Europa so viele Kunstwerke zusammen, daß man sie in einer der üblichen Galerien nicht hätte unterbringen können. Nach langer Suche fand die Gesellschaft endlich die geeignete Unterkunft, das Arsenal des 69. Regiments, Ecke Lexington Avenue und 25. Straße. Man ging daran, die Wände der riesigen Halle auszuschmücken, indem man kleine Immergrünbäumchen – das Wahrzeichen der Ausstellung – zwischen die Plastiken stellte und den erschreckenden großen Exerziersaal durch Gänge und Kojen unterteilte, deren Trennwände mit Rupfen bedeckt waren. Mit Rücksicht auf die Gefühle des Publikums wurde die Ausstellung so angeordnet, daß der Besucher sich zunächst einmal in einigermaßen vertrauter Umgebung befand und den größeren Teil der amerikanischen Einsendungen betrachten konnte, ehe er allmählich der Schockwirkung eines van Gogh oder Gauguin oder gar dem vernichtenden Ersteindruck der kubistischen Malerei ausgesetzt wurde.

»Der neue Geist« war das Motto der Ausstellung, die historisch gesehen die beiden Hauptströmungen der künstlerischen Rebellion, die dem neuen Amerika seine Form gab, in enge parallele Verbindung zueinanderbrachte. »The Eight« – auch unter dem Namen »Black Gang« bekannt – und die »Ash Can Group« vertraten die eine, die Internationalisten die andere Strömung. In den Werken der Gruppe »The Eight« – Ernest Lawson, Arthur B. Davies, Maurice Prendergast, George Luks, Everett Shinn, William Glackens, Robert Henri und John Sloan – fand der ausgetüftelte Naturalismus, der sich bisher mit Landschaft und ländlichen Themen beschäftigt hatte, seine Anwendung auf Szenen aus dem Großstadtleben. Junge Arbeiterinnen, die sich auf den flachen Dächern von Manhattan das Haar trockneten, waren an die Stelle der verschlafenen Milchmädchen getreten, die die Veranden alter Landhäuser zierten. Einerseits spiegelte die Ausstellung die Verstädterung des amerikanischen Lebens wider, anderseits wies sie auf die wachsende Internationalisierung des amerikanischen Denkens hin. Die ästhetische Revolution Europas fand ihren Eingang nach Amerika, wo sie sehr rasch einen eigenen Weg ging.

Dank der nicht ganz willkommenen Initiative von Mabel Dodge wurde Gertrude Stein mit den Armory-Feuerbränden weiteren Kreisen bekannt und von einem Großteil der öffentlichen Meinung völlig mit diesen identifiziert. In den weitverbreiteten, etwas verquälten Satiren auf die Ausstellung wurde sie als einzige Schriftstellerin namentlich genannt.

Mochten superschlaue Journalisten und empörte Akademiker auch noch so viel schmähen, so wurde doch deutlich, daß Gertrude Stein auf einem anderen künstlerischen Gebiet als der Malerei oder Plastik als einzige nach dem »Anspruch auf Mut« getrachtet hatte, den Joel Spingarn seit langem erhoffte. Gertrudes Chance, sich selbst einzuschalten, war gekommen, als Frederick James Gregg, ein Leitartikler der *New York Sun* und Pressechef der Ausstellung schwebende Fragen mit Mabel Dodge besprach. Plötzlich, so berichtet Mrs. Dodge, warf er die Arme in die Luft und rief: »Oh! Diese nachimpressionistische Literatur läßt mich in die Luft gehen – und jetzt noch diese Gertrude Stein!« Mrs.

Dodge, die sofort eine Gelegenheit witterte, entsinnt sich der Antwort: »Nun, Sie finden, daß die meisten der Gemälde, die Sie kennen, einen zu starken Leichengeruch ausströmen. Sie wollen den neuen Geist, Sie wollen frisches Leben. Weshalb erkennen Sie dann nicht, daß sich das auch auf Worte anwenden läßt? Bei den Primitiven waren die Worte ursprünglich reiner Klang, der unmittelbar ein Gefühl ausdrückte. Seither ist viel Zeit verstrichen. Die Worte sind leblos geworden, ihre Bedeutung ging verloren, verschwamm – Gertrude Stein –«. Auf Grund dieser unglaubhaften Unterhaltung wurde Mabel Dodge gebeten, einen Artikel zu schreiben. Der Auftrag reizte sie, weil er bedeutende Möglichkeiten zu bergen schien. Sie studierte noch einmal gründlich ihr Lieblingsstück in Gertrudes Werk *The Portrait of Mabel Dodge at the Villa Curonia* und verfaßte einen Artikel, der unter dem Titel *Speculations, or Post-Impressionism in Prose* in der Sondernummer von *Arts and Decoration* erschien und vom Herausgeber folgendermaßen eingeleitet wurde: »Der Nachimpressionismus, der bewußte wie der unbewußte, ist in jeder Ausdrucksphase spürbar. Dieser Artikel handelt von der einzigen Frau der Welt, die den Geist des Nachimpressionismus in Prosa gefaßt hat und ist von der einzigen Frau Amerikas geschrieben, die ihn völlig verstanden hat.«

In einer etwas atemlosen Manier identifizierte Mabel Dodge Gertrude Stein als eine Schülerin von Henri Bergson (was sie niemals war) und von Picasso und trug ihr Scherflein zu dem »sibyllinischen« Aspekt der Stein-Legende bei, indem sie berichtete, daß »sie stets des Nachts in tiefer Stille arbeitet und ihre ganze Willenskraft darauf verwendet, vorgefaßte Bilder aus ihren Gedanken zu verdrängen«. Der aggressive und dogmatische Artikel wütete gegen die Apathie. – »Gleichgültigkeit riecht nach Tod, ja, sie ist das Grab des Lebens.« Dennoch gelang es der Autorin, etwas von Gertrude Steins wahrem Hintergrund und von ihren wirklichen Intentionen zu vermitteln. »In einem großen Pariser Atelier, wo Gemälde von Renoir, Matisse und Picasso hängen, spornt Gertrude Stein die Sprache an, neue Bewußtseinszustände hervorzubringen, und indem sie dies tut, wird die Sprache durch sie mehr zu einer schöpferischen Kunst denn zu einem Spiegel der Geschichte.« Sie zitierte einen Absatz aus ihrem eigenen Porträt und beschloß den Artikel mit beredtem Pathos: »Viele Wege werden abgeschnitten – welch wunderbares Wort – ›abgeschnitten‹.

Und aus den Trümmern und der Versteinerung unserer Zeit – aus den Klüften und der Zerstörung werden wir morgen die Ordnung erstehen sehen. Ist es denn so schwer, daran zu denken, daß das Leben im Augenblick seiner Geburt stets schmerzhaft und nur selten schön ist? Welch seltsamer Gedanke, daß der mühsam gebahnte Pfad von heute schon morgen der Weg des geringsten Widerstands sein wird, über den der Durchschnitt mit der Mühelosigkeit und Lässigkeit der Gewohnheit ziehen wird. Alle Mühsal der Evolution ist in dieser einen Tatsache zusammengefaßt, die Vitalität des einzelnen bahnt den vielen den Weg. Wir können nur den hohen Mut der Bahnbrecher rühmen und in Gertrude Steins eigenen Worten – und in wahrem bergsonischem Glauben – zugeben, was wir unweigerlich zugeben müssen – ›zweifellos bringen sie etwas hervor!‹«

Ohne sich durch den extravaganten Impressionismus dieses Ausbruchs stören zu lassen, gratulierte Gertrude Mabel: »Das haben Sie wirklich glänzend gemacht, und ich bin stolz wie ein Spanier. Schicken Sie mir sechs Exemplare. Ich möchte es allen zeigen. *Hurrah for gloire!*«

Mabel Dodge war offenbar schon ganz zu Anfang ihrer Bemühungen zu der Ansicht gelangt, die Armory-Show sei die Entscheidungsschlacht der unter ihrer Patenschaft stehenden Revolution. Indem sie sich mit Gertrude identifizierte, ohne durch deren Gegenwart gehemmt zu sein, ließ sie sich gern ins Rampenlicht schieben, wo ein gut Teil der *gloire* ihr zukommen sollte. Der Artikel in *Arts and Decoration* beeindruckte Arthur Davies so sehr, daß er sie aufforderte, sich am Hängen der Ausstellung zu beteiligen und bei den reichen New Yorkern und ihren Bekannten im Ausland um Leihgaben zu bitten. Sie besaß ein Automobil und einen Chauffeur mit Bärenpelzmantel und brauchte lediglich für Blumen und Zigaretten Geld auszugeben. Von ihrem Sendungsbewußtsein beflügelt, fuhr sie durch Manhattan und ließ das Totenglöcklein der künstlerischen Überlieferung ertönen. Nur hie und da, so sagte sie, stahl sich eine Träne in ihr Auge, wenn sie an die dachte, die schon so bald gestürzt und enterbt sein würden. Ihr Auftrag war »grausam«, aber er gab ihr die Pose, in der sie sich gern sah, als »auserwähltes Werkzeug des Schicksals«. Mrs. Dodge erntete als Gertrudes »getreuer und ahnungsloser Boswell« soviel Publicity und erweckte durch ihre Vorführung und Verteidigung der Steinschen Manier soviel Neugierde, daß Gertrude selbst auf den zweiten Platz geriet. Alle Welt fragte, wie Mabel Dodge schrieb und wie Gertrude sehr wohl hätte zurückgeben können: »›Wer ist eigentlich Mabel Dodge?‹ Und von *Arts and Decoration* wurden 1000 Exemplare verkauft, denn die Nummer enthielt als Beispiel für Gertrude Steins Stil das Porträt von Mabel Dodge, und sie hatte diesen Artikel gezeichnet, und es gab etwas Neues unter der Sonne, und alle Pulse schlugen daher schneller . . . Ich stand mit einemmal in einem Strudel neuen unbekannten Lebens, und wenn Gertrude Stein während der Armory-Show geboren wurde, so war dies auch die Geburtsstunde von ›Mabel Dodge‹.«

Es dauerte nicht lange, bis Gertrude merkte, was geschah, und es dauerte auch nicht lange, bis Mabel Dodge merkte, daß der Ton in Gertrudes Briefen allmählich unter den Gefrierpunkt fiel. Später gestand Mrs. Dodge, der Zorn, den Gertrude schließlich gegen sie richtete, habe sie erstaunt, »Leo sagte mir, der Grund dafür sei, daß sie glaube, es bestünden Zweifel darüber, wer wohl der wichtigere sei, der Bär oder der Bärenführer . . .« Als sie sich jedoch der Animosität von Alice Toklas entsann, gelangte sie zu der – wohl begründeten – Überzeugung, daß Gertrudes einstige Zuneigung zu ihr bewußt und beharrlich unterminiert worden sei. Nie und nimmer hatte Miss Alice Toklas aus San Francisco sich mit Mabel Dodge und ihrer »Buffalo-Vulgarität« abfinden können.

XIV

Und alle kamen und keiner störte.
Gertrude Stein

Die Samstagabende, früher von den Steins für ihre engeren Freunde reserviert, waren nun fast jedem zugänglich, der gern sah und lauschte und sich ohne Zuhilfenahme alkoholischer Getränke den Gepflogenheiten eines Salons anpassen konnte. Vom Treffpunkt der größtenteils ortsansässigen *cognoscenti* war das Steinsche Atelier nun zu einem internationalen Forum geworden, wo man Klatsch, Adressen und – sofern dies mit mehr Anmut als verbissenem Ernst geschah – Ideen austauschte.

Unter den zahllosen britischen Besuchern, die häufig vom getreuen Roger Fry eingeführt wurden, befanden sich auch der junge Wyndham Lewis, »der entwurzelte Genius der englischen Literatur«, später einer der bissigsten Kritiker Gertrudes, und der selbstbewußte, mürrische Augustus John. Fry war auf Gertrude aufmerksam geworden, als er Picassos Porträt von ihr sah, über das er in der *Burlington Review* geschrieben hatte. Schon bei der ersten persönlichen Begegnung mit Gertrude zeigte er Interesse an ihrem Werk. Gertrude, die von seiner hervorragenden Stellung innerhalb der Londoner Bloomsbury-Gruppe wußte, war für seine Aufmerksamkeiten höchst dankbar und erwartete sich zweifellos davon Vorteile für ihre schriftstellerische Karriere. Durch Fry lernte sie Persönlichkeiten des englischen Literaturlebens kennen, unter anderem Logan Pearsall Smith, dessen ungewöhnlich warmes Lob sie kaum hatte vorausahnen können. »Er verlor beinah den Verstand wegen Ihres Porträts«, schrieb sie an Mabel Dodge, »und liest es jedermann vor. Geht keinen Schritt ohne es und möchte einen Artikel für die *English Review* darüber schreiben. Unter anderm las er es Zangwill vor und Zangwill war erschüttert. Er sagte: ›Und ich habe immer geglaubt, sie sei eine junge Frau mit gesundem Menschenverstand, was für ein furchtbarer Schlag muß das für ihren armen lieben Bruder sein.‹ Und es scheint, er meinte es ernst. Als Logan es von neuem vorlesen wollte, wurde Zangwill zornig und sagte zu Logan: ›Wie kannst du deine Zeit damit verschwenden, so etwas wieder und wieder zu lesen, wo du dich all die Jahre lang geweigert hast, Kipling zu lesen.‹ Und das Herrliche daran war, daß Zangwill nicht scherzte.«

Da es jedermann frei stand, Gäste mitzubringen, ließen die Leute, die etwas auf sich hielten, sich die Gelegenheit, in der Rue de Fleurus zu erscheinen, nicht entgehen. Eine nicht abreißende Kette von Künstlern, Gelehrten, Sammlern und *jeunesse dorée* aus Europa und Amerika zog durch das Atelier. Nach und nach stellten sich auch Mitglieder der Aristokratie ein, Leute mit dekorativen, wenn auch häufig nur klangvollen Titeln und Doppelnamen aus dem »Gotha«. Pompöse Matronen aus Chicago, unter ihnen auch Emily Crane Chadbourne, erschienen unter irgendeinem Vorwand, und es fand sich immer jemand, der achtbaren und manchmal auch ordinären Besuchern aus Boston die Tür aufhielt. Der internationale Pilgerzug kam und ging, und man bezeugte der Kultstätte der modernen Kunst seine aufrichtige Reverenz. Viele aber wollten auch nur einen neugierigen Blick auf jenen Ort werfen, von dem die Rede ging, daß dort ein ungeheurer Schwindel blühe. Gertrude saß weiterhin friedlich in ihrem Sessel neben dem Kanonenofen, sprach und lauschte, ganz die Gastgeberin, von der Bernard Fay sagte: »Die höchste und schönste ihrer Gaben ist ihre Gegenwart.«

Als Mabel Dodge, erschöpft von ihren winterlichen Triumphen mit der Armory-Show, wieder nach Europa zurückkehrte, stellte sie beglückt fest, daß die Spannungen nachgelassen hatten, wenn nicht gar vergessen waren, und daß sie mit Gertrude noch gesellschaftlich verkehren konnte. In ihrem Kielwasser kamen die jungen Männer, deren Begabung oder besonderen Charme Mabel Dodge sich gern zur persönlichen Zierde gereichen ließ. Einer nach dem andern erschienen sie, um bei Gertrude ihre Empfehlungsschreiben abzugeben: Robert Edmond Jones, der junge Bühnenbildner; John Reed, der junge Revolutionär aus Harvard, dessen Gebeine schon bald in den Mauern des Kreml ruhen sollten; und Carl Van Vechten, ein junger Musikkritiker der *New York Times*, der bald als Romancier zu größerem Ruhm gelangen sollte.

Van Vechten hatte zum erstenmal von Gertrude gehört, als Mabel Dodge ihm eines der dreihundert Exemplare ihres Porträts sandte, die sie bei ihrer Rückkehr nach Amerika 1912 freigiebig verteilt hatte. Daraufhin hatte er *Three Lives* wie auch die Porträts von Picasso und Matisse in *Camera Work* gelesen und war zu Gertrudes kritiklosem Bewunderer geworden. Er trat auf eine Weise in Gertrudes Leben, die Henry James gewiß gerne in mehreren erlesenen Szenen dargestellt haben würde. Vor der ersten

Begegnung der beiden war Gertrudes englische Freundin, Miss Gordon Caine, mit Van Vechtens erster Frau, Ann, in die Rue de Fleurus gekommen. Zu Gertrudes Mißfallen sprach Ann Van Vechten ausführlich über »die Tragödie ihres Ehelebens«. Dieser Besuch war eine Woche später völlig in Vergessenheit geraten, als Gertrude und Alice mit einer Bekannten der zweiten Aufführung von *Le Sacre du Printemps* beiwohnten. Strawinskijs Musik war der strittige Punkt dieses neuen, von Serge Diaghilev in Auftrag gegebenen und von Nijinsky choreographisch betreuten Balletts. Die Premiere war zu einem Theaterskandal geworden – ein Kritiker meinte, man sollte das Stück besser *Le Massacre du Printemps* nennen –, und man erwartete sich einen ähnlichen Skandal von der zweiten Aufführung. Van Vechten, der sein Empfehlungsschreiben mit der Post an Gertrude geschickt hatte, war für den folgenden Samstag zum Abendessen in die Steinsche Wohnung gebeten worden. Am Abend der Aufführung saßen Gertrude und Alice in ihrer Loge und sprachen über das Benehmen von Guillaume Apollinaire und dessen Damen in einer Loge unterhalb der ihren, als, kurz ehe sich der Vorhang hob, ein hochgewachsener, wohlgestalteter junger Mann im verdämmernden Licht erschien und neben ihnen Platz nahm. Seine Kleidung war elegant, er sah skandinavisch aus, konnte aber auch, so meinten sie, ein Amerikaner sein. Auf jeden Fall teilten sie ihre Loge mit einer auffallenden Persönlichkeit. Zischen und Pfuirufe empfingen die Aufführung, Stöcke und Schirme wurden geschwungen. Die Zuschauer, durch die Berichte von der Premiere aufgestachelt, gaben ungehemmt ihrer geteilten Meinung Ausdruck. Statt der Musik, die kaum zu hören war, genoß Gertrude den Tumult, und der geheimnisvolle Fremde in seinem erlesenen Frack entzückte sie derart, daß sie sich nach ihrer Rückkehr in die Rue de Fleurus hinsetzte und ein Porträt verfaßte, das sie schlicht *One* betitelte.

Als Van Vechten wenige Abende später zum Essen erschien, wurde er sofort als der »skandinavische Eindringling« erkannt. Die Köchin hatte ein etwas seltsames Mahl bereitet – unzählige Hors d'œuvres, auf die ein zerflossenes Omelett folgte –, aber das Tischgespräch wurde durch Gertrudes beiläufige und für ihren Gast verwirrende Anzüglichkeiten auf sein Eheleben gewürzt. Ihr Katz-und-Maus-Spiel konnte Van Vechten jedoch nicht aus der Ruhe bringen, und noch ehe der Abend zu Ende war, standen die beiden am Anbeginn einer lebenslänglichen Freundschaft. »Es war auf allen Seiten Liebe auf den ersten Blick«, sagte Alice Toklas später, »und der Beginn einer langen seltenen Freundschaft, die auf seiner Seite von einer unbeschreiblichen Treue und auf Gertrude Steins Seite eine völlige Abhängigkeit war ... Er war es, der ihren ersten und, Jahre später, auch ihren letzten Verleger fand.«

So wie Jahre zuvor Alice, war auch Van Vechten bei der ersten Begegnung mit Gertrude von der Schönheit ihrer Stimme überrascht. Er meinte, daß sogar die »berühmte *voix d'or* der Sarah Bernhardt ... ehe sie ihren metallisch dröhnenden Glanz verlor«, der Stimme Gertrudes an Fülle nachstand. Aber sein sofortiges und tiefes Interesse an Gertrude gründete auf einer verständnisvollen, wenn auch etwas äußerlichen Anerkennung der Künstlerin. Musikalisch wie literarisch von unabhängigem Geschmack, gestand Van Vechten, daß seine Vorliebe »dem Ausgefallenen, dem Reizvollen, dem Blendenden« galt. Er gestand, daß er Beethovens und Miltons erhabenen Genius durchaus anerkenne, daß ihm aber Scarlatti und die leichtere Muse von Thomas Love Peacock mehr Freude bereite. Sein unwandelbares Interesse an Gertrude war ihr eine ständige Quelle des Glücks. Mehr als jeder andere, der sich für ihr Werk oder ihre Person interessiert hat, war Van Vechten sowohl gewillt wie in der Lage, ihren Namen in der Öffentlichkeit lebendig zu halten. Er war es, der ihren Satz »eine Rose ist eine Rose ist eine Rose ist eine Rose« berühmt machte, der die Einleitungen zu ihren Werken schrieb, diese edierte und für ihre Veröffentlichung sorgte. Und er wurde schließlich ihr literarischer Testamentsvollstrecker und trat dieses Amt erst 1948 wegen »zunehmenden Alters« an Donald Gallup von der Yale Library ab.

Im Jahr 1912 hatte die Entfremdung zwischen Gertrude und Leo ein kritisches Stadium erreicht. Zwar hatten sie schon seit Jahren den Kontakt verloren, aber sie hatten gelernt, ohne Reibung nebeneinander herzuleben, soweit es den Haushalt betraf. Seine Gleichgültigkeit gegenüber ihren jeweiligen schöpferischen Intentionen war derart groß, daß eine Trennung unvermeidlich schien. Leo hatte bereits angefangen, sich von den Samstagabenden zurückzuziehen, als sein »Interesse an Cézanne nachließ, als Matisse eine vorübergehende Sonnenfinsternis erlebte, als Picasso sich Torheiten zugewandt hatte«, um es mit seinen Worten zu sagen. Aber es gab einen noch schwerwiegenderen Grund: »Nr. 27« war nicht länger mehr sein privates Forum. Zumindest seiner Meinung nach hatte er in seiner großen Debatte gesiegt und interessierte sich nicht mehr für Unwesentlicheres, das dort vielleicht zur Diskussion stehen könnte. Der Niedergang des Steinschen Salons als einer Stätte wunderbarer Bekehrungen ist von dem Kunstkritiker Henry McBride beschrieben worden: »Nach Schluß der Armory-Show und nachdem jedermann in Amerika irgend etwas Witziges über Marcel Duchamps *Nude Descending the Staircase* gesagt hatte, schwoll die Menge der Pilger so sehr an, daß selbst Gertrude ihrer nicht mehr Herr wurde, und ihre ›Samstagabende‹ fanden allmählich immr seltener statt und waren auf jeden Fall weniger stürmisch. Als ich dorthin kam... war eine Abendgesellschaft mit Gertrude Stein und Alice Toklas... (Leo Stein hatte bereits den Glauben verloren und das Schiff verlassen) kaum anders als irgendeine andere Gesellschaft, wenn auch natürlich lebendiger. Lebendig wurde sie durch die Anwesenheit all der erstaunlichen neuen jungen Pariser Künstler, die dort über ihre Probleme sprachen, die angenehmste Form der Unterhaltung für diejenigen, die sie beherrschen, aber es kam zu keinen Streitigkeiten. Wie sollte es auch? Alle waren bekehrt. Cézanne war plötzlich im Preis gestiegen, und das Metropolitan Museum sah sich, sehr gegen seinen Willen, gezwungen, einen zu kaufen.«

Noch wenige Jahre zuvor hatten viele Menschen geglaubt, Leo und Gertrude lebten ausschließlich füreinander, jetzt bekundeten sie weder Anhänglichkeit noch Zuneigung. Gertrude hatte sich als Schriftstellerin sehr rasch entwickelt und einen Namen gemacht, während ihr Bruder schöpferisch stagnierte und, nach den Worten seiner alten Freunde, verschlossen und zugeknöpft geworden war. Sogar seine ehrgeizigen Ziele waren verkümmert, und nur einige Ticks bewiesen, wie tief seine immer noch nicht diagnostizierte Neurose ging. Man darf getrost annehmen, daß es schwer war, mit ihm zusammenzuleben. Sein aggressiver Intellektualismus ließ niemals nach, seine Überzeugung von seinem angestauten Genie war nicht zu erschüttern. Um seine Wahrnehmungskräfte, die von Natur aus alles andere als stumpf waren, noch weiter zu schärfen, pflegte er tagelang zu fasten. Diese Angewohnheit führte häufig zu seltsamen Zuständen der Überwachheit, in denen er Erleuchtungen hatte wie ein Rauschgiftsüchtiger und sich auch fast ebenso unzurechnungsfähig benahm. Dann befaßte er sich meist mit sich selbst, versuchte, die Gründe für sein Versagen festzustellen, und gab sich öden Spekulationen über die Natur seines blinden Verstands hin. Ebenso häufig beschäftigte er sich aber auf ungesunde

Weise mit seiner Verdauung. Im Jahr 1907 verschrieb er sich der Mode des Fletcherns, kaute jeden Bissen genau zweiunddreißigmal und erging sich in ausführlichen Betrachtungen über die Resultate seiner neuen Diät.

Sein guter Freund Hutchins Hapgood, dessen lange Freundschaft mit Leo viele Prüfungen bestehen mußte, äußerte sich über Leos Verfassung während dieser Zeit weit weniger großzügig, als Gertrude dieses, zumindest vor der Öffentlichkeit, tat. »Er war fast stets gereizt«, sagte Hapgood. »Der geringste Widerspruch, den er aus den Behauptungen seines Partners heraushörte oder herauszuhören glaubte, löste bei ihm eine heftigste intellektuelle Empörung aus, und er schien unter dem Zwang zu stehen, alle Äußerungen anderer sofort widerlegen oder zumindest verbessern zu müssen. Er schien einer permanenten Selbstbestätigung zu bedürfen, um sicher zu sein, daß die Welt in Ordnung und Gott im Himmel war. Ich entsinne mich, daß er einen Brief von einem seiner ältesten und besten Freunde erhielt, der ihm große Dienste erwiesen hatte und ihn zu den wenigen Menschen zählte, die er rückhaltlos bewunderte. Aber in diesem Brief stand ein Satz, der mir unbedeutend erschien und den ich heute vergessen habe, der jedoch Leo zutiefst empörte und der Anlaß war, daß er seinen Freund von der Tafel seiner freundlichen Erinnerungen löschte und viele Jahre lang nicht mehr von ihm sprach.«

Gertrude hatte schon vor langer Zeit gelernt, sich mit seiner aristokratischen Empfindsamkeit abzufinden. Nun mußte sie ständig mit seiner Gereiztheit rechnen, die aus den fortwährenden kompromißlosen intellektuellen Differenzen der Geschwister entstand. Diese Differenzen hatten sich bis zu einem Punkt gesteigert, wo es, wie Leo in einem Brief an seine alte Freundin Mabel Weeks eingesteht, »praktisch nichts mehr gibt, über das wir nicht verschiedener Meinung sind oder das wir zumindest mit verschiedenen Augen betrachten. In der Hauptsache geht es natürlich um unsere Arbeit. In meinem Fall ist das von verhältnismäßig geringer Bedeutung, denn erstens habe ich noch nie den Verdacht gehegt, daß Gertrude das geringste Interesse an der Kritik von Ideen besitzt, und zweitens trachte ich nicht nach Ruhm.«

Gertrudes Schreiberei betrachtete Leo schon lange als eine »Schändlichkeit«, und er empfand für sie weiterhin »genau das gleiche wie für Picasso. Picasso war, was das Essentielle anbetrifft, ein schwacher und kein kraftvoller Künstler. Dies versuchte er zu vertuschen, indem er neue Formen erfand. Gertrude konnte der gewöhnlichen Syntax und den Worten in ihrer gewöhnlichen Bedeutung keine Stoßkraft verleihen, strebte aber, wie Picasso auch, nach Cézannes Kraft, ohne Cézannes Talent zu haben. Also pervertierte sie die Syntax.«

Verschiedenheit der Anschauungen, Konkurrenzneid und irritierende persönliche Gewohnheiten trugen alle zu der Spaltung bei, aber ausschlaggebend für den Bruch war etwas ganz anderes, nämlich Leos sich lange hinschleppende quälende Beziehung zu der Frau, die er viele Jahre später heiraten sollte. Diese Beziehung hatte 1905 begonnen und setzte sich in einer Reihe von Trennungen, Versöhnungen und Abschiedsszenen über Jahre hin fort. Die Frau hieß Nina Auzias und war zur Zeit ihrer ersten Begegnung mit Leo bereits als Künstlermodell und als die Geliebte einer Reihe von Leuten, die in Künstlerkreisen einen Namen hatten, nicht mehr unbekannt.

Nina Auzias war mit achtzehn Jahren aus der Provinz nach Paris gekommen, vermutlich um Gesang zu studieren. Aber kaum in der Hauptstadt, hatte sie sich mit einem sozialistischen Hilfsarbeiter eingelassen, der sie weitgehend beanspruchte und vielleicht daran schuld war, daß sie sich nicht um Aufnahme ins Conservatoire bewerben konnte. Ihr Vater, ein Mathematikprofessor, verweigerte ihr die Mittel zu ihrem Unterhalt. Als ihr sozialistischer Liebhaber seinen Arbeitsplatz verlor, wurde Nina Straßentänzerin. Da sie dieser Tätigkeit jahrelang bei Wind und Wetter nachging, verlor sie ihre Stimme. Schließlich fand ihre Liaison ein Ende, sie arbeitete als Modell und schenkte ihre Gunst schon bald jungen Künstlern und Flaneuren, insbesondere Amerikanern, die sich in Paris aufhielten.

Wenn man ihrem Bericht über die erste Begegnung Glauben schenken darf, so war es bei Nina Auzias Liebe auf den ersten Blick: »Ja, das war im Mai 1905, einem Mai voller Sonnenschein, azurenen Himmeln und frischem Grün. Eine kriegerische Fanfare beendete die Freischütz-Ouvertüre. Verträumt saß ich neben meinen lieben Freunden Niko und Polo und bestaunte die Schönheit, die mich umgab. Magda hatte mir ein altes Kleid geliehen, es war zu weit, aber ich hatte es auf meine Maße geändert ... gelöst und stumm saßen wir unter den Kastanienbäumen des Luxembourg-Gartens. Plötzlich sah ich ihn im vollen Sonnenschein über die Terrasse kommen – wie die ägyptische Statue eines schönen Riesen näherte er sich mir. Sein Hut und sein goldener Bart verbargen mir seine Züge, aber ich war sicher, daß er der Mann meiner Träume war. Seine Arme schwangen in rhythmischem Gleichmaß, sein elastischer, biegsamer Schritt unterstrich die Anmut und Schönheit seiner priesterlichen Erscheinung. Tief bewegt und überrascht rief ich meinen jungen Freunden zu: ›Seht doch den Mann, der da vorbeigeht. Der wird mein Gemahl werden. Ich weiß es.‹ ›Verrücktes Mädchen‹, riefen sie lachend, ›du weißt gar nicht, wer das ist. Er ist der große amerikanische Mäzen Leo Stein.‹«

Weder bei dieser Gelegenheit noch bei späteren Begegnungen – auf der Straße oder im Café – lernten sie einander kennen. Ja, nicht einmal, als Nina von einem Freund in die Rue de Fleurus mitgenommen wurde, wo sie inmitten der Besuchermenge saß »wie eine Lerche, die von einem blinkenden Spiegel fasziniert ist ... regungslos, stumm, unfähig meine Augen von Leo zu wenden.« Doch an diesem Abend lernte sie Gertrude kennen, bestaunte ihre »wunderbar kraftvolle Persönlichkeit« und »ihre prachtvolle Stimme, die mich wie schwerer Samt anrührte, verstand aber nicht, was sie sagte«. Jahre später, nach vielen weiteren zufälligen Begegnungen kam die Bekanntschaft schließlich in einem Café zustande, als Nina mitten unter dem Schreiben eines Briefes sich an Leo wandte, um ihn zu fragen, wie man das Wort *bacchante* schreibe. Noch in der gleichen Woche stand sie ihm das erstemal Modell.

Ninas zahllose Liebesaffären und Leos Zögern, sich für immer zu binden, machte ihre Beziehung zu einer zähflüssigen und widerspruchsvollen Angelegenheit. Auch Gertrude wurde in diese Affäre hineingezogen, aber nur als Resonanzboden für Leos Gewissenserforschung, was sie lästig und ermüdend fand. In einem Brief, den Leo 1910 an einen Freund schrieb, äußert er seine Gefühle für Nina, um die sich zur gleichen Zeit drei weitere Männer stritten: »Ich bin vielleicht nicht leidenschaftlich in sie verliebt, aber auf jeden Fall beschäftigt sie mich sehr heftig. Sie ist eine Frau von siebenundzwanzig Jahren. Sie könnte eine Schwester des jüngeren Jakob auf Correggios Fresko im Dom zu Parma sein und in ihren strahlenden Momenten sieht sie dem Engel auf seiner Darstellung der Madonna mit dem heiligen Hieronymus außerordentlich ähnlich.« Diese Vergleiche mit der Malerei waren von einem Mann wie Leo zu erwarten, als aber seine romantischen Gefühle analytischer Behandlung unterzogen wurden, fing er an, Empfindungen und Gesten, die jeder andere als normale Reaktion angesehen hätte, zu mißtrauen. Ninas Spitzname, »die Seele des Quartiers«, wurde von ihm ohne weiteres hingenommen, wenngleich er etwas spitz meinte: »Ihr Körper ist wesentlich besser«, und es gelang ihm, jedwede Eifersucht, deren er fähig war, zu verbergen. Als die Zahl seiner Rivalen sich mit der Zeit verringerte, nahm er die Dinge gelassener und widmete sich der Ausarbeitung verschiedener »Tests«, mit deren Hilfe er feststellen wollte, ob Nina seinen Vorstellungen von einer untadeligen Ehefrau entsprach.

Leo und Gertrude trennten sich 1912 und befreiten sich somit voneinander und von der Last des gegenseitigen Sichduldens. Jahre später analysierte Leo die Differenzen, die seiner Meinung nach ihre Beziehungen getrübt hatten. Er spricht von dem Mißverhältnis zwischen seiner Intelligenz und ihrer Dummheit, zwischen seiner Introvertiertheit und ihrer Extravertiertheit, zwischen seinem ausschließlichen Bemühen, sich selbst zu verstehen, und ihrem Hunger nach Ruhm. Er bewertet die Krise, die sich daraus ergab, positiv: »... dieser häusliche Unfriede«, schrieb er an einen Freund, »hat Alices Kommen beschleunigt und mir dazu verholfen, daß ich von so ziemlich dem einzigen, das meiner Unabhängigkeit wirklich hindernd im Weg stand, befreit wurde.«

Seine Abreise nach Florenz ging friedlich vonstatten, eine Tatsache, die er ebenfalls der Anwesenheit Alices zuschrieb, die, wie er sagte, »ein Gottessegen war ... denn sie ermöglichte es, daß die Sache ohne Krach vonstatten ging«.

Die Geschwister legten einander keine Schwierigkeiten in den Weg und teilten ihre Gemälde untereinander, wie Leo es in seinem an Gertrude gerichteten Brief, wahrscheinlich vom Januar 1914, vorschlug: »Cézannes Äpfel haben für mich eine einmalige Bedeutung, die durch nichts ersetzt werden kann. Picassos Landschaft hat diese Bedeutung nicht. Es scheint mir, daß wir im großen ganzen beide in so guten Verhältnissen sind, daß wir uns nicht zu beklagen brauchen. Die Cézannes mußten geteilt werden. Ich bin gewillt, dir das Picasso-Œuvre zu lassen, so wie du mir die Renoirs gelassen hast, und sonst kannst du alles haben. Ich möchte die paar Zeichnungen, die ich besitze, behalten ... Finanziell dürfte sich das ausgleichen, denn Schätzungen sind ja nur etwas Ungefähres, und ich fürchte, du mußt den Verlust der Äpfel als eine Fügung Gottes ansehen. Es war mir vor allem darum zu tun, daß jeder nach Möglichkeit das bekommt, was er haben wollte, und so wie ich froh war, daß dir die Renoirs gleichgültig genug waren, um sie herzugeben, so bin ich froh, daß Pablo mir gleichgültig genug ist, um dir alles, was du von ihm haben möchtest, zu belassen. Ich hätte die spanische Landschaft überhaupt nie genommen, wenn ich nicht geglaubt hätte, daß sie infolge deines Interesses an den späteren Arbeiten für dich an Bedeutung verloren hätte. Da dies offensichtlich nicht der Fall ist, schlage ich nicht nur vor, sondern bestehe geradezu darauf, daß du die Picassos ebenso in Bausch und Bogen übernimmst wie ich die Renoirs, mit Ausnahme der Zeichnungen, die ich behalten möchte, zum Teil wegen ihres Charmes und zum Teil wegen der persönlichen Note. Aber ich glaube auch, daß unter diesen, mit Ausnahme der Geschenke, nichts ist, was dir besonders wichtig wäre. Nimm das kleine Stilleben, den Gouache-Kopf und die kleine Bronze... so ist es mir am allerliebsten, und ich hoffe, daß wir fortan in Frieden weiterleben und unsere jeweiligen uns gemäßen Maßstäbe wahren werden und dabei vergnügt unsere jeweiligen Orangen auslutschen können.«

In ihren schriftlichen Äußerungen über die frühen Tage der Rue de Fleurus stellte Gertrude Behauptungen auf, die nach der Meinung vieler von Leos und Gertrudes Bekannten aus jener Zeit der Korrektur bedürfen. Hutchins Hapgood meint im Hinblick auf Gertrudes spätere Äußerungen: »... man hätte glauben können, daß Leo nur ein Familienanhängsel war und daß er ihr wenig bedeutete. Hätte sie aber damals über ihr gemeinsames Leben geschrieben, dann wäre er nicht nur als der geliebte und wichtige, sondern gar als der große Geist des Hauses Rue de Fleurus 27 erschienen, wo Picasso und Matisse materielle und geistige Nahrung empfingen und wo sie das tägliche Privileg seiner Gegenwart genoß. Es ist wohl kaum eine bemerkenswertere Wandlung in der Persönlichkeit eines menschlichen Wesens vor sich gegangen als jene, die sich bei Gertrude Stein vollzog. In späteren Jahren, als der kritische Leo der Richtung, die sie in ihrem Schreiben und ihrem Gefühlsleben einschlug, nicht mehr zu folgen vermochte, schien sie sich verachtet und beleidigt zu fühlen... und ihr übliches Gerechtigkeitsgefühl verloren zu haben.« Leos neues Heim in Florenz stand offensichtlich nicht unter einem guten Stern. Mabel Dodge zufolge begann die extreme Phase seiner Neurose mit seinem Alleinsein. »Vorher war er nicht sehr neurotisch. Er war sehr verschlossen und hatte seine eigene seltsame Art, Sandalen zu tragen, in der Hauptsache Nüsse zu essen und über seine lange

Schafsnase auf andere herabzublicken – dennoch hatte er durch seine Schwester einen menschlichen Kontakt mit dem Leben – und als Alice ihn verdrängte, wurde er vollständig vom Leben abgeschnitten...« Schon nach kurzer Zeit weilte er wieder zu einem langen Besuch in Amerika. Nach seiner Meinung hatte er sich von einer *ménage à trois* gelöst, weil er glaubte, daß er darin ein steriles Leben am Rande führe und daß man seinen Problemen mit wenig Sympathie begegne. Einige gemeinsame Freunde von Leo und Gertrude, darunter auch Mabel Dodge, meinten, daß die Bindung zwischen Gertrude und Alice sehr viel mit der Trennung der Geschwister zu tun habe. Alice schien sich Gertrude unentbehrlich gemacht zu haben, indem sie ihr jede lästige Tätigkeit abgenommen, alle Pflichten einer Sekretärin übernommen und sie vor jedem unerwünschten und ärgerlichen Kontakt mit Menschen bewahrt hatte. Gertrude wurde immer hilfloser, kümmerte sich immer weniger um ihre eigenen Dinge und wirkte daher auf Leo allmählich albern. Die Freunde meinten, der Efeu beginne den Baum zu ersticken.

Was immer Alices Gegenwart zu den Differenzen, die die Geschwister schließlich entzweien sollten, beigetragen haben mag, die tieferen Gründe der Entfremdung hat Gertrude in einem Werk aufgezeichnet, das sie zwischen 1910 und 1912 schrieb, das aber erst nach ihrem Tod veröffentlicht wurde. Falls man die Notizen auf dem Vorsatzblatt in einem von Gertrudes Notizbüchern als Hinweis nehmen darf, scheint sie zunächst beabsichtigt zu haben, in diesem Werk über Leo und seine Schwägerin Sarah zu schreiben. In Gertrudes Aufzeichnungen befindet sich jedoch auch die folgende Bemerkung: »Umfassende Sondierung und dann ein bißchen über das, was sie taten und wie sie es taten. Dann zu Gertrude und mir, und was wir taten und wie, die Einleitung zu Alice benutzen...« Jedenfalls handelt *Two: Gertrude Stein and Her Brother* schließlich in der Hauptsache von den beiden angekündigten Themen. Im Stil von *Many Many Women* geschrieben, ist auch *Two* eines jener Werke, die vom Leser eine ungewöhnliche Geduld und Ausdauer verlangen. Dennoch ist es wahrscheinlich das aufschlußreichste Dokument, das über den Verlauf der Beziehung geschrieben wurde. Während die ersten rund hundert Seiten einschläfernd und in keiner Weise lohnenswert sind, findet man auf den letzten fünfzig Seiten Abschnitte, die zum Bemerkenswertesten gehören, was Gertrude Stein je geschrieben hat.

Zu Beginn des Werkes schreibt sie: »Sie sind sich nicht ähnlich. Sie sind voneinander verschieden, der eine vom anderen. Der eine hört sich selber und läßt dann dieses Gehörte laut werden. Der andere ist einer, der einen anderen hört und einer ist, der das dann laut werden läßt. Sie sind einander nicht ähnlich.« In vielen derart kindisch simplen, nicht endenden Passagen verbreitet sie sich über Leos Eigenbrötelei, das wachsende Selbstbewußtsein und die zunehmende Unabhängigkeit seines unentwegten Zuhörers, der »dachte einer zu sein und sie wußte, daß Laute aus ihr kamen und sie dachte eine ganz andere zu sein wenn sie eine war als er war wenn er einer war«.

Ihre Abhängigkeit von Leo und die Achtung, die sie ihm zollte, findet in dieser Stilübung greifbaren Ausdruck. Obgleich sie bei dem Versuch, sich zu definieren, sich von ihm als schöpferische Natur unterscheidet – als eine Persönlichkeit, die fähig ist, das eigene Ich zu überwinden –, resultiert diese Evolution nicht aus Antagonismus oder Desillusion, wie es gern dargestellt wird, sondern aus der simplen Erkenntnis der profunden Differenzen. »Indem sie eine war und arbeitete, drückte sie aus, daß sie die Erkenntnis vollendete, daß sie sich völlig veränderte, indem sie eine wurde, die gewisse Überzeugungen zum Ausdruck brachte.«

Als die Veränderung deutlich und die Trennung unvermeidlich wird, kommt es in der Monotonie der Erzählung zu einem Bruch, einer Art von onomatopoetischem Aufschwung und geistiger Bereicherung, »indem sie eine war – in dem man laut kam, trachtete sie nach Beginn, trachtete sie nach der Notwendigkeit einer Veränderung, berauschte sie sich an dem Laut, der da kam, flüchtete sie sich in den Angriff, verstärkte sie den Ausdruck, fragte sie im Kommen, trat sie in die Veränderung ein, ward sie beschützt in der Ruhe, wahrte sie das Gefühl der Notwendigkeit, gelang es ihr, etwas gehabt zu haben«.

Während der Phase ihrer Unmündigkeit war Leos Sondieren vom Instinkt diktiert, seine Lösungen waren erleuchtend. Nun aber, da sie zu eigenen Überzeugungen gelangt war, und das nicht nur theoretisch, sondern praktisch und in einer neuen und bisher noch nicht dagewesenen Art von Literatur, erschien ihr Leos eigenbrötlerisches Suchen nach ästhetischer Gewißheit unerträglich. »Er war einer, der derjenige war, der gewiß war, daß er durch sein Bewerkstelligen dieser Sache das Bewerkstelligen, daß er in sich ganz sich lauschte, etwas zum Abschluß brachte, und weil er etwas zum Abschluß gebracht hatte, fing er an, alles zu bestimmen ... Sie war eine und weil sie die war, konnte sie sich sagen, was sie nicht hörte.«

Ihr neues Freiheitsgefühl und ihre neu gewonnene Überzeugung, zu denen ihr Werk ihr verholfen hatte, finden Ausdruck in den folgenden Passagen mit den rhythmischen Obertönen eines Refrains, den Gertrude sehr liebte: »Rechts, links, ich hatte eine gute Arbeit und ich ließ sie links liegen.« »Indem sie arbeitete als sie tat was sie tat arbeitete sie alles was sie arbeitete und sie tat alles was sie tat als sie tat was sie tat. Sie tat was sie tat und sie arbeitete. Sie fühlte was sie fühlte und sie tat was sie tat und sie arbeitete. Sie tat was sie tat und sie fühlte was sie fühlte als sie tat was sie tat und sie arbeitete als sie tat was sie tat und sie tat was sie tat, als sie arbeitete. Sie fühlte was sie fühlte als sie tat was sie tat als sie arbeitete. Sie arbeitete als sie tat. Was sie tat. Sie fühlte was sie fühlte als sie tat was sie tat. Sie arbeitete als sie tat was sie tat und sie fühlte was sie fühlte als sie arbeitete, als sie tat was sie tat.« Die Klimax ihrer Freiwerdung und eine Demonstration ihrer Fähigkeit, Kraft durch Anhäufung zu gewinnen, finden sich in einer Passage von völlig anderem Tenor. Hier feierte sie ihre Freiheit und verkündete großartig ihre Bedeutung: »... Sie ist die Vorahnung der Kreuzung. Sie ist die Vorahnung der Regeneration. Sie ist die Vorausahnung. Sie ist die Verwirklichung. Sie ist der Aufstieg, der aufgestiegen ist. Sie ist die Konvokation der Vorausahnung und der Akzeption. Sie ist das Lamm und der Löwe. Sie ist der Sauerteig der Reverberation. Sie ist die Komplikation der Empfängnis, sie ist das lautgewordene Vergessen, sie ist Ausdruck gewordene Andeutung, sie ist gesteigerte Verdichtung, sie ist die gewaltsam erzwungene Befreiung.« Rhythmus und Gehalt dieser Passage verleihen ihr die Qualität einer Litanei – nicht einer Nachahmung oder Parodie, sondern einer schwerverständlichen Litanei. Obwohl die der Litanei zugrundeliegenden Wiederholungen wie auch die liturgische Variation der Anrede beachtet werden, gibt es hier natürlich keinen Brennpunkt, keinen Satzmittelpunkt. Hier gibt es Spannungen, gibt es Höhepunkte, die fast ausschließlich mit Hilfe des Rhythmus erreicht werden und mit Hilfe der Illusion, daß sie etwas so Feierliches wie ein Gebet zustandebringt. Die Fähigkeit, diese Illusion zu schaffen und zu wahren, gehört zu Gertrude Steins unbestreitbaren Talenten und ist wahrscheinlich ihr bemerkenswertestes Talent. Was sie in dieser Hinsicht zu einem so frühen Zeitpunkt ihrer schriftstellerischen Laufbahn erreicht, nimmt bereits die geschliffenen Leistungen ihrer Stücke und ihren endgültigen Erfolg vorweg, insbesondere den von *Four Saints in Three Acts*.

Ein weiterer Aspekt der Passage ist bemerkenswert – die plötzliche Einführung von Bildern. Ihr Auftauchen an dieser Stelle, in einer sich steigernden Passage, ist genau im gleichen Sinn strategisch, in dem Henry James nach endlosen nuancenreichen und zerebralen Abhandlungen plötzlich eine unverblümte Handlung widergibt – einen geraubten Kuß, das Zerschellen einer Schüssel. Die Wirklichkeit ist es, die im Hintergrund gehalten wurde, und als der Spalt geöffnet und der Leser für den Bruchteil einer Sekunde mit den Bildern oder Gesten der Wirklichkeit konfrontiert wird, ist er schockiert, nicht weil die Wirklichkeit eingeführt worden ist, sondern weil ihre Relevanz zu dem, was er verfolgt hat, plötzlich positiv und elektrisierend gemacht wurde.

Nach dieser Steigerung steuert *Two* ruhig und in Wiederholungen einem Ende zu, das sich weniger und weniger mit Leos Dilemma und mehr und mehr mit Gertrudes Emanzipation beschäftigt. Schließlich stößt man auf der letzten der etwa 150 Seiten auf die Stelle: »...alles, was sie gewann, war dieser Sieg. Sie hatte diese Überzeugung. Es war ein Wenden und Neuordnen, es war nicht Anpassung, es war der Rhythmus der Stunde...«

Auch Leo glaubte auf seine Weise, er habe sich gefunden, als er an Mabel Weeks schrieb: »Kann man hoffen, eine seltsamere und wunderbarere Welt zu finden als sich selbst?« Er war froh, die Samstagabende und alles, was sie verkörperten, los zu sein. Er sagte, er wolle »lieber drei Teufel in sich beherbergen«, als weiter über Kunst sprechen. Außerdem war er zu der Überzeugung gelangt, die ästhetische und philosophische Einstellung, mit der er identifiziert wurde, sei »zu sehr die Einstellung des intellektuellen Übermenschen, um vorläufig der Allgemeinheit zum Nutzen zu gereichen.«

Hatten Leos messianische Impulse nun auch einer argwöhnischen Insularität Platz gemacht, so war er mit seiner Selbsterforschung doch noch nicht, wie er glaubte, am Ende, sondern erst am Anfang. Abgelehnt von der Kunstwelt, die er abgelehnt hatte, verlor er mit den Jahren mehr und mehr das Interesse und den Einfluß und steigerte sich in sterile zänkische Selbstbehauptung und Selbstrechtfertigung. Im Jahr 1915 schrieb er an Mabel

Dodge: »Ich glaube, daß nun endlich das Unlösbare gelöst, das Geheimnis erforscht, das Endlose beendet ist und daß das Unendliche begonnen hat. Ich habe das Licht in der Finsternis, den Pfad in der Wüste, die Spur im Ozean, den Weg in der Luft, die ohne Wege ist, gefunden.« Ein Pilger auf der Suche nach dem eigenen Ich, der ständig wähnte, er sei drauf und dran, die Landkarte seines Lebens, das »Ziel des psychoanalytischen Forschens« zu entdecken, sollte er jahrzehntelang in dem Glauben befangen bleiben, er habe nun endlich das Heiligtum der letzten Selbstoffenbarung erreicht, nur um zu erfahren, daß es, zumindest für ihn, keine endgültige Stätte gab.

Während eines langen Amerikaaufenthalts in den Kriegsjahren, wo er zunächst in einem New Yorker Apartment, dann in einem kleinen Steinhaus auf Mabel Dodges »Finney Farm« in Croton-on-Hudson und später auf Cape Cod lebte, fuhr er fort, an Nina Auzias zu schreiben und zu ihrem Unterhalt beizusteuern. Diese Liebesbeziehung währte nun schon viele Jahre lang, und Leo hatte zögernd das Thema Heirat berührt. Als er bei sich beschlossen hatte, die Zeit sei nun gekommen, wollte er Nina nach New York kommen lassen. Doch das mißlang, und seine alten Zweifel kehrten wieder. Im Jahr 1916 schrieb er ihr: »Ich liebe dich auf ewig, mehr als jede andere Frau. Aber ich weiß nicht, die Liebe, die in gewissen Augenblicken mehr denn keimte, die wahrhaft blühte, ist dahin. Und jetzt weiß ich nicht, wann oder wie sie neu erwachen wird. Auf jeden Fall, die Zeit vergeht. Ich sehe keine rosige Zukunft vor mir. Und ich möchte, daß du dich den Verhältnissen anpaßt, die sich bieten ...« Schließlich heirateten sie 1921, und für eine Weile schien Leo sich in die Rolle des ergebenen Ehemannes geschickt zu haben. Ein Jahr später hatten ihn seine unentwegten Grübeleien wieder zu einer neuen Ansicht über sich selber geführt: »Ich habe nach zweieinhalb Jahren beharrlicher Arbeit die Analyse zu einem Abschluß gebracht«, schrieb er an seinen Vetter Fred Stein. »Das Resultat ist interessant, aber ziemlich verheerend. Mein Leben war ein so völliges Versagen, weil die Fundamente durch und durch schlecht waren. Ich habe endlich den Schutt fortgeräumt, aber soviel war schlecht, daß letzten Endes nichts mehr übrig blieb als der nackte Boden. Das wäre geradezu vollkommen, wenn ich zwanzig oder auch nur zehn Jahre jünger wäre. Mit fünfzig und mit schlechter Gesundheit und sehr wenig Energie ist es eine zu große Aufgabe, von Grund auf neu aufzubauen.«

Nicht ohne tiefe Ergriffenheit liest man Aufzeichnungen, die fast zehn Jahre später geschrieben wurden: »Ich habe nun endlich die Probleme meiner Neurose gelöst und demzufolge mit der einzigen Arbeit begonnen, die für mich natürlich und sozusagen unvermeidlich ist, mit der Malerei. Mein ganzes Leben war ein einziges geistiges und visuelles Training für die Malerei, und nur meine inneren Schwierigkeiten haben mich daran gehindert, mich ihr zu widmen. Von nun an, und solange es mir meine Gesundheit gestattet, werde ich malen, und ich hoffe, daß ich sogar (das heißt trotz) meines fortgeschrittenen Alters etc. darin Erfolg haben werde.« Er war jetzt davon überzeugt, daß »die Lüge aller Lügen das Selbstbelügen und die Sünde aller Sünden das Sich-nicht-selbst-erkennen-Wollen« ist. Und trotz vieler neuer, wenn auch zum Scheitern verurteilter Ansätze, wußte er um sein Versagen, das er einmal durch folgende Anekdote illustrierte: »Als Sir William Rowan Hamilton plötzlich auf einer Brücke in Dublin in blitzartiger Erkenntnis das Quaternionenkalkül erfand, sagte er sich: ›So, nun habe ich fünfzehn Jahre Arbeit vor mir.‹ Diese Arbeit tat er. Ich ... hatte ein ähnliches Erlebnis, nur daß ich die Arbeit niemals tat.«

Bis auf gelegentliche knappe Mitteilungen machte er keinerlei Versuch, Gertrude nahezukommen, wenn er auch bekannte, daß ihr alter Antagonismus verschwunden und er ihr mehr zugetan sei als zu der Zeit, ehe die Schwierigkeiten zwischen ihnen entstanden. Er verbrachte den größeren Teil der zwanziger Jahre in Florenz, in seiner Villa in Settignano, hatte keinerlei persönlichen Kontakt mit seiner Schwester, kümmerte sich auch kaum um andere Menschen und zog es vor, sich ganz auf das Schreiben eines Buches zu konzentrieren, das *Others – Do They Exist* heißen sollte. Als Gertrude plötzlich als Bestsellerautorin zu Ruhm gelangte, wurde jedoch den wiederholten Bekundigungen seiner Gleichgültigkeit zum Trotz seine Neugierde geweckt. Obwohl er ihr Werk fast uneingeschränkt mißbilligte, ließ ihn der Widerhall, den sie in der Öffentlichkeit fand, nicht ruhen. Er las ihre Vorträge nicht, sondern nur das, was die Zeitungen darüber berichteten, und ging gelegentlich sogar so weit, daß er ihr ein gewisses Maß von »Witz und eine ordentliche Portion gesunden Menschenverstands« zugestand. Aber seine Gefühle blieben schwankend. »Was sie über Interpunktion sagt, ist amüsant formuliert und vollkommen idiotisch ...«, meinte er. »Wenn in Noahs Sintflut auch alle Narren ertranken, der Same wurde gerettet.«

Im Jahr 1936 glaubte er, daß sowohl er wie Gertrude das erreicht hätten, was sie seit ihrer frühesten gemeinsamen Jugend angestrebt hatten: »Sie wollte ein Löwe werden, und sie wurde einer. Ich wollte den Punkt erreichen, wo mir die Dinge verständlich schienen – nicht metaphysisch, denn ich war stets antimetaphysisch –, sondern in einem pragmatischen Sinn. Dort bin ich nun angelangt.«

Obgleich er behauptete, frei zu sein, drückte ihn die Last seiner Vergangenheit weiterhin zu Boden. Am 28. Juli 1946, kaum 48 Stunden nach Gertrudes Tod, von dem er noch nichts wußte, schrieb er an seinen Freund Howard Gans: »Berenson sagte vor kurzem zu mir: ›Sie sind verdammt selbstbewußt, was?‹ Und ich sagte: ›Gewiß, wer hätte nach all den Jahren der Vorbereitung mehr Recht dazu?‹ Meine wahre Tragödie, ich möchte lieber sagen, das Tragische der ganzen Angelegenheit ist die Tatsache, daß mein Selbstbewußtsein so spät kommt. Jetzt habe ich etwas, das unerschütterlich und unermeßlich groß ist, und statt daß ich zehn, zwanzig, dreißig Jahre vor mir hätte, um etwas Entsprechendes damit anzufangen, bin ich ein alter Mann mit einem kaputten Magen und fragwürdigen Nieren, und alles ist praktisch unsicher.«

Leo und Gertrude hatten sich einander so entfremdet, daß sie nur noch durch die Presse voneinander erfuhren. Nina Stein hatte gerüchtweise von Gertrudes Tod gehört, als aber keiner ihrer Florentiner Freunde ihnen die Nachricht bestätigen konnte, nahmen sie die Sache nicht weiter ernst. Schließlich las Leo die Nachricht vom Tode seiner Schwester in einer Zeitschrift. In einem Postskriptum zu einem weiteren Brief an Howard Gans von Anfang August schreibt er: »Eben lese ich in *Newsweek*, daß Gertrude an Krebs gestorben ist. Es überrascht mich, denn sie schien in letzter Zeit so ungewöhnlich lebendig zu sein. Ich kann nicht sagen, daß mich die Nachricht berührt. Ich hatte nicht nur jedes Interesse, sondern auch jede Achtung für sie verloren.«

Den besten Bericht über Leo Stein in den letzten Tagen seines Lebens finden wir im italienischen Tagebuch des amerikanischen Kritikers Alfred Kazin, das auszugsweise im Mai 1948 in der *Partisan Review* veröffentlicht wurde. Kazin war nach Settignano hinausgefahren, um Berensons Villa zu besichtigen.

»... Der Butler schien sich nicht sicher zu sein, ob er uns einlassen sollte, weil Berenson verreist war, aber Leo Stein ... trat aus der Bibliothek und bot sich an, uns zu führen. Stein ist ein hochgewachsener, sanfter, magerer alter Mann ... heute fünfundsiebzig, der aussieht wie ein jüdischer Onkel Sam – sehr einfach, nervös, taub, aber sehr gesprächig und immer zu kleinen Scherzen aufgelegt, die er alle in unverfälschtem Mittelwestdialekt von sich gibt. In diesem kunstvoll angelegten Garten bietet er in seinem zerknitterten blauen Serge-Anzug, mit dem Hörapparat und dem Rucksack über der einen Schulter, einen sehr seltsamen Anblick. Mir fiel auf, daß er recht ungeduldig wurde, als wir vor einigen Bildern zu lange verweilten. Natürlich muß es ihn gelangweilt haben, das Haus seines Freundes Berenson zu zeigen; er kennt es seit vielen Jahren und kommt jetzt fast täglich hierher, um in der Bibliothek zu arbeiten. Dennoch war ich ein wenig überrascht, von ihm zu hören, daß es nicht so sehr das Kunstwerk sei, das ihn interessiere, als vielmehr der Geist des Malers, denn ich wußte, daß er sich sein Leben lang mit Malerei abgegeben hatte. Ihn beschäftigten vorwiegend alle psychologischen Fragen, und er erzählte uns, er sei eben (mit fünfundsiebzig) mit seiner Selbstanalyse fertig geworden. Das brennende Interesse seines Lebens galt der Entdeckung, weshalb die Menschen lügen, und es ist offenkundig, daß ihn diese Probleme sehr tief bewegten. Nachdem er uns die Bilder und die Räume mit einer gewissen Gereiztheit gezeigt und dabei auf Berensons Kosten wohlwollende kleine Witze gemacht hatte, ... begann er plötzlich in Berensons Arbeitsraum einen langen Diskurs über Psychologie und die Notwendigkeit, mit wissenschaftlicher Genauigkeit bei der Bestimmung des Charakters vorzugehen. Er sprach mit einer solchen Intensität, als fessele ihn dieses Thema schon sehr lange und als erwarte er unser Verständnis und interessiere sich nicht weiter für unsere ›Zustimmung‹. Das Problem des Lügens war für ihn von größter Wichtigkeit, es sei der Schlüssel zu allen möglichen schwerwiegenden Fragen, wenn er nur die Lösung fände; es sei sozusagen im Zentrum der menschlichen Doppeldeutigkeit angesiedelt. Während er sprach, sah er uns immer wieder an, zupfte gereizt an seinem Hörapparat und murrte: ›Was? Was? Was meinen Sie? Ich kann Sie nicht verstehen!‹ Indem er solchermaßen ungeduldig gegen uns und die hinderliche Taubheit ankämpfte, lehnte er sich gegen unsere kurzen Kommentare mit einem lauten Schrei auf, der ihm direkt aus dem Herzen zu kommen schien und seines hohen Alters wegen sehr rührend wirkte. ›Es ist wichtig! Es ist das allerwichtigste! Niemand sieht diesen

Tatsachen ins Gesicht! Tiere können nicht lügen, und menschliche Wesen lügen die ganze Zeit!‹

Trotzdem war er zu dieser Zeit sehr glücklich. Er hatte eine schwere Krankheit überstanden, und in den Vereinigten Staaten erschien gerade ein neues Buch von ihm *(Appreciation)*. Er hatte viel Arbeit vor sich. Über seine Schriftstellerei sprach er teils ängstlich, teils enthusiastisch, als stünde er erst am Anfang seiner Laufbahn; obwohl gebrechlich, wirkte er doch wie ein junger Schriftsteller, der von den Büchern träumt, die er eines Tages schreiben wird. Ich hätte früher darauf eingehen sollen, tat es aber erst, als wir nach Fiesole hineingingen, um etwas zu trinken. Er hatte immer sehr darunter gelitten, Gertrudes kaum beachteter älterer Bruder zu sein, und nun, da sie tot war, fühlte er sich wahrscheinlich frei für seine eigene Karriere. Sein Ressentiment gegen sie klang aus seinen Äußerungen heraus. Als er von ihrer gemeinsamen Kindheit in Europa und von ihrem Vater sprach, ›der glaubte, wir könnten in Amerika keine anständige Erziehung bekommen‹, und sie von Ort zu Ort geschleppt hatte, bemerkte er immer wieder, daß Gertrude ihn stets tyrannisiert habe. ›Aber wissen Sie‹, sagte er schlicht, ›sie war die Sorte Mensch, die sich selber stets für selbstverständlich nimmt. Das konnte ich nie.‹ Und man merkte, daß sie den Ausschlag gegeben hatte, als die beiden schließlich ihre Zelte in Europa aufschlugen. ›Stets nahm sie sich, was sie haben wollte! Sie konnte durch Reden alles erreichen! Wissen Sie‹ – wir hatten gerade über Gertrudes epochemachende Sammlung moderner Malerei gesprochen –, ›sie konnte Picasso zunächst überhaupt nicht ausstehen! Sie hatte gar keinen Blick für ihn, ich mußte sie erst dazu bekehren. Aber dann fing sie Feuer und bekam die Bilder für ein Butterbrot.‹ Nach all den langen Jahren schwelte die Bitterkeit noch immer weiter und erhielt ihn jung. Wie oft, überlegte ich, hat man sich nur an ihn gewandt, um durch ihn seine berühmte Schwester kennenzulernen? Das und die jahrzehntelange Selbstunsicherheit müssen der Grund gewesen sein, daß er ›Fakten‹ so seltsam überbewertet und ihnen ein so betontes Interesse schenkt. Fakten – der maskuline Bereich der älteren Brüder, die demütig und verbissen um die *wahren* Dinge wie Ästhetik und Psychologie bemüht sind, während Gertrude, die Urmutter, die jungen Genies unter ihre Fittiche nahm und, stets die letzte der Frauenrechtlerinnen, tat, was ihr beliebte, wobei sie sogar so weit ging, die englische Sprache wie eine Puppe auf ihren

Knien zu wiegen und sie auf ihre unergründliche Weise plappern zu lassen... Seltsam, ihn nun zu sehen, wie er in seinem Alter immer wieder auf die alten Streitereien der Kindheit zurückkam. Sie hatten die kulturellen Rivalitäten innerhalb dieser wohlhabenden jüdischen Familie nach Europa verlegt und führten sie in ihrem Emigrantendasein weiter und machten aus Paris und Florenz neue Vorposten für alte Ehrgeize.«

Kurz ehe Leo selber an Krebs starb, fast auf den Tag genau ein Jahr nach Gertrudes Tod, schrieb er an seinen Vetter Fred Stein: »In den Kritiken über mein Buch *Appreciation* wird soviel über die Beziehungen zwischen Gertrude und mir gesagt, daß es mir notwendig erscheint, einige richtigstellende Worte in dieser Angelegenheit zu sagen.

Die Differenzen zwischen Gertrudes und meinem Charakter waren profund. Mein Interesse war ein kritisches Interesse an der Wissenschaft und an der Kunst. Gertrude hatte, bis zur Pariser Epoche, nicht das geringste Interesse an der Wissenschaft oder der Philosophie und kein kritisches Interesse an Kunst und Literatur, und sie hat, abgesehen von Lehrbüchern in ihrer Studienzeit oder zumindest zu meiner Zeit, niemals ein Buch über diese Themen gelesen. Ihr kritisches Interesse galt ausschließlich dem Charakter, der menschlichen Persönlichkeit. Zu Ideen hatte sie praktisch keinen Zugang, und ich hatte zu nichts anderem Zugang. Sie war weitgehend von Menschen beeinflußt, ich hingegen ausschließlich von Ideen.

Von Kindheit an führte jedes von uns beiden sein höchsteigenes Privatleben. Schon vor der Pubertät bestand zwischen uns ein ausdrückliches Einverständnis, sich nicht in die Belange des andern einzumischen, und diese Abmachung hatte später viele stillschweigende Einverständnisse zur Folge.

In Paris kam sie auf dem Weg über ihre persönlichen schriftstellerischen Probleme zum kritischen Interesse an Kunst und Literatur. Die Bilder von Cézanne, Matisse und Picasso, die ich kaufte, waren für sie in bezug auf ihr Werk von großer Bedeutung. Erst allmählich nahm sie an diesen Bildern ein von ihren Problemen völlig unbeeinflußtes Interesse, das mit der Zeit fast so stark wurde, daß es gleich hinter dem an ihrer Schriftstellerei kam.

Einige Rezensenten sprechen von einer Fehde oder einem Streit zwischen uns. Wir stritten niemals bis auf kurze Zeiten der Verstimmung. Wir waren einfach verschiedener Meinung und gingen unsern eigenen Weg. Später habe ich manchmal ihr Werk kritisiert oder einen Kommentar über ihren Charakter in bezug auf ihr Werk abgegeben, wie ich es bei jedem andern Schriftsteller tun würde, ohne daß ich auf den Gedanken käme, der Zuhörer würde das aus irgendeiner persönlichen Einstellung ableiten. In meiner Beziehung zu Gertrude gibt es ebensowenig Streit oder Fehde wie in meiner Beziehung zu Picasso. In beiden Fällen habe ich Eindrücke und Meinungen, die nicht unbedingt mit gewissen allgemein herrschenden Meinungen übereinstimmen. Das ist alles.«

XV

> Wenn du vor Freude hüpfen und singen möchtest, wenn du willst, daß graues Haar weiß wird, und dann eine Uhr verlierst und dann eine Notiz findest und dann eine Unmenge von roten Vorhängen hast und dann in einem dir genehmen Augenblick nach London fährst. Was ist das, Liebling. Nichts, mein Gutes. *Gertrude Stein*

Als ihre Unstimmigkeit so stark geworden war wie früher ihre so tief beeindruckende Zuneigung, waren Gertrude und Leo Stein auf völlig verschiedenen Wegen angelangt. Leo verschwand 1913, aber das Atelier sollte die Spuren seiner Gegenwart nie ganz verlieren. Zunächst schien es, als wollten Gertrude und Alice mit aller Energie Leos verstörten und täglich unstofflicher werdenden Geist austreiben. Sie schmiedeten Pläne für eine Renovierung ihrer Wohnung und sahen sich nach neuen Möbeln um, die an die Stelle der von Leo mitgenommenen treten sollten. Sie hatten schon damit geliebäugelt, die Ära der Rue de Fleurus zu beenden und in eine Wohnung zu ziehen, die auf die Gärten des Palais Royal hinausging, aber der Hausbesitzer erklärte sich mit ihren Änderungswünschen nicht einverstanden. Mit einem Teil der viertausend Dollar, die Gertrude von dem Kunsthändler Kahnweiler für drei Picasso-Gemälde bekommen hatte, führte sie seit langem erwünschte Verbesserungen und Bereicherungen ihrer Wohnung in der Rue de Fleurus durch. Zwischen Atelier und Wohnräumen ließ sie einen gedeckten Gang, den »Pavillon«, bauen; anstelle der kunstvollen und lästigen Gaslampen trat elektrische Beleuchtung (Zentralheizung bekamen sie erst 1927, ein Telefon zu Beginn der dreißiger Jahre). Und als Gertrude den unangemeldeten Besuch des englischen Verlegers John Lane erhielt, war sie gerade dabei, die ganze Wohnung tapezieren zu lassen. Lane sagte, er habe sich eben entschlossen, eine englische Ausgabe von *Three Lives* herauszubringen, und ließ durchblicken, daß er unter Umständen auch an weitere Veröffentlichungen denke. Gegen eine Herausgabe von *The Making of Americans* schien ihm der große Umfang zu sprechen. Daraufhin schlug Gertrude ihm vor, eine Sammlung aller bislang vorliegenden Porträts zu veröffentlichen. Lane meinte, er wolle es sich überlegen, und verließ die Rue de Fleurus mit Gertrudes Versprechen, zu endgültigen Besprechungen nach London zu kommen.

Als Gertrude und Alice am 5. Juli 1914 die Victoria Station verließen, trieb ein unheilschwangerer Wind Kriegsgerüchte durch die Straßen Londons, aber alle Unsicherheit, die die beiden verspürt haben mochten, wurde beschwichtigt, als sie sich am folgenden Sonntag bei John Lane zu seinem nachmittäglichen *jour fixe* einfanden. Erleichtert stellten sie fest, daß der Krieg nur eines von unzähligen Gesprächsthemen war, mit denen sich die getreuen Sonntagnachmittaggäste befaßten. Ehe die Teegesellschaft beendet war, bat Lane Gertrude zur Unterzeichnung des Vertrags für *Three Lives* in sein Büro. Als sie sich jedoch nicht auf ein bestimmtes Datum einigen konnten, beschlossen sie, die Angelegenheit zu einem späteren Zeitpunkt noch einmal in aller Ruhe durchzusprechen. Gertrude und Alice hatten nun zwei Wochen Ferien vor sich, verbrachten heitere Tage mit Einkaufsbummel und Theaterbesuch und der Erneuerung einiger Freundschaften mit Engländern, die sie in der Rue de Fleurus kennengelernt hatten. In einem Brief an Mabel Dodge hatte Gertrude gestanden, sie wolle während ihres Londoner Aufenthalts das Möglichste tun, »um wie ein Genie auszusehen«. Mit Alices tatkräftiger Unterstützung schien sie denn auch genau das Richtige getroffen zu haben. Muriel Draper, die damals in London lebte, entsinnt sich, sie »in einem kurzen Waschsamtrock, einer weißseidenen Hemdbluse, Sandalen und einem winzigen Hut, der auf dem monumentalen Kopf schwebte, durch die Menge stolzieren« gesehen zu haben. »Gewöhnlich beschattete sie eine Freundin, die stets in eine Art pseudoorientalische Gazegewänder gehüllt war, mit klirrenden Armreifen, klimpernden Ketten und Ohrringen, die ebenso groß und oval waren wie ihre riesigen Augen. Ein seltsames Paar. Sie kamen zu Edith Grove, wo Gertrude in buddhistischer Ruhe zu sitzen pflegte, bis irgendein Thema berührt wurde, das ihr Interesse erweckte. Dann sprach sie stundenlang, ein ununterbrochener Strom von Ideen quoll in beinah langweilig logischer Folge aus ihr, manche dieser Ideen waren profund, andere lediglich brillante Dialektik. Kaum hatte sie mit ihren Ansichten gesiegt oder ihr Gegner die Waffen gestreckt, versank sie wieder in tiefes Schweigen und überhörte, was sie nicht weiter fesselte. Meine Turbane faszinierten sie. Sie konnte einen, den sie aus der großen Entfernung eines oberen Ranges im Theater gesehen hatte, bis in die kleinste Einzelheit beschreiben. Nicht einmal die Fassung eines Steins, der vom Rand des Turbans in meine Stirn baumelte, war ihr entgangen ... Gegen Angriffe auf die Eigenart ihres literarischen Ausdrucks war sie empfindlich, insbesondere gegen jeden geäußerten oder auch nur vermeintlichen Zweifel an ihrer Aufrichtigkeit. Über technische Details ihrer Ausdrucksform konnte sie stundenlang debattieren, aber die Gründe dafür verteidigte sie bis zum letzten geistigen Blutstropfen. Dann sagte sie abrupt: ›Davon weiß ich nichts. Ich nehme Dinge auf, und so kommen sie dann wieder heraus, unabhängig von bewußten Vorgängen. Ich weiß darüber nichts!‹«

Muriel Drapers Mann, Paul, mochte Gertrude, aber ihre literarischen Prätentionen waren für ihn nichts anderes als ein aufgelegter Schwindel. Um sie zu ärgern, verfaßte er eine Parodie auf ihre Porträts und ließ sie von einem Freund anonym an Gertrude schicken. Wie seine Frau berichtet, schickte Gertrude diese Parodie mit einem Begleitschreiben zurück. Gertrude meinte darin, daß sie auf Grund dieses einen Artikels nicht beurteilen könne, ob der Verfasser über eine literarische Begabung verfüge. Auf jeden Fall aber treffe das nicht auf den Stil zu, den er so schmeichelhaft gewählt habe. Er tue besser daran, in der ihm gemäßen Richtung zu schreiben, und diese sei zweifellos wissenschaftlicher und konservativer Natur.

Der Fotograf Alvin Langdon Coburn vereinbarte mit seinem Freund Henry James ein Treffen mit Gertrude und Alice. Zum verabredeten Zeitpunkt war James jedoch krank und mußte telegrafisch absagen. Wie sich herausstellen sollte, hatten sie die letzte und einzige Chance verpaßt, den großen Schriftsteller kennenzulernen, für den Alice schwärmte und in dem Gertrude mehr und mehr ihren eigentlichen literarischen Vorfahren sah. Schon bald waren die beiden Frauen froh, sich von den Freuden und Enttäuschungen Londons erholen zu können. In Cambridge, das sie auf die Einladung eines Freundes hin besuchten, lud man Gertrude zu einem Mittagessen, bei dem sie die Gelehrte der Altertumswissenschaften, Jane Harrison, kennenlernen sollte. Diese Begegnung war ein Fiasko. Die berühmte Miss Harrison teilte nicht im mindesten Gertrudes Begeisterung für das 20. Jahrhundert und soll geäußert haben, sie interessiere sich lediglich für Dinge, die man »bis zu ihren frühesten Anfängen zurückverfolgen könne«. Sie und Gertrude, die sich Jahrhunderten verschrieben hatten, die Tausende von Jahren auseinanderlagen, hatten sich nichts zu sagen und bemühten sich auch nicht, mehr als eine oberflächliche Unterhaltung zustande zu bringen.

Doch die Begegnung lieferte Gertrude zumindest das Material für eine ihrer kürzeren Arbeiten, *Crete,* die während des Englandbesuchs entstand. Die »Miss Clapp« in dem hier folgenden Anfang dieses Werks ist natürlich Miss Harrison, und der Text konterfeit den plätschernden Rhythmus des Geplauders: »Ist Miss Clapp jetzt in Newnham. Sie war etwa zehn Tage bettlägerig. Ach, das tut mir aber leid. Sie brauchen mir wirklich nicht zuzustimmen, nein, wirklich nicht. Ach, ich bin gar nicht so traurig. Nicht so traurig. Amtlicher Fahrplan. Amtlicher Fahrplan Kunstfärberei. Chemische Reinigung. Amtlicher Fahrplan. Ob sie wohl auch kommen wollen? Ob sie wohl kommen wollen. Ach, das tut mir aber leid. Ja, das könnte sein. Es könnte möglich sein, daß der Zug durch etwas aufgehalten wurde, besonders da der Wind nach Westen drehte. Soll es eine Bitte sein. Ja. Welch ein Jammer. Welch ein Jammer.«

Daß diese Begegnung ein Mißerfolg war, überrascht nicht weiter. Gertrude stand den meisten bedeutenden Frauen entweder ablehnend oder gleichgültig gegenüber und konnte es nur schwer ertragen, wenn ihr jemand als eine Berühmtheit vorgestellt wurde. Die wenigen engeren Freundschaften mit Frauen, die sie hochhielt, wurden sozusagen auf häuslicher Basis geschlossen, wo Ruhm und weltliche Größe nicht weiter in Betracht kamen und die Annehmlichkeiten des täglichen Lebens der zwanglosen Unterhaltung Farbe und Würze verliehen.

Der Ausflug in die Universitätsstadt sollte sich aber doch lohnen. Alices innere Klingelanlage, die wie ein Radargerät reagierte, hatte nun sieben lange Jahre geschwiegen – seit jenem Abend, als Picasso erschien und sich bemühte, wie Abraham Lincoln auszusehen. Nun aber sollte sie wieder einmal, anläßlich einer Abendgesellschaft, silberhell ertönen. Obgleich der Dichterprofessor Alfred Edward Housman sich unter den Gästen befand, läutete die Klingel nicht bei seinem Anblick, sondern beim Erscheinen von Alfred North Whitehead. Auch Gertrude begeisterte sich sofort für Whitehead und dessen Frau, die beide ebenfalls sehr angetan schienen. Alice unterhielt sich mit Housman, aber ihre Aufmerksamkeit galt in der Hauptsache dem Philosophen, der durch die *Principia Mathematica,* die er gemeinsam mit Bertrand Russell veröffentlicht hatte, schon zu Weltruhm gelangt war. Als man sich nach dem Essen in den Garten begab, nahm Whitehead neben Alice in einer Laube Platz, und die beiden unterhielten sich über den Himmel; selbstverständlich nicht in metaphysischer Hinsicht, sondern darüber, wie er an jenem Abend aussah. Ehe man auseinanderging, wurden Gertrude und Alice für das kommende Wochenende von den Whiteheads in ihr Haus eingeladen.

Sie kehrten für wenige Tage nach London zurück, um insbesondere Möbel einzukaufen. Als sie nichts Fertiges fanden, das ihnen zusagte, gaben sie Stühle und eine Couch in Auftrag, die nach Paris geschickt werden sollten. Gertrude traf sich abermals mit John Lane und verließ sein Büro mit dem ersten richtigen Vertrag ihrer Laufbahn. Endlich war sie nicht länger mehr eine Autorin, die ihre Werke selber finanzieren mußte, sondern ein Name auf der Liste eines berühmten Verlegers. Erleichtert darüber, daß die ausgedehnte Englandreise hinlänglich gerechtfertigt war, bestiegen sie den Zug nach Lockridge, um dort, wie sie glaubten, das letzte Wochenende vor der Heimreise nach Paris zu verbringen. Aber dieses Wochenende sollte sich über mehr als vierzig sorgenvolle Tage erstrecken.

Das Whiteheadsche Haus war voll von jungen Menschen, Gästen von Whiteheads Sohn und Tochter, Eric und Jessie. Kaum jedoch hatte das ländliche Wochenende begonnen, da verdarben die Kriegserklärungen, die wie Explosionen in den europäischen Ländern erfolgten, die Ferienstimmung und verscheuchten die Gäste. Eine Rückkehr nach Paris war, zumindest für den Augenblick, unmöglich. Gertrude und Alice wollten nach London fahren, um sich für die frühestmögliche Abfahrt bereitzuhalten, aber Mrs. Whitehead beschwor sie, in Lockridge zu bleiben, bis man mit einer sicheren Überfahrt rechnen konnte. »Erinnerst Du Dich, es war der 5. September, als wir von Giftgas hörten«, schrieb Gertrude. »Erinnerst Du Dich, daß wir am gleichen Tag erfuhren, daß keine Reisegenehmigung mehr erteilt würde!«

Sie statteten London einen kurzen Besuch ab, um ihre Koffer zu holen und Geld abzuheben. Bei dieser Gelegenheit wurde Gertrude von dem irischen Journalisten J. P. Collins von der *Pall Mall Gazette* interviewt, der durch die ersten amerikanischen Besprechungen von *Tender Buttons,* das einige Wochen zuvor in New York erschienen war, auf sie aufmerksam geworden war. Wie viele andere Leser Gertrudes hielt auch er das Buch für einen riesigen Bluff und meinte, »sie sollte doch nach einiger Zeit der Öffentlichkeit erklären, daß sie das Buch nur veröffentlicht habe, um die Gutgläubigkeit des Publikums auf die Probe zu stellen«. Gertrude antwortete ihm offen heraus. »Wenn Sie glauben, es handle sich hier um einen riesigen Bluff, dann lassen Sie mich Ihnen sagen, daß man nicht viele Jahre auf einen Bluff verwendet. Was eine Anzahl von Jahren die Aufmerksamkeit fesseln kann, muß immer etwas Wirkliches sein.«

Sie kehrten nach Lockridge zurück. Sie hatten eine aufregende Zeit zu überstehen. Während die Deutschen über die rauchenden Trümmerfelder Belgiens auf Paris losmarschierten, unternahmen Gertrude und Alfred North Whitehead ausgedehnte Spaziergänge in die Umgebung. Sie fand ihn großzügig, bescheiden und zurückhaltend und äußerte die Meinung, daß er bei der gemeinsamen Arbeit mit Bertrand Russell die meisten Gedanken zu dem Buch beigesteuert habe, das ein Markstein in der Geschichte der Philosophie wurde. Diese Meinung war jedoch mehr liebenswürdig als zutreffend, denn Russell hatte bereits vor der Begegnung mit Whitehead eine Reihe der in dem Buch enthaltenen Gedanken veröffentlicht.

Alles überrennend, was sich ihnen in den Weg stellte, gelangten die deutschen Armeen bis vor die Tore von Paris. Die peripatetischen Gespräche in Lockridge fanden ein Ende. Gertrude war so bekümmert, daß sie ihr Zimmer nicht mehr verließ. Außerdem stellte sie mit Bestürzung fest, daß die Whiteheads sich viel mehr über die Zerstörung der Bibliotheken und historischen Gebäude in Belgien als über den Krieg selbst aufregten. Erst als im spanischen Bürgerkrieg Wahrzeichen in Orten zerstört wurden, die sie persönlich gekannt und geliebt hatte, konnte sie die Whiteheads begreifen. Darauf spielt jene Stelle in *Four Saints in Three Acts* an, wo die heilige Teresa, befragt, was sie tun würde, wenn sie dreitausend Chinesen töten könnte, indem sie auf einen Knopf drückte, durch den Chor antwortet: »St. Teresa ist daran nicht interessiert.« Ebenso wie ihre Lieblingsheiligen interessierte sich auch Gertrude nur am Rande für das, was jenseits ihres eigenen Gesichtsfeldes lag. Sie war ihre eigene allerbeste kontinuierliche Gegenwart, und wenn sie auch die drohende Zerstörung von Paris persönlich berühren konnte – an der Zerstörung von so vielem in ihrem an Gewalttaten überreichen Jahrhundert war sie weiterhin »nicht interessiert«.

Als das Schicksal von Paris besiegelt zu sein schien, saß sie, unfähig zu lesen oder zu schreiben, allein in ihrem Zimmer. Wie Millionen anderer Menschen auf der Welt erlitt sie die Marneschlacht in Entsetzen und Unglauben. Als schließlich feststand, daß die Alliierten der Flut Einhalt geboten hatten, erfuhr Alice die Nachricht vor Gertrude. Sie stürzte in Gertrudes Zimmer, um sie davon zu unterrichten, aber Gertrude wollte ihr nicht glauben. Als sie schließlich überzeugt worden war, brach sie in Tränen aus, und auch Alice weinte.

Das Leben in Lockridge wurde wieder unterhaltsamer. Gertrude zeigte den Besuchern gegenüber fröhliche Zuversicht. Lytton Strachey fand sie ziemlich langweilig, aber der Klang seiner hohen leisen Stimme und der Anblick seines seidigen Bartes bereiteten ihr Vergnügen. Mit Bertrand Russell stritt sie über das amerikanische Erziehungssystem und verteidigte mit einem Maximum an Eifer ihr Minimum an Kenntnissen von dem, was in ihren Augen im Gegensatz zu den von ihm bevorzugten klassischen Methoden fortschrittliche Methoden waren. Die meisten Engländer, die zu den Whiteheads kamen, reizten sie, besonders wenn sie, was häufig der Fall war, ängstlich von dem »genialen Organisationstalent« der Deutschen sprachen. Es war ihre feste Überzeugung, daß die Deutschen überhaupt keine Organisation kannten, sondern lediglich nach einem vorgefaßten und aufgezwungenen Plan handelten, und das sei keine Organisation, das sei Methode. Ihrer Ansicht nach hatten nur die Amerikaner eine echte Organisation, denn was Organisationstalent bedeutete, war eine selbstverständliche Kooperation ohne Zwang. Die deutsche Idee sei nicht modern, weil sie so mechanisch sei, und könne sich daher letzten Endes auch nicht behaupten.

Sie erhielten Geld aus Amerika – Alice von ihrem Vater, Gertrude von ihrem Vetter Julian aus Baltimore, und nach wochenlangen Erkundigungen bei Thomas Cook in London erfuhren sie schließlich, daß sie am 15. Oktober nach Paris fahren konnten. Mrs. Whitehead bestand felsenfest darauf, sie zu begleiten, ihr ältester Sohn North war ohne einen richtigen Mantel an die Front gefahren, und sie machte sich große Sorgen, er könne einen Schnupfen bekommen. In dieser Vorstellung drückte sich die weitverbreitete Ansicht aus, daß es sich um einen »Schulbubenkrieg« handle. Damit ihr Junge auf dem Schlachtfeld nur ja warm genug angezogen war, bot sie ihren ganzen Einfluß auf, um vom Kriegsministerium und vom Feldmarschall Kitchener persönlich die Reiseerlaubnis zu bekommen. Dies Dokument wirkte Wunder, und die drei Damen wurden wie zu einem Staatsbesuch über den Kanal und nach Paris geleitet.

»Dein König und dein Vaterland brauchen dich«, riefen überall Plakate, von denen Lord Kitcheners stählerner Blick und drohender Zeigefinger mahnten. »Als ich nach Paris zurückkam«, sagte Gertrude, »sah ich mit Erstaunen, daß es hier keine solchen Mahnungen gab.« Verdunkelung, Nahrungsmittelknappheit, ständige Angst hatten die Hauptstadt entmutigt. Paris war halbleer, die Menschen waren wie verschreckte Mäuse. Es war der Beginn jener Jahre, die Gertrude als »eine Epoche der Moden ohne Stil, der Systeme, der Unordnung, der allgemeinen Umerziehung, die eine Verfolgung ist, und der Gewalt ohne Hoffnung« schildert. In der Rue de Fleurus gab es zwar ein paar Besucher, aber der alte *esprit* war im dunklen Schatten des Krieges untergegangen. »Montmartre und Montparnasse standen unter diktatorischer Herrschaft«, meinte Jean Cocteau, »der Kubismus machte seine strenge Phase durch. Gegenstände, die man auf einen Kaffeehaustisch stellen konnte, und spanische Gitarren waren die einzigen erlaubten Ablenkungen.« Alte Freunde und Bekannte zogen in den Krieg oder bereiteten sich darauf vor. Georges Braque stand bereits in den vordersten Schützengräben. Apollinaire, »der Reiten und Fett anzusetzen lernte«, wurde zum Geschützführer ausgebildet. Matisse wurde dreimal einberufen, wegen seiner schlechten Augen aber wieder nachHause geschickt. Ein wenig von der alten Erregung ergriff Gertrude, als sie zwei neue Bilder von Juan Gris erwarb. Aber da der Maler selbst auf dem Land in Collioure lebte, mußte sie sich mit Ferngesprächen begnügen. Juan Gris, der bereits 1910 in einer Manier zu malen begonnen hatte, die ein wenig der Picassos und Braques ähnelte, war seit langem eine hervorragende, aber bemerkenswert erfolglose Figur unter den Kubisten, deren Werke zum großen Teil damals einen festen Absatz hatten. Gertrude gehörte zu seinen ersten Käufern. Matisse und sie ließen ihm eine monatliche Unterstützung zukommen, um ihn über Wasser zu halten. Gris' Verpflichtungen gegenüber seinem Freund und Kunsthändler Kahnweiler, der in der Schweiz hatte Exil suchen müssen, und die Erwartungen, die seine neuen Gönner in ihn setzten, brachten ihn in ein Dilemma, das zu Mißverständnissen und schließlich zum Bruch zwischen ihm und Gertrude führte. Diese Mißverständnisse konnten erst nach dem Krieg geklärt werden. Matisse behauptet später, er habe den Verkehr mit Gertrude abgebrochen, weil diese Gris schlecht behandelt habe. Doch ein Brief von Gris an Kahnweiler aus dem Jahre 1914 läßt die Angelegenheit in einem anderen Licht erscheinen. »Gertrude Stein«, schreibt Gris, »die von meinen Schwierigkeiten erfuhr, war so gütig, mir 200 Francs zu schicken. Matisse, der für einige Tage nach Paris gekommen war, konnte mit Gertrude und Brenner vereinbaren, daß ich von ihnen pro Monat 120 Francs erhalten werde.« Michael Brenner, ein amerikanischer Bildhauer und Kunstmaler, hatte sich in der Tat bereit erklärt, gemeinsam mit Gertrude Gris finanziell zu unterstützen. Als Gris jedoch zu der Ansicht gelangte, daß die mit dieser Vereinbarung verbundene Option eine Verletzung der Prioritätsrechte bedeutete, die Kahnweiler seit langem auf sein Werk besaß, machte er die Vereinbarung rückgängig. Matisse behielt den Eindruck, daß es Gertrude gewesen sei, die zurückgetreten war. Nach dem Krieg wurden Gertrude und Juan Gris innige Freunde, und ihre Freundschaft währte bis zu Gris' frühem Tod im Jahr 1927. Dann ehrte sie ihn durch eine ihrer schönsten kurzen Arbeiten *The Life and Death of Juan Gris*. Nach ihrer Meinung war Gris der einzige Maler, den Picasso »wegwünschte«. In ihren letzten Lebensjahren sprach Gertrude von Gris immer als von »dem Großen«.

Die Tage waren lang und von öder Monotonie. Das erschreckte und geduckte Paris schien stumm und verzweifelt. Bis auf kurze Besuche bei ihrer alten Freundin Mildred Aldrich, die sich bei Ausbruch der Feindseligkeiten auf einem Schlachtfeld gefangen gesehen hatte (ihr Buch, *Hilltop on the Marne,* wurde ein Bestseller), verbrachte Gertrude einen traurigen Winter, abgeschnitten von alten Freunden und früheren Interessen. Carl Van Vechten, der vor kurzem die russische Schauspielerin Fania Marinoff geheiratet hatte, die ein Star früher amerikanischer Filme wurde, versuchte einige von Gertrudes Arbeiten, darunter auch *Aux Galeries Lafayette,* bei New Yorker Zeitschriften zu plazieren. Aber die Verhandlungen zogen sich lange hin, wurden durch die sich widersprechenden Ratschläge anderer Freunde gestört und versprachen wenig Erfolg. Gertrude verlor ihre statuenhafte Ruhe. »Ich weiß, daß ich wesentlichere Dinge vollbringe als irgendeiner meiner Zeitgenossen«, schrieb sie an eine Freundin, »und das Warten auf Veröffentlichungen geht mir auf die Nerven.« Ihre Situation wurde noch dadurch verschlimmert, daß ihr Geld zur Neige ging und die Lebenskosten stiegen. Um der finanziellen Not zu begegnen, verkaufte Gertrude ihrem Bruder Mike den letzten Matisse, der noch an ihren Wänden hing, *La Femme au Chapeau*, für viertausend Dollar.

Im März ließen Fliegeralarme und schließlich ein Zeppelinangriff Gertrude und Alice erzittern. Sie beschlossen, die Stadt zumindest vorübergehend zu verlassen. Als Zuflucht auf neutralem Boden wählten sie Palma de Mallorca, das sie bereits kannten und liebten. Das Leben in Palma war nach den Einschränkungen in Paris eine solche Wohltat, daß sie sich häuslich niederließen. Unmittelbar vor der Stadt, in der kleinen Gemeinde Terreno, fanden sie in der Calle de Dos de Mayo ein Haus. Mit einer bretonischen Magd, Jeanne Poule, und dem Hund Polybe verbrachten sie hier den Sommer. Die einzige Unterbrechung war ein fünftägiger Besuch in Valencia, wo sie den Stierkämpfen mit den großen Toreros Gallo Gallito und Belmonte beiwohnten. Obgleich Gertrude die Einwohner Mallorcas für »eine sehr törichte Gesellschaft degenerierter Piraten mit einer grauenhaften Sprache« hielt, war der Aufenthalt für sie sehr nutzbringend. Wieder einmal weckte die mediterrane Landschaft ihre schöpferischen Impulse und regte sie zu einer Reihe von literarischen Seltsamkeiten an, die sie Theaterstücke zu nennen beliebte.

Die Überzeugung, daß zwischen einer Landschaft und einem Theaterstück ein deutlicher Zusammenhang bestehe, den »jeder, der Augen hat, erkennen kann«, gehörte bereits zu Gertrudes Maximen. Eines ihrer erfolgreichsten und berühmtesten Werke, *Four Saints in Three Acts,* beruht auf dieser Vorstellung. Diese Oper, die sie viele Jahre später schrieb und die 1934 aufgeführt wurde, geht in ihrer Konzeption auf jene Stücke aus dem Jahre 1913 zurück. Sie sind der Versuch, Szenen, Landschaften und Geschehnisse ohne vorgefaßten Plan und ohne die Mittel und Tricks der konventionellen Bühnenautoren zur Sprache zu bringen. Gertrudes Vorgehen hat mit dem des Schriftstellers, der Situationen schafft und auf die eine oder andere Weise aus diesen Situationen Konflikte konstruiert und löst, wenig gemeinsam. Gertrude Steins Stücke entstehen aus der kubistischen Aufteilung, das heißt, die landschaftlichen Vorwürfe und die Handlungen und Gesten, die ein Geschehnis begleiten, sind Motive, mit denen sie nach Belieben verfährt. Da sie kein Ziel ansteuert, setzt sie Anfang und Ende nach Gutdünken fest. Da sie nichts zu lösen hat, gehen ihre Unterhaltungsfetzen, ihre beiläufigen Beobachtungen und ihre oft verspielten Bühnenanweisungen nicht über den Rahmen einer launischen Exposition hinaus, die sie und möglicherweise auch ihre Zuhörer von Überraschung zu Überraschung führt. Das typische Resultat ist eine Art Wortballett im Raum, in dem die simpelsten Wortfolgen zu Gesängen und Ritualen gesteigert werden. Viele dieser Stücke lesen sich wie verbale Gegenstücke zu gewissen Malereien von Joan Miró, auf denen verzerrte und zerstückelte Figuren und Gegenstände wie in einem Zirkusakt durcheinanderkugeln.

Derartige Werke sind naturgemäß hermetisch und weisen alle »Mängel« des literarischen Kubismus auf. Wenn sie diese Probleme auch nicht im Sinne der Kommunikation gelöst hat, so hat sie doch, was das Theater als eine Zeremonie der Imagination betrifft, eine gültige Aussage gemacht. Mit dieser Aussage trug sie dazu bei, dem englischen und amerikanischen Drama ihrer Zeit etwas zurückzugewinnen, das weitgehend fehlte. Den Plot der Stücke hatte sie nie leiden können, aber seit frühester Kindheit war sie vom rituellen Aspekt des Theaters gefesselt gewesen. Es war nur natürlich, daß sie in ihren eigenen Stücken den Plot zugunsten einer Art von kontinuierlichem Ritual vernachlässigte und die dramatische Handlung durch die Reize für Ohr und Auge ersetzte. Sie wußte sehr wohl, daß dramatische Experimente, die sich rein formal von der gängigen Bühnenliteratur sehr stark unterschieden, kaum ein großes Publikum finden würden, wußte jedoch auch, daß der visuelle Reiz eines Bühnenstückes der unleugbaren Anziehungskraft jeder kubistischen Konstruktion nicht nachstand. Auch wenn Plot und Handlung zugunsten von Gefühl und Zeit beiseite gelassen und so der Zuhörer um die üblichen Erwartungen betrogen wurde, mußte ihrer Meinung nach ein Stück die Aufmerksamkeit des Zuschauers fesseln, sofern er nur bereit war »mitzugehen«. In dieser Überzeugung ließ sie alle konventionellen dramatischen Maßstäbe weitgehend außer acht. Es machte ihr einfach Spaß, derartige *divertissements* zu schreiben. Während ihres Aufenthalts in Terreno vollendete sie die meisten der Stücke, die später in dem Band *Geography and Plays* erschienen.

Es fiel Gertrude leicht, sich die Kriegstage mit der geruhsamen Betrachtung der Landschaft und der örtlichen Sitten zu vertreiben, doch dem Krieg konnte sie trotzdem nicht entkommen. Bei jeder

Nachricht von einem deutschen Sieg hängte die Gouvernante eines benachbarten Haushalts eine Fahne aus dem Fenster. Verärgert über diese beleidigende nationalistische Geste in einem neutralen Land hißten Gertrude und Alice ihrerseits bei jeder Nachricht von einem alliierten Sieg die Trikolore auf ihrem Dach. Meist aber mußten sie betrübt die kaiserlich-deutsche Fahne im Wind flattern sehen. Ihr Leben im Exil in Terreno war ereignislos, und das Dienstmädchen Jeanne (»wenn sie vom Ruhm Frankreichs schwärmt, vergißt sie niemals den Vater ihres Kindes«) versorgte sie aufs beste. In ihrem Garten wuchsen Rüben, Mandarinen und Mandeln, das Wetter war mild, es gab sanfte Hügel und Spaziergänge in einer halb tropischen Landschaft, und die Antiquitätenläden, in denen man stöbern konnte, waren nicht allzuweit entfernt. Die Abende verbrachten die beiden mit dem Vorlesen von Memoiren, der Briefe der Königin Victoria und verschiedener Tagebücher, und Alice nutzte ihr Talent zu Handarbeiten, indem sie unzählige Kleidungsstücke für die Soldaten fertigte. Der Sommer kam, aber die Berichte aus Paris waren wie das Echo aus einer Gruft. Picasso sah verzweifelt dem langsamen Sterben von Eva (Marcelle Humbert) zu, die seit 1912 in seinem Herzen die Stelle von Fernande Olivier einnahm. Braque war verwundet worden, Léger war Sanitäter, Apollinaire war Brigadekommandeur einer Artillerieeinheit, und Juan Gris hauste im Bateau Lavoir, das von allen andern längst verlassen war, und führte ein bescheidenes Leben als Zeichenlehrer. Solch niederschmetternde Berichte veranlaßten die beiden, zu bleiben, wo sie waren. Im Sommer 1916 jedoch wollten sie, ermutigt durch den Ausgang der Schlacht von Verdun, wieder nach Hause fahren. Sie kehrten nach Paris zurück, wo sie einen neuen frischeren Wind spürten, und waren endlich soweit, sich aktiv an den Kriegsanstrengungen zu beteiligen, wenn auch natürlich nur unter Bedingungen, die sie bestimmen konnten.

Eines Morgens sahen sie in der Rue des Pyramides einen Ford, an dessen Steuer ein uniformiertes amerikanisches Mädchen saß. Der Wagen trug die Aufschrift *American Fund for French Wounded*. Gertrude stieß Alice an. »Siehst du, so was werden wir auch machen«, verkündete sie, erkundigte sich sofort nach dem Büro dieser Organisation und begab sich mit Alice dorthin. Sie wurden auf der Stelle genommen, mußten sich jedoch ihr Transportmittel selbst beschaffen. Gertrude schrieb an ihre Verwandten in New

York, die das nötige Geld aufbrachten, um einen Ford nach Frankreich zu schicken.

Während die beiden auf ihren Wagen warteten, schrieb Gertrude Kriegsgedichte, von denen zwei in *Life* veröffentlicht wurden – dem humoristischen Vorläufer der heutigen Luce-Publikation. Diese ungewöhnliche Aufnahmebereitschaft für authentische Stein-Werke war eine Folge von Gertrudes eiserner und berechtigter Verteidigung ihres Tuns. Kurz zuvor hatte *Life* eine Folge von Parodien ihres Buches *Tender Buttons* gebracht. Als Gertrude diese las, schrieb sie dem Redakteur, sie sehe nicht ein, weshalb er keine Originale von ihr veröffentliche, die doch weit komischer und viel interessanter seien als die blassen Nachahmungen, die er bringe. Zu ihrem Erstaunen ging er auf ihren Vorschlag ein, und sie sandte ihm sofort ein Gedicht über Woodrow Wilson und ein weiteres über Kriegsarbeit.

Der Ford traf ein, wurde wie ein Lastwagen ausgerüstet und zu Ehren von Gertrudes Tante Pauline, »die sich in Notlagen stets bewunderungswürdig verhielt und, wenn man ihr genug schmeichelte, auch im übrigen Leben gut zu haben war«, mit einer Flasche Weißwein »Tantchen« getauft. William Cook, ein Freund aus Mallorca, hatte Gertrude auf einem Zweizylinder-Renault-Taxi, das die Marneschlacht mitgemacht hatte, das Chauffieren bis auf das Rückwärtsfahren beigebracht. Als sie ihren neuen Wagen das erstemal von der Garage nach Hause fuhr, starb ihr zwischen zwei Trambahnen der Motor ab, und sie mußte die Hilfe von Fußgängern erbitten, um ihn von den Schienen zu schieben. Das war jedoch nur der Anfang einer Kette von Mißgeschicken, bis sie schließlich mit dem Ford umgehen konnte. Schon bald war sie eifrig damit beschäftigt, Hospitäler in Paris und Umgebung mit Nachschub zu beliefern. Dann erhielten die ehrgeizigen Hilfsfreiwilligen ihren ersten großen Auftrag. Sie sollten in Perpignan ein Nachschubdepot einrichten, das mehrere Departements versorgen mußte. »Tantchen« machte immer wieder Schwierigkeiten, doch Gertrude bewies großes Talent, in den unmöglichsten Situationen Hilfe zu erlangen. Den anderen Angehörigen der Organisation war das völlig schleierhaft, denn sie mußten sich bei Pannen immer allein aus der Klemme helfen. Gertrudes Erklärung für das Pech der anderen war sehr einfach: Sie sahen zu tüchtig aus. Sie hingegen, ebenso unbeholfen wie liebenswürdig, appellierte an schlummernde Samariterinstinkte. Sie war gutmütig und im besten Sinne demokratisch und wußte trotz ihrer Ahnungslosigkeit in technischen Dingen immer genau, was getan werden mußte. Vor allem aber war sie der festen Überzeugung, daß die Menschen alles für einen tun würden, sofern man sie als gleichberechtigte Wesen behandelte.

Vom Bankettsaal eines Hotels, das Gertrude und Alice als Depot und Regionalbüro beschlagnahmten, verteilten sie Nachschub an die Militärlazarette um Perpignan. Jeden Soldaten, für den sie Pakete hatten, suchten sie persönlich auf. Gertrudes ansteckende Unbefangenheit setzte sich oft noch gegen die größten Widerstände durch. Da Alice die Buchführung betreute, konnte Gertrude ungehindert Fröhlichkeit und mütterliche Wärme verbreiten und die Verwundeten unterhalten. Die beiden Frauen waren nicht nur ungemein tüchtig, sondern wirkten auf den ersten Blick auch sehr erheiternd. Beide trugen sie helmförmige Hüte und uniformähnliche Mäntel, die in der Taille gegürtet und mit großen Taschen versehen waren. Gertrude trennte sich auch jetzt nicht von ihrer bereits legendären Kleidung – Sandalen, eine gestrickte Weste und Hemdblusen mit bauschigen Ärmeln. Sie und Alice widmeten sich voll und ganz ihrer Arbeit. Die Not der Männer, die sie kennenlernten, berührte sie oft tief, und es verwunderte sie nicht, daß sie vielen ihrer Schützlinge höchst seltsam vorkommen mußten. Gertrude schrieb:

> We meet a great many without suits.
> We help them into them.
> They need them to read them to feed them to lead them.
> And in their ignorance.
> No one is ignorant.
> And in their ignorance.
> We please them.

Als ihre Arbeit in Perpignan beendet war und man sie vor dem Geburtshaus des Marschall Joffre im nahgelegenen Rivesaltes in ihrem Fordwagen fotografiert hatte, lösten sie das Depot auf und kehrten nach Paris zurück. Zu diesem Zeitpunkt waren die Vereinigten Staaten in den Krieg eingetreten, und auf Vorschlag des *American Fund for French Wounded* eröffneten die beiden ein neues Depot, das ein Gebiet versorgen sollte, zu dem auch die Departements Gard, Bouches-du-Rhône und Vaucluse gehörten.

Im Hôtel du Luxembourg in Nîmes schlugen sie ihr Hauptquartier auf.

Über die Tätigkeit in Nîmes schrieb Gertrude ein kurzes Gedicht mit dem Titel *The Work,* das im *A.F.F.W. Bulletin* erschien. Vielleicht mit Rücksicht auf den völlig unliterarischen Charakter ihrer Leserschaft verzichtete sie diesmal auf die hermetische Manier, in der die meisten Arbeiten jener Zeit gehalten sind, und gab ihre Eindrücke und Empfindungen in höchst einfacher Weise wieder:

Die Arbeit

Nicht heftig und zärtlich, sondern süß.
Das ist unser Eindruck von den Soldaten.
Unser Auto nennen wir Tante Pauline.
Merken Sie sich's, das sind wir. Wir sagen Tante Pauline.
Als wir Paris verließen, fiel der Regen.
Jetzt schneit es nicht und nieselt auch nicht.
Damals hatten wir Schnee.
Nun sind wir kühn.
Wir sind daran gewöhnt.
Alle Gewichte sind Maße.
Damit wollen wir sagen, daß wir wissen wieviel Öl wir für den Motor brauchen.
...
Ein Hurra für Amerika.
Hier treffen wir einen Hauptmann und nehmen ihn ein Stück Wegs mit.
Ein Tag voll Sonne.
Ist diese Miss.
Jawohl unsere Matte.
Damit meinten wir daß wir immer Leute treffen und daß es hübsch war.
Wir können euch danken.
Wir danken euch.
Die Soldaten redeten natürlich mit uns.
Kommt alle her.
Kommt zu mir jetzt gleich.
Auf unserm Wagen lesen Sie Amerikanisches Hilfskomitee für französische Verwundete.

Alles ist Stückwerk.
Bitter.
Es heißt, so würden wir ihnen helfen.
Und zwar schnell.
Schnell nicht hell.
Das tröstet sie wenn sie mit mir sprechen. Oft spreche ich mit ihnen über Amerika und was wir zu tun hoffen. Sie hören gut zu und sagen das hoffen wir auch.
Wir alle hoffen.
...
Dies gilt dem Geburtsort von Maréchal Joffre. Wir besichtigten ihn und verschickten Postkarten davon. Das Komitee wird sich freuen.
Es ist keine Last, Soldat zu sein.
Diese Last ist mir nicht zuwider.
Können Sie Lapsus sagen.
Dann denken Sie mal drüber nach.
Es ist in der Tat einer.
Wir sind so erfreut.
Über die Fahne.
Über die Farbe mit den vielen.
Vielen Farben.
Mögen Sie Fahnen.
Blaue Fahnen riechen süß.
Blaue Fahnen in der Brise.
Das haben wir getan wir haben Band in der Farbe der amerikanischen Flagge und wir zerschnitten es und wir gaben jedem Soldaten ein Stück mit einer Nadel und sie steckten es an und wir freuten uns und wir erhielten einen reizenden Brief von einem Fronttelefonisten der von einem Freund in Perpignan erfuhr daß wir diese Bändchen verteilten und er bat um einige und wir schickten sie ihm und wir hoffen daß sie alle leben.
Der Wind weht.
Und das Automobil geht.
Wissen Sie was Bretter sind.
Holz.
Wir denken natürlich an den Wind, weil das Rousillon die windigste Ecke in Frankreich ist. Es ist auch ein bedeutendes Weinland.
Dies gilt der Tatsache daß ich immer frage wo sie herkommen

und dann muß ich beschämt sagen daß ich nicht alle Départements kenne aber ich lerne sie kennen.
Inzwischen.
Inzwischen sind wir nützlich.
Ich will damit sagen.
Inzwischen könnt ihr Betten haben. Das bedeutet daß man anfängt das Lazarett kennenzulernen wenn man die Zahl der Betten kennt.
Rufen Sie bitte einen Bruder.
Was ist eine Kur.
Ich spreche Französisch.
Was man sagen will.
Ich kann es rechtzeitig benennen.
Wo sind übrigens Fische.
Sie alle lieben zu angeln.
Gibts in diesem Fall eigentlich Wunder.
Viele Wunder sind Frauen.
Ich könnte beinah sagen das bezieht sich auf das Ankurbeln meines Motors.
Und auf Männer.
Wir lächeln.
So wie Sätze.
Er fühlt anders als wir.
Aber er hatte den Mantel.
Er errötet ein wenig.
Das geschieht manchmal wenn sie sich nicht recht zu helfen wissen und uns helfen wollen.
Wir verstehen nichts vom Wetter. Das erstaunt mich.
Kamelien in Perpignan.
Kamelien verblühen wenn Rosen erblühen.
Ein lächelndes Dankeschön.
In dieser Weise fahren wir fort. Bisher hatten wir keine Schwierigkeiten und dennoch brauchen wir Material.
Es ist erstaunlich daß die die so schwer und so gut gekämpft haben nun gelbe Schwertlilien pflücken und im Bach fischen.
Und dann ein Stiefmütterchen.
Ich hatte nicht darum gebeten.
Es duftet.
Ein süßer Duft.
Mit Akazien.

Nenn es Robinie.
Nenn es mich.
Ich schließe mit der Feststellung der französische Soldat ist der Mensch dem wir alle helfen sollten.

Zur größten Freude der hilfreichen Engel stellten sich amerikanische Soldaten in großer Anzahl in Nîmes ein. Gertrude suchte die Landser auf, und bald suchten diese sie auf, begierig, ihr ihre Lebensgeschichten zu erzählen, den letzten Slang aus Kansas oder Wisconsin zu erläutern und sich für wenige Stunden an der Erdmutterwärme zu wärmen, die sie ausstrahlte. Einer dieser neuen Bekannten, W. G. Rogers, sollte später Gertrudes erster Biograph werden. Kurz nach ihrem Tod veröffentlichte er das Buch *When This You See Remember Me.* Rogers, der Sanitäter war, lernte Gertrude und Alice auf einer Urlaubsfahrt nach Nîmes kennen, wo er die römischen Ruinen besichtigen wollte. »Sie quetschten mich nach Noten aus«, schrieb er. »Wo ich geboren sei, wer meine Eltern seien, was mein Vater tue, welches College ich besucht hatte, wer meine Professoren gewesen seien, wieso ich bei der Armee sei, ob dies mein erster Besuch in Frankreich sei, was ich tun wolle, wenn der Krieg zu Ende sei? Sie lösten einander ab wie Polizisten, die einen Gefangenen verhörten, bis sie meine ganze Lebensgeschichte herausgekitzelt hatten.« Dieses Verhör ging ihm keineswegs auf die Nerven, er empfand es sogar ungeheuer wohltuend, spürte er doch, daß sie mehr aus Mitgefühl als aus Neugierde fragten. Als er später Gertrudes Schriften studierte, merkte er, daß sie damals ihrem unersättlichen Bedürfnis nachgegeben hatte, gleichzeitig zu reden und zu lauschen, sowie ihrem angeborenen wissenschaftlichen Forscherdrang, der sie Informationen sammeln ließ, die für ihre spätere Arbeit teils nützlich, teils auch völlig belanglos waren.

Derartige Begegnungen wirkten auf Gertrude belebend. Sie hatte vergessen, wie amerikanisch sie war, und sie liebte es, daran erinnert zu werden. Nachdem sie viele Monate lang nichts geschrieben hatte, nahm sie nun eine Reihe von kurzen Arbeiten in Angriff, deren berühmteste, *Have They Attacked Mary He Giggled*, in der Zeitschrift *Vanity Fair* zum Abdruck gelangte.

Kurz nach der Unterzeichnung des Waffenstillstands wurden Gertrude und Alice von ihrer Organisation nach Paris zurückberufen, von wo man sie sofort in das befreite Elsaß beorderte. Mit einem großen Korb voll Brot, Butter und Brathühnern und in pelzgefütterten Fliegerjacken und Handschuhen machten sie sich auf den Weg nach Straßburg, wo man sie nach Mühlhausen weiterschickte, damit sie von dort aus die zerschossenen Städte und abgebrannten Dörfer während des langen kalten Winters mit Nachschub versorgten. Als schließlich die Zeit »der Orangenblüten und der Störche« wieder da war, konnten sie ihr Depot auflösen (das Hilfswerk für die Flüchtlinge war zu diesem Zeitpunkt von der Regierung übernommen worden) und sich auf den Rückweg nach Paris machen – über Verdun und Mildred Aldrich.

Auf den ersten Blick wirkte die Stadt stolzer und schöner denn je, und Gertrude und Alice verbrachten die Tage in einem Glückstaumel des Wiedersehens mit alten Bekannten und der fröhlichen Gelage mit Freunden aus dem Ausland, die bei den Verbündeten oder in der amerikanischen Armee dienten oder der Friedenskommission angehörten. Die Rue de Fleurus 27 wurde wiederum zum Treffpunkt aller Menschen von Rang und Namen. Sie hatten keinen Dienstboten, und ihre häuslichen Schwierigkeiten wurden durch die Tatsache, daß sie große Geldsummen für die von ihnen betreuten Soldaten und deren Familien ausgegeben hatten, noch erschwert. Beide hatten ihr Bankkonto beträchtlich überzogen. Unbeirrt entschied Alice: »Wir wollen wie die Zigeuner leben, unsere Besuche in den Prachtgewändern der Vorkriegszeit machen und den vielen Freunden, die wir sehen müssen, einen *pot-au-feu* vorsetzen.« Doch schon bald wurden sie sich der schrecklichen Leere bewußt, die der Krieg in dem einzigen Milieu, das sie gekannt hatten, hinterlassen hatte. Alle schienen unruhig, alles schien ungeregelt zu sein. Die alten Zeiten waren für immer vorbei. Verwandte Gertrudes aus Baltimore erschienen zu Besuch, aber sie langweilte sich mit ihnen. Sie hatte sie seit achtzehn Jahren nicht mehr gesehen. »Es hat gewiß keinen Sinn«, meinte sie, »jemanden zu sehen, den man achtzehn Jahre nicht gesehen hat, und ich hoffte, daß es nicht noch einmal vorkommen würde.« Picasso war da, und unter dem Einfluß amerikanischer Filme redete er Gertrude nun mit »Pard« an. Sie ärgerte sich darüber, und sie stritten »über nichts und wieder nichts«. Menschen kamen und gingen, redeten über Bilder und erzählten sich Klatsch, aber die alte Atmosphäre des Hauses, das Gefühl, man befinde sich im Zentrum eines Wirbelsturmes, war verflogen. Kein Willensakt konnte die Erregung wieder heraufbeschwören, die einmal spontan entstanden war und sich aus sich selbst heraus erneuert hatte. Die alten Gesichter fehlten, die neuen hatten nichts zu bieten.

Und als sollte der Untergang jenes Paris, das sie einst gekannt hatten, besiegelt werden, kam die traurige Kunde vom Tod Guillaume Apollinaires und hing düster über den Zusammenkünften der Schriftsteller und Maler der Stadt. Apollinaire, der im Jahre 1916 durch einen Granatsplitter schwere Kopfverletzungen erlitten hatte, befand sich scheinbar bereits auf dem Wege der Besserung und wollte gerade nach Paris zurückkehren und in seiner beühmten Behausung am Boulevard St. Germain ein neues Leben und eine neue Ehe beginnen. Durch spanische Grippe und viele Operationen am Kopf geschwächt, starb er zwei Tage vor dem Waffenstillstand plötzlich in einer Stadt, die mit den Fahnen des Sieges geschmückt war. Gertrude hatte einen alten Kampfgefährten verloren, den geliebten Mentor vieler ihrer ersten Pariser Freunde. Hätte es zwischen ihnen nicht die entscheidende Schranke der Sprache gegeben, wäre er als ein im Kubismus wurzelnder Theoretiker und Schriftsteller ihr Rivale gewesen. Doch seit der ersten Begegnung in Gertrudes Novizenzeit in Montmartre – Apollinaire war damals bereits der vielbeachtete und unbestrittene Führer der Bateau-Lavoir-Clique – brachte sie ihm Zuneigung und Achtung entgegen. Als Organisator und Herold der neugeborenen Kunst des Jahrhunderts war er von weit größerem Einfluß als sie gewesen und ohne Widerspruch zum Schutzheiligen der Literaten geworden. Trotzdem scheint Gertrude ihm diese Stellung niemals geneidet zu haben, sie erkannte seine Bedeutung an und war sich wohl auch darüber im klaren, daß er in der Literaturgeschichte einmal vor ihr rangieren würde. Sie verzieh Apollinaire sogar, daß er sich zum Wortführer der Bewegungen machte, die auf den Kubismus folgten – des Futurismus, der italienischen Abart des Kubismus, und des Dadaismus, der Sackgasse des nihilistischen Ästhetizismus –, die sie beide verabscheute. Wiewohl sein Werk eine ganze Schriftstellergeneration beeinflußte, betonte Gertrude stets, daß sie sich kaum dafür interessierte; was sie beeindruckte, war der sprühende liebenswürdige Mensch.

Nach Apollinaires Tod stellte man in den eingeweihten Kreisen voll Trauer fest, wieviel er für die Kunstwelt bedeutet hatte. Seit Baudelaire hatte es keinen französischen Ästhetiker mehr gegeben, der den neuen Künstlern und den neuen Strömungen aufgeschlossener gegenübergestanden und mehr Interesse daran gezeigt hatte, die Grenzen der literarischen Bezirke weiterzustecken. Maler und Schriftsteller, die unter Apollinaires anmutiger und doch gebieterischer Leitung wie selbstverständlich das erhebende Gefühl der Gemeinsamkeit genossen hatten, fühlten sich plötzlich vereinsamt. Er war nur eines der Opfer eines Krieges, der eine Bruderschaft zersprengt und einer Gesellschaft ein Ende gesetzt hatte, die ein für allemal der Vergangenheit angehörten. »Als im August 1914 die Mobilmachung ausgerufen wurde«, sagte Picasso, »begleitete ich Braque und Derain zum Bahnhof in Avignon. Wir haben einander nie wieder gefunden.« Das undefinierbare, aber pulsierende Zentrum des alten Paris war nicht mehr. Und in dieses weithin spürbare Vakuum waren Gertrude und Alice zurückgekehrt.

Entzweit mit Picasso, örtlich getrennt von Matisse, der sich endgültig in Nizza niedergelassen hatte, in Sorge um den kranken, entmutigten und schweigsamen Juan Gris, fühlte Gertrude sich allein und entwurzelt in einer Stadt, durch die die Fremden zogen. Einzig Mildred Aldrich, die sich jetzt um die Blumen in ihrem Schlachtfeldergarten kümmerte und im Nachglanz ihres Bestseller-Erfolgs sonnte, schien ein Verbindungsglied zu der glücklicheren Vergangenheit zu sein.

Von Leo, der aus Amerika wieder in sein Heim in Settignano zurückgekehrt war, erhielt Gertrude einen ungewöhnlich milden und charakteristisch egozentrischen Brief:

»Liebe Gertrude,
Ich habe dir aus New York vor meiner Abreise einen kurzen Brief geschickt, da ich fand, daß die Feindseligkeit, die vor einigen Jahren zwischen uns entstanden war, sich gelegt hat und daß ich ganz freundschaftliche Gefühle für dich hegte, die eigentlich meine Gefühle vor der Spannung zwischen uns überwogen. Es ist sehr seltsam, aber diese Veränderung vollzog sich etwa im vergangenen Monat. Du kennst ja meine Verdauungsstörungen und die übrigen Beschwerden, unter denen ich litt, es stellte sich schließlich heraus, daß es sich um rein neurotische Symptome handelte, und während meines ganzen Amerika-Aufenthalts oder zumindest immer wieder während dieser langen Zeit versuchte ich, die Neurose zu heilen. Aber es ist verdammt schwer, so etwas zu heilen, und so wie die Dinge lagen und mit den schwankenden Erfolgen bei der

Heilung meiner Verdauungsstörung war ich bis vor kurzem völlig verzweifelt. Dann... beschritt ich einen Weg, der zu einer Besserung führte. Diese brachte schließlich eine Erleichterung und Vereinfachung in meinen Beziehungen zu Dingen und Menschen mit sich und schuf einen Zustand, der es mir ermöglichte, an dich zu schreiben. Die ›Familienromanze‹, wie man sie nennt, steht fast immer im Mittelpunkt einer Neurose, so wie du ja auch Magenbeschwerden bekamst, wenn wir uns stritten. Ich konnte also ziemlich genau feststellen, inwieweit sich eine Besserung vollzog, indem ich beachtete, inwieweit es mir möglich war, so zu schreiben, wie ich es jetzt tue.

Es ist etwas Seltsames, auf das eigene Leben zurückzublicken als auf etwas, mit dem ich nichts anderes zu schaffen habe als für die Folgen geradezustehen, weil es im Grunde eine langwierige Krankheit war, eine Art gelinden Irrsinns, und das tue ich im Augenblick... Bedauerlicherweise waren meine ersten Versuche mit der Psychoanalyse unbefriedigend, auf jeden kleinen Fortschritt folgte ein ebenso großer Rückfall. Wenn das nicht gewesen wäre, hätte ich drüben vielleicht eine erfolgreiche Zeit haben können...«

Im Jahr 1920 tauchten die Dadaisten unter Führung von Tristan Tzara mit großem Getöse in Paris auf, aber Gertrude wollte nichts mit ihm zu tun haben. In den dreißiger Jahren bezeichnete Clifton Fadiman sie als »die Mama des Dada«, aber dieses wenig geistreiche Epitheton sei lediglich seiner völligen Unzutreffendheit wegen vermerkt. Gertrude war in jeder Hinsicht – als Schriftstellerin, als Denkerin und als Persönlichkeit – das ganze Gegenteil der Dadaisten, deren Beharren auf nihilistischer Extravaganz in der Kunst und im persönlichen Benehmen ihrem nachdrücklichen Bestreben um eine neue Art der Wahrnehmung und des Ausdrucks, geschweige denn ihrer Vorliebe für altmodische Annehmlichkeiten des Alltags, vollkommen entgegengesetzt war. Für kurze Zeit befreundete sie sich mit Tzara, ohne jedoch der stimulierenden Wirkung, die seine Kometenlaufbahn angeblich auf andere ausübte, jemals an sich selbst gewahr zu werden.

Es war eine Zeit des Übergangs, die durch den Krieg und seine Nachwirkungen noch verlängert wurde, eine Zeit, in der sich die Amerikanisierung Frankreichs laut Gertrude in »Hygiene, Badewannen und Sport« bemerkbar machte, eine Zeit, in der sie in der Hauptsache mit schriftstellernden Amerikanern und weniger mit malenden Europäern in Verbindung stand. Die große Invasion und vorübergehende Ansiedelungen der Exilamerikaner hatten schon begonnen, und überall hörte man über Kunst, Jazz und Wolkenkratzer, den neuesten Tango aus Argentinien, Technik und Werbeslogans reden. Gertrude stand bereit, all die desillusionierten, idealistischen und begabten jungen Männer und ihre Anhängsel willkommen zu heißen, so wie sie wenige Jahre später mit nicht geringerer Begeisterung zur Stelle war, um sie wieder zu verabschieden.

Ein wichtiges Ereignis in der neuen Ordnung der Dinge war die Etablierung von Shakespeare & Co. in der Rue de l'Odéon durch Sylvia Beach. Diese Buchhandlung belieferte die anspruchsvolleren englischen Intellektuellen und verfügte nicht nur über reizvolle Neuerscheinungen und eine Galerie eindrucksvoller Fotoporträts literarischer Berühmtheiten von Man Ray, sondern auch über ein gemütliches Hinterzimmer mit einem offenen Kamin. Dort wurde inmitten einer Dauerausstellung von Manuskripten Walt Whitmans Tee gereicht. Gertrude befreundete sich sofort mit dem Laden und seiner Besitzerin und trug durch den Erwerb des ersten Jahresabonnements für die Leihbibliothek zu ihrer finanziellen Unterstützung bei. Sylvia Beach, die Tochter eines Geistlichen aus Princeton in New Jersey, hatte während des Krieges einen Sanitätswagen gefahren. Die adrette kleine Frau mit den männlichen Allüren beeindruckte ihre Kunden durch den intelligenten Enthusiasmus, den sie dem schöpferischen Milieu, mit dem sie sich eingelassen hatte, entgegenbrachte. Sylvia Beach war durch Adrienne Monnier, die in der gleichen Straße einen anderen berühmten Laden, La Maison des Amis des Livres, besaß, in die Welt der Buchhändler eingeführt worden. Wie Shakespeare & Co. schenkte auch La Maison der großen Masse der Neuerscheinungen kaum Beachtung und führte ganz bewußt nur das Unkonventionelle und Experimentelle. Zu den vielen berühmten Kunden dieses Ladens gehörten André Gide, Paul Claudel, André Breton und die Führer des Dadaismus, wie auch die Komponisten, die später als *Les Six* berühmt wurden: Darius Milhaud, Georges Auric, Francis Poulenc, Germaine Taillefer, Arthur Honegger und Louis Durey.

Eine der frühesten Veröffentlichungen von Shakespeare & Co. war *Ulysses* von James Joyce. Sylvia Beach vertrieb das geächtete und für so viele Amerikaner reizvolle, weil verbotene Buch und ahnte damals wohl kaum, daß ihre ausgefallene Unternehmung sich zu einem höchst profitablen und literarhistorisch bemerkenswerten Geschäft auswachsen würde. Ihre enge Freundschaft mit Joyce, die schließlich dazu führte, daß sie seine gesamte Korrespondenz betreute und die meisten seiner Manuskripte tippte, konnte sich zunächst auf ihre guten Beziehungen zu Gertrude nicht nachteilig auswirken. Sylvia Beach war es auch, die die beiden Schriftsteller miteinander bekanntmachte. Gertrude und Joyce hatten bereits den Wunsch geäußert, einander kennenzulernen, aber es war bislang noch nie dazu gekommen, obwohl sie bei einer Lesung von Edith Sitwell im selben Raum gesessen hatten. Als sie schließlich beide zu der Party erschienen, die Jo Davidson anläßlich der Fertigstellung seiner Walt-Whitman-Statue veranstaltete, überbrachte Miss Beach Gertrude Joyces Bitte, sich zu ihm zu setzen, da er wegen seiner schlechten Augen behindert sei. Gertrude folgte der Aufforderung und sagte, wie sie in einem späteren Brief an W. G. Rogers schreibt, zu Joyce: »Wir sind uns nie begegnet und er sagte nein obgleich unsere Namen stets gemeinsam genannt werden und dann sprachen wir über Paris und wo wir wohnten und weshalb wir wohnten wo wir wohnten und das war alles...«

Bei anderen Gelegenheiten zeigte Gertrude sich häufig unangenehm berührt, wenn ihr Name mit dem des irischen Meisters in einem Atem genannt wurde, und zwar in der Hauptsache deswegen, weil solche Erwähnungen nicht vorhandene Affinitäten der Anschauung und Methode suggerieren mußten und ihnen beiden abträglich waren. Ihr Wunsch, sich von Joyce zu distanzieren, beruhte nicht nur auf ihrer völlig anderen Art, zu schreiben, sondern auch auf ihrer Überzeugung, daß es die Aufgabe des Schriftstellers sei, an der englischen Sprache festzuhalten. Joyce war ihrer Ansicht nach nicht etwa Versuchungen erlegen, für die sie sehr viel Verständnis gehabt hätte, sondern hatte sich der Fabrikation einer eigenen Sprache schuldig gemacht. Wenn man sie mit modernen Meistern in einem Atem nannte, dann war ihr Proust noch am liebsten. Solange sie jedoch zu ihrem Vergnügen las, zog sie Kriminalromane den Werken der beiden berühmten Kollegen vor.

XVI

> Es war die Zeit einer Art Renaissance in der Kunst und in der Literatur, einer Robin's Egg-Renaissance... Sie hatte vielleicht eine blaßblaue Färbung. Sie fiel aus dem Nest. Vielleicht hätten wir alle in Chicago bleiben sollen.
> *Sherwood Anderson*

»›So wurde sie denn die verlorene Generation...‹ Gertrude Stein machte Hemingway gegenüber die berühmte Bemerkung, und Hemingway benutzte sie als Motto für einen Roman *(Fiesta)*, und der Roman war gut und wurde ein Schlager«, schrieb der amerikanische Kritiker Malcolm Cowley, der mit der Generation aufwuchs, dann eine selbständige Entwicklung einschlug und als Verfasser von *Exile's Return* ihr befugtester und vielleicht mitfühlendster Historiker wurde. »Junge Männer versuchten sich ebenso stur zu betrinken wie der Held, junge Frauen aus guten Familien kultivierten die Nymphomanie der Heldin, und die Bezeichnung wurde zum Begriff. Zunächst gab man damit an wie mit der Erzählung von einem Katzenjammer nach einer Party, zu der der andere nicht eingeladen gewesen war. Später entschuldigte man sich damit, und schließlich erhielt sie einen lächerlichen Beigeschmack. Und doch war sie, solange man sie auf die Schriftsteller anwandte, die um die Jahrhundertwende geboren waren, ein Etikett, das nicht treffender hätte gefunden werden können. Diese Schriftsteller waren vor allem eine Generation und wahrscheinlich die erste wirkliche Schriftstellergeneration in der Geschichte der amerikanischen Literatur. Sie gelangten während einer Epoche heftiger Umwälzungen zur Reife, in einer Zeit, da der Einfluß der Epoche vorübergehend wichtiger zu sein schien als der von Klasse oder Milieu. Nach dem Krieg suchten allerorts Menschen verzweifelt nach einem Wort, das ihre Ansicht ausdrückte, daß die Jugend eine andere Anschauung habe. Jahrelang konnte dieses Wort nicht gefunden werden; doch als Gertrude Stein ihren berühmten Ausspruch tat, hatten die apostrophierten jungen Männer bereits längst die gleichartigen Erfahrungen gemacht und sich die übereinstimmende Haltung angeeignet, auf Grund deren sie eine literarische Generation genannt werden konnten.«

Hemingway bedauerte schon bald den entschuldigenden Beigeschmack, der dem Motto, das er für sein Buch gewählt hatte, so zäh anhaften sollte, und war ständig bemüht, seinen Lesern die überschätzte Bedeutung des Wortes auszureden. Es stimmte, daß die jungen Männer seiner Generation durch das Beben des Militarismus unsanft aus ihren Schaukelstühlen geworfen worden waren, und es war Tatsache, daß die Wellen des Patriotismus und die Rhetorik hochtrabender Schlagworte sie auf die Schlachtfelder geschickt oder gelockt hatten. Im Kreuzfeuer des Krieges, den sie für andere Leute führten, hatten sie ihren christlich-demokratischen Idealismus an seinen eigenen Schlagworten zugrunde gehen sehen, während ihre ganze Generation selbst entrechtet, desillusioniert und bis zum Erbrechen mit einer Bitterkeit gefüttert wurde, die sie jahrelang schmecken, wiederkäuen und ausspucken sollten. Dennoch, meint Hemingway, »will ich verdammt sein, wenn wir verlorengingen, es sei denn, die Toten, die *gueules cassées* und die echten Irren. Verloren, nein. Und Criqui, der eine echte *gueule cassée* war, gewann die Weltmeisterschaft im Fliegengewicht. Wir waren eine sehr solide Generation ...«

Gertrude beanspruchte für die Prägung dieses ungemein dauerhaften Mottos keinen persönlichen Ruhm. Im Gegenteil bezweifelte sie, daß sie diesen Ausspruch überhaupt getan habe. Stammte dieser Ausspruch wirklich von ihr, so mußte er das Resultat einer Unterhaltung gewesen sein, die sie einst mit M. Pernollet, dem Hotelbesitzer in Belley, hatte, wo sie später ihre Sommerresidenz aufschlagen sollte. M. Pernollet war der Überzeugung, daß jeder Mann zwischen achtzehn und fünfundzwanzig zivilisiert wird. Finde der Zivilisierungsprozeß nicht innerhalb dieser Periode statt, so habe der Mann seine Chance verspielt. Und das treffe auf jene zu, die in den Krieg gezogen seien. Weil sie ihre Chance versäumt hatten, waren sie *une génération perdue* geworden.

Heimwehkrank kamen die Jungen und die Verlorenen in die Rue de Fleurus, wo sie sich, wie Van Wyck Brooks es formuliert hat, an den »reifen gertrudischen Busen flüchten wollten, der dem ihrer weit entfernten Präriemütter sehr ähnlich, aber auch von höchst wohltuender Intellektualität war. Miss Stein gab ihnen ihre Kinderlieder wieder, und sie hatten mit ihr herrliche Plapperstunden.« Und schlimmer noch, so fand Brooks, sie bot »Knaben, die Rindfleisch und Kartoffeln kaum kannten, eine Nachtigallenzungen-Diät«. Sie kamen in Scharen – frischgebackene Absolventen aus den Colleges der östlichen Atlantikküste, mißverstandene Kinder aus kleinen verpesteten Städten im tiefen Süden, Zyniker in Cordsamt aus den Öden des riesigen Mittelwestens, wo die Kultur aus Caruso auf dem Plattenteller und Millais' *Hoffnung* bestand, die über einem imitierten Kamin die Harfe quälte. Greenwich Village war nur Durchgangsstation auf ihrer unvermeidlichen Pilgerfahrt nach der »Lichterstadt« und den gewundenen Straßen ihres linken Ufers. Nachdem die Schiffe der »French Line« sie über den Atlantik gebracht und sie im American Express ihre Ausgangsstellung bezogen hatten, waren sie wie Kinder, die man auf einen Riesenbazar losgelassen hat. »Jedermann war in Paris«, schrieb Margaret Anderson in ihrem Buch *My Thirty Year's War*, einem der vielen Berichte vom knappen Entkommen aus dem Mittelstand und dem Mittelwesten, die damals ebenso alltäglich waren wie die Geschichten von Flucht und Entkommen aus Hitlers Deutschland oder Stalins Rußland in den nachfolgenden Jahrzehnten:

»Das Schwedische Ballett gab jede Nacht Galavorstellungen im Théatre des Champs Elysées. Jean Cocteaus *Les Mariés de la Tour Eiffel* wurde uraufgeführt, die Kostüme stammten von Jean Victor Hugo. Gruppen aufrührerischer Künstler erflehten zischend, jaulend und auf Schlüsseln pfeifend einen Skandal herbei. Cocteau erschien mit seiner hohen Haartolle, seinen einzigartigen Händen und seinen wollenen Pulswärmern. Nach einem Ballett zeigten sich Satie und Picabia in einem Automobil auf der Bühne, um den Applaus entgegenzunehmen... Strawinskij brachte seine *Noces* mit dem Russischen Ballett heraus; Milhaud, Auric, Poulenc und Marcelle Meyer spielten die vier Konzertflügel... Das Russische Ballett hatte einen neuen Vorhang von Picasso – zwei laufende Frauen in hundertfacher Lebensgröße. Picasso saß in Diaghilevs Loge, entschlossen, sich ohne Frack zu zeigen. Braque drohte damit, eine Vorstellung zu schmeißen – man hatte an seinen Dekorationen herumgepfuscht... Satie war in Tränen aufgelöst, weil sein Ballett weniger Applaus erhielt als die der anderen. James Joyce war in allen Symphoniekonzerten zu sehen – wie schlecht sie auch sein mochten. Juan Gris fertigte wundervolle Puppen an, Gertrude Stein kaufte André Masson. Man Ray fotografierte Nadel und Kämme, Siebe und Schuhleisten. Fernand Léger begann mit seinem kubistischen Film, dem Ballett Mécanique mit Musik von George Antheil. Das Boeuf-sur-le-Toit... hatte einen Negersaxophonisten, und Milhaud und Jean Wiéner begannen mit ihrer

Anbetung des amerikanischen Jazz. Der Comte de Beaumont brachte seine Soirées des Paris mit Cocteaus *Roméo et Juliette* mit Yvonne George. Die Dadaisten gaben Vorstellungen im Théâtre Michel, wo der Tumult so groß war, daß André Breton Tzaras Arm brach. Ezra Pound verarbeitete Villons Gedichte zu einer Oper, die er im alten Salle Pleyel singen ließ...«

Unter dem Getöse einer überlauten musikalischen Begleitung hatten die brausenden zwanziger Jahre eingesetzt. Die eingeschworenen Exilamerikaner und die sensationshungrigen Touristen, die die Erregungen von Paris in die Mainstreet mit zurücknehmen wollten, hatten in der Rue de Fleurus 27 eine Figur entdeckt, die hinsichtlich Statur, Temperament und Weisheit sowohl Paris wie Peoria übertraf. »Es ist höchst amüsant«, schrieb Professor Carlos Baker in seinem Buch *Hemingway: The Writer as Artist*, »sich vorzustellen, daß Pallas Athene inmitten der Statuen eines ihrer Tempel wie Gertrude Stein inmitten der Picassos sitzt... und den aus der Schlacht um Troja in die Heimat zurückkehrenden Achäern zumurmelt: ›Ihr seid alle eine verlorene Generation.‹«Ehe Gertrude Stein die Mutter all der traurigen jungen Männer geworden war, hatte sie das wesentliche Erlebnis ihres ersten Besuchs von Sherwood Anderson. Obgleich Anderson heute der verlorenen Generation zugerechnet wird, gehört er auf Grund seiner fortgeschrittenen Jahre und seiner künstlerischen Reife eigentlich nicht dazu. Er mag das unbestimmte Verlustgefühl, das die Emotionen der meisten von ihnen mitbestimmte, auch empfunden haben, aber bei ihm schien das Gefühl der Trennung und Entwurzelung sich bereits in ein positives Freiheitsgefühl und in die mehr unbewußte Erkenntnis umgeformt zu haben, daß zumindest sein eigenes Leben ein Ziel hatte. Er hatte sich seit langem von den Einflüssen Ohios freigemacht und sich in die eigenständige Boheme in Cleveland, Chicago und New Orleans eingewöhnt. Er hatte lange gebraucht, um sein Talent zu erkennen, dann aber die nötige Sicherheit gewonnen, die ihm erlaubte, die Bewegung der Exilamerikaner mehr zu begönnern als an ihr teilzunehmen. Wie fast alle, die nach Paris kamen, begab auch er sich in Sylvia Beachs Laden, äußerte den Wunsch, Gertrude kennenzulernen und wurde schon bald in die Rue de Fleurus gebracht.

Bei seinem ersten Besuch in Begleitung von Miss Beach, seiner Frau und des amerikanischen Kritikers Paul Rosenfeld zeigte er »eine gewinnende Brüskheit, einen beißenden Witz und ein großes

Herz«, eine Vereinigung von Tugenden, die Alice Toklas unwiderstehlich fand. Andersons erster Eindruck von Gertrude war nicht weniger positiv. »Man stelle sich eine kräftige Frau mit Beinen wie Steinsäulen vor, die in einem Zimmer sitzt, dessen Wände mit Picassos bedeckt sind«, schrieb er in sein Notizbuch. »Diese Frau ist geradezu ein Symbol der Gesundheit und Kraft. Sie lacht. Sie raucht Zigaretten. Sie erzählt Geschichten mit der amerikanischen Begabung für Pointen und Schmiß.« Obwohl sich in der herzlichen Atmosphäre ihres Salons niemand ausgeschlossen fühlen konnte, gehörte jener Nachmittag Gertrude und Anderson. Nach langen Jahren des Unbeachtetseins, in denen ihre Manuskripte nicht zu Verlegern, sondern auf die Bretter der dicken *armoire* auf dem Vorplatz wanderten, war Gertrude, die auch jetzt kaum auf Veröffentlichung oder weltweite Anerkennung hoffen durfte, pessimistisch und ziemlich bitter geworden. Als Anderson ihr in schlichten Worten sagte, was er von ihrem Werk hielt und was es für seine eigene Entwicklung bedeutet hatte, nahm sie das als eine Liebeserklärung auf. »Ich glaube Sie sind sich nicht ganz bewußt was es bedeutet«, schrieb sie an ihn, »jemanden zu haben und Sie waren der einzige der ganz schlicht begriff um was es geht ganz schlicht begriff wie man eigentlich annehmen sollte daß alle es begreifen würden und der es mir so reizend und unumwunden gesagt hat.« Vom ersten Brief an liest sich die Korrespondenz der beiden wie ein Bündel Liebesbriefe. »Gott, wie ich Sie liebe«, schrieb Anderson. Gertrude antwortete: »Ich kann Ihnen nicht sagen wieviel Sie mir stets bedeuten werden.« Und in dieser Tonart geht es jahrelang hin und her. »Wissen Sie Sherwood eines Tages müssen Sie einen Roman schreiben der ein einziges Porträt ist. Sie sind ein exquisiter Porträtist. Bitte schreiben Sie eines Tages einen Roman der nur ein Porträt ist ohne daß irgendwelche Gefühle eines anderen darin vorkommen.« Auf einen Artikel hin, der eine Arbeit ihrer Feder rühmt, schrieb sie: »Ihr Artikel gefällt mir sehr, mir gefällt die Tatsache, daß Sie die Dinge so sehen können und sehen wo sie sind, und wo Sie sind, mein Lieber, das können nur Sie.«

Im Verlauf ihres späteren Lebens trafen die beiden nur gelegentlich zusammen. Dennoch blieb eine Vertraulichkeit, die ganz offenbar auf der beglückenden Erkenntnis ihrer sehr besonderen amerikanischen Temperamente und Persönlichkeiten und dem kämpferischen Gefühl, die Tradition über den Haufen gerannt zu haben, gründete. Wie Gertrude, so hatte auch Anderson seine besten Momente, wenn er sich nach Kräften darum bemühte, in neue Bereiche des Ausdrucks vorzudringen, selbst wenn ihm vor dem gesetzten Ziel die Luft ausging. Beide hatten die unverbesserliche Neigung, aus ihrem schöpferischen Ringen eine Romanze zu machen, und das verführte sie häufig dazu, über die Hochbewertung der Absichten die Bewertung der tatsächlichen Ergebnise zu übersehen. Auf verschiedene Weise bemühten sie sich, der Umgangssprache einen Gefühlsausdruck oder eine Bildhaftigkeit abzuringen, die schließlich den Anforderungen der sprachlichen Mitteilung nicht mehr gewachsen war. Anderson legte dabei eine Leidenschaft an den Tag, sich ganz und gar auf Beobachtungen zu konzentrieren, die er unverzüglich in Worte zu fassen versuchte. Gertrude Stein hingegen neigte dazu, der Beobachtung alles Leidenschaftliche zu nehmen, um dann den Bodensatz ihrer Erkenntnisse in ein Wortkunstwerk umzuformen. Die repräsentativsten Werke dieser beiden Autoren zeigen nicht die geringste Ähnlichkeit und sind doch Produkte einer gemeinsamen Bemühung, in die Literatur etwas einzuführen, was jenseits der literarischen Mittel steht. Anderson wollte den Worten das messianische Amt der Verkündigung in eine etwas verschwommene Religion der Menschlichkeit übertragen, Gertrude Stein wollte mit Worten ausdrücken, was nur die Malerei oder der Film ausdrücken kann. Doch beide Bemühungen bezeugen jenes Genie, das sich nicht mit den Befriedigungen eines bloßen Talents begnügt.

Im Jahr 1934 tat Anderson in aller Ausführlichkeit kund, inwieweit er Gertrude als Schriftsteller verpflichtet sei. Professor B. F. Skinner hatte in einem Artikel im *Atlantic Monthly* die Behauptung aufgestellt, daß Gertrude Steins Methoden nicht nur durch ihre frühen wissenschaftlichen Experimente in Harvard beeinflußt seien, sondern daß vieles in ihrem Werk von dem automatischen Schreiben, das jene Experimente hatten ergründen sollen, nicht zu unterscheiden sei. Professor Skinner deutet damit an, daß sie durch Zufall auf etwas Brauchbares gestoßen sei und ihren Fund später so ausgeschlachtet habe, daß er ihr Weltruhm eintrug. Um diese Anschuldigungen zu entkräftigen, schrieb Anderson für *The American Spectator* einen Artikel, in dem er anhand der Beziehung zwischen den bewußten und den unbewußten Aspekten des Schreibens darlegte, daß das automatische Schreiben eine ästhetische Unmöglichkeit sei. Er pries Gertrude Stein als eine »Pfadfinderin«, die es »gewagt hatte, auf die Gefahr hin, sich lächerlich zu machen und mißverstanden zu werden, in uns allen, die wir schreiben, ein neues Wortgefühl zu erwecken«. In einem Brief an seine Schwiegertochter, Mary Chryst Anderson, führt er diesen Gedankengang noch weiter:

»Ich habe es immer für durchaus möglich gehalten, daß man sich angewöhnen könne, Worte mit der Hand oder mit dem Arm so automatisch niederzuschreiben, daß etwas in unserem Innern frei wird. Das kann man gewiß nicht automatisches Schreiben nennen, und doch glaube ich, daß alles Schöne und Klare, alles Volltönende und Strahlende in meinen Schriften von einer Art zweiten Ichs geschrieben wurde, das in solchen Augenblicken von mir Besitz ergriff.

In jenem Artikel kommt der Autor darauf zu sprechen, daß Miss Stein nicht weiß, was sie schreibt. Ich weiß es auch nicht, aber während sie jegliches zweite Selbst abstreitet, schreibe ich alles dem zweiten Selbst zu. Du siehst also, was das für Vorteile hat. Der Dichter entkam auf diese Weise der lästigen Aufgabe, vor der Welt als Dichter aufzutreten.

Und da ist noch etwas anderes; der Dichter lebt nur als Schreibender. Er hat kein anders Leben, und ich kann ehrlich sagen, daß die Person, die meine Freunde, meine eigene Familie etc. kennen, nichts oder zumindest nur sehr wenig mit der zweiten Person zu schaffen hat, dem Schreibenden als Person.

Ich glaube, das bringt mich zu dem, was die Stein für mich getan hat. Das Geschwätz über sie amüsiert mich immer. Es geht stets am Wesentlichen vorbei. Nimm einmal an, sie habe mir beigebracht, dieses zweite Ich in mir zu erkennen, den dichtenden Menschen, damit ich diesen hin und wieder befreien kann.

Und daß ich ihm nicht die Schuld an dem ängstlichen Menschen gebe, an mir, wie mich die anderen kennen.

Du siehst also, was für ein großer Gewinn das für mich ist, und weshalb ich die Stein für ein Genie halte.

Ich glaube, der Mann in dem Artikel hat das auch nicht erkannt.«

Nachdem Anderson nach Amerika zurückgekehrt war, erschien als einer der ersten der jungen Männer, die zur Rue de Fleurus pilgern sollten, der rothaarige Robert Coates, ein Romancier, der später der Kunstkritiker des *New Yorker* wurde. Gertrude und Alice schätzten ihn als Menschen und als Schriftsteller, und Coates erwiderte ihre Zuneigung, indem er im Verlauf einer langen

Freundschaft Gertrudes Werk rühmte. Nicht nur, daß er ihr unentwegt seine Gefühle ausdrückte, er veröffentlichte seine Anerkennung auch dort, wo es zur Mehrung ihres Ruhms strategisch wichtig war. Ihm folgte Ezra Pound, den Gertrude und Alice weder als Menschen noch als Dichter schätzten. Pound interessierte sich damals besonders für japanische Holzschnitte, Wirtschaftspolitik und orientalische Musik. Gertrude teilte keine dieser Interessen und fand auch sonst wenig Anziehendes an seiner Person, seinem Wesen oder seinem Denken. Pound, ein kräftiger, nervöser, schüchterner Mann mit roten Haaren, einer hohen Stimme und einem Lachen, das wie das Triumphgeschrei eines Esels geklungen haben soll, wirkte auf viele Leute, als sei er fortwährend in Bewegung. »Sein Bart, sein offener Kragen, sein Ohrring, der schiefe Tisch, den er sich selbst gezimmert hatte, die Jacken, die er trug, sein aggressiver Manierismus«, schrieb der Kritiker Herbert Gorman, »verkündeten der Welt in der aufreizendsten Weise, daß er unentwegt damit beschäftigt sei, die Philister zu strafen oder ihnen eine Nase zu drehen.« Zu Gertrudes Einwänden gegen den Mann Pound gehörte sein Benehmen Frauen gegenüber; ohne jede Vorwarnung oder ohne jede Berechtigung küßte er weibliche Wesen auf die Stirn oder zog sie auf seine Knie und kümmerte sich nicht im geringsten darum, ob ihnen diese Entgleisungen behagten. Dennoch war Gertrude zunächst »in gewisser Weise« von Ezra beeindruckt, aber schon bald fand sie ihn »nicht amüsant«. Sie hielt ihn für einen »Dorf-Aufklärer« (eine Bezeichnung, mit der sie einmal ihren Bruder charakterisiert hatte), was besagen sollte, daß sein Gerede »für ein Dorf vorzüglich sei, sonst aber nicht«. Ganz besonders verargte sie ihm seine Versuche, ihr die Bedeutung der an ihren Wänden hängenden Bilder zu »erläutern«. Da sie beide als Entdecker und Mäzene neuer Talente weit und breit berühmt waren, mag es für den Frieden im Reich der Literatur ein glücklicher Zufall gewesen sein, daß sie sich niemals um denselben Schützling zanken mußten. Gaudier-Brzeska, Pounds hochbegabter junger Bildhauerfreund, war im Krieg gefallen, und George Antheil, der junge Komponist, für den er sich später begeisterte, war noch nicht in Paris eingetroffen. Selbst wenn Gertrude Ezra Pounds Mangel an persönlichem Charme hätte übersehen können, hätte das Air von Rivalität, das er ausstrahlte, ihn ihr vom Leibe gehalten. Jede Art von Konkurrenz war ihr zuwider, und sie war stets auf der Hut, nicht in irgendwelche Rivalitäten verstrickt zu werden. Pound kränkte die betont kühle Behandlung, die sie ihm zuteil werden ließ, aber sie beharrte fest auf ihrer Weigerung, ihn in ihrem Salon zu empfangen. Aus Rache nannte Ezra Gertrude einen Schmarotzer am Leib der Literatur und ließ sich keine Gelegenheit entgehen, ihr am Zeug zu flicken.

Für die Jungen im kreisenden Wirbel des Jazz-Zeitalters war Gertrudes Name unlösbar mit Rebellion verknüpft. Daß dieselben jungen Männer ihr Werk entweder nicht lesen konnten oder nicht lesen wollten, spielte keine Rolle. Die Epoche der Revolte brauchte nun einmal Gestalten und Symbole, und so wurde Gertrude Stein zu einem der Heroen dieser Epoche. Wie die klagenden Töne von Gershwins *Rhapsody* »durch das gotische Dämmern von Oxford rieselten«, so auch der Geist und die Melodie, wenn auch nicht die Buchstaben von *Tender Buttons*. Gershwins »totale Rhapsody«, schrieb der englische Romancier Harold Acton, »die nie wieder so elegant aufgeführt worden ist wie in den Tagen ihrer jungfräulichen Frische, übte einen dem zwanzigsten Jahrhundert eignen Zauber aus, der fächerförmig in die eigenwilligen Schöpfungen von Picasso, Mr. Prufrock und Gertrude Stein mündete«.

Es war unvermeidlich, daß der Autor, der mit dem Jazz-Zeitalter am engsten identifiziert wird, F. Scott Fitzgerald, eines Tages ebenfalls zu dem magischen Kreis um Gertrude gehören mußte. Vom Augenblick der ersten Begegnung an hatte er tiefstes Zutrauen und große Zuneigung zu ihr gefaßt. In Gertrudes Augen war Fitzgerald »der erste der verlorenen Generation ... der einzige der bereits sein Talent bewiesen hatte, als diese Generation über Paris hereinbrach«.

Sie glaubte, daß er »für die Öffentlichkeit die neue Generation ins Leben rief«, indem er zunächst ihr Repräsentant und dann ihr Symbol wurde. Fitzgerald war von Gertrude beeindruckt, sie amüsierte ihn aber auch. Er schilderte ihr Aussehen als das des »Great Stone Face«, und einmal bemerkte er einem Freund gegenüber: »Was ist sie doch für ein alter Planwagen!« Alice Toklas meint, er sei damals »distinguiert, hochintelligent und außerordentlich zutraulich« gewesen. Bei einem späteren Besuch, den er beiden Damen an seinem dreißigsten Geburtstag abstattete, sagte er, es sei unerträglich, sich mit der Tatsache abzufinden, daß seine goldene Jugend nun vorüber sei. Als Gertrude mit Nachdruck erklärte, er habe schließlich schon seit vielen Jahren wie ein Mann von Dreißig geschrieben, dankte er ihr dafür, daß sie ihm das gesagt habe, was er gerne glauben wolle. Sie hatte *This Side of Paradise* mit warmen Worten gelobt, und als *The Great Gatsby* erschien, sagte sie ihm, ihrer Meinung nach sei ihm ein eben so vollkommenes Zeitbild gelungen wie Thackeray in *Pendennis* und *Vanity Fair*. Auf dieses Lob reagierte Fitzgerald, indem er ihr einen Tribut zollte, wie ihn ihr kein anderer Schriftsteller ihrer »verlorenen Generation« mehr entgegengebracht hat. »Ich brenne darauf, *The Making of Americans* zu bekommen und etwas daraus zu lernen und Dinge daraus zu übernehmen, was ich zweifellos tun werde... Sehen Sie, ich begnüge mich damit, Sie und die paar anderen, die wie Sie hochempfindsam sind, für mich und meinesgleichen künstlerisch denken oder nicht denken zu lassen, so wie der Mensch von 1901 beispielsweise Nietzsche für sich denken lassen würde. Im Vergleich zu erstrangigen Menschen bin ich ein sehr zweitrangiger Mensch – ich bin heftig und habe auch sonst die meisten anderen Kardinalfehler – und der Gedanke, daß eine Schriftstellerin wie Sie meinem unoriginellen *The Side of Paradise* solche Bedeutung beimißt, macht mich zittern. Ich finde, Sie ordnen mich falsch ein. Wie Gatsby kann ich nur hoffen.« Diese Hoffnung sollte Fitzgerald auch durch sein ganzes kurzes Leben begleiten. In seinen Notizen zu *The Last Tycoon*, dem Roman, den sein Tod unvollendet ließ, schreibt er: »Ich möchte Szenen schreiben, die erschrekkend und unvergleichlich sind. Ich möchte für meine Zeitgenossen nicht so verständlich sein wie Ernest, von dem Gertrude behauptet, er würde sicherlich in den Museen enden. Ich bin überzeugt, daß ich weit genug voraus bin, um ein klein wenig Unsterblichkeit zu bekommen, wenn ich mich gut halten kann.«

Alfred Kreymborg, der amerikanische Dichter, kam auf der Durchreise nach Rom, wo er mit seinem Freund aus Princeton, Harold A. Loeb, die Zeitschrift *Broom* gründen und herausgeben wollte, in die Rue de Fleurus und erzählte von seinem neuen Unternehmen, das vermutlich mit allem aufräumen würde. Gertrude kostete diesen Besuch bis zur Neige aus. »Sie zog eine Reihe von wuchtigen Schubladen in einer Kommode heraus«, entsinnt sich Kreymborg, »um einen Stoß gewaltiger Manuskripte ans Tageslicht zu fördern, an denen sie jahrelang gearbeitet hat, von denen nicht eines jemals in Buchform erschienen ist und nur kleine Auszüge von Zeitschriften angenommen wurden.« Diese Mitteilung und der Anblick der von niemandem gewünschten Manuskripte überwältigte Kreymborg, und er nahm zwei der gebundenen Wälzer, darunter *A Long Gay Book,* mit, um sie seinem Mitherausgeber zur Begutachtung zu bringen. Loeb ließ sich für dieses Werk nicht begeistern, erklärte sich aber schließlich damit einverstanden, eine kleine Erzählung von Gertrude, *If You Had Three Husbands,* zu veröffentlichen, und zwar »in kurzer Fortsetzungsdosierung«.

Kate Buss aus Medford in Massachusetts, eine Dame, die einem Haus voll bejahrter Invaliden und der Düsternis der neuenglischen Winter entflohen war, führte ein Bostoner Kontingent in der Rue de Fleurus ein und wurde selber dort Stammgast. Obgleich ihr Gertrudes Werk ziemlich schleierhaft war und sie einen beunruhigenden Verdacht hinsichtlich seines Wertes hegte, hielt Miss Buss doch jahrelang die Leser der trockenen Seiten des *Boston Evening Transcript* mit dem Namen Stein in Verbindung. Obwohl ihre persönliche Zuneigung zu Gertrude ihr nicht zum Verständnis ihres Werkes verhelfen konnte, gehörte sie doch zu den wenigen Menschen, denen es gelang, Gertrude direkte Fragen über ihre Absichten zu stellen, ohne sich eines Treubruchs verdächtig zu machen. In Kate Buss' Begleitung erschien auch die herbe Schönheit Djuna Barnes, die später den bemerkenswerten Roman *Nightwood* schreiben sollte. Gertrude las dieses Buch nicht. Hätte sie es getan, so hätte sie feststellen können, daß es gewisse ihrer Theorien auf einem Niveau und mit einer Eindringlichkeit veranschaulichte, die sicherlich ihren Neid erweckt hätten. Als Theoretikerin hatte sie vielerlei Ideen, die in schöpferischen Leistungen anderer weit besser zum Ausdruck kamen, als es ihr selber gelungen ist. Aber die Insularität, die sie allen ihren Zeitgenossen gegenüber mit Ausnahme der ganz Jungen kultivierte, ließ sie nicht über ihre eigene Nasenspitze hinaussehen. Die Kurzsichtigkeit bezüglich einiger der bedeutendsten literarischen Hervorbringungen eines Zeitalters, das sie als das ihre betrachtete, war nur eine der Folgen ihrer übermäßigen Egozentrik.

Ein weiterer Besucher, der von den manchmal recht herrscherischen Gastgeberinnen der Rue de Fleurus weniger beachtet wurde, als ihm seinem Rang nach gebührt hätte, war Glenway Wescott, der gefeierte junge Romancier, der, eingehüllt in die Staubwolken von Wisconsin und den byronischen Mantel, für den er an der Universität von Chicago berühmt war, hereingeschneit kam. Gertrude meinte, Wescott habe zwar in seiner Persönlichkeit »einen gewissen Sirup«, jedoch »er fließt leider nicht«. (Jahre später sollte diese Äußerung eine Retourkutsche finden, als Malcolm Cowley, ebenfalls einen kulinarischen Vergleich gebrauchend, bemerkte, Gertrude habe »einen gewissen Pfeffer, aber leider läßt er sich nicht streuen«.)

T. S. Eliot hatte sich in diesen Jahren einen festen, wenn auch begrenzten Ruf erworben, aber als Figur war er bereits klar genug umrissen, um den großen Strahlungskreis seines späteren Einflusses erkennen zu lassen. In der Rue de Fleurus war sein Name zum erstenmal von Ezra Pound erwähnt worden. Eine gemeinsame Freundin Gertrudes und Eliots, Lady Rothermere, die die von dem Dichter herausgegebene Zeitschrift *The Criterion* finanzierte, arrangierte es, daß Miss Stein und Mr. Eliot eines Abends einander kennenlernen sollten. Gertrude bekundete kein allzu großes Interesse an dieser Begegnung, aber Alice und andere sagten ihr, Eliot sei der einzige junge Mann, den sie unbedingt kennenlernen müsse. Alice machte gerade die letzten Stiche an dem neuen Abendkleid, das Gertrude bei dieser Gelegenheit tragen sollte, als unerwartet Lady Rothermere und Eliot in Begleitung von Jane Heap, der Herausgeberin von *The Little Review*, bei ihnen eintrafen. Alice erinnert sich an Eliot als an »einen ernsten, beinah feierlichen, nicht ganz so jungen Mann, der sich weigerte, seinen Regenschirm abzulegen, und dessen Griff umklammerte, während seine Augen in einem ausdruckslosen Gesicht brannten«. Mit Gertrude führte er ein nüchternes Gespräch über gespaltene Infinitive und andere grammatikalische Verstöße und ihr Talent, diese in ihr Werk einzubauen. Eliot meinte, er würde sich sehr freuen, wenn sie ihm etwas zur Veröffentlichung in einer der ersten Nummern des *Criterion* überließe. Aber, darauf bestand er, es dürfe nur ihre allerneueste Arbeit sein. Kaum war er mit seinen Begleiterinnen wieder abgezogen, setzte sie sich an den Schreibtisch und schrieb ein Porträt von Eliot, das sie, da sein Besuch am 15. November stattgefunden hatte, *The Fifteenth of November* betitelte. Eliot nahm es an, die Veröffentlichung verzögerte sich jedoch um fast zwei Jahre.

Das Eliot-Porträt war nur eines von einer Reihe ähnlicher Arbeiten, die in einer nun vertrauten Methode geschrieben waren. Da es jedoch in einer Zeitschrift von so hohem Rang wie *The Criterion* erschien und da der Dargestellte ein so angesehener Mann war, trug es zur Festigung von Gertrudes rapide zunehmendem Ruf als Zerstörerin der Tradition und als eine Bedrohung für die Akademien bei. Die seismographische Feder von Henry Seidel Canby registrierte Beben, die anfingen, die Welt der althergebrachten Literatur zu erschüttern, eine Welt, in deren Zentrum wie ein efeubewachsener Kreml die Harvard-Universität stand. »Wenn das Literatur ist«, schrieb Canby, »oder überhaupt irgend etwas anderes als Torheit von schlimmerer Form als Wahnsinn, dann war jede Kritik seit Anbeginn der Literatur nur leere Theorie. Ist es aber Literatur, dann wehe der Literatur! Dem Himmel sei Dank, daß es immer noch Professor Lowes und die Männer von Harvard gibt, die die Tradition wahren und den Geschmack lenken und es verhindern, daß die Exzentrizität in der Welt Fuß fassen kann. Erhebt man das Groteske und das Absurde auf eine gleiche Stufe mit dem Seriösen, so erweist man der Literatur einen schlechten Dienst. Mehr noch, es ist eine Beleidigung für die Intelligenz und eine Verfluchung der Kritik.«

Gertrude äußerte ihr Wohlgefallen, als sie einige Zeit später erfuhr, Eliot habe bei einer Vorlesung in Cambridge gesagt, ihr Werk sei »sehr gut, aber nicht für uns«. Was Eliot wirklich sagte, war: »Es gibt einem nichts, es ist nicht amüsant, es ist nicht interessant, es ist nicht gut für den Verstand. Aber seine Rhythmen haben eine eigenartig hypnotische Macht, wie wir sie bis jetzt nicht kannten. Es ist dem Saxophon verwandt. Wenn das die Zukunft ist, dann gehört diese Zukunft, was sehr wahrscheinlich der Fall sein wird, den Barbaren. Das aber ist die Zukunft, für die wir uns nicht interessieren sollten.« Eliot beklagte zwar ihren Einfluß, gestand ihr aber dennoch die Wirksamkeit einiger ihrer Methoden zu und ließ sie in einem Brief wissen, daß er an allem, was sie schreibe, »ungeheuer interessiert« sei.

In dieser Ära der großen Persönlichkeiten, als ein neuerstandenes Paris zum Schmelztiegel für Experimente auf allen künstlerischen Gebieten und zum Symbol der Freiheit für Künstler jeder Art wurde, fuhr Gertrude fort, in abgeklärter Heiterkeit und tiefster Selbstüberzeugung zu schreiben. Sie schrieb jeden Tag und unter jeder Bedingung, die ihr die Haushaltsroutine auferlegte, die sie und Alice mit peinlicher Genauigkeit einhielten. Im Gegensatz zu den langen ununterbrochenen nächtlichen Sitzungen der früheren Jahre hatte sie nun gelernt, in konzentrierten Zeitabschnitten zu schreiben – manchmal dauerte das Minuten, manchmal Stunden. Sie hatte sogar gelernt, beim Modellsitzen zu schreiben, und während einer Reihe von Sitzungen für den Bildhauer Lipschitz hatte sie stets den Bleistift in der Hand. Aber den größten Teil ihrer schriftstellerischen Arbeit verrichtete sie auf dem hohen Vordersitz von *Godiva,* dem Ford, der vor kurzem das vom Krieg zerzauste *Tantchen* ersetzt hatte, während sie darauf wartete, daß Alice ihre tägliche Runde bei den Kolonialwarenhändlern und in den Metzgerläden beendete. Sie entdeckte, daß die Straßengeräusche und der Rhythmus des Verkehrs kontrapunktisch und beflügelnd auf den schöpferischen Vorgang wirkten. Sie entwickelte eine Methode, bei der sie sich einen Satz als eine Art Stimmgabel oder Metronom bildete, um dann zu dessen Tempo und Melodie zu schreiben. Zu den auf diese Weise entstandenen Werken gehören *Mildred's Thoughts,* das Gertrude für das charakteristischste Werk der frühen Nachkriegszeit hielt, und *Birthplace of Bonnes* sowie *Moral Tales 1920–1921.*

Als sie wieder ein vollendetes Manuskript in der Hand und keinerlei Aussichten für seine Veröffentlichung durch einen Verleger hatte, mußte sie, wie schon früher, in die eigene Tasche greifen, um ihre Ware auf den Markt zu bringen.

Auf Anraten eines Freundes traf sie Vereinbarungen mit der Four Seas Company in Boston wegen der Veröffentlichung von *Geography and Plays.* Dieses obskure Verlagshaus hatte sich wenige Jahre zuvor ausschließlich der Veröffentlichung von Werken gewidmet wie *School Ethics* von Eleanor Marchbanks, *Running and Training,* das den Trainer der Sprinter von Harvard zum Verfasser hatte, und *Manna for the Months* von Helen Elizabeth Jeffers, »eine Sammlung von originellen Gedanken zur geistigen, physischen und religiösen Weiterentwicklung«. Plötzlich hatte sich die Four Seas Company der Literatur zugewandt. Bücher eigenwilliger neuer Schriftsteller wie Conrad Aiken, John Gould Fletcher und William Carlos Williams standen jetzt auf den Verlagslisten, und Gertrudes Freundin Kate Buss hatte mit der Firma über eine Veröffentlichung ihrer *Studies in the Chinese Drama* abgeschlossen.

In der Hoffnung, dadurch die Aufmerksamkeit Amerikas auf sich zu lenken, bat Gertrude Sherwood Anderson um eine Einleitung zu ihrem Buch und versicherte ihm abermals, daß seine Reaktion auf ihr Werk einzigartig sei und wie unvermindert sie seine Meinung schätze. Anderson antwortete, er könne sich keine schönere literarische Aufgabe denken, und nach kurzer Zeit lag ein Essay vor, der die folgenden Abschnitte enthält:

»An einem Winterabend vor vielen Jahren kam mein Bruder in meine Wohnung in der Stadt Chicago und brachte ein Buch von Gertrude Stein mit. Dieses Buch hieß *Tender Buttons,* und damals wurde in den amerikanischen Zeitungen viel Aufhebens davon gemacht. Ich hatte bereits ein Buch von Miss Stein gelesen, das *Three Lives* hieß, und ich fand, daß es mit die beste Prosa enthielt, die jemals von einem Amerikaner geschrieben wurde. Ich war neugierig auf dieses neue Buch.

Mein Bruder war am Abend zuvor auf irgendeiner Versammlung von Literaten gewesen, und jemand hatte aus Miss Steins neuem Buch vorgelesen. Die Party wurde ein voller Erfolg. Nach wenigen Zeilen brach der Vorlesende ab, und lautes Gelächter erscholl. Man war allgemein der Ansicht, daß die Autorin etwas getan habe, was wir Amerikaner ›putting something across‹ nennen – das heißt, daß es ihr durch seltsame Narrenpossen gelungen war, die Aufmerksamkeit auf sich zu lenken, ihren Namen in die Presse zu bringen und in unserer schnellebigen sorgenvollen Zeit vorübergehend eine bekannte Erscheinung zu werden.

Es stellte sich heraus, daß meinen Bruder diese Erklärung von Miss Steins damals in Amerika erhältlichen Büchern nicht befriedigte, und so kaufte er sich *Tender Buttons* und brachte es mir, und wir saßen eine Weile zusammen und lasen die seltsamen Sätze. ›Die Worte bekommen ein eigenartiges neues intimes Aroma, und gleichzeitig wirken vertraute Worte beinah wie Fremde, findest du nicht auch‹, sagte er. Sehen Sie, mein Bruder weckte mein Interesse an dem Buch, und dann ging er und ließ es auf dem Tisch liegen ...

Seit meine Aufmerksamkeit zum erstenmal auf Miss Steins Werk gelenkt wurde, war ich der Meinung, daß es die bedeutendste Pionierleistung auf dem Gebiet der Literatur meines Zeitalters ist. Das Hohngelächter der breiten Masse, das unvermeidlich auf weitere Werke aus ihrer Feder folgen muß, irritiert mich nicht, aber ich sähe es gern, wenn Schriftsteller, und ganz besonders junge Schriftsteller ein klein wenig von dem begreifen würden, was sie zu tun versucht und was ihr meiner Meinung nach auch zu tun gelingt.

Was ich zu dieser Angelegenheit zu sagen habe, ist etwa das: Jeder Künstler, der mit dem Wort arbeitet, muß manchmal durch das, was die Begrenztheit seines Mediums zu sein scheint, ungemein irritiert werden. Was möchte er nicht alles mit Worten schaffen! Vor sich hat er das Gemüt des Lesers, und er möchte eine ganz neue Empfindungswelt im Gemüt dieses Lesers entstehen lassen oder vielmehr alle toten und schlummernden Sinne ins Leben zurückrufen.

Es gibt etwas, das man ›die Erweiterung der Bezirke seiner Kunst‹ nennen könnte, und diese Erweiterung möchte man erreichen. Man arbeitet mit Worten und man sucht nach Worten, die einen Geschmack auf den Lippen hinterlassen, einen Duft in den Nüstern, klappernde Worte, die man in eine Büchse werfen und schütteln kann, die ein scharfes klirrendes Geräusch erzeugen, Worte, die, sieht man sie auf der bedruckten Seite, eine ausgesprochen plakative Wirkung auf das Auge haben, Worte, die man, springen sie unter der Feder heraus, mit den Fingern fühlen kann, wie man die Wange der Geliebten mit den Fingern streicheln kann.

Und ich bin der Meinung, daß Gertrude Steins Bücher in einem sehr realen Sinn mit solchen Worten das Leben neu schaffen...

Für mich besteht das Werk von Gertrude Stein in einem Wiederaufbau, einer völligen Neugestaltung des Lebens im Bereich der Wörter. Hier ist eine Künstlerin, die stark genug war, sich der Lächerlichkeit auszusetzen, die sogar auf das Privileg verzichtete, den großen amerikanischen Roman zu schreiben, das englische Sprachniveau zu heben und sich mit dem Lorbeer der großen Dichter zu schmücken, um inmitten der kleinen Wörter für den Hausgebrauch zu leben, der prahlerischen rohen Wörter, die an den Straßenecken zu Hause sind, der ehrlich arbeitenden geldsparenden Wörter und all der anderen vergessenen und vernachlässigten Bürger des geheiligten und fast vergessenen Reiches.

Wäre es nicht eine schöne und bezaubernd ironische Geste der Götter, wenn am Ende das Werk dieser Künstlerin sich als das dauerhafteste und bedeutendste Werk aller Wortjongleure unserer Generation erwiese!«

Als *Geography and Plays* schließlich an den Verleger in Boston abging, verstauten Gertrude und Alice ihr Gepäck im Ford und machten eine Sommerreise nach Saint Rémy, um wieder einmal durch die Landschaft zu schweifen, die sie im Verlauf ihres Samariterdientes im Krieg lieben gelernt hatten. Von den Reizen des Rhonetales aufs neue bezaubert, dehnten sie die Reise bis in den Herbst aus. Ihr Hotel war nicht sonderlich komfortabel, aber als sie sich einig waren, daß die große Schönheit der Landschaft sie für jeden Mangel an Komfort entschädigen würde, beschlossen sie, auch den Winter über zu bleiben. Froh, dem Wirbel ihres üblichen

Pariser Lebens inmitten der ernsten Bilder und der dilettierenden Touristen entronnen zu sein, verbrachten sie ihre Tage ausschließlich mit der ländlichen Bevölkerung. Die einzige Ausnahme bildeten die Besuche ihrer Freundinnen, der Bildhauerin Janet Scudder und der Opernsängerin Camille Sigard, die in der Nähe ein Haus gemietet hatten. So begann Gertrudes »Saint-Rémy-Epoche«, und im Verlauf der folgenden Monate gelangen ihr einige der schönsten und lyrischsten Arbeiten ihrer schriftstellerischen Laufbahn. Wieder war die Landschaft bestimmend für den Ton und die Melodie. Sie besichtigte die Ruinen der römischen Bauwerke in der näheren und weiteren Umgebung, sie sah die riesigen Schafherden über die Gebirgspässe ziehen und sich über die Felder verteilen, und unentwegt durchstreifte sie die kleineren Berge, versunken in Gedanken über die Anwendung der Grammatik und die Gesetze der dichterischen Ausdrucksformen. Das waren Monate, von denen sie später sagte: »Ich verarbeitete die innere Melodie des Daseins die ich in der Relation zu erschauten Dingen erlernt hatte in die Gefühle die ich damals hatte... (die Melodie) des Lichts und der Luft und der bewegten Luft und der stillen Luft. Ich arbeitete damals mit großer Konzentration an diesen Dingen, und weil es für mich eine völlig neue Arbeitsweise war, war die Folge eine ungeheuer gesteigerte Melodie.« Alles, was sie schrieb, wurde plötzlich durch Musik geformt. Ihre visuellen Themen waren noch immer ohne Zusammenhang, ohne jede Rücksicht auf eine andere Wiedergabe als die im kubistischen Sinne aneinandergereiht und atomisiert, aber in ihrer Metrik lagen ein neuer Schwung und eine neue Lebensbejahung. *Saints in Seven* und *Talks to Saints in Saint Rémy* gehören zu den glücklichsten Resultaten dieses Aufenthalts, und diese Stücke waren der Anfang jener langwährenden Beschäftigung, sich auf eine merkwürdige un-himmlische Weise mit dem Wesen der Heiligkeit auseinanderzusetzen. Sie schrieb ihr berühmtes *A Valentine for Sherwood Anderson* und eine Reihe weiterer Liebesgedichte von duftiger Zartheit und Verspieltheit, und sie schrieb *Capital Capitals,* eine »Unterhaltung« zwischen den vier Hauptstätten der Provence – Aix, Arles, Avignon und Les Baux –, das ihr wenige Jahre später das erste bedeutende Libretto liefern sollte. Es war ein Winter größter schöpferischer Intensität und tiefen Glücks, fern von der Unruhe der Nachkriegsgeneration und der Ablenkung durch eigenwillige und oft lästige Freunde und Besucher. Aber nicht einmal die konzentrierte Melodie des Daseins konnte sie lange ertragen. »Ich war ziemlich berauscht von dem was ich getan hatte«, sagte sie. »Und ich ziehe es stets vor nüchtern zu sein. Ich muß nüchtern sein. Es ist soviel aufregender nüchtern zu sein, exakt und konzentriert und nüchtern zu sein. So begann ich also wie ich schon sagte von neuem.« Als der März kam und der gnadenlose Mistral tagelang brauste und der Frühling noch kaum zu ahnen war, kehrten sie gern wieder in die Rue de Fleurus und ihre vertraute solide Behaglichkeit zurück.

XVII

Ganz kürzlich traf ich einen Mann der sagte,
wie geht's. Eine prächtige Geschichte.
Gertrude Stein

Der junge Mann mit den »eher leidenschaftlich interessierten als interessanten Augen«, der an einem Winterabend des Jahres 1922 mit seiner hübschen Frau Hadley zum Abendessen kam, war Ernest Hemingway. Seine Gastgeberin, Gertrude Stein, wußte von ihm lediglich aus einem Brief Sherwood Andersons, daß er Andersons Freund und ein amerikanischer Schriftsteller sei, der »instinktiv mit allem in Berührung kam, das lohnenswert war«, und daß es sie gewiß freuen würde, seine Bekanntschaft zu machen.

Miss Stein fand ihn dann auch reizend. Sein ungewöhnlich gutes Aussehen machte ihr Eindruck, aber vollends hingerissen war sie, als er sich als der »geborene Zuhörer« entpuppte. Vom ersten Augenblick der Begegnung an schien er nur noch zu ihren Füßen sitzen zu wollen, eine riesige Zuschauermenge, die aus einem Menschen bestand, und dem langsamen Redefluß ihrer faszinierenden Stimme zu lauschen. Manchmal sprach auch er, und dann gefiel ihr, was er sagte, aber sein langes, alles begierig aufnehmendes Schweigen war ihr eingestandenermaßen doch noch lieber. Sie wußte, daß sie beide Freunde werden würden, und ihre erste freundschaftliche Geste war ihr Anerbieten, ihm beizubringen, wie er die Haare seiner Frau schneiden solle.

Einige Tage später besprachen sie in der Hemingwayschen Wohnung in der Rue Notre Dame des Champs, unweit der Place du Tertre, seine bisherigen Arbeiten Stück für Stück – einen unvollendeten Roman, einige sehr kurze Geschichten und eine Anzahl von Gedichten. Gertrude interessierte sich für die Gedichte, weil ihre direkte Art sie an Kipling erinnerte; den Roman jedoch fand sie unzulänglich, die Geschichten meist allzu frei. Sie meinte, Hemingway solle »sich an Poesie und Intelligenz« halten und die heftigeren Gefühle und schwülstigen Bilder seiner Prosa vermeiden. Da er jedoch unbedingt ein Romancier werden wollte, gab sie ihm den simplen Rat, ganz von vorne anzufangen und zu straffen.

Sie trafen sich dann häufig, machten lange Spaziergänge im Quartier Latin und unterhielten sich dabei meist über Hemingways schriftstellerische Probleme und die praktischen Probleme des Alltags, die seine schriftstellerische Freiheit beschnitten. Im März schrieb er an Sherwood Anderson: »Gertrude Stein und ich sind wie Brüder, und wir sehen sie sehr viel.« Als Korrespondent für den *Toronto Daily Star* und Berichterstatter für den *Star Weekly* sah er sich täglich dem Dilemma des beruflichen Zwangs und des schöpferischen Ehrgeizes gegenüber. Seine Situation wurde noch erschwert, als seine Frau in Hoffnung kam. Er fühlte sich zu jung, um Vater zu sein. Gertrude half ihm, sich mit dem Unvermeidlichen abzufinden. Sie gab ihm den Rat, von seinen Einkünften als Journalist soviel Geld zurückzulegen, daß er sich dann für eine längere Zeit ausschließlich der Literatur widmen konnte, da sie befürchtete, daß er sonst zuviel Substanz an den journalistischen Broterwerb verliere. Er nahm diesen Rat an und kehrte nach Toronto zurück, wo er unentwegt unter Heimweh nach Paris und finanziellen Schwierigkeiten zu leiden hatte. Er schrieb an Gertrude, er verstehe nun, weshalb Geschäftsleute sich umbrächten. Aber Gertrudes Weisungen hatten einen tiefen Eindruck auf ihn gemacht und halfen ihm, die schwere Zeit durchzustehen.

Als sein erstes Kind, ein Junge, im Oktober 1923 zur Welt kam, wollte Hemingway Toronto unter allen Umständen für immer den Rücken kehren. Wenige Monate später war er wieder in Paris. Obwohl noch immer auf journalistische Aufträge angewiesen, war er fest entschlossen, dem Wesentlichen den Vorrang zu geben und sich auf seine schriftstellerische Arbeit zu konzentrieren. Die Befürchtungen wegen des Babys waren bei seiner Ankunft verflogen; nun machte Hemingway sich Gedanken, wie und wo er es taufen lassen sollte. Er selbst gehörte keiner Kirche an und entschied sich nach langen Überlegungen für die Episkopalkirche; Gertrude Stein und Alice B. Toklas wurden die Patinnen von John Hadley Hemingway. Wie alle, die ihn gut kannten, war auch Gertrude sich der vielschichtigen Persönlichkeit des jungen Hemingway bewußt und fürchtete, daß sein Bedürfnis nach schützenden Masken, hinter denen er sich verbergen konnte, letzten Endes dazu führen könnte, daß er sich selbst verlor. Es gab keinen Zweifel daran, daß der Hemingway, den sie kannte, nicht der Hemingway der Legende war, die er in den im Dôme und im Sélect verkehrenden Kreisen geschaffen hatte. »Hemingway ist so weichherzig, daß er sich sicherlich bis zum äußersten überwinden muß, um auf einen Sandsack einzuhauen«, sagte Margaret Anderson. »Müßte ich Hemingway mit einem einzigen Adjektiv charakterisieren, würde ich das Wort schlicht wählen.« Jane Heap, Miss Andersons Mitherausgeberin an der Zeitschrift *The Little Review* meinte, das Tier, dem er am meisten gleichen würde, sei das Kaninchen, »rosa und weißes Gesicht, sanfte braune Augen, die einen offen anschauen. Aber seine Liebe zum Boxsport und zum Stierkampf ist alles nur ein einziges Staubaufwirbeln mit den Hinterbeinen«. Seine Angewohnheit, ständig seine Posen zu wechseln, verwirrte viele Menschen und trug oft dazu bei, daß Leute, die seine Freunde hätten sein können, sich von ihm fernhielten. Er war der ausgekochte amerikanische Reporter mit dem grimmigen selbstsicheren Lachen, der in bulliger Haltung auf einen zukam; er war aber auch die großäugige »Mimose«, die noch darum rang, die Erlebnisse zu verarbeiten, die ihn so rasch von Oak Park in Illinois auf den Boulevard Montparnasse verpflanzt hatten. »Hemingway war ein Typ, den man nicht leicht einordnen konnte«, meinte der amerikanische Romancier und Verleger Robert McAlmon. »Manchmal gab er sich betont ausgekocht und hartgesotten; dann wieder wirkte er betont unschuldig und sentimental, ganz der verletzbare, weiche und ziemlich empfindsame Junge, der seine Verletzlichkeit verbergen und mutig und weder bitter noch zynisch sein will und doch beides nicht ganz verhindern kann; der irgendwie in der Defensive ist und mißtrauisch lauernd mit forschenden Blicken die Menschen durchbohrt, mit denen er spricht. Er betraf ein Café mit dem prahlerischen Schlenkergang eines kleinen Jungen oder eines Rowdys, und vor Fremden, die ihm nicht ganz geheuer waren, ließ er gerne ein verächtliches Lächeln um seinen breitlippigen und ziemlich großen Mund spielen.«

Er war aber auch »Beery-poppa«, der Pater familias, der seine Frau »Feather-kitty« nannte. Mit dem Baby »Bumby« hausten sie in einer elenden Wohnung ohne WC und ohne fließendes Wasser, und eine Matratze auf dem Fußboden war ihr Bett. Die einzige luxuriöse Note in dieser Ménage war ein Kinderwagen, der so elegant war, daß er selbst in den Luxembourg-Gärten Aufsehen erregte. Doch um dahin zu gelangen, mußte er erst durch das aufgewirbelte Sägmehl und das Kreissägengekreische der Schreinerei gefahren werden, die in dem Hinterhof untergebracht war, auf den die wenigen Fenster der Wohnung hinausgingen.

Obgleich Gertrude ihn nicht ausdrücklich dazu ermunterte, suchte Hemingway sie immer wieder auf. Ihn hungerte nach ihrem

Beifall, und wenn sie sich ihm auch niemals verschloß, so behandelte sie ihn doch nicht anders als viele andere liebenswerte und begabte junge Männer, die bei ihr ein und aus gingen. Als sie einmal Paris für einen Landaufenthalt verließ, meinte er, die Stadt sei ohne sie öde und leer, und erbat auf wehmütigen Postkarten ihre Rückkehr. Er schrieb, er habe gerade den Schlaf entdeckt, der einem das Überwintern doch so sehr erleichtere, und er brauche sie, damit die Stadt wieder fröhlich werde, und im übrigen zähle er die Tage bis zu ihrer Rückkehr. Wie ein Kind, das um jeden Preis die Aufmerksamkeit seiner Eltern erregen will, berichtete er von seinen Leistungen im Boxring, in der Stierkampfarena, beim Skilauf und beim Angeln, sprach dann aber auch wieder davon, wie schwer er mit seinen schöpferischen Problemen zu ringen habe und wieviel er unter ihrer Führung lerne. Etwa ein Jahr nach der ersten Begegnung schrieb er an sie: »Es war ein bedeutungsvoller Tag für mich, als ich Ihnen in den Weg lief.« Obgleich Ezra Pound und andere hervorragende Persönlichkeiten zeitweise seine Mentoren gewesen waren, machte Hemingway in späteren Jahren nie ein Geheimnis daraus, wer ihm am meisten geholfen hatte. Im Gespräch mit dem amerikanischen Dichter John Peale Bishop äußerte er: »Ezra hatte zur Hälfte recht, und wenn er sich irrte, dann irrte er sich so gründlich, daß kein Zweifel offen blieb. Gertrude hatte immer recht.«

Er schweifte ruhelos umher, reiste nach Spanien, Italien und Tirol, manchmal wegen kleinerer Presseaufträge, meist aber auf der Suche nach billigen Orten, in denen er leben und schreiben konnte oder angeln und schilaufen oder gar jemanden finden, der bereit war, mit ihm zu boxen. Immer jedoch behielt er den Kontakt mit Gertrude, immer verlangte es ihn nach ihrem Rat und ihrer Zustimmung. Er schickte ihr ausführlichste Berichte über seine Fortschritte, schilderte im Detail die Stunden, die er des Nachts mit Schreiben verbrachte, begründete aufs eingehendste jeden Wechsel in seinen schöpferischen Intentionen und vergaß auch nicht, die schlimmen Zeiten zu erwähnen, in denen ihm sein Kopf »wie ein gefrorener Kohlkopf« vorkam.

Waren die beiden zur gleichen Zeit in Paris, dann verfolgten sie den Tagesklatsch wie Bluthunde eine Fährte, und brachten manchen wohlbeleumdeten Zeitgenossen um seinen guten Ruf. Aber in der Hauptsache hielten sie nach Anzeichen für ihren eigenen Erfolg Ausschau. Jede noch so kleine Bestätigung in den obskursten und unbedeutendsten Blättern bot ihnen Anlaß zum Austausch von überschwenglichen Glückwünschen. Beide hatten das deutliche Gefühl, wenn auch nur sehr vage Vorstellungen von ihrem sicheren künftigen Ruhm und hegten diese Zuversicht wie ein verbotenes Geheimnis. Überzeugt davon, Gertrudes größtes Opus *The Making of Americans*, das vor beinahe fünfzehn Jahren geschrieben wurde, sei »das Beste«, was er »je gelesen habe«, versuchte Hemingway, dem amerikanischen Verleger Horace Liveright das Manuskript in die möglicherweise aufnahmebereiten Hände zu spielen. Dies führte zu einer Reihe von Verhandlungen, die sich recht hoffnungsvoll anließen, aber schließlich lehnte Liveright glatt ab. Hemingway nahm diese Ablehnung persönlich (»Ich bin ganz krank, aber machen Sie sich nichts daraus, denn Sie haben es geschrieben, und allein darauf kommt es an«) und wollte Gertrude mit der Bemerkung trösten, die ganze Angelegenheit sei nur eine Frage der Zeit, und das möge sie ihm glauben, denn sein Optimismus sei »nicht Christian Science«.

Diese Prophezeiung sollte nahezu sofort, wenigstens teilweise, in Erfüllung gehen. Ford Madox Ford, der die Herausgabe einer neuen Zeitschrift, *The Transatlantic Review,* vorbereitete, entschloß sich auf Hemingways Drängen, der als Mitherausgeber und als literarischer Scout fungierte, einen Teil von *The Making of Americans* in Fortsetzungen zu bringen. Zu diesem Zweck mußten aus dem gebundenen Originalmanuskript, das lange Zeit zwischen anderen unveröffentlichten Stein-Werken geschlummert hatte, Auszüge gemacht werden. Da nur ein Exemplar des Manuskripts existierte, wurde diese verantwortungsvolle Aufgabe Hemingway übertragen. Die Mühe, die er sich als Kopist von Gertrude Steins Lieblingsbuch gab, rührte diese tief; ihre Haltung ihm gegenüber war nun stets von »nachgiebiger Schwäche«. Andere Leute hingegen, die keine Ahnung davon hatten, welch strenge und nüchterne Aufmerksamkeit er seiner Arbeit widmete, beurteilten ihn völlig anders. Sie sahen in ihm den Schmieren-Cowboy des Montparnasse, der sich vom Dôme und der Rotonde allnächtlich zu Saufeskapaden in die Bistros aufmachte und dort sein Wortlasso schwang, um danach im Nebel des unvermeidlichen Katzenjammers sein tägliches Schreibsoll zu absolvieren.

Hemingways literarischer Geschmack bewegte sich so ziemlich zwischen Gleichgültigkeit und Vorurteilslosigkeit, zumal hinsichtlich der Werke seiner Zeitgenossen. Lediglich über die Vorzüge eines von ihm nachdrücklich propagierten Buches, *The Enormous Room* von E. E. Cummings, war er entschieden anderer Meinung als Gertrude. Hemingway war überzeugt, daß dieses Buch irgendwo abgeschrieben worden sei, hatte dafür jedoch nicht den geringsten Anhaltspunkt. Aber er bestand darauf, daß das Buch nicht das originelle Werk war, das es zu sein schien. Gertrude bestand ihrerseits darauf, daß seine Originalität authentisch sei und daß seine Einzigartigkeit schon im Hinblick auf Cummings' eingewurzelte neuenglische Anschauung als selbstverständlich vorausgesetzt werden müsse. Hemingway schlug diese Erklärungen in den Wind. Für ihn schien es ein für allemal festzustehen, daß das Buch irgendwo gestohlen war. Keine zwei Jahre später jedoch äußerte er, *The Enormous Room* sei das bedeutendste Buch, das er jemals gelesen habe.

Hemingways Verehrung für Sherwood Anderson nahm augenscheinlich im gleichen Maß ab, in dem sein eigener Ruhm zunahm, und schließlich lehnte er den älteren Schriftsteller völlig ab. Es ist die alte Geschichte vom forschen Draufgänger, den Charakter und Umstände dazu bringen, den alten Meister, von dem er nur Gutes erfahren hat, anzugreifen und lächerlich zu machen. In einem Schöpferrausch schrieb Hemingway im November 1925 in nur sieben Tagen *The Torrents of Spring*. »Dieses Buch«, bemerkt Professor Carlos Baker, »ein satirisches *jeu d'esprit* mit einem ernsten Kern, bezieht seinen Titel von Turgenjew, seine Atmosphäre aus dem Staat Michigan und seine *raison d'être* aus den Schriften Andersons und (in geringerem Ausmaß) Gertrude Steins.« Hemingway hatte bei der Abfassung des Manuskripts die Absicht verfolgt, Andersons Stil lächerlich zu machen und ihn als »derzeitiges As und Bestseller« herabzusetzen. Überdies wollte er auf Andersons Trick, Gertrude zu imitieren, einen satirischen Seitenhieb führen, wie nachfolgender Auszug zeigt:

»Jetzt irgendwo hingehen. En route. Das hat Huysmans geschrieben. Es müßte interessant sein, Französisch lesen zu können. In Paris gab's eine Straßenecke, die nach Huysmans benannt war. Gleich um die Ecke von Gertrude Steins Wohnung. Ah, das war eine Frau! Wohin haben sie ihre Experimente mit Worten geführt? Was steckte hinter alldem? Alldem in Paris. Ah, Paris! Wie fern liegt jetzt Paris. Paris am Morgen. Paris am Abend, Paris bei Nacht. Wieder Paris am Morgen. Vielleicht Paris am Mittag.

Weshalb nicht? Yogi Johnson marschiert weiter. Sein Geist steht niemals still.«

Und als er Teil III seines Buches *The Making and Marring of Americans* betitelte, konnte es keinen Zweifel mehr geben, daß er auf Gertrude anspielte. Nach Beendigung des Buches schickte er Anderson einen Brief, den dieser als »den selbstbewußtesten und wahrscheinlich gönnerhaftesten Brief, der jemals geschrieben wurde...«, bezeichnete. »In diesem Brief war etwas, das ungeheuerlich war. Er war wie eine Leichenrede an meinem Grab.« *The Torrents of Spring* selbst hielt Anderson für ein Schmarotzerbuch, das vielleicht hätte komisch sein können, wenn jemand wie Max Beerbohm es auf etwa zwölf Seiten zusammengestrichen hätte.

Dennoch war er verwundert darüber, daß Hemingway sich gegen ihn gewandt hatte, und die einzige Erklärung dafür, die ihm einleuchtete, war die, die Gertrude ihm gab. Sie hatte Grund zu der Annahme, daß Hemingway über Andersons Geschichten *»I'm a Fool and I Want to Know Why«* verärgert war, weil sie seine Absicht, das gesamte Gebiet des Sports für sich zu pachten, vereitelt hatten. Am Ende teilte Anderson weitgehend Gertrudes Gefühle für ihren früheren gemeinsamen Schützling: »Ich glaube, daß man im Fall Hemmy zuviel von Stil spricht. Letzten Endes ist der Stil der Mann. Ich überlege mir immer, weshalb dieser Mann das Leben so empfindet, wie er es tut. Es ist, als sähe er es immer als etwas ziemlich Häßliches. ›Die Leute wollen's von mir so haben. Na schön. Ich tu ihnen den Gefallen.‹ Da ist stets der Wunsch zu töten... Er kann den Gedanken nicht ertragen, daß irgendein anderer Mensch ein Künstler ist... Möchte das ganze Feld allein beherrschen. Zwischen diesem Mann und, sagen wir mal, Wolfe oder Faulkner besteht ein großer Unterschied. Die können über furchtbare Geschehnisse schreiben, aber man spürt stets eine innere Anteilnahme am Leben selbst.«

Als Anderson in den späten zwanziger Jahren Paris besuchte, machte Hemingway trotz des Drängens gemeinsamer Freunde keine Anstalten, ihn zu sehen. Am letzten Tag seines Pariser Aufenthalts saß Anderson zwischen gepackten Koffern in seinem Hotelzimmer, da ertönte, wie er später berichtet, »plötzlich ein Klopfen an der Tür, und da war Hemingway.

Er stand unter der Tür. ›Wie wär's mit 'nem Drink‹, sagte er, und ich folgte ihm die Treppe hinunter und über die Straße.

Wir gingen in eine kleine Bar.
›Was soll's sein?‹
›Bier.‹
›Und du?‹
›Ein Bier.‹
›Na, dann prost.‹
›Prost.‹
Er wandte sich um und ging eilig davon.«

Als Gertrude Hemingway wegen seiner Undankbarkeit Vorwürfe machte, sagte er, es hätte einmal klargestellt werden müssen, daß er und Anderson seit eh und je in Geschmacksfragen völlig verschiedener Ansicht seien. Das interessierte Gertrude nicht. Sie liebte Anderson und war fest davon überzeugt, daß seine geniale Handhabung von Sätzen zur Übermittlung von spontanen Gefühlen ihm einen bedeutenden Platz in der Literaturgeschichte sichere. Sie sagte, niemand in Amerika könne so klare und leidenschaftliche Sätze schreiben wie er. Hemingway hielt das für falsch. Aber selbst wenn sie recht habe, meinte er, ändere das nichts an seiner Überzeugung, daß es Anderson an Geschmack mangele. Gertrudes Antwort lautete, Geschmack habe nichts mit Sätzen zu tun. Und überdies, fügte sie hinzu, könne von allen jüngeren Schriftstellern ganz selbstverständlich einzig und allein Scott Fitzgerald Sätze formulieren, die einen guten Roman von einem schlechten unterscheiden. Die Wandlung ihrer Einstellung zu ihm, die sich in diesen Worten ausdrückte, mag auf Hemingway wie eine kalte Dusche gewirkt haben.

Wie so viele andere, darunter übrigens auch Pablo Picasso, behauptete Alice Toklas, sie habe »Hemingway nach Pamplona geschickt«, wo er in die Kunst des Stierkampfs eingeweiht wurde. Wie dem auch sei, sie und Gertrude hatten jedenfalls durch ihre Erzählungen von Stierkämpfen, insbesondere von denen, die sie in den ersten Kriegsmonaten in Mallorca gesehen hatten, sein Interesse geweckt. Kaum hatte Hemingway seinen ersten Stierkampf gesehen, ließ seine Begeisterung für den Boxsport merklich nach. Nun schien er entschlossen zu sein, der *aficionado* Autor von *Tod am Nachmittag* zu werden. Einige seiner Freunde hegten den Verdacht, seine plötzliche Vorliebe für den Stierkampf sei weniger spontan als ein unbewußtes Bedürfnis, die von Gertrude so hochgepriesene Kunst des Stierkampfs nun auch seinerseits zu bewundern. Hemingway unternahm nun immer wieder Abstecher nach

Spanien, um dem Kampf irgendeines sensationellen neuen Toreros beizuwohnen. Der Stierkampf wurde zur Besessenheit. Er war, bekannte er aufrichtig, bereits zu alt, um ihn noch zu erlernen, aber da war noch »Bumby«, der Kleine, und wenn sie später einmal nach Kanada zurück müßten, wollte Ernest ihm ein Stierkalb kaufen und ihn ausbilden.

Aber das Schreiben blieb ihm stets die Hauptsache, und um glücklich schreiben zu können, brauchte er trotz seiner Freundschaften mit so berühmten literarischen Größen wie Malcolm Cowley, John Dos Passos, Archibald MacLeish, Donald Ogden Stewart und Ezra Pound die Anerkennung seines neuen Meisters. Er zitierte Gertrude in Briefen an diese Männer und kopierte sie mehr oder weniger auch in seinen eigenen Briefen an andere. Vorübergehend bemühte er sich sogar, so wie sie es Jahre zuvor getan hatte, eine literarische Entsprechung zu Cézannes Malweise zu finden. Von Spanien aus, wo er mit der Cézanneschen Methode experimentierte, schrieb er: »Ist das Schreiben nicht eine harte Arbeit? Ehe ich Sie kennenlernte, war es leicht. Gewiß war ich schlecht, Teufel, ich bin heute noch scheußlich schlecht, aber es ist eine Art von schlecht.«

Was Hemingway mit einer »anderen Art von schlecht« eigentlich meinte, läßt sich nur vermuten. Wie seine frühen Arbeiten zeigen, hatte er von Gertrude eine Menge gelernt. Er kannte den Wert von geschickt vorgebrachten Wiederholungen, die schlichte Kraft des aussagenden Satzes und die Notwendigkeit, von einer Haltung so durchdrungen zu sein, daß man, hingerissen und selbstsicher zugleich, eben wie ein Schriftsteller und nicht nur wie ein Berichterstatter oder ein Kritiker schreiben kann. Ihre Leidenschaft für Tabellen und Diagramme und für den klaren Aufriß, die wissenschaftliche Exaktheit, die sie noch für viele Jahre, längst außer Kontakt mit der Wissenschaft, beibehielt, waren für ihn und sein eigenes Werk offenbar sehr wertvoll. An Edmund Wilson schrieb er: »Ihre Methode ist von unschätzbarem Wert, will man etwas analysieren oder sich über eine Person oder einen Ort Notizen machen.« Was damit über ihre »Methode« ausgesagt ist, gilt zweifellos für Gertrude Steins literarische Bemühungen überhaupt. Und doch trifft es vor allem auf ihren festen Vorsatz zu, Erfahrung wie Worte zu isolieren und die Erfahrung im Hinblick auf ihren Gefühlsgehalt und ihren visuellen Gehalt zu untersuchen und sie unter allen Umständen lebendig zu erhalten, indem man sie von jeder das Schöpferische schwächenden Abhängigkeit vom Gedächtnis trennt. Aber Ratschläge können einen Schriftsteller lediglich auf die eigenen Fähigkeiten hinlenken und ihn vielleicht dazu veranlassen – und auch das kann an sich schon ein schöpferischer Akt sein –, das auszumerzen, was er als schlecht erkennt. Gertrude half Hemingway offensichtlich, sein Talent in die richtige Bahn zu lenken und zu verfeinern, indem sie ihm half, das Störende vieler Einflüsse, die sein Werk entweder zu konventionell oder zu routiniert, zu abgerissen und zu grellfarbig gemacht hatten, aus dem Weg zu räumen. Er war ein gelehriger Schüler, und es war unvermeidlich, daß er vorübergehend einige Besonderheiten der Stein, zumal solche aus ihren vorkubistischen Werken, annahm. Wenn auch niemand – nicht einmal Hemingway – ihr in den literarischen Kubismus folgte, so erinnert die folgende Stelle aus seiner Geschichte *Oben in Michigan* doch lebhaft an Gertrude Steins *Three Lives*:

»Liz mochte Jim sehr gern. Sie mochte die Art, wie er vom Laden herüberkam, und oft ging sie an die Küchentür, um Ausschau zu halten, ob er die Straße entlang käme. Sie mochte seinen Schnurrbart. Sie mochte das Weiß seiner Zähne, wenn er lächelte. Sie mochte es sehr, daß er nicht wie ein Schmied aussah. Sie mochte es, daß D. J. Smith und Mrs. Smith Jim so gern mochten. Eines Tages merkte sie, daß sie mochte, daß das Haar auf seinen Armen so schwarz war und daß sie über dem gebräunten Teil so weiß waren, wenn er sich in dem Waschbecken vor dem Haus wusch. Daß sie dies mochte, gab ihr ein komisches Gefühl.«

Die Entfremdung zwischen Hemingway und Gertrude läßt sich nicht von einem bestimmten Ereignis an datieren, und es gibt für sie keine bestimmte Erklärung, aber sie lebten sich Mitte der zwanziger Jahre auseinander, und kein Willensakt und kein vorübergehender Rückfall in freundschaftliche Gefühle konnte die beiden wieder zusammenführen. Gertrude trug ihm nichts nach, aber als sie seine Fortschritte verfolgte, kam sie zu einigen unglücklichen Folgerungen. Sie hatte das Gefühl, daß Hemingway sein angeborenes Talent, das in einigen der Geschichten, die er in den frühen Tagen ihrer Bekanntschaft schrieb, so unverkennbar zutage getreten war, Stück für Stück vertat. Sie hatte das Kostbare in ihm zu retten versucht, aber sie konnte es nicht verhindern, daß Hemingway mehr und mehr von Sex und gewaltsamem Tod besessen wurde. Sie hatte das Gefühl, daß sein Talent stagnierte, weil er ein persönliches Problem falsch gelöst hatte: Er hatte seine unglaubliche Schüchternheit und Empfindsamkeit kompensieren wollen, indem er sich einen Schild von Brutalität vorhielt. Dadurch, glaubte Gertrude, habe er sich von seinem wahren Genie getrennt, könne er sich nur noch in einer Rolle endlos wiederholen, für die er nicht geboren und von der er im Grunde nicht überzeugt war. Der Ruhm, der sich nach der Veröffentlichung von *Fiesta* und *In einem andern Land* einstellte, hob ihn über die »Kämpfenden« hinaus, zu denen allein Gertrude sich hingezogen fühlte.

Während Hemingway in den abgelegenen Winkeln der Welt auf der Suche nach Großwild und Riesenfischen seiner Karriere nachging, sah Gertrude ihm weiterhin wie eine amüsierte Mutter zu. Seine Haltung ihr gegenüber schien allmählich bis zur Gleichgültigkeit zu erkalten – bis sie ihre Erinnerungen veröffentlichte, in denen sie, wie Sherwood Anderson vergnügt feststellte, mit ihrem »anmutig geführten Messer Hemingway gewaltige Stücke Haut abzog«. In der *Autobiographie von Alice B. Toklas* gibt sie eine Unterhaltung mit Anderson wieder, die stattfand, als Hemingway gerade jenen beleidigenden Brief im Stil einer Leichenrede an Anderson geschrieben hatte: »Hemingway hatte, als er sich von Sherwood Anderson und seinem ganzen Werk losgesagt hatte, diesem einen Brief im Namen der amerikanischen Literatur geschrieben, die er, Hemingway, gemeinsam mit seinen Zeitgenossen zu retten im Begriff sei, und in diesem Brief hatte er Sherwood gesagt, was er, Hemingway, von Sherwoods Werk dächte, und das war keineswegs schmeichelhaft. Als Sherwood nach Paris kam, hatte Hemingway natürlich Angst. Sherwood natürlich nicht. Wie gesagt, er und Gertrude Stein amüsierten sich endlos über dieses Thema. Sie gaben zu, daß Hemingway ein Hasenfuß war. Er ist einer, beharrte Gertrude Stein, genau wie die Schiffer auf dem Mississippi, die Mark Twain beschreibt.«

Als kurz nach der *Autobiographie* Hemingways neuestes Buch *Die grünen Hügel Afrikas* erschien, bemerkte ein Kritiker, Hemingway sei »bis nach Afrika gereist, um zu jagen, und als er dann glaubte, er habe ein Rhinozeros aufgestöbert, stellte sich heraus, daß es Gertrude Stein war...« Denn in der folgenden Stelle, einer Unterhaltung mit seiner Frau, rächt Hemingway sich wohl eindeutig für Gertrudes Bosheit in der *Autobiographie*:

»...›Ja, und er braucht keine Bücher zu lesen, die irgendeine

Frau geschrieben hat, der er zur Veröffentlichung verhelfen wollte, und in denen steht, er sei ein Hasenfuß.‹

›Sie ist bloß eifersüchtig und boshaft. Du hättest ihr nie helfen sollen. Das können manche Leute nie verzeihen.‹

›Trotzdem ist's verdammt schade, daß all das Talent zu Boshaftigkeit und Unsinn und Selbstlob geworden ist. Es ist wirklich verflucht schade. Es ist schade, daß du sie nicht gekannt hast, ehe sie überschnappte. Soll ich dir mal was Komisches sagen: Sie hat nie einen Dialog schreiben können. Es war fürchterlich. Aus meinem Zeug hat sie gelernt, was man macht, und dann hat sie's in diesem Buch angewandt. So hat sie nie zuvor geschrieben. Sie konnte mir nie verzeihen, daß sie's von mir gelernt hat, und sie hatte Angst, die Leute würden merken, wo sie's gelernt hat, und deshalb mußte sie mich angreifen. Eigentlich ist's eine komische Geschichte. Aber ich schwör dir, ehe sie ehrgeizig wurde, war sie verdammt nett. Damals hätt sie dir bestimmt gefallen.‹

›Kann sein. Aber ich glaub's nicht.‹«

Aus diesen beiden Auszügen spricht Bitterkeit. Aber trotz ihres Versagens, jemals wieder einen Zugang zueinander zu finden, empfand Gertrude für »Hem« weiterhin eine »wohlwollende Schwäche«. Als sie ihn einige Jahre später einmal zufällig auf dem Faubourg St. Honoré traf, meinte er, er sei »alt und reich und müde; laß uns Freunde sein«. Gertrude erwiderte, sie sei weder alt noch reich noch müde und sie würde es vorziehen, wenn ihre Beziehung so bliebe, wie sie nun einmal sei. In den folgenden Jahren setzten sie ihre gegenseitigen Bosheiten fort, die vertraute Wärme ihrer ehemaligen Pariser Idylle hatte sich nun ganz verflüchtigt.

In *Wem die Stunde schlägt* unterhält Hemingways Held Robert Jordan sich mit Augustin über Zwiebeln:

»›Was stört dich denn an der Zwiebel?‹

›Der Geruch. Sonst nichts. Sonst ist sie wie eine Rose.‹

›Wie eine Rose‹, sagte er. ›Ähnelt mächtig einer Rose. Eine Rose ist eine Rose ist eine Zwiebel.‹

›Deine Zwiebeln greifen dein Gehirn an‹, sagte Augustin. ›Paß auf.‹

›Eine Zwiebel ist eine Zwiebel ist eine Zwiebel‹, sagte Robert Jordan fröhlich. Und, dachte er, ein Stein ist ein Stein ist ein Fels ist ein Felsblock ist ein Kiesel.‹«

Gertrude äußerte sich dazu nicht öffentlich. Zu Hause aber

spielte sie manchmal mit ihrem Pudel Basket »Torero und Stier«, indem sie dem verhätschelten weißen Hund ein Taschentuch vorhielt und ihm zurief: »Mach mal Hemingway, sei schön wild.«

Einige Jahre später detaillierte Gertrude in einem Interview mit dem Romancier John Hyde Preston ihre Ansichten über Hemingways Entwicklung. Als Preston meinte, daß Hemingway »bis nach *In einem andern Land* gut gewesen« sei, widersprach sie ihm: »Nein, nach 1925 war er nicht mehr wirklich gut. In seinen frühen Kurzgeschichten hatte er das, was ich Ihnen klarmachen wollte. Danach – Hemingway hat es nicht verloren er hat es weggeworfen. Ich sagte ihm damals: ›Hemingway, Sie haben ein kleines Einkommen, Sie werden nicht verhungern, Sie können sorglos arbeiten, und Sie können auf diese Weise wachsen.‹ Er wollte hoch hinaus. Sehen Sie, das ist das Merkwürdige. Hemingway ist kein amerikanischer Romancier. Er hat sich nicht verkauft, und er hat in keiner literarischen Nische einen Platz gefunden. Vielleicht in seiner eigenen Nische, aber die ist nicht rein literarisch. Als ich Hemingway zum erstenmal begegnete, hatte er ein echtes Gespür für Gemütserregungen, und aus diesem Zeug waren die ersten Geschichten gemacht; aber er war unsicher und versteckte sich, wie hinter einem Schild, hinter einer lauten Kansas-City-Boy-Brutalität. Und er war ›empfindlich‹, weil er im Grunde empfindsam war und sich dessen schämte. Dann passierte es. Ich sah es kommen und versuchte zu retten, was an Gutem da war, aber es war zu spät. Er ging den Weg, den so viele andere Amerikaner vor ihm gegangen sind, den Weg, den sie immer noch gehen. Er wurde besessen von Sex und gewaltsamem Tod ... Nun werden Sie mich mißverstehen. Sex und Tod sind die Triebfedern der gültigsten aller menschlichen Gefühlsregungen. Aber sie sind nicht die einzigen; sie sind nicht einmal nur Gefühl. Doch für Hemingway war alles mit Sex und Tod multipliziert oder von diesen beiden subtrahiert. Ich wußte von Anbeginn an, und ich weiß es jetzt noch besser, daß es nicht allein darum ging, diesen Dingen auf den Grund zu kommen; sie waren nur die Marke für das wirklich Sanfte und Gute in ihm, und dann flüchtete sich seine qualvolle Schüchternheit in Brutalität. Nein, warten Sie – nicht in echte Brutalität, denn der wirklich brutale Mensch will einiges mehr als Stierkämpfe und Hochseefischerei und Elefantenjagd oder was immer gerade modern ist, und wenn Hemingway wirklich brutal wäre, könnte er vielleicht aus diesen Dingen eine echte Literatur schaffen; aber er ist es nicht. Und ich bezweifle, daß er jemals wieder über irgend etwas wahrhaftig wird schreiben können. Er ist geschickt, jawohl, aber das ist der Schriftsteller; die andere Hälfte ist der Mann.‹«

Auf Prestons Frage, ob sie die amerikanischen Schriftsteller wirklich vom Sexualkomplex besessen halte, und wenn, ob er nicht legitim sei, antwortete Gertrude: »Natürlich ist er legitim. Literatur – schöpferische Literatur – die sich nicht mit dem Sexus beschäftigt, ist undenkbar. Aber der rein ›literarische‹ Sexus ist nicht legitim, weil der Sexus ein Teil von etwas ist, dessen andere Bestandteile überhaupt nichts mit Sex zu tun haben. Es geht im Grunde um den Ton. An der Art und Weise, wie ein Mann von geschlechtlichen Dingen redet, können Sie erkennen, ob er impotent ist oder nicht, und wenn er über nichts anderes redet, können Sie ganz sicher sein, daß er impotent ist – physisch wie als Künstler. Eines der Dinge, die ich den Amerikanern zu sagen versucht habe, ist, daß es ohne Leidenschaft keine wirklich große Schöpfung geben kann. Aber ich bin mir nicht sicher, ob sie es verstanden haben. Wenn sie es nicht verstanden haben, dann deshalb, weil sie sich die Leidenschaft nur als Sexus denken können und nicht als die ungeteilte Kraft des Menschen. Sie versuchen immer, der Leidenschaft ein Etikett zu geben, und das ist ein Fehler. Was ich damit meine? Ich denke an Byron. Byron besaß eine Leidenschaft. Sie hatte nichts mit seinen Weibern zu tun. Sie war eine Gemütseigenschaft Byrons, und was immer er schrieb, kam aus dieser Leidenschaft, und vielleicht ist deshalb sein Werk so ungleichmäßig; denn auch die Leidenschaft eines Menschen ist ungleichmäßig, wenn sie echt ist; und manchmal, wenn er es niederschreiben kann, ist es nichts als Leidenschaft und hat ausschließlich für ihn Bedeutung. Die Leidenschaft eines Menschen kann sich auf ein Objekt richten und herrlich darin sein, auf eine Frau oder eine Idee oder Zorn oder eine Ungerechtigkeit. Wenn es aber geschieht, wie es meist geschieht, daß das Objekt verlorengeht oder nach einer gewissen Zeit abgenutzt ist, dann überlebt die Leidenschaft es nicht. Sie überlebt nur, wenn sie schon vorher da war, nur wenn die Frau oder die Idee oder der Zorn Nebenumstand und nicht Ursache der Leidenschaft waren. Und das ist es, was den Schriftsteller ausmacht. Goethe hielt wahrscheinlich den Werther für ein leidenschaftlicheres Buch als den Wilhelm Meister, aber im Werther beschrieb er nur die Leidenschaft, im Wilhelm Meister setzte er sie um. Ich glaube nicht, daß ihm das bewußt war. Auch Emerson wäre wohl überrascht gewesen, wenn man ihm gesagt hätte, er sei leidenschaftlich. Aber Emerson besaß echte Leidenschaft; er schrieb mit ihr; aber er hätte nicht *über* sie schreiben können, weil er nichts von ihr wußte. Hemingway jedoch weiß alles über sie und kann manchmal sehr überzeugend über sie schreiben, aber er hat überhaupt keine. Nicht die wirkliche Leidenschaft. Er hat nur Passionen ...«

XVIII

Es wäre recht klug Anhänger zu haben.
Gertrude Stein

Das krasse Mißverhältnis zwischen Gertrude Steins Ruhm als eine der Großen der modernen Literatur und der geringen Zahl ihrer veröffentlichten Werke war ein Paradox, gegen das sich ihr Gerechtigkeitssinn empörte und das in den frühen und mittleren Jahren ihres Schriftstellerlebens ihre Hoffnungen auf bleibende Anerkennung dämpfte. Bekannte Kritiker sorgten dafür, daß ihr Name in den Spalten der amerikanischen Zeitungen immer wieder genannt wurde; sie zitierten ihre Sätze nicht nur um billiger Lacherfolge willen, sondern gelegentlich auch aus Respekt. Aber sie wurde nicht gelesen, und der wichtigste Grund war einfach der, daß sie nicht veröffentlicht wurde. In ihrer Verzweiflung über diese Vernachlässigung äußerte sie sich manchmal so bitter, wie man es nie von ihr erwartet hätte: »Manchmal denke ich, es wäre doch hübsch«, sagte sie, »wenn ein Warenhaus Schreibmaschinenmanuskripte von mir verkaufen würde, aber ich kenne kein Warenhaus...« Ihre Manuskripte lagen stets griffbereit, doch der »wagemutige Verleger«, auf den sie nun schon so lange wartete, zeigte sich nicht. Sorgfältig gebunden standen die vollendeten Werke aus einer Schaffensperiode von mehr als zwanzig Jahren in stolzer Vergessenheit auf den Regalen eines spanischen *armoire*. Inzwischen machten Gertrude und ihre Freunde alle möglichen Pläne, daß jemand die stets sorgfältig abgestaubten, aber arg vernachlässigten Manuskripte wie ein Schatz hob und setzte.

Im Jahr 1920 hatte John Lane *Three Lives* in England neu aufgelegt, und der bescheidene Erfolg der zweiten Auflage hatte Gertrude Appetit nach weiteren Veröffentlichungen gemacht. Aus New York schrieb ein Freund, der die Gefühle eines verschworenen Häufleins von Anhängern und Kritikern zum Ausdruck brachte: »Im vergangenen Frühjahr aß ich mit Walter Arensberg & Duchamp zu Abend, und wir sprachen davon, wie man wohl ein neues Buch mit Ihren Arbeiten am besten herausbringen könne etc. Meiner Meinung nach sollten Sie es auf eigene Kosten privat drucken lassen, und sobald einmal tausend Stück gedruckt sind, könnte man diese irgendwie vertreiben. Ich glaube, es würde sich letzten Endes bezahlt machen. Wissen Sie, die Schwierigkeit für Sie ist, daß Sie in einer Sprache schreiben, die hinter der bildenden Kunst im Rückstand ist. Es gibt ein Publikum für Sie, aber keinen Verleger...«

Als Robert McAlmon, der junge Direktor der Contact-Press und Gatte der reichen englischen Schriftstellerin Bryher, in Gertrudes Reichweite kam, lud sie ihn zum Tee ein. McAlmon und sie trafen sich in ihrer Leidenschaft für »dokumentarische, autobiographische und biographische Dinge« und für die Romane von Trollope. Aber es war keine rein gesellschaftliche Begegnung; Gertrude hatte Geschäfte im Sinn. Im Verlauf der Unterhaltung schlug sie McAlmon vor, er solle *The Making of Americans* in einer Folge von vier bis sechs Bänden innerhalb eines Zeitraums von zwei Jahren publizieren. Er stimmte mit ihr darin überein, daß dieses Buch in den Rahmen seiner Contact Editions passe, meinte aber, daß man dieses Werk besser in einem einzigen Band herausbringen solle, weil er »aus einem Guß« und daher für eine Veröffentlichung in Einzellieferungen ungeeignet sei. Mit diesem weitaus besseren Vorschlag erklärte sich Gertrude sofort einverstanden, und sie versprach McAlmon, dafür zu sorgen, daß mindestens fünfzig ihrer Freunde die Subskription für das Buch zeichneten. Kurz darauf ging das Manuskript zur Druckerei Maurice Darantière in Dijon, die sich um die Moderne schon durch den Druck von James Joyces *Ulysses* ein Verdienst erworben hatte.

Wie zu erwarten, wurde diese Aufgabe zum Alptraum für die französischen Setzer. Zahllose Wiederholungen, ausgetüftelte Inversionen, kaum wahrnehmbare Variationen, all die charakteristischen Tricks und Verzwicktheiten der frühen Stein gingen über ihre Begriffe. Und dennoch war der Umstand, daß sie es mit einer fremden Sprache zu tun hatten, vielleicht eher ein Vorteil, waren sie doch nicht durch eigene Vorstellungen von der üblichen Syntax oder dem üblichen Satzbild beeinflußt. Aber Steinsche Prosa, ganz gleich in welcher Sprache, ist immer ein Problem, und die Unberührtheit hinderte die Setzer nicht, Hunderte von Fehlern zu machen, die nicht nur schwerwiegend, sondern auch kaum wahrnehmbar waren. Als die Korrekturen kamen, standen Gertrude und Alice vor einer Aufgabe, die sie an den Rand der Verzweiflung und des Erblindens brachte. Den größten Kummer bereitete ihnen die Neigung der Setzer, ganze Sätze auszulassen. Zeile für Zeile mußte aufs genaueste nachgeprüft werden. Für Gertrude, die das Buch seit seiner Niederschrift zum erstenmal wieder las, war diese

Konfrontation ein zweifelhaftes Vergnügen. Sie befürchtete, die Leser würden den unorthodoxen Gebrauch der Tempora, Personen, Adjektive und Unterteilungen mitunter nicht der Absicht der Autorin, sondern den Launen des Setzers zuschreiben. »Obgleich es meinen zwanzig Jahre älteren Augen ein wenig dunkel erscheint«, gestand sie, daß sie im großen ganzen mit dem literarischen Wert des Manuskripts in seiner vorliegenden Form außerordentlich zufrieden sei. Sie wollte einige kleine Veränderungen vornehmen, kam jedoch schließlich immer wieder auf den ursprünglichen Text zurück. Für sie selbst hatte das lang begrabene Werk bereits die Qualitäten eines Klassikers; »es sind ein paar recht herrliche Sätze darin«, schrieb sie an Sherwood Anderson, »und wir wissen ja, wie sehr wir beide Sätze lieben.«

The Making of Americans, mehr als 900, im wahrsten Sinne des Wortes durchsichtige und fast unleserliche Seiten stark, erschien endlich im September 1925 in einer broschierten Ausgabe. Aber leider sollte Gertrude sich durch ihr selbstherrliches Handeln um die Freundschaft des Mannes bringen, der das Buch verlegt hatte. Während McAlmons Abwesenheit von Frankreich hatte sie, entgegen seiner ausdrücklichen Anweisung, die Druckerei Darantière in Dijon beauftragt, die fertigen Bände sofort nach New York zu schicken. Als McAlmon davon erfuhr, wurde er wütend – nicht ohne Grund, wie Gertrude zugab – und schrieb ihr einen Brief, in dem er weitere Vertragsbrüche ihrerseits aufführte. Seiner Ansicht nach hatte Gertrude von sich aus nichts unternommen, um den Absatz des Buches zu fördern: »Durch Sie erreichten uns keine anderen Bestellungen als die Ihrer nächsten Angehörigen.« Er schloß seinen Brief mit Beschuldigungen und einer Drohung: »Im übrigen wäre es Ihnen stets finanziell möglich gewesen, Ihr Buch zu publizieren, wenn Ihnen *Ihre* Kunst schon von so vordringlicher Wichtigkeit ist. Falls Sie die Auflage haben wollen, können Sie ein Angebot machen. Sonst werde ich im September – ein Jahr nach Erscheinen – die unverkauften Exemplare einstampfen lassen...« McAlmons Drohung wurde niemals verwirklicht, aber die persönlichen Beziehungen zwischen ihm und Gertrude endeten abrupt. Immerhin war *The Making of Americans*, der Markstein in einer schriftstellerischen Laufbahn, die dem Unorthodoxen in einem Ausmaß gewidmet war, wie es nie zuvor ein seriöser Schriftsteller gewagt hatte, nun endlich für jeden Interessenten erhältlich.

In dem weit gespannten Netz literarischer, romantischer und

Barhocker-Beziehungen, das die freiwillig ins Exil gegangenen Amerikaner und Engländer im Künstlerviertel von Paris und in seinen spanischen, italienischen und südfranzösischen Ablegern aufgezogen hatten, war Robert McAlmon eine allgegenwärtige Erscheinung. Seine eigenen schriftstellerischen Anstrengungen gediehen nicht sehr weit, aber seine Verdienste als Verleger der Contact Editions und der Three Mountains Press waren von ungeheurem Wert. Zu den Autoren, deren Werk er in Ausgaben veröffentlichte, die heute meist hohen Sammlerwert haben, gehörten außer Gertrude noch Ernest Hemingway, Ezra Pound, William Carlos Williams, H. D., Djuna Barnes und der Maler Marsden Hartley, dessen *Twenty-five Poems* 1923 erschienen. Interessiert man sich für diese Exilepoche heute in der Hauptsache wegen der wenigen berühmt gewordenen Schriftsteller und Maler, so muß man doch im Auge behalten, daß jene Zeit für eine Unzahl weniger bedeutender Künstler wie McAlmon und für Hunderte von brillanten Versagern einen glänzenden Hintergrund abgab. Er entschädigte die vielen, die es zu nichts bringen sollten und die ihren hoffnungslosen Ehrgeiz immer wieder durch endlose Gespräche und gelegentlich durch die Mitfreude am Erfolg derer, die es »geschafft« hatten, am Leben hielten.

So konnte sich Gertrude nach diesem verlegerischen Intermezzo auf ihrem Weg zum literarischen Erfolg immer noch nicht auf viele Veröffentlichungen berufen, der verärgerte McAlmon nannte sie »eine stotternde, sich ewig wiederholende und irgendwo unartikulierte Person«. Aber um so strahlender und unbestritten war ihr gesellschaftlicher Erfolg als führende Persönlichkeit in der Welt der Expatriierten. »An sonnigen Vormittagen«, erinnert sich Lloyd Morris, »wenn die Straßen des rechten Ufers von Menschen wimmelten, konnte man sich mitunter von einer Halluzination genarrt glauben. Da kam plötzlich ein gewaltiger Buddha auf Rädern im Zickzackkurs die Straße entlang, von göttlicher Gleichgültigkeit gegen das Schicksal der sterblichen Verkehrsteilnehmer, gleichgültig gegen Gelächter und Verwünschungen. Doch diese Halluzination stellte sich alsbald als etwas durchaus Reales heraus: es war Miss Gertrude Stein, die in ihrem Ford, Modell T, unbeirrt ihrem Ziel zustrebte ... Miss Stein war massig, monumental, majestätisch; sie hatte die Großartigkeit eines Naturphänomens ... Der Befehl, sich in ihrer Wohnung einzustellen, war eine Einladung zum Mont Blanc ...«

In der Mitte der zwanziger Jahre wurde die Rue de Fleurus ein Zwischending zwischen einer Hofhaltung und einer Wallfahrtsstätte. Zu Füßen des Thrones zu hocken, auf dem Gertrude mit übergeschlagenen Beinen saß, die eine Sandale lässig am großen Zeh schlenkernd, war das Ziel der jungen Männer, die um ihre königliche Gunst buhlten. Einer von ihnen fungierte, zwar inoffiziell, aber mit Autorität, als Majordomus, die anderen bemühten sich um eine Günstlingsstellung. Im Hintergrund konnte man durch das Klirren der Teetassen die Köpfe rollen und manchen guten Ruf in Scherben gehen hören.

Bemerkenswert an diesem Salon war nicht zuletzt der ständige Wechsel der Akteure. Gertrude wie Alice liebten in ihren menschlichen Beziehungen die Abwechslung; und Alice sang oft fröhlich vor sich hin: »Laßt neue Gesichter, neue Gesichter, neue Gesichter um uns sein. Die alten kenn ich schon.« Gertrude pflegte seit Jahren zu sagen, daß sie Menschen gern kommen, aber ebensogern gehen sehe. Das Atelier war zu einer historischen Wallfahrtsstätte geworden und mit Opfergaben eindrucksvoll geschmückt. Auf den Bildern lag die Patina des Ruhms, die schweren Möbel waren durch die Berührung mit Tausenden von Pilgern dunkel und glänzend geworden. Es war nur natürlich, daß Gertrude, von Bernard Fay häufig als »unsere liebe Frau« tituliert, die vom Strahlenglanz umgebene, wuchtige Madonna dieser Stätte wurde. Der amerikanische Komponist Virgil Thomson, dem das Königliche wie Heiligmäßige dieses Salons offenbar großen Spaß machte, schildert seinen ersten Eindruck: »Ich sah zwei alte Damen neben dem Kamin sitzen. Sie warteten, und ich mußte unwillkürlich an die Redensart denken: ›Möchten Sie nicht nähertreten, sagte die Spinne zur Fliege.‹«

Wer die reizvollen hierarchischen Abstufungen in Gertrudes Hofstaat nicht kannte, kam so neugierig an ihre Haustür wie etwa zur Sainte Chapelle oder zum Invalidendom. Auf der Suche nach »allem, was Paris zu bieten hat«, betrachtete man den Besuch in der Rue de Fleurus als den Besuch in einer Akademie, wo man in Ruhe fast jede Phase der modernen Malerei an Beispielen studieren und mit jemandem darüber diskutieren konnte, der zu den frühesten Vorkämpfern dieser Kunst gehörte. Wie auch immer das gesellschaftliche Klima war, die Gemälde blieben der Mittelpunkt, um den das tiefere Leben des Salons kreiste. Gertrude hängte ihre Bilder immer wieder um, brachte neue zur Geltung oder gab alten, die ihr plötzlich wichtig erschienen, einen guten Platz. Sie hatte auch ihren eigenen *Salon des Refusés,* einen kleinen Raum, in den jene Bilder verbannt waren, die sie als unwillkommene Geschenke erhalten oder aus Versehen gekauft oder an denen sie nach einiger Zeit das Interesse verloren hatte. »Ich weiß nie, wann oder weshalb ein Bild plötzlich schön wird oder mich nicht mehr reizt«, sagte sie. »Es gab eine Zeit, in der ich dieses Cézanne-Porträt unter Glas tun mußte, weil niemand mir glauben wollte, daß es vollendet war; es irritierte alle und manche ärgerte es sogar. Ich hatte seine Qualität erkannt, ohne es zu mögen, und eines Tages wurde es dann mit einemmal schön, und ich konnte es nicht mehr so sehen, wie ich es zuvor gesehen hatte.« Dieser lebendigen, unablässig wechselnden Einstellung war es zu verdanken, daß es in diesem Salon, der so leicht die tote Atmosphäre eines Museums hätte annehmen können, stets etwas Neues zu sehen gab.

Obgleich Gertrudes große Bildersammlung das eigentliche Glanzstück des Salons war, fanden doch eine Reihe von Leuten, darunter auch etliche Maler, daß Gertrude im Grunde wenig von Malerei verstand und daß ihr Geschmack bestenfalls schrullig war. Selbst ein Eingeweihter wie der Maler Harry Phelan Gibb, ihr bester englischer Freund, fühlte sich einmal durch eine völlig unerwartete Reaktion Gertrudes vor den Kopf gestoßen. Gibb hatte ihr eines seiner Bilder geschickt, auf dessen Rückseite eine Skizze war, wie er sie für Kalender und Glückwunschkarten herstellte, mit denen er sein Brot verdiente. Zu seinem Erstaunen erwähnte Gertrude in ihrer Erwiderung das Bild überhaupt nicht, meinte aber, sie fände die Skizze sehr schön. Gibb schrieb: »Ich weiß nicht, wie ich das verstehen soll. Die Skizze, die Sie loben, war eine meiner schlechtesten Arbeiten, zu schlecht, um sie auch nur für Pfennige zu verkaufen. Daher malte ich auf die Rückseite des Kartons das andere Bild. Ich glaubte, es stecke etwas darin, wenn ich mir auch bewußt war, daß die Komposition nicht geschlossen war. Immerhin schien sie mir das gewisse Etwas zu besitzen, das sie über den Durchschnitt heraushebt. Dann dachte ich, Sie könnten vielleicht Freude daran finden. Der Gedanke, Sie könnten sich die Rückseite betrachten, ist mir nie gekommen. Jedoch, Sie haben sie betrachtet, Sie haben gesagt, was Sie davon halten, und ich bin perplex.«

Da sowohl Gertrude wie ihr Bruder soviel Aufhebens von ihren Bildern gemacht hatten – er in seinen Vorträgen im *salon* und später in seinen Schriften, sie mit ihrer literarischen Adaption des

Kubismus –, sahen viele Menschen in ihnen in der Hauptsache Theoretiker, denen jedes echte Gefühl für visuelle Kunst fehlte und denen die Bilder lediglich »Aufhänger« für ihre Hypothesen waren. Diese Anschauung wurde noch unterstützt durch die Kritiker, die zwar einräumten, daß die Geschwister Picasso und Matisse schon ganz zu Anfang in ihre Sammlung aufgenommen hatten, aber auf die später divergierenden Interessen hinwiesen, die Leo fast jeden Kontakt mit der modernen Kunst verlieren und Gertrude Künstler unterstützen ließen, die von vielen Sachkundigen als gänzlich bedeutungslos bezeichnet wurden. So gesehen, wirke die Beziehung zu Picasso und Matisse als reiner Zufall, dem die beiden Steins einen willkommenen Ruhm verdankten, den zu erreichen ihnen jedoch jedes andere Mittel ebenso recht gewesen wäre.

Vielen Menschen schien es, daß Gertrude zwar als stolze Besitzerin inmitten ihrer Sammlung throne, sich im Grunde jedoch mehr für die Leute interessiere, die Werke zu dieser Sammlung beigesteuert hatten. Es entstand der Eindruck, daß es ihr mehr auf die Persönlichkeiten und den öffentlichen Erfolg als auf die Leistung ankam. Man stellte häufig fest, daß Gertrude die Chancen eines neuen Malers gern nach seiner Einstellung ihr gegenüber einschätzte. Wer sich gleichgültig gegen sie verhielt, wurde mit Gleichgültigkeit behandelt, und wem die Tür gewiesen wurde, dessen Werk war mit ihm verbannt. Ihre eifrigen Galeriebesuche legte man als ein Suchen nach neuen Gesichtern aus, die ihren *salon* auffrischen und schmücken sollten, wenn auch nur für begrenzte Zeit. Mochte diese Ansicht zweifellos in vielen Fällen der Eifersucht und Bosheit entspringen, so wurde sie doch durch Beispiele aus Gertrudes Vergangenheit bekräftigt. Der Interessenumschwung, der sich im Verlauf ihrer Arbeit bei William James gezeigt hatte, als sie ihre Aufmerksamkeit von den Experimenten auf die Versuchspersonen wandte, hatte sich bereits mehrmals auf völlig anderen Gebieten wiederholt. Ihr ganzes Leben lang zeigte Gertrude nur sehr wenig Interesse an der Arbeit von Künstlern, die sie nicht persönlich kannte, es sei denn, sie waren tot und durch mindestens eine Generation von ihr getrennt. Niemals gab es für sie ein fernes Idol, niemals einen Menschen außerhalb ihres engsten Kreises, zu dem sie mit Achtung und Bewunderung aufblickte, es sei denn, der Betreffende war so mausetot und stand der Kunstwelt so fern wie Ulysses S. Grant. Sie war schließlich dazu gekommen, sich mit Selbstanbetung zu begnügen, weil sie, wie sie sagte, wußte, daß sie in ihrer Zeit die Einzige war. Ihre Zuneigung zu anderen blieb denen vorbehalten, die sie für sich in Anspruch nehmen konnte. Ob die Welt ihr nun zustimmen mochte oder nicht, Picasso war der einzige Maler, Sherwood Anderson war *der* große amerikanische Schriftsteller, und Virgil Thomson wurde, kaum interessierte er sich für die Vertonung ihrer Werke, zum größten lebenden Meister der Prosodie.

Aber trotz dieser Einschränkungen läßt sich Gertrudes Prestige als Arbiter der Malerei nicht leugnen. Der englische Romancier Ford Madox Ford nannte sie »sowohl Papst wie Pharao des Bilderhandels«. Die Tatsache, daß sie sich schon so früh für Picasso eingesetzt hatte, verlieh ihr die Aura einer Prophetin, die manche Kunsthändler geschäftstüchtig ausschlachteten. Ihr Erscheinen bei der Eröffnung einer neuen Ausstellung wertete man als erstes Anzeichen eines Erfolges. Stets wartete man auf ihren Auftritt, und niemals entbehrte er der Dramatik. Pausenlos schnatternd und von Zuhörern umringt, bewegte sie sich nach Lust und Laune durch die Galerie. Inmitten der vielen Bilder blieb sie stehen, segnete das eine mit ihren päpstlichen Händen und vernichtete das andere mit einem gleichgültigen Blick. Im Gegensatz zu ihrem Bruder ließ sie sich niemals ausführlich über die Bilder aus, die sie fesselten. Sie war nicht einmal besonders ergiebig. Als die Herausgeber einer Zeitschrift ihr einen Fragebogen zusandten, auf dem unter anderem die Frage stand: »Wie stehen Sie zur modernen Kunst?« antwortete Gertrude schlicht: »Ich sehe sie mir gern an.« Anstelle von Leos erschöpfenden, bohrenden Interpretationen gab es bei ihr nur sofortige Anerkennung oder Ablehnung. Ihr mußte ein Bild gefallen, damit sie darüber nachdenken konnte. Bei Leo verhielt es sich genau umgekehrt; er mußte über ein Bild nachdenken, ehe er sich gestattete, es schön zu finden.

In ihren eigenen vier Wänden, wo der dunkle Schutzengel mit den langen Ohrgehängen nicht von ihrer Seite wich, erweckte ihre scheinbare Entrücktheit bei vielen Menschen das Gefühl, sie könnte jeden Augenblick »von der heiligen Flamme entzündet werden«. Das Zeitlose an ihr – Max Jacob sagte einmal: »Ich muß die bewunderungswürdige Gertrude Stein in einer prähistorischen Zeit gekannt haben« – war abwechselnd abstoßend und anziehend. Die meisten Besucher erlagen ihrem Charme, und viele, die sich über ihr Werk nicht äußerten, fanden mühelos Worte, um ihre faszinierende Persönlichkeit zu beschreiben.

Als William Carlos Williams, der amerikanische Dichter und Arzt, mit Robert McAlmon das erstemal zu ihr kam, bewirtete sie ihn mit Tee, zeigte ihm Band um Band ihrer großen Sammlung unveröffentlichter Werke und fragte ihn, was er in ihrer Lage tun würde. »Ich war wohl ziemlich offenherzig«, schreibt Dr. Williams in seiner *Autobiographie*, »oder muß die zynische Einstellung von Pound und anderen Freunden zu Miss Steins Werk im Sinn gehabt haben, denn ich antwortete: ›Wenn es meine Werke wären, würde ich wahrscheinlich unter diesen vielen Arbeiten die auswählen, die ich für die beste hielte, und den Rest in den Ofen werfen.‹« Daraufhin entsetztes Schweigen. Dann wurde Gertrude, wie McAlmon sich erinnert, wild. »Nein, o nein, nein, nein«, sagte sie, »das ist unmöglich. Sie werden keinen Maler finden, der auch nur eine seiner Skizzen zerstört. In den Schriften eines Schriftstellers ist zuviel von seinem Wesen, sie sind sein Fleisch und Blut. Sie mögen so etwas tun, aber das Schreiben ist eben nicht Ihr Metier, Doktor«, sagte sie. »Aber Dr. Stein«, sagte Williams, »sind Sie denn sicher, daß das Schreiben Ihr Metier ist? Ich löse die wirtschaftlichen Probleme des Lebens, indem ich den Beruf des Arztes ausübe, aber ich wollte von eh und je schreiben. Ich hoffe, es freut Sie, wenn ich Ihnen sage, daß Dinge, die Kinder geschrieben haben, mir in ihren Wiederholungen sehr gertrudesteinisch vorkamen. Ihre Stärke ist die, daß Sie so langsam und unschuldig sind, daß Sie zuerst Gefühle und Erfahrungen wahrnehmen.« Das war zuviel; die Tür zum Atelier war William Carlos Williams von diesem Augenblick an verschlossen. »Ich konnte ihn danach nicht mehr sehen«, sagte Gertrude. »Ich sagte dem Mädchen, ich sei nicht für ihn zu Hause, falls er wiederkäme. Er ist mir zu bombastisch.«

Aber das hinderte Dr. Williams nicht, Gertrudes Pionierarbeit aufs höchste zu bewundern. »Indem sie die Worte nach Belieben wählte, um das, was ihr vorschwebte, noch deutlicher auszudrükken, hat sie sie von ihrer früheren Beziehung zum Satz vollständig gelöst«, schrieb er. »Dies war unvermeidlich und von essentieller Wichtigkeit. In der Neuanordnung haben alle Wörter einen eigenen Gehalt, aber sie sind nicht miteinander verbunden, um die Bürde von Begriffen zu schleppen, mit der sie in der Vergangenheit belastet worden sind. Sie sind wie etwa eine Menschenmenge in Coney Island, wenn man sie vom Flugzeug aus betrachtet... Gertrude Stein hat das Schreiben auf eine Ebene gestellt, wo es sich ungehindert mit seinen eigenen Angelegenheiten beschäftigen kann, ohne durch wissenschaftlichen und philosophischen Ballast beschwert zu sein.«

Im allgemeinen war Gertrude zu Hause umgänglich und freundlich. Das bedeutete aber nicht, daß sie jedem, der zufällig hereingeschneit kam, Vertraulichkeiten erlaubte. Derlei verhinderte schon Alice, die in ihrer unaufdringlichen Art Gertrude abschirmte; die Langweiler, die Inkompetenten, die Allzugeschwätzigen, die talentlosen Nonvaleurs und die Opportunisten konnten gegen Alices subtile Verzögerungstaktiken selten etwas ausrichten. Gelang es aber doch einem der Parias, zu Gertrude vorzudringen, dann konnte es ihm leicht geschehen, daß er, ohne zu wissen, warum, kurzerhand verabschiedet wurde. Dieses herrscherliche Gebaren Gertrudes machte viel böses Blut. Der Preis, den sie bezahlen mußte, weil sie sich nun einmal von niemandem langweilen lassen wollte, war das Rachegeschrei in den Biographien und Memoiren einer Generation von Zurückgewiesenen. Wer Gertrude langweilte, fand natürlich schließlich auch sie und ihren Kreis langweilig. Robert McAlmon schrieb: »Sie läßt sich nur allzugern von Leuten anbeten, die ein Mensch mit gesundem Selbstvertrauen sofort als Schmarotzer, Langweiler, Gigolos oder Zuhälter abtun würde.« Andere hingegen meinten, Gertrude, die mehr als zwanzig Jahre lang in Paris eine bekannte Erscheinung gewesen war, sei »ein Teil davon geworden wie Picasso und der Eiffelturm, zu individuell, um irgendeiner Clique zugeordnet zu werden ... sie wirkte zeitlos ... Wenn sie sich am Kopf kratzte und einen mit ihrem Adlerauge fixierte, hatte man das Gefühl, mit einem Monument Tee zu trinken.« Sie selbst hielt sich für die Pariser Figur wie auch für die Vollblutamerikanerin, die sie gern sein wollte: »Trotz der langen Zeit die ich in Frankreich gelebt habe, hat man mich niemals eine Expatriierte genannt, und darauf bin ich stolz. Ich habe bewiesen, daß man überall auf der Welt ein guter Amerikaner sein kann.«

Mochte es auch in den abendlichen Menschenansammlungen unterirdische Strömungen geben, der Gesamtton des Salons war der einer strengen und förmlichen Höflichkeit. Gertrude, die sich selbst jede Extravaganz gestattete, war stets schnell bei der Hand, Leute zu schneiden, deren Gebaren seltsam oder anmaßend oder talmihaft war. Langweiligkeit und konventionelles Gehaben waren jedoch ebenfalls verpönt, und sie zog den interessanten Blender dem zurückhaltenden guten Charakter vor. Normale Menschen langweilten sie über die Maßen, und die Folge davon war, daß sich in der Rue de Fleurus auch »junge Männer, die nicht genau wußten, was sie waren, und vornehme ältere Herren, die es nur allzugut wußten, sowie die entsprechenden weiblichen Pärchen als Dauergäste einstellten«.

Bernard Fay, viele Jahre lang ein getreuer Freund Gertrudes, war bei seinem ersten Erscheinen in der Mitte der zwanziger Jahre von dem Kreis, der sich um Gertrude versammelte, keineswegs erbaut. »In ihrer Umgebung sah ich eine große Anzahl von jungen und alten Schriftstellern«, sagte er, »die ihre literarischen Talente ebenso kultivierten wie Mißgeburten ihre Gebrechen... Diese Leute sind amüsant; häufig leisten sie originelle Arbeit; manchmal schreiben sie gute Bücher; und hin und wieder gelingt ihnen auch ein großartiger schriftstellerischer Wurf – aber sie sind weitgehend für die unerfreuliche Atmosphäre und den schlechten Ruf verantwortlich, der der zeitgenössischen Literatur anhängt.«

Katherine Anne Porter, die damals in Paris lebte, war in ihrem Urteil über den *salon* mit seinen Prätentionen und seinen unreifen Jünglingen kaum weniger hart. »Miss Stein saß da und beherrschte sich selbst, den Schauplatz und die Zuschauer«, schrieb sie in *The Days Before.* »Sie trug dicke, farblose, formlose wollene Kleidungsstücke und ehrbare Wollstrümpfe, die Miss Toklas für sie gestrickt hatte, und sah einem schönen alten jüdischen Patriarchen, der abtrünnig geworden war und sich den Bart abgenommen hatte, zum Verwechseln ähnlich.« Unter den Nachzüglern, die sich noch in die »Verlorene Generation« drängen wollten, gab es einige, die laut Miss Porter »verkündeten, sie wünschten, daß ihre schriftstellerischen Arbeiten so frei von Literatur wären, als hätten sie niemals ein Buch gelesen, was in der Tat allzu viele von ihnen bis dato auch nicht getan hatten...«

Wer sich bereits der Gunst Gertrudes erfreute, sah ihre Cliquenwirtschaft in einem ganz anderen Licht. »Man sagte ihr nach, sie übe einen schädlichen Einfluß auf die Jugend aus«, meint Harold Acton. »Aber soweit ich es beobachten kann, löste sie ihre Probleme mit ungewöhnlichem Einfühlungsvermögen und gesundem Menschenverstand. Ich hielt sie für eine hervorragende Kritikerin. Mir gab sie vernünftige Ratschläge, obgleich ich weder zu ihren Jüngern noch zu ihren Nachahmern gehörte. Ich zeigte ihr meine jüngsten Gedichte und... eine Fabel in Prosa, die ich gerade beendet hatte, und sie fand in diesen Arbeiten das, wonach sie gesucht hatte: den rhythmischen Zusammenhang zwischen meinem Schreiben und meiner Person.«

Obgleich die Atmosphäre stets gespannt war, legten die Stammgäste großen Wert darauf, daß das Zusammengehörigkeitsgefühl dieses Kreises nicht verloren ging. Hatte man Gertrude seine Aufwartung gemacht und mit Alice zusammengesessen, so hatte man in dem magischen Zirkel jener Leute Aufnahme gefunden, die zumindest vorgaben, interessant und *fashionable* zu sein. Man hatte den Segen empfangen, der vor kurzer Zeit erst Größen wie Picasso und Matisse, Anderson und Hemingway zuteil geworden war. Virgil Thomson, den George Antheil im Herbst 1926 angeschleppt hatte, besaß vielleicht als einziger der damaligen Besucher echten künstlerischen Rang. Er verstand sich nicht immer sehr gut mit Alice, genoß jedoch schon bald Gertrudes Gunst, und das aus dem einfachen Grund, weil er *Susie Asado* und *Preciosilla* zur Vertonung auserkoren hatte. Thomson bewunderte Gertrude schon seit Jahren, und sein Verständnis für ihre Ziele basierte auf seiner gründlichen Kenntnis ihrer Schriften. Bereits als Student in Harvard hatte er, wenn auch erfolglos, versucht, Teile von *Tender Buttons* zu vertonen. Aber er war kein Schmeichler, und seine objektive Beurteilung von Gertrudes Persönlichkeit war ebenso aufrichtig wie die Zuneigung, die er ihr viele Jahre lang entgegebrachte. »Sie erwartete, daß man ihr die Freiheit eines Mannes zubilligte«, bemerkte er, »ohne daß sie jemandem gestattet hätte, ihr die Achtung vorzuenthalten, die ihr als Frau gebührte«.

Im Umgang mit Thomson vermied Gertrude die gluckenhafte Betulichkeit, mit der sie ihre gemischte Brut umhegte und in der stets ein gönnerhafter Unterton mitschwang. Es scheint, daß sie seine Bedeutung als Kritiker und seine Selbstsicherheit als Komponist von Anfang ihrer Beziehung an gewittert und ihn als einen Gleichberechtigten anerkannt hat.

Unbeschwert kam und ging auch der Romancier Elliot Paul. Ihn kümmerte es nicht, ob er gerade in Gunst stand. George Antheil, der als das *enfant terrible* der amerikanischen Musik sehr rasch zu einer kurzlebigen Berühmtheit aufstieg, glänzte vorübergehend mit seinem *ballet méchanique,* einer brutalen Komposition, die die Zuhörer auf »die gleichzeitige Schönheit und Gefahr der unbewußt mechanistischen Philosophie« ihres Zeitalters aufmerksam machen sollte. Das Werk war für acht Klaviere, ein elektrisches

Klavier, Xylophone, Baßtrommeln, Rasseln, elektrische Klingeln und einen Flugzeugpropeller geschrieben. (Antheil sollte sich bald darauf nach Amerika zurückziehen, in Vergessenheit geraten und viel später als ein erfolgreicher Briefkastenonkel, der Liebeskranken Ratschläge erteilte, wieder auftauchen.) Und dann war mit einemmal ein junger holländischer Maler, Kristians Tonny, der letzte Schrei ... Gertrude meinte dazu: »Man umgibt sich gern mit jungen Männern, auch wenn sie dann im Handumdrehen nicht mehr jung sind. Sobald man sie wirklich kennt, sind sie nicht mehr jung.«

Bravig Imbs, ein junger Schriftsteller, der, gerade vom Dartmouth-College kommend, für kurze Zeit die Stellung des Majordomus einnahm, schreibt: »Wir waren eine Clique, und die meisten von uns waren jung genug, um diese Clique sehr wichtig zu finden. Wir alle wollten große Künstler werden, und wir alle hatten mit Alice zusammengesessen, und wir alle hatten Gertrude unsere Verehrung bekundet ... So war es also völlig normal, wenn ein großes Getöse darum gemacht wurde, daß Virgil beim Spaziergang in seinem Lieblingspark, dem Park von Saint Cloud, über seine Melodien nachgrübelte; daß René Crevel sich wie ein Verrückter in den Nachtclubs von Berlin gebärdete (auch wenn das unweigerlich seine Rückkehr in irgendein trostloses Schweizer Sanatorium bedeutete), daß Poupet einen himmlischen kristallenen Kanarienvogel in einem Kristallkäfig erworben hatte, um sein Eßzimmer damit zu schmücken; daß Elliot Paul eine neue, prachtvolle italienische Ziehharmonika gekauft hatte; daß Pavlik (Tchelitchew) von Mumps befallen wurde und sich infolgedessen für die Christian Science interessierte; daß Gertrude an einem Rednerkurs bei einem Professor der Sorbonne teilnehmen wollte, weil es beinah sicher war, daß sie zu einem Vortrag nach Oxford eingeladen würde; daß Alice bei ihrem Zahnarzt gepeinigt wurde – Gertrude, die niemals krank war, wahrte Alices Gebrechlichkeiten gegenüber eine derart olympische Gleichgültigkeit, daß Alice gezwungen war, sich anderswo Trost zu holen; daß Sherwood Anderson heute nachmittag kam, um Picasso kennenzulernen; und daß Sherwood eine neue Frau hatte, die ein reizendes Geschöpf war, und daß niemand ihn bei Mrs. Jolas' Abendgesellschaft ernst genommen hatte, als er verkündete, er wolle, wenn er reich sei, jede Nacht einen frischen Pyjama anziehen und alle drei Jahre eine neue Frau heiraten; daß das Lunch von Sherwood und Joyce ein

Fiasko gewesen war, weil Sherwood das Gespräch so herrlich mit der Frage eröffnete, was Joyce von Irland halte; daß Janet Scudder die französischen Behörden überredet hatte, den Namen der Straße, in der sie wohnte, zu ändern; daß Juan Gris sich nach sehr schwerer Krankheit auf dem Weg der Besserung befand und in Berlin Erfolg gehabt hatte; daß George und Boske Antheil nach ihren erfolglosen Unternehmungen in New York wie die verlorenen Kinder im Wald aussahen; daß Robert Coates eine herrliche Adresse hatte: Das City Hotel...«

Bravig Imbs erzählt auch, daß Gertrude es liebte, unter den vielen Besuchern bewußt Streit anzuzetteln, der dann meist in ein emotionelles Feuerwerk ausartete. Solche macchiavellistische Spiele fanden statt, während sie »majestätisch wie ein römischer Kaiser dasaß und sich mit ungeheurer boshafter Freude an dem beinah tödlichen Kampf weidete, den sie unter ihren Gästen entfesselt hatte. Sie war in der französischen Kunst der *brouille* nicht nur äußerst versiert, sondern besaß auch noch die besondere Fähigkeit, Streit zwischen Leuten anzuzetteln, ohne daß man ihr auch nur ein einziges Mal die Schuld daran nachweisen konnte. Sie hatte Guillaume Apollinaire, den verstorbenen Meister dieser artigen Kunst, beobachtet und von ihm gelernt. Alice machte Gertrude stets Vorhaltungen, weil sie derlei Versuchungen nachgab, und Gertrude antwortete ihr regelmäßig mit Juan Gris' Lieblingsspruch: ›Man muß der Versuchung immer nachgeben.‹«

Die Freundschaft zwischen Gertrude Stein und Edith Sitwell, die im Laufe der Zeit sehr eng werden sollte, begann unter einem bösen Stern. Miss Sitwell hatte 1923 in der Zeitschrift *Nation and Athenaeum* eine Besprechung von *Geography and Plays* veröffentlicht, in der sie sagte: »Um die Ansicht über dieses Buch soweit wie möglich zusammenzufassen: Ich finde darin ein beinah unerträgliches Maß an Albernheit, ein irritierendes pausenloses Geschnatter wie von amerikanischen Touristen, die sich in einer Pension unterhalten (ich nehme an, daß dieser Effekt beabsichtigt ist), große Unerschrockenheit, eine gewisse echte Originalität und ab und an ein kurzes Aufflammen erlesener Schönheit... Die Autorin leistet jedoch wertvolle Pionierarbeit.« Gertrude fand diese Besprechung herablassend und legte sie als ein weiteres Echo aus der feindlichen Welt beiseite. Ein Jahr später schrieb Miss Sitwell in der Londoner Ausgabe der *Vogue,* sie habe das vergangene Jahr beinahe ausschließlich mit der Lektüre von *Geography and Plays* verbracht und finde es ein bedeutendes und schönes Buch. Gertrude vergab und vergaß. Als Edith Sitwell das nächstemal nach Paris kam, wurde ein Treffen vereinbart, Gertrude war von ihr tief beeindruckt und meinte, sie sähe aus wie Elizabeth I., wenn Modigliani sie gemalt hätte. Bald darauf wurde eine ihrer wenigen Freundschaften mit jemandem, den sie als ihr ebenbürtig hätte ansehen können, besiegelt.

In späteren Jahren zitierten Edith Sitwell und ihr Bruder Osbert gern Gertrudes unverbesserliche Neigung, jede menschliche Beziehung ihrer näheren oder weiteren Umgebung falsch zu deuten. Wenn Gertrude behauptete, daß Soundso in Soundso verliebt sei, daß aber dieses Gefühl nicht erwidert werde, oder daß Mme. X. im Begriff sei, M. Y. wegen Verleumdung in einer Angelegenheit, die Mlle. Z. betraf, zu verklagen, dann kam man nach Meinung der Sitwells der Wahrheit nur näher, wenn man das genaue Gegenteil davon annahm. Aber die Zuneigung, die sie ihr als Mensch, und die Achtung, die sie ihr als Schriftstellerin entgegenbrachten, waren unerschütterlich und von langer Dauer. »Sie ist der letzte Schriftsteller der Welt, den sich jeder andere Schriftsteller als Vorbild wählen sollte«, schrieb sie, »aber ihr Werk ist seiner wiederbelebenden Wirkung wegen zum großen Teil sehr wertvoll und enthält nach meiner Meinung eine beträchtliche Portion Schönheit.« Bei der Wiedergabe einer ihrer frühen Unterhaltungen entsinnt sie sich, daß Gertrude gesagt habe: »Der Unterschied zwischen Picasso und schlechten Malern ist der, daß schlechte Maler alle Blätter eines Baumes malen mit dem Resultat, daß man weder den Baum noch die Blätter sieht. Picasso malt ein Blatt an einen Baum, und man sieht das Leben des Baums.« In ähnlichem Sinn bemerkte Edith Sitwell von Gertrude: »Sie wirft ein Wort in die Luft, und wenn es wieder zu Boden fällt, trägt es die ursprüngliche Bedeutung in sich, die es in sich trug, ehe Gebrauch und Mißbrauch sie verdunkelt hatten.«

Gertrude und Alice sahen Edith Sitwell häufig in Paris und machten sie mit Pavel Tchelitchew bekannt, der mehrere vielfach reproduzierte Porträts von ihr malte und ihr intimer Freund wurde. Nach Miss Sitwells Rückkehr nach England erklärte Gertrude sich auf ihr beharrliches Drängen und ihre Zusicherungen einverstanden, in Cambridge zu sprechen. Als Gertrude die Einladung des Präsidenten der dortigen literarischen Gesellschaft zu einem Vortrag im Frühjahr 1926 in Cambridge erhielt, erschreckte sie diese Vorstellung. Sie schickte umgehend eine definitive Absage. Edith Sitwell erfuhr davon und schrieb unverzüglich an Gertrude, es sei von größter Bedeutung, daß sie ihren Entschluß ändere. Ihre »Anwesenheit in England sei der Sache dienlich«, da »kein Zweifel darüber besteht, daß eine Persönlichkeit dazu beiträgt, halbintelligente Leute zu überzeugen«. Falls Gertrude die Einladung Cambridges annehme, so bohrte sie weiter, werde auch Oxford sie darum bitten, einen Vortrag zu halten. Gertrude änderte ihren Entschluß, aber der Gedanke an ein öffentliches Auftreten versetzte sie in depressive Stimmung.

Tagelang brütete sie, ob sie bei einem Professor der Sorbonne Redeunterricht nehmen solle, beschloß aber dann, es nicht zu tun. Sie fand keinen Anfang für ihren Vortrag, bis sie eines Nachmittags in Montrouge, als sie auf der Stoßstange ihres reparaturbedürftigen Wagens saß und die Reparatur abwartete, zu schreiben begann. Als ihr Mechaniker fertig war, hatte auch sie ihren Vortrag *Composition as Explanation* fertig. Um sicher zu sein, daß sie auch stilvoll gewandet auftrat, gab ihr ihre Freundin Yvonne Davidson eine Staatsrobe aus blauem chinesischem Brokat. Der nächste Schritt war eine Generalprobe des Vortrags, zu der jedermann erscheinen konnte. Jeder sollte seine Meinung sagen, und jeder hatte einen anderen Vorschlag – nicht etwa hinsichtlich des Inhalts des Vortrags, da man mit Gertrude niemals über die Gültigkeit ihrer Gedanken diskutierte, sondern hinsichtlich der Vortragsweise. Nachdem sehr viel verwirrende Ratschläge gegeben waren, die ihr alle nicht sehr überzeugend vorkamen, traf sie mit schrecklichem Lampenfieber in London ein. Osbert Sitwell, der nach Gertrudes Meinung wie »der Onkel eines Königs« aussah, kam in ihr Hotel, bekundete sein Mitgefühl und wollte ihr helfen. »Er verstand so gründlich jede nur mögliche Nervosität«, sagte Gertrude, daß sie »ganz ruhig« wurde.

Der Abend in Cambridge war ein rauschender Erfolg. Und als Gertrude wenige Tage später in Oxford wiederum in ihrer blauen chinesischen Robe das Rednerpult bestieg, fühlte sie sich bereits wie eine Primadonna. Harold Acton, der sie eingeladen hatte, vor den Mitgliedern und Freunden der literarischen Gesellschaft *Ordinary* zu sprechen, hat dieses Ereignis in seinen *Memoirs of an Aesthete* festgehalten:

»Edith, Osbert und Sacheverell Sitwell begleiteten Gertrude und Miss Alice Toklas, ihre unzertrennliche Gefährtin, die wie eine spanische Zigeunerin aussah und wie eine Bostonerin sprach. Gertrude hatte ihre ganze Nervosität in Cambridge zurückgelassen, es war ein schöner Sommertag, und sie war bereit, ihn zu genießen. Ihre Zuhörerschaft war noch größer, als ich angenommen hatte, und viele mußten stehen. Dank den Kritikern stellte man sich Gertrude Stein als eine exzentrische Seherin vor, als eine literarische Madame Blavatsky in sagenhafter Gewandung... mit Glöckchen an den Fingern wie an den Zehen, oder als eine in Flitter gehüllte Seejungfrau, die an einer überlangen Zigarettenspitze Opiumzigaretten raucht, oder als eine Gioconda, deren Gesichtshaut so oft gestrafft worden ist, daß sie nun ein starres Lächeln zeigt, das alle Alpträume Leonardo da Vincis weit übertrifft. Diese Vorstellungen schwanden rapide dahin, als Gertrude erschien, übertraf sie doch sämtliche Erwartungen – eine gedrungene Aztekengestalt aus Obsidian, die im Sitzen nur noch monumentaler wirkte. Ihr Einzug mit der hochgewachsenen Leibgarde der Sitwells und dem Zigeunerakoluthen war denkwürdig. Niemand war vorbereitet auf das, was nun folgte: eine geruhsame Verlesung von *Composition as Explanation* und mehreren Wortporträts, darunter auch das von Edith Sitwell, die so nah saß, daß man es mit dem Original vergleichen konnte. Mir kam das Ganze vor wie die Litanei einer Aztekenpriesterin, vorgebracht mit einer freundlichen amerikanischen Stimme, die jedermann anheimelte, bis man über das Vorgetragene nachdachte. Welch ein Kontrast zwischen Vortrag und Vorgetragenem, zwischen Stimme und Manuskriptseite!... Obgleich wir Dutzende von Vorträgen gehört hatten, hatte noch niemand etwas Ähnliches gehört. Sie kannte keine schauspielerischen Mätzchen, sondern war von tiefem amerikanischem Ernst und dabei so natürlich, wie man nur sein kann... Während sie Ediths Porträt vorlas, betrachtete ich mir das Modell. Nein, ich konnte keine Ähnlichkeit feststellen, und Edith konnte das anscheinend auch nicht, denn sie versuchte, die Verlegenheit zu verbergen, die sie empfand. Sachie sah aus, als ersticke er an einem Pflaumenkern, und Osbert rutschte mit nervös flackerndem Blick auf seinem wackeligen Stuhl hin und her. Die Zuhörer saßen aufmerksam da, einige machten sich Notizen. Gertrude schlug mit ihrer Litanei, die bis in Ewigkeit Amen hätte weitergehen können, das Publikum in Bann. Die Illusion, daß wir in einer kontinuierlichen Gegenwart lebten, war zweifellos da, für meinen Geschmack war sie ein wenig allzu kontinuierlich.«

Die Diskussion nach Gertrudes Vortrag dauerte eine Stunde. Als jemand sie fragte, weshalb sie glaube, mit ihrer einzigartigen Arbeit auf dem richtigen Weg zu sein, antwortete sie, es handle sich nicht darum, was sie glaube oder was andere glaubten. Sie gehe seit zwanzig Jahren ihren eigenen Weg, und nun habe man sie sowohl in Oxford wie Cambridge hören wollen. Den Höhepunkt des Abends bildete eine witzige Antwort Gertrudes, die jede weitere Diskussion erübrigte. Osbert Sitwell hat diesen Augenblick in seinen Memoiren festgehalten. »Ich entsinne mich, daß eine gewisse Unruhe entstanden und Gelächter ertönt war, als ... sie bemerkt hatte: ›Alles ist gleich, und alles ist verschieden.‹ Viele Studenten waren mit dem Vorsatz gekommen, sich in der anschließenden Diskussion auf Kosten einer Schriftstellerin zu amüsieren, die allerorts und empört geschmäht und deren Werk als ›das Gestammel einer Irren‹ abgetan wurde. Aber angesichts dieser offenkundig bemerkenswerten Frau begriffen die Gescheiteren unter ihnen, daß man auf diese Weise nicht gegen sie ankam. Am Schluß des Abends erhoben sich zwei junge Leute (David Cecil und Robbie Calburn), die sich nicht so leicht entmutigen lassen wollten. Beide stellten die gleiche Frage: ›Miss Stein, wenn alles gleich ist, wie kann dann alles verschieden sein?‹ Äußerst liebenswürdig und beinahe mütterlich antwortete Miss Stein: ›Aber da braucht ihr doch nur euch anzusehen, ihr zwei lieben Jungens!‹«

XIX

Das ist es was wir kaufen und womit wir das Bedürfnis nach einer Einsamkeit à deux befriedigen. *Gertrude Stein*

Nachdem der Vortrag *Composition as Explanation* in England bei Leonard & Virginia Woolf's Hogarth Press und in Amerika bei der Zeitschrift *Dial,* die damals von Marianne Moore redigiert wurde, günstig untergebracht worden war, begaben sich Gertrude und Alice im späten Frühjahr 1926 wieder einmal nach Belley in Pernollets Hotel. Sie wollten sich in der Umgebung nach einem Haus umsehen, das sie kaufen oder mieten konnten. Jene Ecke des Rhonetals, in der stets die frische Luft von den Schneefeldern der Alpen weht, hatte ihnen seit jeher besonders zugesagt. Belley, eine alte Garnison von etwa fünftausend Einwohnern, liegt in der Mitte zwischen Chambéry, Lyon, Grenoble und Bourg-en-Bresse. Es war der Mittelpunkt einer reichen ländlichen Gegend und besaß ein Krankenhaus, ein Priesterseminar, ein Landgericht, eine Unterpräfektur, eine Garnison, zu der auch ein Bataillon Marokkaner gehörte, und mehrere Schulen.

Trotz tagelangen Umherfahrens fanden die beiden Frauen kein Haus, das ihnen gefiel, und schließlich verschoben sie weitere Erkundungsfahrten bis zum nächsten Sommer. Doch während einer nachmittäglichen Spazierfahrt fiel ihnen in Bilignin, einem Außenbezirk von Belley, ein Haus auf, das überaus verlockend auf einer Anhöhe jenseits eines sanften Tales gelegen war – »das Sommerhaus unsrer Träume«. Sie stellten fest, daß es von einem Leutnant des in Belley stationierten Regiments bewohnt war, und mußten bald darauf erfahren, daß dieser Leutnant nicht auszuziehen gedachte. Doch das konnte sie nicht entmutigen. Einer ihrer Freunde schlug ihnen vor, sie sollten ihre Beziehungen spielen und den Leutnant zum Hauptmann befördern lassen. Da in Belley kein Platz für zwei Hauptleute sei, müsse er dann versetzt werden. Unverzüglich baten sie einflußreiche Freunde in Paris, auf eine Beförderung jenes Offiziers hinzuwirken. Sie erhielten zur Antwort, das sei unmöglich, aber der Leutnant werde auf jeden Fall in Kürze nach Afrika versetzt werden. Diese Drahtzieherei dauerte viele Monate, hatte aber schließlich den Erfolg, daß die Familie des Leutnants das Haus verlassen mußte und daß die beiden Damen den Mietvertrag für einen Wohnsitz unterzeichneten, den sie lediglich aus einer Entfernung von zwei Kilometern kannten.

Wieder in Paris, hielten sie in der Rue de Fleurus von neuem Hof. Paul Robeson, ein Freund von Van Vechten, der damals den Ruf genoß, den amerikanischen Neger für die Kunst entdeckt zu haben, kam mit dem Kassenschlager *Revue Nègre* nach Paris, und Gertrude gab für ihn und die Mitglieder der Show eine riesige Party. Sie fühlte sich von Robeson sofort angezogen, weil sie spürte, daß er amerikanische Maßstäbe und amerikanisches Leben aus allererster Hand kannte, und vielleicht auch, weil er unschwer ihre Behauptung verstand, der Neger in Amerika leide nicht so sehr unter Verfolgung als unter dem »Nichtsein«. Daß Robeson es sich zur besonderen Aufgabe gemacht hatte, Spirituals zu singen, brachte sie jedoch gegen ihn auf; ihrer Ansicht nach gehörten die Spirituals ihm ebensowenig wie irgend etwas anderes Amerikanisches. Die Tatsache, daß er seine künstlerische Laufbahn auf das Singen von Spirituals gründete, war in ihren Augen ein Irrtum.

Der Zuzug amerikamüder US-Bürger nach Paris war in den späten zwanziger Jahren mehr oder weniger zum Stillstand gekommen, aber Gertrude, die so monumental in Paris herrschte wie vor der berühmten Völkerwanderung der Künstler, war immer noch die überragende Persönlichkeit, die man kennenlernen mußte, und immer noch die anerkannte »Frau Holle des Montparnasse« und die »Bienenkönigin des Schwarms der Exilierten«. Für viele junge literarische Pilger war James Joyce unbestritten der größte Schriftsteller, aber wegen seiner schlechten Gesundheit und seiner angeborenen Menschenscheu nur für ganz wenige erreichbar. Gertrudes Heim jedoch stand jedermann offen; ein Neuankömmling nach dem andern sorgte dafür, daß die Gesprächsthemen nicht ausgingen. Der amerikanische Dichter Hart Crane tauchte in Frankreich auf, wo ihn sein dämonisches Gebaren schon bald aus dem Sélect in die Santé, das Stadtgefängnis, bringen sollte, aus dem ihn zehn Tage später Gertrudes Freund Bernard Fay und einige andere wieder befreiten. Aber ehe seine Schwierigkeiten mit der Gendarmerie begannen, kam er in die Rue de Fleurus. »Ich besuchte Gertrude Stein, obwohl mir ihr Werk gleichgültig war«, schrieb er an einen Freund. »Angeblich kann niemand umhin, nach der persönlichen Bekanntschaft mit ihr seine Ansichten über ihr Werk zu ändern. Wenn ich das auch nicht tat, so muß ich doch sagen, daß mir selten eine so bezaubernde Persönlichkeit begegnet ist. Und obendrein ist die Frau schön!«

Für Sherwood Anderson, der im Dezember mit seinen beiden Kindern nach Paris kam, gab man in der Rue de Fleurus eine Weihnachtsparty. Er und Gertrude verbrachten den größeren Teil des Abends damit, sich Geschichten von Hemingway aus der Zeit zu erzählen, ehe ihn der Ruhm ihnen entfremdet hatte, und sich Bücher auszudenken, die sie eines Tages vielleicht gemeinsam schreiben würden. Die Gestalt, die ihnen von allen Amerikanern am meisten am Herzen lag, war Ulysses S. Grant. Anderson träumte schon seit Jahren davon, ein Buch über den Bürgerkrieg zu schreiben, zumal eines, das den »aufgeblasenen« Robert E. Lee »auf seinen Platz verweisen sollte«. Mit vereinten Kräften, so glaubten die beiden, würde es ihnen sicherlich gelingen, aus Grant einen echten amerikanischen Helden zu machen und ihm einen glanzvollen neuen Platz in der amerikanischen Geschichte zu erkämpfen. Dieses Projekt sollte sich nie verwirklichen, aber in *Four in America* wurde Gertrude endlich los, was sie über Grant zu sagen hatte.

Eines Tages beschloß Gertrude, dem Beispiel der Herzogin von Clermont-Tonnerre, einem der mondänen Stammgäste der Rue de Fleurus, zu folgen und ihr Haar ganz kurz scheren zu lassen. An einem regnerischen Sonntag machte Alice sich ans Werk, und während ihre Schere schnippelte und schor, las Gertrude aus einem Buch vor. Dabei machte sie eine Entdeckung, die sie so sehr beeindruckte, daß sie bei einem späteren Versuch, einen Aspekt ihres Werkes zu verdeutlichen, darüber berichtete: »Ich stellte fest, daß jedes Buch beim Haareschneiden, wo man mit der Brille in der Hand wie mit einer Lupe und daher Wort für Wort liest, plötzlich eine Bedeutung bekommt.

Sehr bedauerlich aber sehr wahr.

Damit ist bewiesen, daß etwas Ganzes nicht interessant ist weil es als Ganzes nun als ein Ganzes erinnert und vergessen werden muß aber eins nach dem anderen, oh eines nach dem anderen das ist etwas oh ja allerdings etwas.« Jener Scherprozeß dauerte, mit Zwischenpausen, einen ganzen Tag bis zum Abend des nächsten Tages. Als Sherwood Anderson zu Besuch kam, war auf dem herrscherlichen Haupt nur noch eine kleine Kappe aus Haar übrig geblieben. Alice und Gertrude erwarteten ängstlich seine Reaktion. Er sagte, Gertrude sehe aus wie ein Mönch. Das fanden sie beide bezaubernd, und sie atmeten erleichtert auf.

Picasso war beim ersten Anblick der neuen Haartracht hell entsetzt. »Mein Porträt«, sagte er und starrte Gertrude tieftraurig an. Als er aber das lebende Vorbild des Kopfes, den er mit so ungeheurer Sorgfalt gemalt hatte, genau betrachtete, wurde er freundlich. »Schließlich«, sagte er vertrauensvoll, »ist alles da.«

Eine Vorzugsstellung nahm in dieser Zeit bald Elliot Paul ein, den Bravig Imbs in der Rue de Fleurus eingeführt hatte. »Ich habe nie zwei Menschen rascher Freundschaft schließen sehen als Gertrude und Elliot«, sagte Imbs. »Schon der allererste Kontakt war wie ein elektrischer Schlag. Der sonst so reservierte und scheue Elliot redete, als müsse er Gertrude Dinge sagen, die seit Jahren in ihm aufgespeichert waren, und Gertrude unterbrach ihn hin und wieder mit schallendem Gelächter und sagte ihm, wie gern sie seine Bücher gelesen habe ... Elliot war natürlich von einer Höflichkeit, die Männer wie Frauen bezaubert, und Alice war ganz hingerissen von ihm. Auch Gertrude war nicht unempfindlich für seine schmeichelhaften Bemerkungen, aber sie mochte ihn wegen seiner milden, ironischen Redeweise und weil er ein bedeutender Schriftsteller war, weil er sich für ihr Werk interessierte, weil er in der *Chicago Tribune* literarische Aufsätze schrieb und weil er sich unsichtbar mchen konnte.«

Nicht lange nach ihrer Begegnung veröffentlichte Paul, den Gertrude gerne einen »Neuengland-Sarazenen« nannte, in der Pariser Ausgabe der *Chicago Tribune* die erste ernsthafte Würdigung ihres Werks, die ein breiteres Publikum erreichte. Seine warmherzige offene Art verschaffte ihm ungewöhnliche Privilegien in der Rue de Fleurus, und er erschien immer häufiger. Imbs berichtet von einer solchen Gelegenheit: »In Gertrudes Salon über Joyce zu sprechen, war ein Sakrileg. Aber genau das tat Elliot, und da merkte ich, wie groß die Zuneigung sein mußte, die Gertrude und Alice für ihn hegten. Hätte ein anderer es gewagt, Joyce in ihrer Gegenwart zu rühmen, er hätte augenblicklich Hausverbot bekommen. Elliot hatte nicht die leiseste Ahnung, daß er mehr denn impertinent war, und erging sich schier endlos über jenes wunderbare *Work in Progress* ...« Gertrude beendete schließlich die Diskussion mit einer ihrer listigen Konzessionen. »Joyce und ich sind entgegengesetzte Pole«, sagte sie. »Aber unser Werk kommt auf das gleiche hinaus – die Schöpfung von etwas Neuem.«

Die schönste Frucht ihrer Freundschaft mit Elliot Paul war, daß sie hinfort mit den Anfängen der bedeutendsten aller Expatriiertenzeitschriften, *transition,* in einem Namen genannt werden konnte. Die ehrgeizigen Ziele dieser Zeitschrift waren keine geringeren als »eine Kette zu schmieden, die Europa mit Amerika verbinden soll«. Gertrude Steins Mitarbeit wurde wärmstens begrüßt – so sehr, daß im Mitarbeiterverzeichnis einer Nummer zu lesen steht: »Und Gertrude Stein schickt uns, was sie wünscht und wann sie es wünscht, und das macht ihr und uns Freude.« Ehe er die Rolle des Assistenten von Eugene Jolas, des Herausgebers von *transition,* übernahm, war Elliot Paul zu Gertrude geeilt, um ihr mitzuteilen, daß man ihm diese Stelle angeboten habe. Er war sich nicht darüber im klaren, ob er sie annehmen solle. Aber Gertrude zerstreute seine Zweifel. »Schließlich«, sagte sie, »wollen wir ja gedruckt werden. Man schreibt für sich und für Fremde, aber ohne einen wagemutigen Verleger kann man mit diesen Fremden ja wohl kaum Kontakt bekommen.« Paul nahm die Stellung an, befürchtete jedoch bei der Auswahl für die erste Nummer, die Zeitschrift könne zu populär werden. Mehr als zweitausend Abonnenten durfte die Zeitschrift unter keinen Umständen haben, da sie sonst ihre ganz besonderen und erlesenen Zwecke nicht erfüllen konnte. Wie sich herausstellte, war seine Angst unbegründet gewesen: *transition* hatte auch auf der Höhe ihres Ruhms nie mehr als tausend Bezieher.

Unter den Arbeiten, die Elliot Paul für die allererste Nummer auswählte und mit dreißig Francs pro Seite honorierte, waren ein Auszug aus Joyces *Work in Progress* und ein kurzer Text von Gertrude Stein, *An Elucidation.* Es war ihr erster Versuch, sich selbst zu »erklären«. Aber die Setzer ließen sie im Stich. »Durch eine Unachtsamkeit der Druckerei«, erklärte Paul, »wurde der Text von *An Elucidation* in toto gedruckt, aber in der falschen Reihenfolge.« Gertrude war völlig verzweifelt, daß ausgerechnet diese Arbeit der Öffentlichkeit in verstümmelter Form vorgelegt wurde, und konnte erst wieder beschwichtigt werden, als *transition* sich anbot, die Arbeit in einem Sonderdruck herauszubringen und die buchstabengetreue Wiedergabe zu garantieren.

»Jedermann kennt den Unterschied zwischen erklären und etwas klarmachen«, sagte Gertrude, und in *An Elucidation* versuchte sie, »es klarzumachen«, indem sie einfach als Spielzeug für den Leser eine Girlande aus neckischen Sätzen darbot. Trotz des im Titel gegebenen Versprechens erhellt dieses Werk ihre Methoden ebensowenig wie die Reihe von Differentialrechnungen eine algebraische Gleichung. Im allgemeinen verachtete Gertrude Kritiker und Kritik. Wenn jedoch ein Kritiker ihr Werk mit dem von Bach verglich oder seinen Ruf aufs Spiel setzte, indem er die Hürden der Kritik übersprang und ihr in schlichter Ergriffenheit die Hand drückte, machte sie eine Ausnahme. Diese Einstellung Gertrudes läßt vermuten, daß *An Elucidation* in der Absicht geschrieben wurde, sich bei der Darlegung künstlerischer Probleme nicht an die üblichen Regeln der Kritik zu halten und die Begriffe und Hinweise, die dem Leser gestattet hätten, an die Analysen anderer Künstler und Kritiker zu denken, strikte zu vermeiden. Da sie überzeugt war, daß die Analyse nichts analysierte, weigerte sie sich, die eigene Person in die eines Kritikers und eines Schöpfers aufzuspalten. Sie wollte das sein, worüber sie sprach. Zu diesem Zweck produzierte sie eine quälende intellektuelle Etüde, in der sie mit ein paar Kalauern herumspielte, wie beispielsweise »Halve Rivers and Harbours. Have rivers and harbours«. Außerdem zeigte sie noch ein paar durch Wörter auszudrückende kinematographische Tricks, stellte die Behauptung auf, daß »Aktion und Reaktion das Gleiche und das Gegenteilige sind«, und gratulierte ihrem Leser ausführlich, daß er den sehr strengen Begriffen ihres Buchstabens und ihres Geistes gefolgt sei: »Ich kann sehen und Sie können sehen, daß Sie sehen können und so kann ich sehen, daß ich nicht mehr daraus gemacht habe als daraus gemacht werden muß. Sie sind in jeder Weise befriedigt worden und wir haben Befriedigung gegeben und hatten nicht die Absicht uns durch andere Erwägungen erdrücken zu lassen.«

Im großen ganzen verfehlt dieses Prosastück seinen eigentlichen Zweck, und zwar nicht, weil es über das logische Fassungsvermögen hinausgeht, sondern weil es ihm in bezug auf Rhythmus, Diktion und Aufbau an Reiz gebricht. Dazu kommt, daß Gertrudes Angewohnheit, den Leser neckisch zur Lösung von Problemen aufzufordern, die klar und eindeutig zu stellen sie sich nicht die Mühe gemacht hat, letzten Endes nur überheblich wirkt. In den meisten Fällen, zumal in ihren kritischen Arbeiten, gelingt es Gertrude weitgehend, vermöge der offenkundigen Überzeugtheit von ihrem Tun die wohlwollende Aufmerksamkeit des Lesers zu gewinnen. Sie war der festen Überzeugung, daß »alles sein Eigenleben hat sobald es einmal geschaffen ist und daß daher alles die Aufmerksamkeit fesseln kann«, und sie hielt Klarheit für weit weniger erstrebenswert als Kraft. Verfängt ihr eigenes Selbstvertrauen jedoch nicht, dann wirkt sie sofort nackt und nicht im geringsten absurd. Der Leser argwöhnt, daß ihre eigentliche Schwierigkeit darin besteht, daß sie mitunter sogar beim Monologisieren nicht mehr weiß, an wen sie sich wendet. In solchen Fällen wirft sie, im Bemühen um die Wiederherstellung der Illusion, sie habe die Zügel noch fest in der Hand, mit nichtssagenden Dingen um sich. Aber der Lapsus bleibt bestehen und erweckt den weiteren Verdacht, daß sie zwar auf dem Weg sei, aber kaum eine Ahnung habe, wohin er führt. Wie Edmund Wilson von Werken sagte, die für ihre mittlere Periode typisch sind: »Wir sehen, wie sich die Kreise auf der Oberfläche ihres Bewußtseins ausbreiten, erhalten aber keinerlei Anhaltspunkt mehr dafür, welche Art von Gegenstand dort versunken ist.«

Gertrude war erfreut, als Elliot Paul den Essay gewichtiger fand als *Composition as Explanation*. In dem Vortrag war sie seiner Ansicht nach nicht ohne einige der üblichen kritischen Erklärungen ausgekommen. In *An Elucidation* hingegen verzichtet sie noch auf das letzte Jota Information und bringt statt dessen eine Reihe von Beispielen, die ihr »Anliegen« weniger augenfällig und folglich, zumindest für die Leser, die ihr zu folgen vermochten, um so überzeugender machten.

Solange Gertrude Pauls Gunst als Verleger und Mensch genoß, stand ihr Name in den ersten Heften von *transition* stets an hervorragender Stelle. Aber nach zwei Jahren übernahm Eugene Jolas, dessen Frau Maria die Rechnungen bezahlte, die Redaktion. Unter seinem Regime tauchte Gertrudes Name immer seltener auf. Nachdem sie schließlich nicht einmal mehr im Mitarbeiterverzeichnis zu finden war, waren die Tage der Zeitschrift gezählt. Gertrude sah darin natürlich einen Kausalzusammenhang.

Nach Maria Jolas war die Verachtung, die Gertrude für die »steinlose Zeitschrift« zeigte, jedoch nur eine Pose. Als Ende 1930 das Gerücht umging, die Zeitschrift würde wieder erscheinen, war von Entfremdung zwischen Gertrude und der Familie Jolas plötzlich nichts mehr zu spüren. Durch einen Schwall von Briefen und Telefonanrufen und anderen Spielarten der Anbiederung ließen sich die Jolas beschwatzen, Gertrude in der nächsten Nummer der wiedererstandenen Zeitschrift zu veröffentlichen. Später fühlte Maria Jolas sich gezwungen, Gertrude, die sich ihrer Meinung nach »die Rolle einer Königin« angemaßt hatte, welche in aller

Öffentlichkeit die Köpfe der Ahnungslosen oder der Indifferenten rollen ließ, davon zu unterrichten, »daß *transition* von Eugene Jolas nicht gegründet worden war, damit es zum Instrument für die Rehabilitation ihres Rufes benutzt wurde, so sehr die Zeitschrift zweifellos genau das getan hat. Auch unterscheidet sich die Rolle, die sie im Verlauf des Erscheinens der Zeitschrift gespielt hat, in nichts von der vieler anderer wohlmeinender Mitarbeiter. *transition* war in der Absicht gegründet worden, und dafür brachte man gern persönliche und finanzielle Opfer, einen Sammelpunkt für all die Künstler auf beiden Seiten des Atlantiks zu schaffen, die eine völlige geistige und technische Erneuerung der verschiedenen Kunstformen anstrebten. Miss Stein schien mutig zu experimentieren, und wenn auch mein Mann von ihrer Auflösung der Sprache niemals begeistert war, so war es doch etwas sehr Persönliches, und da es ihm um die Sprache ganz besonders zu tun war, gehörte auch Miss Stein offensichtlich zu uns. Keiner von uns konnte voraussehen, daß sie sich schließlich zu einem würdelosen Reklamerummel hergeben würde. Wir hätten jedoch voraussehen können, daß sie letzten Endes keine Beziehung dulden würde, die nicht gleichzeitig eine Vergötterung ihrer Person mit sich brachte.«

Erhaben über die kleinen Gewitter, für die sie manchmal verantwortlich war, die sie aber nur selten tiefer berührten, ging Gertrude ihrer üblichen Arbeit nach. Ein Ereignis, das für eine neue Phase ihres Werks von besonderer Bedeutung war, war die erste Ausstellung einer Gruppe von Malern, die 1926 von der Galerie Druet veranstaltet wurde. Die bemerkenswertesten Mitglieder dieser Gruppe, die man bald die »Neoromantiker« nannte, waren Pavel Tchelitchew, Eugene Berman und dessen Bruder Léonid, Christian Bérard und Kristians Tonny. In den meisten ihrer Werke drückte sich eine entschlossene Reaktion auf den Kubismus sowie die verschiedenen Spielarten der Abstraktion aus, die viele Jahre lang die reineren Formen des Kubismus verdrängt hatten. Die neoromantische Malerei zeigte eine entfernte, aber deutliche Beziehung zu Picassos frühen blauen und rosa Perioden, und wie die Gemälde dieser Perioden gab es auch auf jenen Bildern mühelos erkennbare menschliche Gestalten, die vor bewegte Hintergründe in gedämpften, exotischen und sentimentalen Farben gestellt waren.

Gertrude nannte jene Maler »die russische Schule« – womit sie vermutlich ihren besonderen Freunden Tchelitchew und Berman huldigen wollte. Die neue Gruppe war die erste einigermaßen verständliche malerische Bewegung seit Beginn des Kubismus, der sie ihre Gunst und Aufmerksamkeit schenkte. Ihr gemäßigter Enthusiasmus für die Neoromantiker hielt mehrere Jahre an und ließ sie eine ziemliche Menge Bilder erwerben; dann aber zerstritt sie sich mit einigen der Maler und entfernte schließlich deren Werke aus ihrer Sammlung. Während der Zeit, in der sie die neoromantischen Bilder ihrer Aufmerksamkeit würdigte, lernte sie die Werke ihrer letzten großen Liebe in der Malerei, Francis Rose, kennen. Von ihm erwarb sie nach und nach sechzig Gemälde, und er brachte sie wieder mit seinem Lehrmeister, Francis Picabia, in Verbindung, einem alten Kubisten, für den sie sich seit kurzem interessierte, weil er innerhalb der romantischen Richtung eine Methode entwickelte, die technisch auf einer kräftigeren Linienführung basierte.

Unter dem Einfluß dieser Männer begann sie sich mit Möglichkeiten zu beschäftigen, die ihrem Werk einen stärkeren emotionellen Gehalt geben sollten. »Da liegen all diese Gefühle in greifbarer Nähe«, sagte sie, »kein Grund weshalb wir sie nicht verwenden sollten.« In diesem Geist machte sie sich an die Komposition eines langen Gedichts, *Patriarchal Poetry,* in dem sie versuchte, die Struktur der Emotion, wie sie sich in einer Art verbaler Spirale zeigen könnte, zu analysieren und zu illustrieren. Im Anschluß daran schrieb sie das lyrischste und melodischste Werk jener Schaffensperiode, *Lucy Church Amiably.* Mit dieser Arbeit war sie wieder zur Romanform zurückgekehrt – selbstverständlich zu der, die ihr vorschwebte – aber immerhin zu einem Roman mit einer Heldin, Lucy Church, ein Name, der von der kleinen Kirche mit dem pagodenförmigen Turm in Lucey, unweit von Belley, herrührt. Und selbst die Nachbarn der Heldin sind noch erkennbare Typen, und die Beziehung dieser Typen zu ihrer Umgebung ist meist ziemlich klar.

Mit seiner gesteigerten Melodik weicht jenes Werk von den straffen Synkopen ab, die für die meisten von Gertrudes früheren Arbeiten bezeichnend sind. Ihren eigenen Worten zufolge ist *Lucy Church Amiably* »die Rückkehr zur Romantik das heißt es läßt eine Landschaft wie einen Stich erscheinen auf dem sich ein paar Menschen bewegen«. Für die »Ankündigung«, die dem Buch vorangestellt ist, erfand sie einen beispielhaften Satz, der eine Art Kammerton darstellt, eine Art Taktzeichen, maßgebend für Tonart und Methode des gesamten Romans: »Wähl dein Lied sagte sie und es ward getan und dann sagte sie und es ward getan mit einem Kopfnicken und dann neigte sie ihren Kopf in der Richtung des herabstürzenden Wassers. Liebenswürdig.« Wie in den meisten ihrer Stücke ist auch *Lucy Church Amiably* die Landschaft das Hauptthema und das vorherrschende Element. Die Schönheiten in Gertrudes sommerlicher Umgebung werden mit Namen genannt, und die Worte, die sie für alles findet, sind liebevoll gehätschelt. Aber sie sollte nicht nur die Annehmlichkeiten der Landschaft aufzählen oder aus ihren Bildern Sträuße binden, sondern auch die Wirkung einer aus sich heraus lebenden Landschaft festhalten, die im Wechsel des Wetters, in den Bewegungen der Wolken, Vögel, Tiere und Schmetterlinge um ihre Person west und ihre Gedanken beschäftigt. Die Heldin, Lucy Church, ist oft ganz unverkennbar Gertrude Stein selbst, so daß das Werk letztlich eine Vorstellung von Gertrude wiedergibt, die inmitten einer unablässig bewegten Pastorale unentwegt denkt und ihre Gedanken festhält. Sie war entschlossen, in Gefühlen zu schwelgen, eine Art Biedermeierstrauß aus »Klima und Gemütsbewegungen« zu verfertigen; dennoch blieb sie sich ihrer eigenen naserümpfenden Einstellung gegenüber den üblichen Gefühlsbezeugungen lächelnd bewußt. Sie war nicht »weich« geworden, und im Text des Buches selbst erinnert sie den Leser nachdrücklich an diese Tatsache. »In ein Buch das hineintun was in einem Buch gelesen werden soll, Bruchteile von Mitteilungen und zarten Gefühlen«, sagt sie. »Wie gefallen Ihnen Ihre Zweigroschenmitteilungen und -gefühle?«

Im Frühjahr 1928 erwarb sie einen weißen Pudel in einem Warenhaus und einen neuen Ford. Den Pudel taufte sie »Basket«, der Wagen erhielt ausnahmsweise keinen Namen. Dann machten Alice und sie sich auf den Weg zu ihrem neuen Sommerheim, erfüllt von der Hoffnung, daß der Leutnant, den sie hatten versetzen lassen, für immer in Marokko bleibe. Als sie nun endlich das Heim, das sie sich aus der Ferne erwählt hatten, aus der Nähe und mit Muße besichtigen konnten, stellten sie fest, daß es ein typisches Landhaus mit weiß getünchten Wänden, zwei Gemüsegärten und einer Terrasse mit weitem Blick über das obere Rhonetal und die französischen Alpen war. Hier sollten sie siebzehn Jahre lang alljährlich sechs Monate verbringen.

Ihr neues Haus übertraf noch ihre Träume, berichtet Alice Toklas, aber ihre Träume, Verleger für Gertrudes immer umfangreicheres Werk zu finden, blieben unerfüllt. Doch als Nachwirkung von Gertrudes überall gelobten Vorträgen in England erschienen nun Leute aus Oxford und Cambridge in großer Zahl in der Rue de Fleurus, und mit ihnen kam auch Joseph Brewer, ein sympathischer junger Verleger, der zum Verlagshaus Payson & Clarke gehörte. Dankenswert rasch und umsichtig bereitete er die Veröffentlichung einer Auswahl von Gertrudes Arbeiten vor, die er unter dem Titel *Useful Knowledge* in Buchform herausbrachte. Der Band war sehr hübsch ausgestattet, und Gertrude hoffte, nun endlich den Grundstein zu einer Folge von Veröffentlichungen in England und Amerika gelegt zu haben. Aber das Buch war ein schwerer finanzieller Verlust, und wieder einmal saß sie ohne Verleger und ohne Aussichten da.

Ausgerechnet Alice Toklas fand den Ausweg aus dieser traurigen Situation. Die langgehegte Hoffnung erfüllte sich, selber »der wagemutige Verleger« der Werke von Gertrude Stein zu werden. Um das nötige Kapital zu beschaffen, verkaufte Gertrude Picassos *Mädchen mit Fächer* an Marie Harriman, die Frau des späteren Gouverneurs von New York, und bald darauf war das neue Verlagshaus, das man auf Gertrudes Vorschlag hin »Plain Edition« nannte, startbereit. Maurice Darantière, der bereits *The Making of Americans* in seinem Betrieb in Dijon gedruckt hatte, machte nützliche Vorschläge, und *Lucy Church Amiably* erschien programmgemäß als das erste Buch des Verlags.

Der Vertrieb war für den neuen Verlag das schwierigste Problem. Aber dank der Ratschläge fachkundiger Freunde und interessierter Dilettanten gelang es Alice, das Buch in die Schaufenster vieler Pariser Buchhandlungen zu bringen. Gertrude verbrachte Tage damit, durch die Stadt zu schlendern und sich an der bescheidenen Zurschaustellung ihrer Ware zu weiden. Amerikanische Sammler, von denen es ein weit verstreutes, aber getreues Häuflein gab, reagierten sofort, und schon bald konnte der Verleger von »Plain Edition« sich um ein nettes kleines Überseegeschäft kümmern. Außer dem Roman erschienen nach und nach vier weitere Werke *Before the Flowers of Friendship Faded Friendship Faded; How to Write; Operas and Plays* und *Matisse Picasso and Gertrude Stein.*

Nachdem man die nächsten Jahre nun glücklich vorgeplant hatte, machten Alice und Gertrude sich in ungetrübter Freude jedes Frühjahr auf den Weg nach Bilignin, um ebenso pünktlich jeden Herbst wieder in die Rue de Fleurus zurückzukehren.

Unzählige Besucher besuchten sie auf dem Land; der Garten und die vielen kleinen Hündchen, die man ihnen als Gefährten für den alles beherrschenden Basket schenkte, sorgten für Beschäftigung. Doch nichts konnte Gertrude dazu bringen, die Forderungen ihres Genius zu vernachlässigen. Sie war ebenso tief in ihr Werk versunken und ebenso fruchtbar wie eh und je. Nachdem sie der Romantik nichts mehr abgewinnen konnte und den schwächeren Arbeiten ihrer kalligraphischen Schaffensperiode den Rücken gekehrt hatte, wandte sie sich einer dichteren und zerebraleren Art von Komposition zu und schuf jene Arbeiten, die sie unter dem Titel *How to Write* veröffentlichte. Dieses Werk, das sich mit »Ausgewogenheit« und den technischen Aspekten der Grammatik, des Erzählens und des Vokabulars beschäftigt, ist vielleicht das undurchsichtigste all ihrer Bücher.

Ihr Interesse für die Beziehungen von Absätzen zu Sätzen hatte sich fast bis zur Besessenheit gesteigert. »Absätze sind emotionell«, sagte sie, »Sätze nicht.« Und sie verfertigte lange abstrakte Modelle in der Absicht, diese Überzeugung für sich und ihre Leser zu erhellen. Die Aufsätze in *How to Write* sind in ihrem Verzicht auf »Inhalt« und Melodik und in ihrer beabsichtigten Einfalt so streng und kompromißlos wie einige der musikalischen Kompositionen von Erik Satie und seinem amerikanischen Nachfolger John Cage. Gertrude Stein »malte« nicht mehr, wie sie es ein gut Teil ihrer schriftstellerischen Laufbahn hindurch getan hatte, und obgleich sie in der Regel musikalische Vergleiche nicht gelten ließ, bietet die Musik, die sich zu ihren Lebzeiten entwickelt hat, den besten Vergleich. Lauscht man zwanzig oder dreißig von John Cages »Sonaten« ohne Unterbrechung, so hat man ziemlich das gleiche Erlebnis wie bei der Lektüre von *How to Write*. In beiden Fällen muß der Zuhörer oder Leser, wenn er überhaupt etwas aufnimmt, willkürliche Fragmente und seltsam zusammengestellte Stücke in sich aufnehmen, deren Bedeutung mehr in der peinlich genauen Mißachtung als in der Beachtung literarischer oder musikalischer Gesetze liegt. Bei Gertrude Stein folgt der Leser einem Prozeß, der letzten Endes eine Untersuchung des Bewußtseinsinhalts des Autors ist. Was sie beschreibt, mag schließlich in eine gewisse Form gebracht sein, erfordert aber eine die menschliche Kapazität überfordernde intime Kenntnis ihrer Persönlichkeit und ihrer Gehirnwindungen. *How to Write* lesen, heißt letzten Endes erkennen, wie die Sprache klingt, wenn man sie bewußt vom Sinn im üblichen Sinn des Wortes Sinn trennt und die Impulse und Ideen, die sie zum Ausdruck bringen soll, mit der Gründlichkeit einer atomaren Explosion zum Verdampfen gebracht hat.

Das Erscheinen dieses hermetischsten all ihrer Werke verursachte wieder jene Konsternation, an die man nun schon gewöhnt war. Im Vergleich zu der Aufnahme, die *Tender Buttons* gefunden hatte, war das Interesse an dem Buch allerdings begrenzt, waren die Empörungsschreie nur dürftig. Will man dem Buch in nüchternen Worten gerecht werden, dann bezeichnet man es am besten als einen logischen Teil ihres Gesamtwerks, der beinah alle Einwände ignoriert, die Leo Stein zu Beginn von Gertrudes schriftstellerischer Karriere so deutlich vorgebracht hatte. Akkurat und freimütig gibt Gertrude Leos frühe Reaktionen wider: »Er sagte das sei nicht es das sei ich. Wenn ich nicht da sei um dazusein bei dem was ich damals tat dann würde das was ich tat nicht sein was es war. Mit andern Worten wenn keiner mich wirklich kannte dann wären die Dinge die ich tat nicht das was sie waren.« Hier bringt Leo einen Gesichtspunkt vor, der für alle Phasen ihrer Laufbahn bis auf die letzte Gültigkeit hat und vor allem auch für den Vergleich Gertrude Steins mit anderen Schriftstellern wichtig ist, denen sie unentwegt und irrtümlich zugesellt wird.

Es handelt sich ganz einfach um die Beziehung des Künstlers zur Welt, der seine Produkte entstammen und zu dem Auditorium, an das er sich wendet. Wenn William Butler Yeats von William Blake sagt, »er war ein Mann, der nach einer Mythologie schrie... der eine zu schaffen versuchte, weil keine in Reichweite war«, so spricht er nicht nur für Blake, sondern für eine Unzahl moderner Schriftsteller, die das Vorrecht für sich in Anspruch nahmen, Epen zu schreiben, in einer Welt, der der kulturelle Zusammenhang fehlt, auf dem Epen basieren. Als die Mythen der abendländischen Religion verblaßten und die politischen Systeme sich für die Schaffung säkularer Gegenstücke zur religiösen Mythologie als unzulänglich erwiesen, sahen immer mehr moderne Schriftsteller ihre Hauptaufgabe darin, einen Ersatz für das Mythengefüge zu finden, das die Epen der Vergangenheit möglich gemacht hatte. Wehmütig blickten sie zurück auf die verhältnismäßig geordneten Glaubenssätze, die den griechischen Dramatikern gedient hatten, und auf die umfassenderen religiösen und philosophischen Voraussetzungen, die großen Dichtern wie Vergil und Lukrez und Dante und Milton in der geistigen Sicherheit ihrer Zeitalter zu schreiben gestatteten. Auf der Suche nach diesem Ersatz beschäftigten sich die modernen Dichter und Romanciers mit den verschiedensten Möglichkeiten. Sie befaßten sich mit der Geschichte, wie sie sich in der Sicht von Freud, Jung oder Marx oder auch jener Männer darstellte, die sich über die zyklischen Theorien von Vico verbreitet haben; sie betrachten die gesamte Kultur als eine Einheit, in der Gegenwart und Vergangenheit gleichermaßen lebendig sind und in reziproker Relation zueinander stehen, oder sie faßten gar einen Gesamtbericht vom Menschen als Mittler wie als Schöpfer seiner Wissenschaft ins Auge. Wie Joyce kamen einige Schriftsteller auf den Gedanken, sich Stücke der mythologischen Einheit irgendeiner vergangenen Epoche zu entleihen, um sie als Gefäß zu benutzen, in das sie das Chaos der Gegenwart füllen.

Als Teile von *Ulysses* erschienen, wies T. S. Eliot mit einer inzwischen berühmt gewordenen Bemerkung auf die Besonderheit von Joyces Leistung hin: »Indem Mr. Joyce sich des Mythos bedient, indem er mit einer kontinuierlichen Parallele zwischen Gegenwart und Vergangenheit manipuliert, hält er sich an eine Methode, die nach ihm andere verwenden müssen. Diese werden keine Nachahmer sein, ebensowenig wie der Wissenschaftler, der die Entdeckungen eines Einstein für seine eigenen unabhängigen weiteren Forschungen verwendet. Es ist dies nur eine Methode, das gewaltige Panorama der Sinnlosigkeit und Anarchie, das die zeitgenössische Geschichte darstellt, zu kontrollieren, zu ordnen und ihm Form und Bedeutung zu geben. Es ist eine Methode, die bereits von Mr. Yeats angedeutet wurde, und deren Notwendigkeit sich meiner Meinung nach Mr. Yeats als erster Zeitgenosse bewußt war. Es ist, wie ich allen Ernstes glaube, ein Schritt dazu, die moderne Welt in die Kunst einzubeziehen.«

Auf ihrer getrennten Suche nach einem Ersatz für die Mythologie machen andere Schriftsteller, die auf den ersten Blick scheinbar ebenso schwer zu verstehen sind wie Gertrude Stein, ihr Werk verständlich, indem sie sich an Vorbilder anlehnen. Als Gertrude die Malerei und die experimentelle Pychologie als die Quellen ihrer Methode akzeptierte, bedienten sich jene Schriftsteller bereits der Anregungen, die von den noch neuen Wissenschaften der Psychologie und Anthropologie ausgingen, und manche suchten vage nach einem Ausdruck für neue Konzeptionen, die sich von den Begriffen der Raumphysik ableiteten. Diese nichtliterarischen Quellen enthoben den Schriftsteller auf logische und gerechtfertigte Weise der Konventionen des Romans und der Poesie des 19. Jahrhunderts und lieferten Gedanken, Systeme und Wissensgefüge, in deren Rahmen die Experimente vieler neuer Schriftsteller einen sinngemäßen Platz fanden.

Zu jenen Schriftstellern gehörten auch solche, denen die Wissenschaft nichts sagte und denen sie viel zu fern lag, um ihnen irgendeinen literarischen Hintergrund oder Rahmen geben zu können. Dennoch betrachteten auch sie, wie viele der andern, die moderne Welt mit Vorliebe als ein Chaos aus geborstenen Tempeln und zerstörten Akademien. Da sie weder in dem einen noch in dem andern Zuflucht finden konnten, sahen sie sich nach irgendeinem Gebäude um, das stabil genug war, um ihnen wenigstens vorübergehend Unterkunft zu bieten. Als sie diese faktisch nicht finden konnten, gingen sie dazu über, Phantasiegebilde zu gestalten. Diese Suche nach einem Gefüge, das sie behausen könnte, führte manche von ihnen dazu, gewisse Objekte auszusondern und diese mit einer ungeheuren Last symbolischer Bedeutung auszustatten, wie es Franz Kafka in seinem Roman *Das Schloß* oder Hart Crane in *The Bridge* tat. Die gleiche Suche sollte andere zu dem größeren Bravourakt bringen, eigene mythologische Strukturen zu schaffen, ja sogar völlig willkürliche philosophische Systeme und Geschichtsabläufe zu erfinden, wie etwa Yeats in seinem *A Vision* und den darauf bezogenen Gedichten oder Ezra Pound in seinen *Cantos*.

Aber nicht alle Schriftsteller waren bereit, sich eigene neue Versionen des Mythos zu bilden. Andere gründeten ihr Werk auf eine Idee, eine Methode, oder vielleicht auf eine Schau, die den Entdeckungen der Wissenschaftler und den Meditationen der Philosophen verwandt war. Aber in fast allen Fällen sollten die endgültigen literarischen Manifestationen ihrer Ausflüge in die Welt der Gedanken in offenkundiger Beziehung zu der jeweiligen Quelle stehen, von der sie sich ableiteten. So standen Virginia Woolfs »interior time« und die Werke, welche den Glauben exemplifizieren, daß die Intuition tiefer reicht als der Intellekt, in deutlicher Beziehung zu Bergson. So stand T. S. Eliots *The Waste Land* mit seiner »historischen Kultur, intellektuellen Tradition und dem Vermächtnis von Ideen und Formen« in Beziehung zu den publizierten Forschungsarbeiten von Sir James Frazer und Miss Jessie Weston.

Jeder Schriftsteller unterscheidet sich von seinen Kollegen durch den speziellen Gesichtswinkel, den Ton seiner Stimme und den Rhythmus, mit dem seine Phantasie ihre Spiele registriert. Dennoch ist die Besonderheit eines Schriftstellers erst dann klar begründet, wenn man ihn in der Relation zu seinem Zeitalter sieht. Vom historischen Standpunkt gesehen, wird Gertrudes Platz wahrscheinlich ungenau bleiben und seltsam abhängig von den Ansichten darüber, was die Literatur strenggenommen erreichen kann. Selbst ihre Bewunderer verzweifeln, wenn sie sich über die Diskrepanz zwischen der Schärfe, Klugheit oder Gelehrtheit ihres Geistes und ihrer Unterhaltung und dem öden Brachland letzter »Gedankenlosigkeit«, das den Großteil ihrer Schriften ausmacht, Rechenschaft abgeben müssen. Vielleicht wird man sie später einmal als eine Schriftstellerin ansehen, die kurz vor jenem Ziel halt gemacht hat, dem andere große Schriftsteller gemeinhin zustreben, und als eine Frau, die sich, weil sie dieses Ziel nicht anerkennen wollte, eigene Ziele setzte und diese mit nachhaltigem Erfolg auch erreichte. Bleibt das allgemeine Ziel weiterhin die Lösung des mythologischen Problems oder zumindest die Aufstellung eines klaren und adäquaten »hinweisgebenden Gerüsts«, durch das ein literarisches Kunstwerk allgemein zugänglich gemacht wird, so kann man Gertrude Stein weder in der einen noch in der anderen Beziehung gerecht werden. Ihr einziges »nutzbares Wissen« ist und bleibt weiterhin die Alltagswirklichkeit ihres Daseins, so wie sie sie lebt und niederschreibt. Ihr Schreiben gründete in etwa auf dem, was sie von William James gelernt hatte, und man kann ihre Quellen bis auf gewisse Experimente von James und seine Theorien vom Wesen des Bewußtseins zurückführen. Aber ihre Beziehung zu James reicht nicht aus, um darauf eine Theorie aufzubauen. Bis auf jene Affinitäten, die sich als rein zufällig erklären ließen, leugnet sie ganz selbstverständlich die Beziehung zwischen der »Schau« ihrer Werke und den wissenschaftlichen Dokumentationen ihres alten Meisters. Ihre tieferen und unmittelbaren Quellen finden wir in der Malerei. Und als sie ihre aus der Malerei gewonnenen Erkenntnisse auf ihr eigenes Tun anwandte, hatte sie sich von allen Verbindungen gelöst, die möglicherweise eine Abhängigkeit von etwas anderem als ihrem eigenen existentiellen »hinweisgebenden Gerüst« hätten andeuten können. Statt das Problem des Mythos in literarischer Form zu lösen, wandte sie sich der Malerei zu und ignorierte das Problem. Als sie diesen Schritt getan hate, hatte sie eine literarische Kritik ihres Werkes weitgehend unmöglich gemacht, und ihre potentiellen Bewunderer gezwungen, entweder ihre eigenen Bedingungen anzunehmen oder sie links liegen zu lassen. Da ihre eigenen neuen Bedingungen sich von der Malerei ableiteten, muß festgestellt werden, um welche Bedingungen es sich hier handelt.

Im großen ganzen waren den Malern des 20. Jahrhunderts, zu denen sie sich gesellte, die Probleme unbekannt, denen die Dichter oder Romanciers sich gegenüber sahen – zumindest jene Dichter und Romanciers wie Proust und Mann, Yeats und Eliot, die zur epischen Form neigten. Ob das Werk des Malers als ein Fenster gedacht ist, durch das man die Außenwelt betrachtet, oder als ein Fenster, das, wie ein Spiegel, nur das reflektiert, was in des Malers persönlichen Vorstellungen existiert, stets bezieht sein Werk sich auf etwas Gegebenes, einigermaßen fest Gegründetes und Bestehendes. Es ist die Welt, auf die er Bezug nimmt, die Welt ist seine »Mythologie«, und wenn er bei der Wiedergabe seiner Welt auf Probleme stößt, so sind sie meist technischer und nicht so sehr begrifflicher Natur. Seine Kunst ist räumlich, und das bedeutet, daß sie von dem beherrscht wird, was im Raum »geschehen« oder im Raum ausgedrückt werden kann. Und die Materialien, deren er sich bedient, haben spezifische Eigenschaften, die er dazu benutzt, die Linien und Flächen hervorzubringen, die den Raum definieren. Die grundsätzliche Bemühung des Malers gilt den plastischen Möglichkeiten seines Mediums, und sein Erfolg beruht auf der Geschicklichkeit und Kraft, mit der er die ihm zugänglichen Mittel nutzen kann. Wird er im Lauf der Geschichte dazu gebracht, ein neues Zeitgefühl, eine vierte Dimension in sein Werk einzubeziehen, so macht er diesen Schritt, indem er Gesichtswinkel wiedergibt oder indem er die graphische Darstellung eines Vorgangs erfindet. Im Gegensatz zum Schriftsteller besteht für ihn kein Zwang, Rechenschaft über einen Gegenstand, eine Figur oder eine Idee in all ihren Abwandlungen zu geben oder irgendeinen dieser Vorwürfe mit deren Gesamthintergrund in Übereinstimmung zu bringen. Weil er auf ein ganz bestimmtes Material beschränkt ist, kann der Maler seine Kunst bis zu ihren abstrakten Grenzen hin verfolgen, ohne daß er einen Ballast von Assoziationen mit sich herumschleppen muß. Vom Schriftsteller hingegen verlangt man, daß er die Funktion des Schöpfers, Gesetzgebers und Philosophen übernimmt, ehe er sein eigentliches Talent als lyrischer Sänger erproben kann und ehe er es wagt, den Klang, das

Schwergewicht, die Farbe und Struktur der Worte als Dinge mit verborgenem Eigenleben zu untersuchen.

Wie die Welt ihrer malenden Zeitgenossen, so wurde auch die Welt von Gertrude Stein immer weniger eine Welt der Gedanken, sondern eine Welt der neuen Perspektiven, neuen Formen und der plastischen Möglichkeiten, die sich aus dem sprachlichen Medium so mühelos zu ergeben schienen wie neue Farben, die man auf einer Palette mischt. Indem sie sich die Freiheit eines Malers anmaßte, tat sie, als sei die sichtbare Welt die einzige Welt, und versuchte, aus Bruchstücken und Teilen ihrer Beobachtung eine Komposition zu schaffen, die das mosaikartige Bild ihrer Wahrnehmung wie auf einem Gemälde als ein geschlossenes Ganzes wiedergeben sollte. Wie die Maler, durch die sie beeinflußt wurde, war auch sie entschlossen, die natürliche Logik zu wahren, wenngleich ihre Methoden sie dazu führten, die natürliche Erscheinungsform zu verwerfen. Es gelang ihr, die Logik der Natur zu wahren, aber nur insoweit, als man die Logik des frei schweifenden Geistes, der irgendeinen Gegenstand umflattert, als natürlich betrachten kann. Die natürliche Erscheinungsform, die in der Schriftstellerei die Illusion eines Etwas ist, auf das der menschliche Geist unter den gleichen Bedingungen reagieren kann wie im Leben, war in ihrem Fall verschleiert oder durch intellektuelle Konstruktionen ersetzt, die beinah ausschließlich von dem Geist abhingen, der sie geschaffen hatte. Das Auge, das toleranter ist als der Geist, gestattet dem Maler die Freiheit, eine Erscheinung zugunsten einer bezaubernden Illusion zu verleugnen. Leugnet jedoch ein Schriftsteller so total und beharrlich wie Gertrude Stein die Erscheinungsform, dann bleibt dem Leser kein Anhaltspunkt mehr, überhaupt nichts mehr, wo er verweilen kann. Hilflos auf den Wellen ihrer munter plätschernden Andeutungen dahintreibend, genasführt von Bruchstücken von »Realität«, die plötzlich auftauchen und wieder verschwinden, ehe er sie packen kann, wird er zunächst ermüden und dann recht bald rebellisch werden. Am Ende besteht ihr Publikum nur noch aus einigen wenigen, die eine Literatur tolerieren können, die auf eine Folge von Spannungen reduziert ist, welche durch den Anprall von Partizipien, Verben und Fürwörtern verursacht werden – also auf die von Valéry vorausgesagte Formel – »de l'algèbre et des sensations« – oder auf eine anarchistische Zusammenballung von Objekten, die darauf warten, sortiert zu werden.

Gertrude Stein ersetzt Mythos, Legende und Symbol durch die reine intellektuelle Erfahrung, »eine Auffassung, die die Entwicklung als etwas sieht, das aus Perspektiven und Ganzheiten innerhalb eines Kontinuums besteht«. Und damit brach sie radikal mit der gesamten Entwicklung der Literatur in Amerika und Europa und näherte sich – oder ging darauf zurück – jenem Primitivismus, der nur möglich ist, wenn eine ganze Tradition verarbeitet oder verworfen worden ist. Zu ihren Lebzeiten hatte der Intellekt die Auslegung der Phänomene revidiert; die festgefügte Welt des abendländischen Menschen war atomisiert worden; in Wissenschaft und Kunst waren neue Methoden des Analysierens entwickelt worden. Dennoch hatte es den Anschein, als greife Gertrude Stein auf jene Art von Poesie zurück, die Vico als die erste Form der lebendigen Geschichte betrachtet, »die Metaphysik des Menschen, während er noch in unmittelbarer sensueller Beziehung zu seiner Umwelt lebt ... ehe er gelernt hat, Allgemeinbegriffe zu bilden und nachzudenken«. Indem sie ihren Intellekt spielen ließ, hatte sie versucht, den Intellekt auszumerzen, um die Literatur zu der Reinheit zu bringen, die etwa ein Vogelgesang oder ein Schachspiel besitzen.

Kein anderer Schriftsteller war so wagemutig oder vielleicht auch so töricht gewesen. In *Finnegans Wake* brachte James Joyce die Wortspielerei mit mythologischen Beziehungen bis zu ihrer äußersten Verfeinerung, sein technisches Puzzle läßt sich durch Gelehrsamkeit, Geduld und Findigkeit lösen. Picasso soll das Angebot, Illustrationen für *Ulysses* zu machen, mit der Bemerkung abgelehnt haben: »Er [Joyce] ist ein unverständlicher Schriftsteller, den alle Welt verstehen kann.« Da Gertrude Stein keine Anhaltspunkte bietet, kann man sie nicht »lösen«, sondern nur hinnehmen. Verglichen mit kabbalistischen Arabesken und dem überladenen Historizismus von Joyce sind ihre Methoden so simpel und klar wie prähistorische Felsbilder. Joyce erreichte das gesteckte Ziel, indem er sich durch das Wissen bis zu jenem Status hinaufarbeitete, in dem der Künstler »gleichgültig ist wie Gott, seine Nägel schneidend«. Gertrude Stein hatte sich diese göttliche Gleichgültigkeit von Anbeginn angemaßt. Joyces ungeheuerliches Werk *Finnegans Wake* mag die letzte Inkrustation einer byzantinischen Technik sein, nach der Gertrude Stein das Abc einer neuen Literatur auf jungfräuliche Seiten schreibt, die sie von jedem Satzinhalt gereinigt hat. Auf jeden Fall stand und steht sie mit ihrem Bemühen, auf jede Unterstützung durch Überlieferung und Wissen völlig zu verzichten, unter allen Schriftstellern der englischen Sprache allein da.

Das Thema vieler ihrer Werke war, wie das vieler Maler, die Komposition an sich. Wie die Maler die verschiedenen Versionen der gleichen Komposition schaffen, die ursprünglichen Beziehungen wahren, aber die Gegenstände und Farben ändern, schuf sie Kompositionen in reinem Laut und bot sie in verschiedenen Versionen dar. Maurice Grosser äußert sich in seinem Buch *The Painter's Eye* über diese Seite ihres Wirkens: »So wird zum Beispiel ein Gedicht mit dem Titel *Susie Asado* nach einer spanischen Tänzerin, die sie kannte und deren Name sich auf *leche helada* reimt, ... zu Toasted Susie is my ice cream (weil asado im Spanischen geröstet heißt). Aber selbst wenn man all diese Beziehungen feststellen und begreifen könnte, so würden sie doch nur wenig erklären. Denn Gertrude Steins Vorwürfe – auf jeden Fall in den Gedichten, die den größeren Teil ihres Werks ausmachen – sind reine Klangkompositionen. Da gibt es zum Beispiel ein *Portrait of F. B.,* das die gleichen Kadenzen und die gleiche Form hat wie das ... Gedicht *Rooms*. Aber die Worte, die in den beiden Gedichten verwendet werden, sind völlig verschieden.«

Gertrude Stein berichtet in ihrer *Erklärung,* daß Leo der Meinung war, man müsse sie persönlich kennen, um das, was sie schreibt, zu begreifen; man müsse über all die kleinen häuslichen Geschehnisse ihres Daseins Bescheid wissen; man müsse, wolle man die richtigen Anhaltspunkte finden, mit deren Hilfe ihr Werk interpretiert werden könnte, wissen, was sie aß, wie sie sich kleidete, wohin sie ging und wen sie sah, und müsse überdies ihren ganzen literarischen Hintergrund und ihre Interessen kennen. Leo hatte recht mit dieser Behauptung, und wenn Gertrude wußte, daß er damit genau die Erklärung dafür gegeben hatte, weshalb ihr Publikum so klein und weshalb die Kritiker und mit wenigen Ausnahmen auch die Gelehrten sie nicht verstanden, so ließ sie sich das weder damals noch später anmerken. Ihr Selbstvertrauen war so enorm wie ihre Erscheinung, und sie fuhr einfach fort, das zu schreiben, was ihr echt und gerechtfertigt zu sein schien.

Ihre Zielstrebigkeit mag, mit einigen Einschränkungen, ihrem Selbstbewußtsein zugeschrieben werden und der Triebkraft eines Künstlers, der sich aus eigener Kraft einen Weg aus dem allgemeinen kulturellen Dilemma gebahnt hat. Jedes Einzelleben, das durch ein Ausdrucksmittel vollkommen dokumentiert wird, kann darauf hinweisen, daß persönliche Erfahrung die gleiche Gültigkeit besitzen kann wie jedes Gedankensystem und jeder Glaubenssatz, an den sich der Leser um Aufschluß wenden mag; denn schließlich ist kein Leben ganz einmalig oder ohne Beziehung zur Beschaffenheit des Menschen. Gertrude Stein bediente sich der Daten ihres privaten Daseins. Weil sie sich aber nur selten die Mühe machte, die Zeit und den Ort anzumerken oder ihre Quellen und den Hintergrund, vor dem ihre Werke gelesen werden sollten, anzudeuten, scheint sie sich einer himmelschreienden Verantwortungslosigkeit schuldig zu machen. Gibt es für sie eine Rechtfertigung, so müssen wir sie in den Erklärungen jener Maler und Dichter suchen, bei denen sie ihre Methoden entlehnte. Sie hatte eine ausgeklügelte Theorie der Verantwortungslosigkeit, die die französischen Kubisten aufgestellt hatten, vorweggenommen und in die Praxis umgesetzt. »Wir sind sogar zu dem Geständnis bereit, daß es unmöglich ist zu schreiben, ohne sich konfektionierter Phrasen zu bedienen, oder zu malen, wenn man die vertrauten Symbole völlig negiert. Jeder muß für sich entscheiden, ob er diese Symbole nun in seinem Werk wahllos verstreut, sie mit seinen persönlichen Symbolen vermischt oder sie kühn zur Schau stellt, magische Disharmonien, Fetzen der großen Kollektivlüge an einem bestimmten Punkt jener höheren Wirklichkeit, die er seiner Kunst beimißt.« Gleichgültig gegen die Schwierigkeiten, die beinah jedem Leser begegnen mußten, machte Gertrude sich mit der großen Erwartung ans Werk, daß die objektivierte Intuition in Gestalt abstrakter Wortmuster sie stützen würde. Und sie vertraute darauf, daß der anfängliche Widerstand ihrer Leser vor der Kraft des »Geschaffenen« weichen würde. Diese unnachgiebige Haltung setzte zwangsläufig dem wohlwollenden Echo auf ihr Werk bestimmte Grenzen und war die Ursache, daß man sie vernachlässigte, während man Leute von weit geringerer Bedeutung erschöpfender kritischer Betrachtungen würdigte. Überdies erwies diese Haltung sich als ein unüberwindbares Hindernis bei dem Versuch, ihr Werk einem größeren Leserkreis zu erschließen als dem kleinen Häuflein von Getreuen.

Nach dem äußersten Hermetizismus von *How to Write* und anderer Werke dieser Epoche war Gertrude erschöpft und einer Ausspannung bedürftig. Sie wußte, daß sie mit ihren wissenschaftlichen Untersuchungen des Skeletts und der Deckhaut der expressiven Sprache so weit gegangen war, wie sie gehen konnte. Und wenn sie auch nicht auf all ihre Fragen eine Antwort gefunden hatte, so hatte sie doch zumindest die Komplexe ausgesondert, die zu befragen wären. Die Sprache war noch immer ihre private Knopfschachtel, und sie hatte ihren Inhalt auf jede nur mögliche Weise sortiert und zusammengestellt. Nun war sie bereit, sie beiseite zu tun und der Welt in der Sprache der Welt mitzuteilen, wer sie eigentlich war und weshalb die Welt gut daran täte, mit ihr zu rechnen.

XX

Wenn Sie dies lesen dann ist sie ich gewesen.
Gertrude Stein

Mein Gott, was ist sie doch für eine Lügnerin!
Leo Stein

»In seinem tiefsten Innern glaubt man nicht an die stummen, ruhmlosen Miltons«, gestand Gertrude, und im Sommer 1932, als in Bilignin trockenes und schönes Wetter herrschte, machte sie sich daran, den Beweis dafür zu erbringen. Sie wählte einen Stil, der auf jeder Seite die Sprechstimme von Alice Toklas wiedergeben sollte, und schrieb von einem Gesichtspunkt aus, der der von Alice sein sollte, die anekdotische Geschichte ihres langen, gemeinsamen Lebens. »Dies ist ihre Autobiographie von zweien«, sagte Gertrude. »Aber welche von den beiden es ist, weiß keiner von den beiden die es sind«, und dann prophezeite sie: »Wenn Sie dies lesen, dann ist sie ich gewesen.« Sie schrieb, um unmißverständlich verstanden zu werden, und das, was sie einzig und allein verstanden haben wollte, war sie selbst. Das Resultat war ein aufsehenerregender Bestseller, *The Autobiography of Alice B. Toklas,* der sie unvermeidlich in die Vortragssäle der Vereinigten Staaten brachte und sie in Amerika fast so bekannt machte wie Baseballspieler und Filmstars.

Schon lange hatte sie geahnt, daß sie eine Berühmtheit sei, deren Ruf weit über die Grenzen der Kunstwelt hinausreichte. Auf ihrer Suche nach literarischen Themen war sie eigentlich nie über die eigene Person hinausgegangen. Nun aber, so sagte sie, »war das Wichtigste, daß ich zum erstenmal beim Schreiben etwas außerhalb meines eigenen Wesens spürte während ich schrieb, bislang hatte ich nichts als das gespürt was in mir war während ich schrieb«. Ihr war, als müßten, wenn sie ihre eigene Geschichte so schlicht erzählte wie Defoe die Geschichte von Robinson Crusoe, ihre Abenteuer auf der sturmgepeitschten Insel des avantgardistischen Paris für den Leser ebenso unwiderstehlich sein. »Denkt an Defoe«, sagte sie, »er versuchte Robinson Crusoe so zu schreiben als habe sich alles genauso zugetragen und dennoch ist er schließlich Robinson Crusoe und Robinson Crusoe ist Defoe und deshalb ist schließlich nicht das was geschieht sondern das was ihm was Robinson Crusoe geschieht das was alle Welt so aufregend findet.« Das Schreiben jenes bedeutsamen Buches nahm nur sechs Wochen in Anspruch. Als sie mit dem Manuskript nach Paris zurückkehrte, rief sie sofort Picasso an, um ihm davon zu berichten.

Picasso kam mit seiner Frau Olga, die er nach Kriegsende geheiratet hatte, in die Rue de Fleurus. Picasso hatte die Ballettänzerin Olga Koklova während der Arbeit am Bühnenbild für das berühmte Satie-Cocteau-Diaghilev-Ballett *Parade* kennengelernt, und nun war Olga die Mutter seines ersten Kindes Paulo. Als Gertrude Teile des Manuskripts dem Ehepaar übersetzte, fand Picasso laut Gertrude alles »sehr aufregend«. Im weiteren Verlauf der Vorlesung kam jedoch eine ausführliche Stelle über Picassos erste Pariser Maitresse, Fernande Olivier, vor. Madame Picasso packte beleidigt ihre Siebensachen und verließ verärgert das Haus. Gertrude drängte den verdatterten und ratlosen Picasso, seiner Frau zu folgen. Damit verschwand er für fast zwei Jahre aus Gertrudes Leben.

Der literarische Agent für die *Autobiographie* war William Aspinwall Bradley, der die meisten der bekannten Pariser Schriftsteller, die in Amerika erschienen, betreute. Gertrude wünschte, daß Bradley sich um einen Vorabdruck des Buches im *Atlantic Monthly* bemühe. Sie hatte schon immer gerade in dieser Zeitschrift veröffentlicht werden wollen. Weder ihre eigenen Bemühungen noch die einer so einflußreichen Gönnerin wie Mildred Aldrich hatte die Herausgeber zur Annahme einer ihrer Arbeiten bewegen können. Erst ein Jahr zuvor hatte die Redaktion eine von Gertrudes vielen Einsendungen mit folgendem Begleitschreiben zurückgeschickt:

»Sehr geehrte Miss Stein,
wir leben in verschiedenen Welten. Mag sein, daß in der Ihren das Gute, Schöne und Wahre wohnt, aber wenn dem so ist, so ist es uns nicht gegeben, sie durch ihre Tarnung hindurch zu erkennen. Die Vorausabteilung, die an der Spitze der bildenden Kunst reitet, wird hierzulande von einer einigermaßen dichten Gefolgschaft verstanden oder teilweise verstanden, aber diese Gefolgschaft kann ihre Lehnstreue nicht auf eine entsprechende Literatur übertragen, und für uns wäre es wirklich aussichtslos, einen neuen Maßstab dieser Art aufzustellen.
Tut mir leid. Ihr ergebener Ellery Sedgwick.«

Die lupenreine Stein und die plaudernde Stein waren jedoch zweierlei. Der nächste Brief, den sie von Sedgwick erhielt, klang ganz anders.

»Sehr geehrte Miss Stein,
mit Ihrem Buch gab es eine Menge Scherereien. Aber was für ein bezauberndes Buch ist es doch, und wie freue ich mich, daß wir vier Fortsetzungen davon bringen! Im Verlauf unserer langen Korrespondenz werden Sie wohl gespürt haben, daß ich stets auf den Augenblick hoffte, in dem die wahre Miss Stein die Nebelwand zerreißen würde, hinter der sie sich immer so unartig versteckt hielt. Die *Autobiographie* besitzt gerade genug von dem Undurchsichtigen, das ihr Individualität und Eigenart verleiht, und Leser, denen die gleichen Dinge am Herzen liegen wie Ihnen, werden sie lieben...
Heil der Gertrude Stein, die im Kommen ist!
Seien Sie der aufrichtigen Ergebenheit versichert
Ihres Ellery Sedgwick.«

Kaum waren die ersten Fortsetzungen der *Autobiographie* erschienen, da trafen auch schon begeisterte Briefe in Hülle und Fülle von jenseits des Ozeans ein. Mit ihnen kamen auch dicke Schecks, die mehr »verdientes Geld« repräsentierten, als Gertrude jemals gesehen hatte. »Ich liebe es reich zu sein«, sagte sie, »noch nicht so schrecklich reich aber doch mit guten Aussichten, das macht mich innerlich ganz fröhlich...« Aber dieses Gefühl wich bald neuen Sorgen und einer Phase der Seelenerforschung: Die Beziehung zu ihrem Werk war durch eine neue Vorstellung von seiner Einträglichkeit gestört. Sie spürte, daß sie allmählich eine völlige innere Verwandlung durchmachte. Vor Jahren hatte sie in der öffentlichen Anerkennung die Ursache für eine kritische Wandlung in Matisses »Grundnatur« gesehen, nun wurde sie auf die gleiche Art aus dem Gleichgewicht gebracht.

»Plötzlich war alles anders«, sagte sie. »Was ich tat besaß einen Wert der die Menschen zahlungswillig machte, bis zu diesem Augenblick hatte alles was ich tat einen Wert weil keiner zahlungswillig war. Es ist etwas Komisches um das Geld!« Sogar in ihrem Pariser Alltagsleben zeigten sich Veränderungen, wie sie sich nie hätte träumen lassen. Irgendwie »war es weniger Paris als es zuvor gewesen war... Die Sache ist die es ist alles eine Frage der Identität. Es ist alles eine Frage des Außen das außen ist und des Innen das innen ist. Solange das Außen einem keinerlei Wert beimißt bleibt es außen aber wenn es einem einen Wert beimißt dann gelangt es ins Innen oder vielmehr wenn das Außen einem einen Wert beimißt dann sind auf einmal diese Innen lauter Außen. Ich sagte immer all den Männern die in ihrer Jugend Erfolg hatten wie schädlich das für sie sei, und dann geschah es mir die ich nicht mehr jung war.«

Sie hatte ihren persönlichen Aspekt eines Problems benannt, das jeden ernsten Schriftsteller erwartet, dessen Werk kommerziellen Erfolg haben könnte oder hat. Sie hatte stets ohne einen Gedanken an einen Absatz im weiteren Sinn gearbeitet, und ihr Urteil war ausschließlich von Erwägungen bestimmt gewesen, die mit ihren Absichten in Einklang standen. Trotz vieler Enttäuschungen war ihr Wagemut ungebrochen, ihre Schau ungetrübt geblieben. Als aber erst einmal der Gedanke an einen Absatz durch ihre Berechnungen geisterte, als sie gezwungen wurde, der Stimme des Mammon zu lauschen, sah sie sich plötzlich gefährdet. Folgte sie jener Stimme, dann entfernte sie sich immer weiter und weiter vom Klang der einzigen Stimme in der ganzen Welt, die ihr eine Antwort auf ihr Ringen um Anerkennung geben konnte – ihre eigene Stimme. In ihren Spätwerken wurde sie bis zu einem gewissen Grad das Opfer von mehreren lockenden Stimmen – den Sirenentönen des »Außen«. Zumindest im Augenblick konnten die Vorbehalte des »Innen« hinsichtlich des Erfolgs und seiner Gefahren ihr nicht Einhalt gebieten. Sie war mit Bradley zu dem Entschluß gelangt, daß Harcourt Brace das Buch in Amerika herausbringen sollte; der englische Verleger sollte, aus sentimentalen Gründen, die mit John Lane zusammenhingen, dessen Nachfolger »The Bodley Head« sein.

The Autobiography of Alice B. Toklas erschien im August 1933. Das Buch bezauberte die Kritik und eine große neue Leserschaft, aber Leo Stein begrüßte es nicht mit schmetternden Fanfaren. Obwohl er der Ansicht war, daß »der Historiker seine Tatsachen untersucht, der Autobiograph sich ihrer nur erinnert«, und trotz seiner Sympathie für General Grant (der auf den Vorwurf, daß er in seiner Autobiographie falsche Angaben gemacht hatte, geantwortet habe: »Ich erinnere mich eben so an diese Dinge. Wer sich anders daran erinnert, soll schreiben, wie er sich daran erinnert...«) wollte Leo seiner Schwester keinerlei Irrtümer zugestehen. Aus seinem Florentiner Heim schrieb er an Mabel Weeks: »Neulich las ich Gertrudes Autobiographie und fand, daß der muntere Klatschtantenton, der sich manchmal bis zu einem recht netten Lustspielniveau emporschwingt, sehr gut getroffen ist. Aber mein Gott, was ist sie doch für eine Lügnerin!... Praktisch alles, was sie über unsere Unternehmungen vor 1911 sagt, ist falsch, sowohl faktisch wie in den Folgerungen. Und einer ihrer eingewurzelten Komplexe zwang sie, mich praktisch zu eliminieren.« Kurz darauf schreibt er in einem anderen Brief an Mabel Weeks: »Ihre Autobiographie hat mich vorübergehend wirklich verärgert. Ich habe es seit langem aufgegeben, über meine Beziehungen zu der Kunstbewegung des frühen 20. Jahrhunderts überhaupt noch zu sprechen, und ich habe es immer abgelehnt, darüber zu schreiben oder mich öffentlich darüber zu äußern. Ich hatte also daher keinerlei Bedürfnis, in dieser Angelegenheit ›anerkannt‹ zu werden; aber es ist doch etwas anderes, wenn solche Beziehungen, von denen man allgemein annahm, daß sie bestanden haben, sozusagen offiziell geleugnet werden.« Noch deutlicher tritt sein Groll in Briefen an den Kunstsammler Albert Barnes zutage. Er bezeichnet das Buch als einen »Mischmasch aus ziemlich cleveren Anekdoten, törichtem Geprahle und allgemeinem Geschwafel« und als »einen ziemlich cleveren Turmbau auf einem Fundament unergründlicher Dummheit. Gertrude ist das genaue Gegenteil von mir. Sie ist fundamental dumm, und ich bin fundamental intelligent.«

Lange ehe das Buch in Druck ging, hatte bereits ein amerikanischer Agent Gertrude für Vortragsveranstaltungen gewinnen wollen. Obwohl sie sich mit dem Gedanken, nach Amerika zu fahren, nie so recht hatte befreunden können, befaßte sie sich mit dem Vorschlag, der ihr recht einträglich erschien. Auf ihre Forderung hin, daß selbstverständlich Alice und die beiden Hunde sie zu jeder Vorlesung zu begleiten hätten, ließ jedoch das Interesse des Agenten merklich nach, und sie ließ von dem Gedanken an eine Amerikareise wieder ab. Zwar trauerte sie dem vielen Geld nach, das ihr damit entging, aber eine andere Tatsache, der sie sich schon lange bewußt war, bekümmerte sie noch viel mehr: Die amerikanische Öffentlichkeit interessierte sich weit mehr für ihr Person als für ihr Werk. »Letzten Endes«, sagte sie, »ist das unvernünftig, denn wäre mein Werk nicht, würden sie sich auch nicht für mich interessieren und weshalb interessieren sie sich dann nicht mehr für mein Werk als für mich. Das ist eines der Dinge die einem in Amerika solche Schwierigkeiten machen.«

Die *Autobiographie* war nicht nur ein rauschender Erfolg, sondern auch eine schwere persönliche Prüfung. Nach dem Erscheinen dieses Buches war nichts mehr selbstverständlich, nicht einmal der Zauber eines Sommers in Bilignin. Gertrude, die an sich zweifelte, weil sie nicht schrieb und auch nicht mehr das Bedürfnis zu schreiben verspürte, kam aus den Aufregungen über Dienstboten- und Haushaltsprobleme und über melodramatische Geschehnisse in der Nachbarschaft nicht heraus und mißtraute ihrem Erfolg: »War ich ich als ich kein geschriebenes Wort in mir hatte?« Bis zum September hatte der Wechsel von vier verschiedenen Dienerehepaaren bereits die sommerliche Stille aufs schrecklichste gestört; Mme. Pernollet, die Frau des Hotelbesitzers, der Gertrude sehr nahe gestanden hatte, war auf geheimnisvolle Weise aus einem Fenster des oberen Stockwerks des Hotels in den zementierten Hof gestürzt und dabei ums Leben gekommen; eine Engländerin, die im Nachbarhaus zu Besuch weilte, hatte sich in einer nahegelegenen Schlucht erschossen; Besucher kamen zu ungelegener Zeit oder blieben zu lang; nichts war recht.

Picabia kam mit seiner Schweizer Frau und sprach mit solcher Bestimmtheit und solchem Nachdruck abträglich von Cézanne, daß Gertrude ganz unglücklich wurde, nicht wegen Picabias aggressiver Haltung, sondern wegen der »Wahrheit, die in seinen Erkenntnissen lag«. Andere Besucher – Janet Scudder, William Aspinwall Bradley, Francis Rose, William Seabrook und die Herzogin von Clermont-Tonnerre – kamen und gingen, aber fast all diese Besuche schienen Gertrude eher zu irritieren als zu erfreuen. Sie hatte es nie gern gemocht, wenn die Besucher lange blieben, »nicht weil sie im Weg sind sondern weil sie nach einiger Zeit Teil unseres täglichen Lebens sind oder es nicht sind und mir ist es lieber sie sind es nicht«. Ohne das Schreiben, ohne das Bedürfnis zu schreiben, fehlte der Anker, durch den sie sich mit ihrer »Insel des Alltagslebens« verbunden fühlte. Schließlich machte sie sich an eine Art *tour de force,* einen Kriminalroman, der auf den aufregenden Geschehnissen des Sommers fußte. Dieses *divertissement* wurde viele Jahre nach ihrem Tod unter dem Titel *Blood on the Dining Room Floor* veröffentlicht. Dieser kurze »Roman« ist in seiner Sparte eine literarische Stümperei, vollgestopft mit Verwicklungen und Verdächtigungen und haarsträubenden Unwahrscheinlichkeiten. Ein kleiner Schlüsselroman, in dem Gertrudes Besucher und Nachbarn mühelos zu erkennen sind. Die Geschichte beginnt mit der üblichen Leiche, dann aber geschieht, im Gegensatz zu den meisten Kriminalromanen, nicht das geringste zur Entdeckung des Verbrechers. Auf mannigfache Weise werden Voraussetzungen zu kriminellem Tun geschaffen und vielerlei Motive angedeutet, jedes Geschehen wird bedeutungsschwanger dargestellt, aber nichts wird geklärt oder einer anderen denn verwirrenden Lösung entgegengeführt.

Im Spätherbst kehrten Gertrude und Alice nach Paris zurück. Beifällige Äußerungen wie Störungen häuften sich, Gertrude aber arbeitete in ihrer verstörten Verfassung an ihrem Beitrag zur Kriminalliteratur weiter. Sie schrieb täglich, aber das Ergebnis befriedigte sie nur wenig. »Obgleich ich es tat«, sagte sie, »tat ich es in Wirklichkeit nicht.« Sie war buchstäblich außer sich. Nun wollte jeder, daß sie irgend jemanden kennenlerne. Sie lief von einer Verabredung zu andern. »Es war hübsch ein Salonlöwe zu sein«, gestand sie; dennoch blieb die innere Sorge, weil »jeder mir schrieb und ich nicht das geringste schrieb«. Des Abends zog sie, von Basket begleitet, allein durch ihr Wohnviertel, mehr und mehr beunruhigt durch die politischen Spannungen, die von Berlin, Moskau und Rom ihre Wellen ausschickten.

Nicht einmal das Betrachten von Bildern konnte ihr mehr Befriedigung geben. Der einzige Maler, dessen Werk ihr gefiel, war der Kubaner Francis Picabia. »Ich glaubte ich hätte alles was wir getan hatten verstanden«, schrieb sie, »und als ich nun Picabia verstand mußte ich wieder ganz von vorn anfangen.« Sie kannte diesen Maler schon seit vielen Jahren, aber noch nie zuvor hatte er ihre Aufmerksamkeit gefesselt. Sein neues Werk, das in eine Zeit fiel, in der Picasso, wie sie sagte, in gleichem Sinn »schrieb«, wie sie in ihrer mittleren Periode »gemalt« hatte, und sie sich nicht mehr um die »russische Gruppe« kümmerte, beeindruckte sie tief und weckte ihr Interesse für die Vergangenheit Picabias. Die Geschichten, die er aus seinen frühen Jahren erzählte, faszinierten sie, und später schrieb sie darüber in dem Katalog zu einer Ausstellung, in der Picabia Gemälde zeigte, die aus mehreren Bildern bestanden, die er in transparenter Manier übereinander montiert hatte, so daß Boote und antike Köpfe und Paradiesvögel und

Gesträuch vermischt waren und wie die Abzüge von mehrfach belichteten Negativen wirkten.

»Sein Großvater der ihn aufzog und bei dem er wohnte«, schrieb sie in der gedruckten Einführung, »gehörte zu den Erfindern der Fotografie. Er war ein Freund und Gefährte von Daguerre, der die Daguerreotypie erfand. Als Knabe war Picabia stets bei seinem Großvater. Die beiden reisten sehr viel und besuchten immer Museen, und sein Großvater, der damals Experimente mit farbigen Fotografien machte, bekam als ein bekannter Gelehrter stets die Erlaubnis zu fotografieren. So fotografierten die beiden den ganzen Tag lang und entwickelten die ganze Nacht über, und dieses frühe Erlebnis, so glaubt Picabia, und ich bin mir nicht sicher, ob er nicht recht hat, hat sehr viel mit der Entwicklung der modernen Malerei zu tun gehabt. Picabia gewann aus dem ständigen Umgang mit der Fotografie, die ihn bei aller Bewunderung und Zuneigung für seinen Großvater allmählich sehr zu langweilen begann, etwas, das ihm eine Vorstellung von Transparenz und vierdimensionalem Malen gab. Noch heute in seinen späteren Malereien und ganz gewiß in seinen Zeichnungen erreicht er eine Transparenz, die etwas ganz Eigenartiges ist, das nichts mit der Oberfläche zu tun hat.« Derartige Überlegungen ließen sie vorübergehend glauben, sie müsse ihre ganze Vorstellung vom Fortschritt der Malerei in den Jahren, über die sie gerade so ausführlich geschrieben hatte, revidieren. »Die Malerei«, so hatte sie bereits gesagt, »muß nun nach ihrem großen Augenblick wieder eine Kunst zweiten Ranges werden.« Und dennoch schien sie sich nicht ganz sicher, und dieses Nicht-sicher-Sein war zermürbend.

Als ihr Agent Bradley nach Amerika fuhr, autorisierte sie ihn, Verträge über die Veröffentlichung ihrer sämtlichen in Amerika noch nicht erschienenen Werke zu schließen. Zuerst sollte *The Making of Americans* erscheinen und danach »alles«. Es gelang Bradley, Harcourt Brace zur Annahme einer überarbeiteten und gekürzten Ausgabe ihres Riesenwerks zu bewegen. Kaum war der Vertrag unterzeichnet, da erhielt Gertrude zu ihrer Bestürzung ein Telegramm von Bennett Cerf von Random House. Er bot ihr an, das ganze Buch, wie es war, in den *Giant Series* der *Modern Library* herauszubringen. Aber dieses Angebot kam zu spät. Gertrude zog weiterhin durch die Rive Gauche, las die politischen Anschläge an den Plakattafeln, dachte über Roosevelt nach (von dem sie behauptete, er sei wie Louis Napoleon, denn er habe

»keine persönliche Note aber zähe Beharrlichkeit innerhalb eines begrenzten Ideenbereichs« und sei nur ein weiterer kleiner Diktator in der Reihe, die Theodore Roosevelt begonnen hatte) und über Begleiterscheinungen ihres Erfolgs und darüber, daß mit einemmal jedermann sie kennenlernen wollte, wo sie doch all die Jahre über für jedermann erreichbar gewesen war. Da ihre Gedanken oft um Amerika und dessen Schicksal kreisten, machte sie sich an die Abfassung von *Four in America*, was sie beinah den ganzen Winter über in Anspruch nahm. Sie hoffte, daß diese Arbeit sie von den selbstquälerischen Grübeleien ablenken würde, die ihr ganzes Dasein zu verdüstern begannen; aber unwillkürlich brachte sie ihre Probleme in das Buch, dessen kunstvolle Komposition denn auch den Ausweg aus ihrem Dilemma lieferte. »Ich bin nicht ich wenn ich sehe«, sagte sie und suchte in der amerikanischen Geschichte nach Berühmtheiten, über die und deren historische wie nur in ihrer eigenen Phantasie mögliche Leistungen sie schreiben könnte. In diesem Bemühen schrieb sie lange, bemerkenswert unergiebige Porträts von Ulysses S. Grant, Wilbur Wright, Henry James und George Washington. Sie versuchte, sich jeden von ihnen vorzustellen, wie er »andere Dinge tat als er tat um dadurch herauszufinden weshalb das was geschieht etwas zu tun hat mit dem was ist«. Aus Grant machte sie den Führer einer religiösen Bewegung, aus Wright einen Maler, aus Washington einen Romancier, weil er »einen Roman begann den Roman den großen amerikanischen Roman«, und aus James einen General.

Sie hatte versucht, sich von der Malerei im alten kubistischen Sinn zu lösen, und seit *Lucy Church Amiably* war es ihr gelungen, das Schwergewicht von räumlichen auf lineare Effekte zu verlagern. Als sie sich aber ans Analytische machte, griff sie wieder auf ihre frühere Methode zurück. Wie *The Geographical History of America* ist auch *Four in America* »räumlich aufgeteilt«, insofern als sie von jeder ihrer Gestalten einige Vorstellungen nahm, diese endlos sezierte, die Ergebnisse ihrer Operation zur Schau stellte und dabei organische Einheiten aus ihnen machte. Sie hatte in jedem Fall etwas ganz Bestimmtes zu sagen, aber statt sich einer klaren logischen diskursiven Sprache zu bedienen, zwingt sie den Leser – durch mannigfache Andeutungen, Ansätze, Wiederholungen – zu formulieren, zu denken und zu sagen: sie muß das gemeint haben ... oder jenes.

Wegen der unzusammenhängenden Darstellungsweise ist *Four*

in America ein Hirngespinst von noch nebuloserer Art als die Hirngespinste, die man in der Literatur oder in psychologischen Krankengeschichten zu finden gewohnt ist. Thornton Wilder meint, das Thema dieses Buches sei ihre Antwort auf die Frage: »Welches sind die verschiedenen Möglichkeiten, in denen das Schöpferische in jedem Menschen arbeitet?« Wilder stellt eine Behauptung auf, die Gertrudes Bemühungen Lob zollt und im größeren Teil ihres Werks ihre Bestätigung findet. »Ich glaube, man darf sagen, daß das fundamentale Interesse in Miss Steins Leben nicht dem Kunstwerk galt, sondern der Aufstellung einer Erkenntnistheorie, einer Zeittheorie und einer Theorie der Leidenschaften.«

Ihr Anliegen war ernst genug, um sie gegen die Zudringlichkeiten der großen Welt abzuschirmen und zu verhindern, daß Erfolg und Publicity sie ausschlachteten. »Ich bin und war voll von tiefen Gedanken über direkte und indirekte Schau und über die Beziehung zwischen dem Schriftsteller und einem Publikum, das entweder wirklich da oder nicht da ist«, schrieb sie an Sherwood Anderson. »Ich habe gerade über vier Amerikaner geschrieben und einer davon Henry James hat eine Menge Dinge für mich geklärt als ich ihn in einem Porträt festzuhalten versuchte. Es gibt so viele Dinge die zu sagen wären und es gibt nichts anderes als daß man sie sagt...«

Aber auch andere hatten es an der Zeit gefunden sich zu äußern, und diese Äußerungen waren für Gertrude wenig schmeichelhaft. Verärgert durch die *Autobiographie* ermöglichte der Herausgeber von *transition,* Eugene Jolas, »einigen der Menschen, die sie erwähnt und die genau wie wir feststellen, daß es dem Buch häufig an Genauigkeit mangelt«, eine Gegenäußerung in seiner Zeitschrift. »Jene Tatsache und die bedauerliche Möglichkeit, daß viele weniger gut informierte Leser vielleicht Miss Steins Aussagen über ihre Zeitgenossen glaubhaft finden könnten, läßt es uns angebracht erscheinen, die Punkte, mit denen wir vertraut sind, klarzustellen, ehe das Buch historische Authentizität annehmen kann... Es herrscht einstimmig die Meinung, daß sie nicht begriffen hat, was eigentlich um sie herum vor sich ging, daß ihr die geistigen Wandlungen der Persönlichkeiten jener Epoche, soweit sie nicht offenkundig auf der Hand lagen, entgangen sind. Ihre Teilnahme an der Entstehung und Entwicklung des Fauvismus, Kubismus, Dadaismus, Surrealismus etc. war niemals die einer mit der Ideologie wirklich Vertrauten, und Miss Stein hat, wie M. Matisse feststellt, diese Epoche ›ohne Geschmack und ohne Beziehung zur Wirklichkeit‹ dargestellt. *The Autobiography of Alice B. Toklas* könnte in ihrer Hohlheit, in ihrer Pseudoboheme und ihren egozentrischen Verzerrungen eines Tages sehr wohl zum Symbol der Dekadenz werden, welche die zeitgenössische Literatur bedroht.«

In *Testimony Against Gertrude Stein,* das als Ergänzung zum Jahrgang 1934/35 von *transition* veröffentlicht wurde, nahmen Georges Braque, die beiden Jolas, Matisse, André Salmon und Tristan Tzara nacheinander Stellung zu Gertrudes Berichten über ihre Beziehungen zu ihnen. Matisse korrigierte unwesentliche Einzelheiten bezüglich der Preise seiner Gemälde und seines häuslichen Lebens. Er stellte fest, daß seiner Erinnerung nach Braque das erste kubistische Gemälde geschaffen habe und gab seiner Meinung Ausdruck, daß Sarah Stein, die Gertrude nicht erwähnte, »das wirklich intelligente aufnahmefähige Mitglied dieser Familie« sei. Maria Jolas setzte auseinander, daß Gertrude sich über Elliot Pauls Rolle in den Anfangszeiten von *transition* im Irrtum befunden hatte und sich daher über die Rolle, die die Jolas als ihre langjährigen Gönner spielten, nicht im klaren gewesen war. Tristan Tzara bezeichnete ihr Buch als »einen klinischen Fall von Größenwahn« und fragte, mit welchem Recht sein Name darin genannt sei. »Es sei mir fern, auch nur im geringsten daran zu zweifeln, daß Miss Stein ein Genie ist«, schrieb er. »Genies haben wir in Hülle und Fülle kennengelernt. Ich zweifle auch nicht daran, daß Miss Toklas davon überzeugt ist. Dies alles wäre, offen gesagt, ohne Bedeutung, wenn es sich im Familienkreis zwischen zwei alten, nach Ruhm und öffentlicher Anerkennung gierenden Jungfrauen abspielen würde. Aber der gewaltige Apparat, der in Bewegung gesetzt wurde, um zu dieser Bestätigung zu gelangen, findet ein gellendes Echo in dem wohlbekannten Vorgehen der oben erwähnten alten Jungfern, die das Recht für sich in Anspruch nehmen, Namen zu nennen und wahllos Geschichten zu erzählen, was dann zur Folge hat, daß neben vielen anderen auch mein Name mit dem verquickt ist, was sie so treuherzig ihre Memoiren nennen ... Sie erzählen uns, welch ungeheure Mühe sie sich gaben, Menschen, die ihnen vielleicht bei der Lancierung eines Artikels in dieser oder jener Zeitschrift von Nutzen sein konnten, mit Hilfe des unwiderstehlichen Köders ihrer Bildersammlung in ihr Haus zu locken. Ich habe nichts dagegen, daß sie, wenn sie schon das Bedürfnis danach haben, die Geheimnisse ihrer literarischen Küche ausplaudern, man kann alles gebrauchen, sogar die Abfälle ...«

Braque erklärte kategorisch: »Miss Stein begriff nichts von dem, was um sie herum vorging.« Und er war der Überzeugung, daß ihr »Touristen«-Verständnis für den Kubismus nichts anderes gewesen sei als eine verzerrte Vorstellung von den Persönlichkeiten, die mit der Bewegung verbunden waren. André Salmon nahm Anstoß an ihrer Wiedergabe des Banketts für Rousseau und brachte sein Erstaunen über Gertrudes Ungenauigkeit zum Ausdruck: »... ich hatte, wie all unsere Freunde, gedacht, sie habe die Dinge wirklich begriffen. Es ist offenkundig, daß sie nichts begriff, es sei denn, auf ganz oberflächliche Weise.«

Gertrude ließ sich nicht anmerken, ob dieser vor einer breiten Öffentlichkeit geführte Gegenstoß sie erschütterte. Die Widerstandsnester waren klein, und die Lobgesänge übertönten das Murren derer, die glaubten, es sei ihnen Unrecht geschehen. Ihre Einstellung zu solchen Dingen hatte sie bereits kurz und bündig geäußert. »1924 und 1925 bringt man leicht durcheinander. Ich sagte 1925 und ich hätte sagen sollen 1924. Das kommt weil ich einen Fehler machte und außerdem weil ich mich nicht mehr erinnern konnte und wir alle 1925 sagten und es 1924 war.« Sie hatte ihre eigene Arbeit zu tun und mußte, da die Möglichkeit einer Vortragsreise immer noch in der Luft lag, eine Entscheidung treffen. Während ihr Agent sich um Abschlüsse bemühte, erhielt sie von Ford Madox Ford just den Brief, der sie am besten zu überzeugen vermochte. »Kommen Sie mit mir«, schrieb er. »Ihr Nichtkommen kränkt sie und Sie wollen doch gewiß nicht ihre Gefühle verletzen, kommen Sie mit mir, kommen Sie diesen Januar.« Amerika rückte näher, gewiß; dennoch war es noch ein weiter Weg von den nächtlichen Versammlungen der Stegreifredner an der Ecke des Boulevard Raspail und des Boulevard Saint Germain.

XXI

»Ich werde wärmstens willkommen geheißen
werden wenn ich komme. Weil ich komme.«
Gertrude Stein

Seit dem Jahr 1913 hatte Gertrude Theaterstücke geschrieben, die keine richtigen Theaterstücke im üblichen Sinn, sondern einzigartige Versuche waren, Landschaften zu »verbalisieren«. Eines davon, *Four Saints in Three Acts,* erschien 1929 in *transition* und wurde in der Folge zu ihrem erfolgreichsten Theaterstück. Dieser Erfolg war jedoch erst dann gesichert, als Virgil Thomson in Gertrudes Gesichtskreis trat. Thomson war bereits ein reifer Künstler, der seine Unabhängigkeit auf stille Weise wahrte und für den gesamten Stein-Kreis zunächst nur ein ironisches Lächeln hatte. Doch bald stellte sich heraus, daß er mit Gertrude arbeiten konnte, ohne daß einer von beiden zu Kompromissen gezwungen war. Bereits 1928 hatte er die Opernpartitur für *Four Saints* beendet und sie Freunden in New York vorgespielt. Mabel Dodge (Luhan) war der Ansicht, dieses Werk werde »für die amerikanische Oper das gleiche bewirken, was Picasso für Kenyon Cox« getan habe, und Carl Van Vechten meinte, es könne »ein regelrechter Reißer« werden. Aber erst nach dem großen Erfolg der *Autobiographie* nahm man die Verwirklichung der Pläne für eine Aufführung in Amerika in Angriff.

Gertrude war der Meinung, Picassos Werk habe erst allgemeine Anerkennung gefunden, als 1917 sein *décor* und seine Kostüme für die epochale *Parade* auf der Bühne zu sehen gewesen waren. »Wenn ein Werk auf der Bühne erscheint«, sagte sie, »dann muß es natürlich jeder ansehen und in gewissem Sinn ist jedermann gezwungen es anzusehen wenn es auf der Bühne gezeigt wird und da sie gezwungen sind es anzusehen müssen sie es selbstverständlich auch anerkennen, etwas anderes bleibt ihnen nicht übrig.« Sie hoffte natürlich, daß ihr eigenes Werk auf der Bühne eine ähnliche Kapitulation der öffentlichen Meinung mit sich bringen würde. Zunächst jedoch war noch ein Streit mit Thomson zu bereinigen. »Inzwischen«, so schrieb sie, »darf nicht vergessen werden, daß ich mit Virgil Thomson gestritten hatte und ich hatte nichts mehr von ihm gehört, er war nach Amerika gegangen und die Oper mit ihm.« Dieser Streit war in der Hauptsache deswegen entstanden, weil Gertrude sich nicht mit den üblichen Vertragsvereinbarungen einverstanden erklären wollte, die dem Komponisten einer Oper den größeren Teil der Tantiemen zukommen lassen. Aber mit Entschlossenheit und Takt konnte Thomson die Meinungsverschiedenheiten bald wieder beilegen, und man fand eine befriedigende Lösung des Tantiemenproblems.

Der Maler Maurice Grosser war bereits dabei, das Szenario von *Four Saints* den Gesetzen der Bühne anzupassen und hatte der Bühnenbildnerin Florine Stettheimer anempfohlen, die Oper als eine geschickte Persiflage auf jene Darbietungen aufzuziehen, bei denen verschreckte Sonntagsschulkinder Szenen aus der Bibel darstellen. Auf Thomsons Vorschlag wählte man den jungen John Houseman als Regisseur. Von Thomson stammte auch die Idee, ausschließlich Negerschauspieler auftreten zu lassen – ein Einfall, der ihm beim Besuch eines Negernachtklubs gekommen war. Gertrude widerstrebte dieser Gedanke zunächst, und sie schrieb ihm: »Ihre Neger mögen vielleicht wesentlich besser singen und sprechen als weiße Künstler, trotzdem mißfällt mir der Gedanke die Körper dieser Neger zu zeigen. Das ist zu sehr das was modernistische Schriftsteller mit ›futuristisch‹ bezeichnen. Ich sehe nicht, was das mit meiner Behandlung des Themas zu tun haben soll.« Aber, so räumte sie weise ein, »es liegt an Ihnen, die Aufführung zu einem Erfolg zu machen«.

Am 6. Dezember 1933 berichtet Thomson über den Fortschritt des Vorhabens in einem Brief an Gertrude: »Die Schauspieler ... sind engagiert und die Proben haben begonnen. Ich habe 32 Mann für den Chor und sechs Solisten, sehr sehr gute. Miss Stettheimers Bühnenbilder sind von unglaublicher Schönheit, mit Bäumen aus Federn und einer Kaimauer in Barcelona, die aus Muscheln gefertigt ist, und für die Prozession hat sie einen Baldachin aus schwarzem Chiffon und ganze Bündel schwarzer Straußenfedern, genau wie bei einem spanischen Begräbnis. St. Teresa erscheint bei dem Picknick im zweiten Akt in einem Karren, der von einem echten weißen Esel gezogen wird und bringt ihr Zelt mit und stellt es auf und sitzt vor dem Eingang. Es ist aus weißer Gaze mit Goldfransen und hat eine äußerst elegante Form ... Frederick Ashton wird diese Woche aus London eintreffen und die Choreographie übernehmen. Nicht nur für die Tanzszenen, sondern für die ganze Aufführung, so daß alle Bewegungen Takt um Takt der Musik angepaßt sein werden und all unsere komplizierten Vorgänge auf der Bühne zu einem kontrollierbaren Schauspiel zusammengefaßt sind. Alles ... entwickelt sich so schön, sogar die Geldbeschaffung (es wird $ 11 000 kosten), daß die Presse schon ganz unruhig wird und die New Yorker Damen bereits ihre Kleider bestellen und Hotelzimmer mieten.«

Das war ein anschaulicher Bericht, der Gertrude hätte aufmundern sollen. Doch in ihrer verstörten Verfassung konnte sie nicht an das Zustandekommen der Aufführung glauben. Sie stellte sich selbst die Diagnose, daß es ihr »nicht gegeben war zu glauben«. Die Vorbereitungen gingen jedoch prächtig vonstatten, und als Telegramme von Van Vechten und anderen Leuten eintrafen, von denen sie seit Jahren nichts mehr gehört hatte, meinte sie, daß sie »glauben müsse«.

Nach der Generalprobe gab es für Van Vechten keine Zweifel mehr am Erfolg des Stückes. Er schrieb an Gertrude, die Oper sei »eine Wucht und ein Schlager ... seit *Sacre du Printemps* habe ich kein so erregtes Publikum mehr gesehen. Nur, daß es diesmal freudig erregt war. Die Neger sind göttlich, wie El Grecos, spanischer, heiligmäßiger, opernhafter in ihrer Würde und *Schlichtheit* und außergewöhnlichen Plastizität, als je ein weißer Sänger es sein könnte ... Frederick Ashtons rhythmische Inszenierung war inspiriert, das gleiche gilt für Florines Kostüme und Bühnenbilder. Stellen Sie sich einen zerknitterten himmelblauen Zellophanhintergrund vor, der in eine weiße Spitzenbordüre gefaßt ist, und vor diesem die reichen und königlichen Kostüme der Heiligen in rotem Samt etc., und die dunkle spanische Hautfarbe ...«

Am nächsten Abend, am 8. Februar 1934, fand im Avery Memorial Auditorium des Wadsworth Athenaeum in Hartford, einem Museum, dessen Name bereits in die Annalen der modernen Kunst eingegangen war, weil hier 1931 die erste surrealistische Ausstellung unter der Leitung von A. Everett Austin jr. in Amerika gezeigt worden war, die Welturaufführung von *Four Saints in Three Acts* statt. Mit Hilfe der »Freunde und Feinde der modernen Musik«, einer von ihm gegründeten Vereinigung, hatte Austin Geld beschaffen können, und die Werbung hatte aus der Tatsache, daß »ein Zirkus stets ein volles Haus garantiert, was bei einem seriösen musikalischen und dramatischen Experiment nicht der Fall ist«, Kapital geschlagen. Das konservative Hartford ließ sich mit diesem Trick in das Zelt locken, in dem Gertrude und ihre Heiligen bereitstanden, ihre Nummer zu zeigen. Nach dem Bericht von W. G. Rogers »wurde die Premiere von einer parfümierten Chi-Chi-Atmosphäre beherrscht, der die Ankunft von Wagenladungen mondäner New Yorker und festliche Veranstaltungen in den ersten Häusern des Connecticut-Tals vorausgegangen waren. Eine Eintrittskarte für diese Oper war auch eine Eintrittskarte für das Ereignis der Saison.« Infolgedessen war die Zuhörerschaft, die sich vor dem ersten Vorhang versammelte, nur allzu entzückt, sagen zu können, sie sei dabeigewesen, und nur allzu bereit, von einer exquisiten Veranstaltung zu sprechen, jedoch nicht gerade dazu berufen, die Vorzüge der Oper als revolutionäres Theater zu würdigen.

Trotzdem war der Abend für alle Beteiligten ein unmittelbarer großer Erfolg, nicht zuletzt für Virgil Thomson. Die Vorbereitungen für die New Yorker Premiere wurden beschleunigt. Noch immer galt Gertrude Stein als eine harte Nuß und eine unbegreifliche Person, aber nun hatte sie endlich vor einem amerikanischen Publikum unter ihren eigenen Bedingungen eine sehr entschiedene Aussage gemacht. Ärger und Widerspruch fachten die Argumente gegen ihr Werk an und trugen vielleicht ebensoviel zu seiner Popularität bei wie überschwengliches Lob. Die meisten unvoreingenommenen Besucher waren von der Brillanz der Inszenierung fasziniert, die auf hundertfache Weise die zu einem seltsamen Ganzen zusammengefaßten Schlichtheiten und Raffiniertheiten des Textes zur Geltung brachte. Viele Zuschauer gestanden freimütig, daß sie nicht hinter den dramatischen oder opernhaften Sinn gekommen seien, erklärten jedoch, sie seien in ein so bezauberndes Traumland entführt worden, daß sie keinerlei Bedürfnis nach irgendeiner Erklärung des Werks verspürten. Für viele empfindsame Seelen war die Aufführung wahrhaft atemberaubend, und Hunderte, die sie einmal gesehen hatten, sahen sie ein zweites und ein drittes Mal.

Im Gegensatz zur *Autobiographie* kann *Four Saints* nicht zu den glücklicheren Zufällen oder Nebenprodukten in Gertrudes Werk gezählt werden. Es ist ein Werk, das in ihrer ureigensten Theorie und Praxis wurzelt. Ein Stück kompromißlose Stein, wurde es dank Virgil Thomson, dank der Geschicklichkeit Frederick Ashtons, der sich bei seiner Choreographie auf Erinnerungen an seine Kindheit in Peru und an indianische Riten stützte, und dank anderer, die mit großer Phantasie den bemerkenswert kurzen Text auswalzten, den Gertrude beigesteuert hatte, einem breiteren Publikum schmackhaft gemacht. Bei seinen frühesten Experimenten mit Steinschen Werken hatte Thomson nicht mit einem größeren Publikum gerechnet. Als er jedoch die kleinen Präludien zu ihrer endgültigen Zusammenarbeit vor einer privaten Zuhörerschaft in New York zum besten gegeben hatte, war er sich über den großen Effekt klar geworden, der sich durch eine Verbindung seiner Musik mit ihren Worten erzielen ließ. Von einem jener Abende berichtete Henry McBride an Gertrude: »Wir hatten viel Spaß, und zum Hübschesten gehörte die Darbietung Ihrer Gedichte in der Vertonung von Virgil Thomson. Wir brüllten vor Vergnügen, aber Carl Van Vechten, der mir gegenübersaß, machte ein ernstes Gesicht und sah mich vorwurfsvoll an, als wolle er sagen, wir hätten nicht die richtige Einstellung. Doch der junge Virgil Thomson ist wirklich ein Wunder. Noch nie habe ich bei einem Amerikaner soviel Selbstbeherrschung erlebt.«

Thomson hatte Gertrude einmal gestanden, daß ihre Schriften ihn bis in seine Träume hinein verfolgten. Daher schien er ihr auch zu den Menschen zu gehören, die sie wirklich verstanden. Als er ihr nahelegte, eine Oper zu schreiben, wandte sie sich den Heiligen zu. Ihrer Meinung nach waren Heilige nicht Werkzeuge der Gottheit oder auch nur Manifestationen der Größe göttlicher Gnade, sondern menschliche Wesen, die zu den natürlichen und menschlichen Wundern des Daseins eine glückselige Einstellung hatten. Von den drei Heiligen, zu denen sie sich seit eh und je besonders hingezogen fühlte – Teresa von Avila, Ignatius von Loyola und Franz von Assisi –, waren zwei Spanier. Sie hielt es für absolut notwendig, daß die Heiligen, über die sie schreiben wollte, Spanier waren, denn es mußte »ein Klima herrschen in dem man wandeln konnte wie ein Heiliger... Ein Heiliger ein echter Heiliger tut niemals etwas, ein Märtyrer tut etwas aber ein wirklich guter Heiliger tut nichts, und so wollte ich vier Heilige haben die nichts taten und ich schrieb die *Four Saints in Three Acts* und sie taten nichts und das war alles.«

Insgeheim verglich sie die Heiligkeit mit dem Genie – ihrer Art von Genie. Genies wie Heilige mußten ungeheuer viel Zeit mit intensivem Nichtstun verbringen. Wurden sie geschäftig und verantwortungsbewußt, so wurden sie banal und langweilig. Heiligkeit war ein Zustand, nicht eine Errungenschaft.

Die Landschaft mußte also natürlich Spanien sein, insbesondere die Landschaft um Avila, wo, wie der Fremdenführer betont, »wir bei Spaziergängen durch die Stadt und die Umgebung nicht vergessen dürfen, daß Santa Teresa hier ihre tiefsten Offenbarungen zuteil wurden«. Und hier erwartete man natürlich überall Tauben. Picasso hatte bereits *seine* Tauben – es war der Anfang einer langen Reihe, zu der schließlich auch seine kommunistische Version von »der Taube, die gen Himmel strebt«, kam – und nun wollte auch Gertrude die ihren haben, al fresco und »on the grass alas«.

Ihre Erklärung dieser Oper war eindeutig. Es handelte sich um »eine ganz schlichte Beschreibung der spanischen Landschaft«. Abermals versuchte sie, die unzusammenhängenden Bilder und visuellen Rhythmen, die für sie stets denkwürdige Tatsachen und der Urstoff jeder Landschaft gewesen waren, in Worte zu fassen. Wenn der Leser aus den Worten in Werken wie *Four Saints* bestimmte Bedeutungen herausliest, so zeugt dies nur von seiner sklavischen Abhängigkeit von Begriffen; derartige Bedeutungen waren von Gertrude nie beabsichtigt, sondern reiner Zufall. Sie äußert sich dazu folgendermaßen: »Es bildete eine Landschaft und die Bewegung darin war wie eine fließende Bewegung mit der jeder der ihr zusieht in Einklang sein kann. Außerdem wollte ich daß die Landschaft die Bewegung von sehr geschäftigen Nonnen hat und in stetiger Bewegung ist aber dennoch ruhig, wie eine Landschaft sein muß weil schließlich das ganze Leben in einem Kloster das Leben einer Landschaft ist, es mag erregt wirken eine Landschaft wirkt manchmal erregt aber die Grundeigenschaft ist die daß eine Landschaft wenn sie jemals fortgehen würde fortgehen müßte, um zu bleiben.« In dieser Erklärung findet ihre Auffassung von einem Stück als etwas Statischem buchstäblichen Ausdruck. All ihre Stücke – mit der strittigen Ausnahme des *Yes Is for a Very Young Man* – sind statisch, und zwar aus dem einfachen Grund, weil sie wie Gemälde komponiert sind, die »als Ganzes« wahrgenommen werden können und dennoch voll innerer Bewegung sind. Sie sind keine Erzählungen mit einer Handlung, sondern Meditationen; statt die Aufmerksamkeit zu lenken und durch verschiedene Phasen steigenden Interesses zu führen, halten sie die Aufmerksamkeit fest und laden zum Tändeln ein. Insbesondere *Four Saints* exemplifiziert nicht nur diese persönliche Auffassung Gertrudes, sondern bringt sie überdies noch auf charakteristische Weise mit dem spanischen Theater in Einklang, wo eine ständig aufrechterhaltene Spannung der Worte von weit größerer Bedeutung ist als das

Weiterspinnen eines Fadens und von weit fundamentalerer Dramatik als jede mögliche Handlung.

Virgil Thomsons Einstellung zu *Four Saints* war ebenso unkompliziert wie die Gertrudes. Er bat später die Zuhörer einer Radiosendung in seiner Einführung, sich beim Hören von *Four Saints* von den läppischen Vorurteilen freizumachen, die dem Werk anhaften. »Bitte versuchen Sie nicht, die Worte dieser Oper wörtlich zu nehmen«, sagte er, »und suchen Sie auch nicht irgendeinen abstrusen Symbolismus darin. Wenn es uns mit Hilfe der dichterischen Freiheit in bezug auf die Logik und mit Hilfe des ständigen Gebrauchs der simpelsten musikalischen Elemente gelungen ist, hier etwas von der kindlichen Fröhlichkeit und mystischen Kraft der Leben einzufangen, die das Streben nach dem Nichtmaterialistischen gemein haben, dann haben die Autoren ihr Ziel erreicht.«

Als *Four Saints* eine Woche lang in Hartford gespielt worden war, ging die Truppe nach New York, wo am 20. Februar 1934 die Premiere stattfand. Auf Fotografien, die Van Vechten nach Paris schickte, sah Gertrude ihren Namen über dem Eingang des Forty-fourth-Street-Theaters erstrahlen und ein Schaufenster von Gimbel's, das Reklame für *Four Suits in Two Acts* machte. Aber dies alles schien fern und unglaubhaft. Ein Erfolg, der Tausende von Meilen weit fort war, bedeutete ihr wenig; ihr ganzes Leben lang konnte sie an erregenden Geschehnissen nur teilhaben, wenn sie an Ort und Stelle war. »Ich glaube nur selten an irgend etwas«, sagte sie, »denn im Augenblick des Glaubens bin ich nicht wirklich da um zu glauben.« Diese egoistische und unlogische Reaktion hatte zur Folge, daß Thomson und andere sich gekränkt fühlten, weil sie zu keiner der beiden Premieren Glückwunschtelegramme von ihr erhielten. Ihre seltsame Reserviertheit ließ sie gleichgültig erscheinen. Später sollte sie lernen, daß ein derartiges Verhalten wenig geeignet war, Freunde bei der Stange zu halten, die schwer für einen Erfolg gearbeitet hatten, der in allererster Linie ihr und nur in zweiter Linie auch ihnen zugute kam.

Die New Yorker Kritiker waren aus dem Häuschen. Man nannte *Four Saints* das bedeutendste dramatische Ereignis der Saison, aber auch einen Riesenblödsinn und »billigen Tingeltangelhumor«. Kenneth Burke schrieb in der Zeitschrift *Nation*: »Ich hätte über die Fabel von Steins Glück sehr gern einfach und klar berichtet, aber ich muß gestehen, daß mir das unmöglich ist. Die Worte zeugen von einer privaten Verspieltheit und das erschwert das Verständnis noch mehr, als wären sie in der Narkose geschrieben.« Ein Artikel in einer medizinischen Zeitschrift stellte die Hypothese auf, daß Gertrude Stein vielleicht ein Opfer der Plylalie sei – »einer Art von Sprachstörung, bei der der Kranke ein Wort, einen Satz oder eine Redewendung, die er gerade gesagt hat, mehrmals wiederholt«. Der Musikkritiker Lawrence Gilman meinte, eine philologische Doktorarbeit oder eine Weinkarte hätten ein ebenso gutes Libretto abgegeben. Und in *The Conning Tower* schrieb der populäre Kolumnist Franklin P. Adams über das Libretto: »Für mich ist das Spinat.«

Die Meinungsverschiedenheiten zeigten sich auch bei Diskussionen, die von Intellektuellen wie simplen Theaterbesuchern mit gleicher Heftigkeit geführt wurden. Der Romancier und Komponist Paul Bowles schrieb an Gertrude: »Bei den jüngeren Künstlern gilt es als schick, leidenschaftlich dagegen zu sein. Auch Stieglitz entschied sich zu dieser Ansicht. Am meisten muß man Virgil verteidigen, gegen den sie wütend losziehen, weil er es gewagt hat, Gertrude Stein in modernem Gewand zu bringen. Auf dem Broadway und in den Automatencafés spricht man über ›Das Heiligenstück‹ und bezweifelt, daß es sich lohnt, Karten dafür zu erstehen...« Der Verleger Alfred Harcourt berichtete, daß an dem Abend, als er *Four Saints* sah, »Toscanini hinter mir im Orchestersessel saß... die Vorstellung schien ihn völlig zu fesseln, und er applaudierte heftig«.

Für viele Menschen waren Ideen von Gertrude, die ihnen bislang zerebral oder vage oder absurd erschienen waren, mit einemmal glänzend gerechtfertigt und realisiert. Man brauchte nicht mehr darüber zu debattieren, was sie eigentlich bezwecke, denn man konnte es sehen und fühlen. Von den vielen Menschen, die sich veranlaßt sahen, an Gertrude zu schreiben, behaupteten nur wenige, sie zu »verstehen«, und niemand wollte sich so recht auf eine Diskussion über den Sinn oder ihr eventuelles Anliegen einlassen. Laut Gertrude schrieben sie einfach, »daß sie sich köstlich während dieser Oper amüsierten, was, wie sie sagen, nicht häufig geschieht wenn sie im Theater sind«. Henry McBride bedauerte, daß er *Four Saints* während der New Yorker Spielzeit nur viermal gesehen habe und war überzeugt, daß »es mit meinen zwei oder drei großen, lange Jahre zurückliegenden Theatererlebnissen, die ich Mei Lang Fang und Madame Sadda Yacco verdanke, auf einer Stufe steht«. Er schrieb an Gertrude, er fände die Oper »in der Tat unbeschreiblich. Deshalb ist sie bei den gewöhnlichen Musikkritikern (die nichts von Malerei verstehen) nicht ›angekommen‹. Und eine ganze Reihe von Leuten, die, von der Vorstellung überwältigt, später ihren Gefühlskollaps zu leugnen versuchten, telefonierten immer wieder bei mir an, damit ich ihnen das Stück ›erklären‹ solle. ›Was steckt eigentlich hinter dem Ganzen? Denn offensichtlich muß es ja etwas bedeuten?‹ fragten sie. Das ist alles recht lästig. Nach zwanzig Jahren Kubismus und abstrakter Kunst scheinen diese unseligen Leute noch immer nichts davon gehört zu haben... Ich glaube wirklich, daß Leute, die in den besten Arbeiten von Picasso und Braque keine Größe verspüren können... nicht wissen, was Malerei ist; und wer in Ihren *Four Saints* keine Poesie verspürt, weiß nicht, was Poesie ist«.

Aus diesem ganzen Getöse konnte man jedoch deutlich heraushören, daß Gertrude dem amerikanischen Theater ein Werk ohne Fabel geschenkt hatte, in dem alle Konventionen der Zeit, der Exposition, der Krise und der Lösung des Knotens außer acht gelassen wurden und das dennoch den Zuhörer gefesselt hielt, weil es wie die Visionen der Heiligen, von denen es handelte, eine Intensität und eine Ruhe besaß, die im letzten eine Analyse unmöglich machten. Sie hatte einen Augenblick der Erleuchtung sozusagen im Raum ausgesponnen – im Zeitraum eines Abends. Diese kühne Tat löste endlose Parodien aus und machte Gertrude als lächerliche Figur in weitesten Kreisen bekannt, aber sie lieferte dem amerikanischen Theater auch eine neue Dimension, an die dreißig Jahre vor Samuel Beckett und Eugène Ionesco. Stark Young, vielleicht der größte Theaterkritiker jener Epoche, kam zu einem, wie die Zeit beweisen sollte, verständnisvollen, wenn auch nicht völlig befriedigenden Schluß. In der Zeitschrift *New Republic* schrieb er: »Ich wüßte nur zu gern, wie ich es anstellen müßte, daß man mich ernst nimmt, wenn ich *Four Saints in Three Acts* als essentielles Theater das bedeutendste Ereignis dieser Saison nenne. Klischeesuperlative und Modejargon würden vielleicht vorübergehend helfen, aber es bedarf gar nicht solcher Mittel. Dieses Stück Theaterkunst ist aus dem einen Grund das bedeutendste, weil es das entzückendste und fröhlichste ist – und Entzücken ist die fundamentale Eigenschaft jeder Kunst, ob groß oder klein. Welch einen Streich spielt dieses Stück den üblichen Musicals, die so sehr nach harter Arbeit, schwitzendem Bemühen und Geld riechen! Es ist bedeutend, weil es Theater und weil es ohne Erdenschwere ist... es ist schöpferisch und nicht geschwätzig. Schließlich können wir uns vorstellen, daß man ein Stück über einen Professorenhaushalt, die Probleme eines Knaben, eines Kapitalisten etc. schreibt, lauter handfester Stoff, wie unsre Beine, unser Blut, unsre Hüte und Probleme. Aber nur hin und wieder können wir vom Theater etwas erhoffen, das die Qualität von etwas Natürlichem hat (einem Baum, einer Melone, stürzendem Wasser, einem Vogelschwarm). Es geht in diesem Falle nicht darum, daß etwas schön oder nicht schön ist, sondern daß es in sich selbst lebt, und daß es im wesentlichen eine dauernde Überraschung ist; und daß wir aus ihm unsere Schlüsse und Lehren über die Kunst und die Freude ziehen können, mögen sie nun tief oder trivial sein.«

Inzwischen hatte William Aspinwall Bradley weitere Vorbereitungen für eine Vortragstournee getroffen. Als Gertrude all seine Vorschläge beleidigt zurückwies, gab er es auf und brach seine Beziehungen zu ihr ab. Nun aber schien es, daß eine Amerikatournee nicht länger hinauszuschieben war. Schon 1914 hatte Van Vechten Gertrude gelockt: »Sie sind in Amerika ebenso berühmt wie irgendeine historische Persönlichkeit. Und wenn Sie herüberkämen, würde man Ihnen meiner Meinung nach einen ebensolchen Empfang bereiten wie beispielsweise Jenny Lind.« Doch noch 1922 hatte Robert McBride sie vor einem solchen Unternehmen gewarnt: »Unsere Reporter werden Sie glatt umbringen.« Die vielleicht entmutigendste Äußerung kam von Gertrudes alter Freundin Janet Scudder, die just in Gertrudes ratlosestem Augenblick schrieb: »Ich glaube, Sie sollten Ihren üblichen strengen Maßstäben treu bleiben und Amerika zu sich kommen lassen. Mit anderen Worten, das Orakel auf dem Gipfel sollte auch auf dem Gipfel bleiben. Außerdem sind Sie zu lange fort gewesen.« Sherwood Andersons Aufforderung hingegen versprach genau das, was Gertrude sich wünschte: »Ich bin auf dem Land, auf meiner Farm in den Hügeln von Virginia«, schrieb er. »Weshalb kommen Sie und Alice nicht nach Amerika? Betrachten Sie eine solche Reise als großes Abenteuer Ihres nächsten Sommers, fahren Sie mit dem Ford durch die Gegend, besuchen Sie uns und andere!... Sie sollten jetzt mal wieder einen richtigen deftigen amerikanischen Bissen kosten, finden Sie nicht auch?«

Alle Warnungen und Bitten jedoch konnten Gertrudes neue,

sehr heftige persönliche Schwierigkeiten nur noch verschlimmern. Erfolg, Publicity, la gloire – alles war ihr zuteil geworden, aber der erschreckende Preis war eine Lähmung ihrer Schöpfungskraft. »Die ganze Zeit über schrieb ich nicht. Ich hatte geschrieben und schrieb nichts. Nichts in mir mußte geschrieben werden. Nichts bedurfte eines Worts und es war kein Wort in mir das nicht gesprochen werden konnte und so war kein Wort in mir. Und ich schrieb nicht. Ich fing an mir Sorgen über mein Selbst zu machen. Ich war stets ich gewesen weil ich Worte hatte die in mir geschrieben werden mußten und nun konnte jedes Wort das in mir war gesprochen werden es brauchte nicht mehr geschrieben zu werden. Ich bin ich weil mein kleiner Hund mich kennt. Aber war ich noch ich wenn ich kein geschriebenes Wort mehr in mir hatte. Es war sehr lästig. Ich dachte manchmal ich wolle es versuchen aber versuchen ist verderben und so versuchte ich es nicht wirklich. Ich schrieb nichts.«

Kurz vor ihrem Zerwürfnis hatte Bradley zu Gertrude gesagt, sie verspiele eine Chance, reich zu werden. Sie hatte geantwortet: »Ich möchte reich werden aber ich möchte niemals das tun was man tun muß um reich zu werden.« Sie wußte, daß sie sorgfältig ausgearbeitete Pläne über den Haufen warf, aber sie war fest entschlossen, die großen Verpflichtungen nicht auf sich zu nehmen, zu denen es nur noch ihrer Unterschrift bedurfte. Immer ungeduldiger und immer unruhiger geworden, beschloß sie, nicht nach Amerika zu fahren. Vorübergehend fühlte sie sich erleichtert. Statt Geld zu verdienen, fing sie an, es auszugeben. Mit den Tantiemen, die aus Amerika kamen, konnte sie sich alte Wunschträume erfüllen: »Wenn ich da saß und mir etwas wünschte wünschte ich mir eine Uhr. Ich wollte mir eine teure aussuchen. Ich tat es und nun spart mein Liebes. Das ist nicht richtig. Ich dachte es ist richtig. Es ist richtig zu sparen. Es ist richtig daß mein Liebes spart. Und eines Tages werden wir reich sein. Sie werden sehen. Es wird keine Erbschaft sein, es wird nicht irgendein Verkauf sein, es wird kein Einkauf sein es wird einfach unwiderstehlich sein und dann werden wir Geld ausgeben und alles kaufen einen Hund einen Ford Briefpapier Pelze einen Hut alle möglichen Handtaschen ...« Nun kaufte sie einen neuen Ford V-8, ließ sich bei Hermes einen neuen Mantel anfertigen und bestellte für Basket zwei Zierhalsbänder. Zum erstenmal wurde in der Rue de Fleurus ein Telefon installiert, und statt des üblichen Alleinmädchens engagierte man ein Dienerehepaar.

Jedoch die Amerikareise lag weiterhin in der Luft; denn wohlmeinende Freunde, die überzeugt waren, daß die Zeit reif sei, konnten sie allmählich dazu überreden, etwaige Schwierigkeiten in den Wind zu schlagen. Während des Sommers in Bilignin kam Carl Van Vechten für vierundzwanzig Stunden zu Besuch und machte an die hundert Fotografien von Gertrude und Alice. Er wollte, daß Gertrude nach Amerika kam, und der Eifer, mit dem er sie für Werbezwecke fotografierte, ließ diese Reise nun beinah unvermeidlich erscheinen. Alice versuchte, von ihm Zusicherungen zu bekommen. »Carl«, fragte sie, »wird drüben irgend jemand sagen: ›Da geht Gertrude Stein?‹ Ich habe gehört, daß sie das drüben tun, und ich wäre entzückt, wenn es geschähe.«

»O ja«, sagte Van Vechten, »ich glaube, das wird geschehen.«

»Sie meinen«, sagte Alice, »daß Sie ein paar kleine Jungens mieten werden, die es tun, um mir die Freude zu machen.«

»Vielleicht«, sagte Van Vechten, »wird es nicht nötig sein, sie zu mieten.«

Der Wendepunkt in der Frage der Amerikareise war der Besuch von W. G. Rogers, dem Soldaten aus Nîmes, der sie in Paris aufsuchte und wenige Wochen darauf auch nach Bilignin kam. Rogers, ein alter, erprobter Freund und heute ein erfolgreicher Journalist, besaß Gertrudes tiefstes Vertrauen. Sie fragte ihn nach allen Richtungen aus, um zu erfahren, was sie in Amerika erwarten würde. Er wollte, daß sie die Reise machte, war sich jedoch über die Tunlichkeit eines solchen Unternehmens keineswegs im klaren. Aber er brachte es nicht über sich, seine Befürchtungen Gertrude gegenüber zu äußern. Am meisten fürchtete er, daß sie sich lächerlich machen könne, und er wußte, daß das in dieser schwierigen Phase ihres Lebens eine Katastrophe bedeutet hätte. Schließlich meinte er, sie könne es riskieren. Angespornt von seinen Versicherungen, machte sich Gertrude daran, Vorträge auszuarbeiten, eine Folge von sechs Vorträgen, die sie Wort für Wort zu Papier gebracht haben wollte, ehe sie Frankreich verließ.

Bernard Fay und der neunzehnjährige James Laughlin, der spätere Verleger von New Directions, hatten sich in jenem Sommer in Salzburg kennengelernt und waren gemeinsam nach Bilignin gefahren. Gertrude meinte, Laughlin könne »ungeheuer nützlich« für sie sein. Sie bat ihn, kurze Exzerpte ihrer Vorträge für Werbezwecke zu machen. Laughlins Zusammenfassungen fanden nicht gerade Gertrudes Beifall, aber die Schwierigkeiten, die er mit dem Text hatte, entmutigten sie keineswegs. Für Laughlin hatte der Besuch auch andere Komplikationen; wie jeder Besucher in Bilignin, wurde auch er angewiesen, täglich ein heißes Bad zu nehmen, und wie jeder fürchtete auch er sich vor dem nicht ungefährlichen Gasbadeofen. Aber Gertrude duldete keine Ausflüchte. Sie behauptete, er schütze die Angst vor dem Gas nur vor, um sich um das Baden zu drücken.

Zwischen den Besprechungen saß Gertrude oft am Klavier. Da sie keinerlei Ausbildung hatte, waren ihre Improvisationen zumindest nach Laughlins Ansicht ein Mischmasch aus Bach und Boogie-Woogie, aber dennoch etwas ganz Eigenes. Sie nannte ihre Improvisationen »Sonatinen«, aber Virgil Thomson rührte das wenig, er meinte schlicht, sie sei keine Klavierspielerin. Als er sie später besuchte, schrieb er seine Klaviersonate Nr. 3 für die weißen Tasten – »Für Gertrude Stein, auf dem Pianoforte zu improvisieren«. Da aber Gertrude kaum Noten lesen konnte, betrachtete er seine Anweisungen »nur als eine Widmung«. »Ich improvisierte gern auf dem Klavier«, sagte Gertrude. »Ich spiele gern eine Sonatine nach der andern immer auf den weißen Tasten, ich mag die schwarzen Tasten nicht und ich schlage nicht gern mit derselben Hand gleichzeitig Töne an, weil ich Akkorde nicht mag...« Ihr Spiel war stets ein Vergnügen, zumindest für sie selbst, weil sie keinerlei »musikalische Befangenheit« kannte. Von diesen Darbietungen, denen ihre hilflosen Gäste nicht entgehen konnten, erhob sie sich stets erfrischt und strahlend. In einem Essay, betitelt *Meditationen da ich im Begriff bin mein Heimatland zu besuchen*, suchte sie sich schließlich Rechenschaft von ihrem Vorhaben abzugeben. Der Beschluß war nun unumstößlich.

XXII

Sie sind ein Schatz – und endlich gehören Sie auf ewig ganz Amerika.

Sherwood Anderson

Sie hatte immer gesagt, sie würde erst dann nach Amerika zurückkehren, wenn sie ein Löwe, ein wirklicher Löwe sei. Nun – am 24. Oktober 1934, als die S. S. »Champlain« durch die Morgennebel glitt, Staten Island für wenige Augenblicke verschwommen an Backbord auftauchte und die Freiheitsstatue winkte – erhielt sie den Beweis dafür in einer Form, wie sie es sich nie erträumt hatte.

Angesichts des amerikanischen Festlands verschwanden schlagartig die unzähligen quälenden Ungewißheiten, die sie vor der Abreise bedrängt hatten. Als die Pressebarkasse längsschiff kam und die Horde der Reporter an Bord stieg, trat sie ihnen mit größter Zuversicht entgegen. Da sie die Fragen vorausgesehen hatte – schließlich waren es die gleichen Fragen, die man ihr seit zwanzig Jahren stellte –, konnte sie die Journalisten überrumpeln. »Wenn nun keiner eine Frage stellte«, feuerte sie los, »was wäre dann die Antwort?« Und als man sie fragte: »Weshalb schreiben Sie nicht so wie Sie sprechen?« antwortete sie: »Weshalb lest ihr nicht so wie ich schreibe?«

Der andere prominente Passagier der »Champlain«, auf den die Reporter sich stürzten, war der Bestseller-Philosoph Abbé Ernest Dimnet. Über die Verhältnisse in Europa befragt, erzählte er, er habe sich auf einer Radtour, die er kürzlich durch Deutschland und das Saargebiet gemacht habe, davon überzeugt, daß Hitler auf Grund seines persönlichen Charmes auf unbegrenzte Zeit an der Macht bleiben würde. »Hitler besitzt einen Charme, der an das Gefühl appelliert«, sagte er, »wohingegen der Charme Mussolinis der Charme der Kraft und des Intellekts ist.« Die Lokalredakteure, von Gertrude Stein ähnliche Unverständlichkeiten erwartend, mußten feststellen, daß sie beharrlich logisch blieb.

»Ich rede wie ich schreibe«, sagte sie. »Aber Sie können besser hören als sehen. Sie sind daran gewöhnt, mit Ihren Augen anders zu sehen, als Sie mit Ihren Ohren hören, und das erschwert Ihnen vielleicht das Lesen meiner Werke.« Als einer der Reporter sie fragte, ob die Vergleiche ihrer Schriften mit dem Geplapper der

Geistesgestörten sie geärgert hätten, sagte sie: »Nein, kein bißchen.« Denn es bestünde ein wesentlicher Unterschied. »Mich können Sie weiterhin lesen, das Geplapper der Geistesgestörten jedoch nicht. Überdies«, fügte sie mit einem schmelzenden Blick hinzu, »sind die Geisteskranken bis auf ihre jeweilige Geisteskrankheit in allem normal.«

Wer gekommen war, sie herauszufordern, wurde selbst herausgefordert. Sie übernahm die Initiative, beantwortete die ihr gestellten Fragen verblüffend einfach und gewann die Herzen der Reporter mit Humor und Liebenswürdigkeit. Auf die Frage, ob sie glaube, der Literatur etwas ganz Neues gebracht zu haben, antwortete sie: »Ich habe weder eine Technik noch einen Stil erfunden, sondern ich schreibe in dem Stil, der ich bin. In uns selbst und in der Menschheit finden wir unsern Stoff, und ihn verwenden wir. Das ist alles. Ich beschreibe, was ich fühle und denke. Ich bin durch und durch Realist.« Kurz und bündig äußerte sie sich über den möglichen Einfluß ihres Werkes auf die amerikanische Schriftstellerei: »Wenn man sich selbst beeinflussen kann, so genügt das.« Als man sie schließlich fragte, was es mit »all diesen Wiederholungen« auf sich habe, erwiderte sie: »Nein, nein, nein, nein, es sind nicht nur Wiederholungen. Ich verändere die Worte immer ein klein wenig.« Die Reporter berichteten über alle Einzelheiten ihrer Kleidung – ihre dicken Wollstrümpfe, ihre plumpen Schnürhalbschuhe mit den flachen Absätzen, ihre kirschrote Strickjacke und ihr Männerhemd mit den Streifen in Cremefarbe und Schwarz, ihr grobes Tweedkostüm und die erstaunliche Kopfbedeckung, eine Art Sherlock-Holmes-Mütze, die Alice – nach einer Kappe aus dem 13. Jahrhundert im Clunymuseum – angefertigt hatte.

Die Nachmittagsausgaben überboten sich in Bemerkungen wie »die Sibylle vom Montparnasse«, die »Hohepriesterin vom linken Ufer«, und kein Artikel über Gertrude entbehrte der »typisch« Steinschen Überschrift wie etwa:

»GERTY GERTY STEIN STEIN
IST KOMMEN KOMMEN HEIM HEIM«

Mehr als sechs Monate später, »mit Amerika vermählt«, wie sie den Pariser Reportern bei der Landung in Frankreich mitteilte, konnte sie mit Genugtuung feststellen, daß sie der Löwe sei, der zu werden sie gehofft hatte, und daß sie die Liebesbeziehung zu ihrem Heimatland wieder hatte erneuern können.

Sie hatte die Nachricht von ihrem Eintreffen in Leuchtschrift um das New-York-Times-Gebäude kreisen sehen. Sie hatte feststellen können, daß sie in der großen Stadt derart berühmt war, daß sie auf der Straße häufiger angesprochen wurde als in Bilignin. Sie stürzte sich mit Gusto in den tosenden New Yorker Verkehr und bahnte sich furchtlos ihren Weg durch den Strom der Fahrzeuge. Von einem besorgten Freund auf ihr tollkühnes Benehmen angesprochen, antwortete sie: »All diese Menschen einschließlich der netten Taxichauffeure erkennen mich und passen auf mich auf.« Auf dem Luftweg hatte sie Amerika, von einem der etwa vierzig Vorträge und Empfänge zum andern, von Massachusetts bis Kalifornien durchquert, und überall hatte man sie mit Trompetenstößen und Huldigungen empfangen. Im Hotel Algonquin in New York, wo Berühmtheiten aus dem literarischen und dem Theaterleben seit langem an der Tagesordnung waren, hatte sie nach Aussage des Direktors Frank Case das bisher größte Aufsehen und Interesse erregt. Nichts hätte sie mehr erfreuen können. »Mit großem Erstaunen stellte ich fest, wie reizend die Menschen heutzutage sind. Alle sind so aufmerksam und höflich, so freundlich. Ich spreche nicht von den Leuten, die ich kenne, denn ich habe bis jetzt noch niemanden gesehen. Ich meine die Leute auf der Straße – sie scheinen mich alle zu erkennen und sie kommen auf mich zu und sagen: ›Miss Stein?‹ Und ich sage: ‹Ja.‹ Und dann unterhalten wir uns auf die freundlichste Weise, ganz und gar nicht als ob sie hinter irgendeiner Berühmtheit her sind. Ich finde das einfach entzückend. Ich ging in ein Schreibwarengeschäft um mir einen Notizblock zu kaufen, da begrüßte mich ein junger Mann. Er erzählte mir er habe ein drei Monate altes Baby und wir unterhielten uns darüber wo man ein Baby am besten aufziehen könne, in der Stadt oder auf dem Land. Er war so fein, kein bißchen aufdringlich. Ehe wir uns trennten bat er mich um ein Autogramm für sein Baby und sagte, es würde diesen Schatz für die nächste Generation aufbewahren. Er war ein ganz gewöhnlicher Mann, weder gut angezogen noch sonst etwas, und ich fand ihn einfach entzükkend.«

Sie hatte das Wiedersehen mit vielen alten Freunden gefeiert, unter anderm auch mit Scott und Zelda Fitzgerald, denen sie am Weihnachtsabend in Baltimore einen Besuch abstattete. Wenige

Tage später schrieb Fitzgerald an sie: »Ich war von der Weihnachtsstimmung ein wenig benommen, aber den Gedanken, den Sie entwickelt haben, konnte ich genießen, und wie alles, was Sie sagen, wird auch er noch lange, wenn alles andere, was mit diesem Nachmittag zusammenhängt, Staub und Asche ist, in meinen Ohren klingen. Für alle, die sich an Ihrem Herd wärmten, waren Sie das gleiche leuchtende Feuer wie immer – denn es war Ihr Herd, denn Sie tragen Ihr Heim mit sich, wo immer Sie auch sind, ein Heim und einen Herd, vor dem wir uns stets erwärmt haben.« Sie hatte Sherwood Anderson gesehen, zuerst im Haus seines Schwagers in Fall River (Minnesota) und später in New Orleans, wo die beiden einen langen Abend mit Orangenessen und Gesprächen über die wunderbare Schicksalswendung, die sie wieder zusammengeführt hatte, verbrachten. Diese glückhafte Begegnung war ihre letzte.

Von den neuen Freunden bedeutete ihr am meisten Thornton Wilder, der damals an der Universität von Chicago lehrte. Nach dem großen Erfolg ihres ersten Vortrags dort wurde sie von dem jungen Präsidenten der Universität, Robert Maynard Hutchins, zu einem zehnstündigen Seminar eingeladen, an dem dreißig ausgesuchte Studenten teilnehmen sollten. Bei einer dieser Zusammenkünfte fiel die gehaltvollste Antwort, die sie jemals auf eine grundsätzliche Frage erteilt hat. Thornton Wilder berichtet, daß sie auf die Bitte eines Studenten um eine »Erklärung« für ihre berühmte Zeile »Rose ist eine Rose ist eine Rose ist eine Rose« den jungen Mann aufmerksam angesehen habe und dann in einen Redeschwall ausgebrochen sei: »Jetzt hören Sie aber mal!« sagte sie. »Begreifen Sie denn nicht, daß der Dichter, als die Sprache noch neu war – wie im Falle von Chaucer und Homer – den Namen eines Gegenstandes oder einer Sache hernehmen konnte und daß dann diese Sache wirklich da war? Er konnte sagen ›o Mond‹, ›o Meer‹, ›o Liebe‹, und dann waren der Mond und das Meer und die Liebe wirklich da. Und begreifen Sie denn nicht, daß er nach Hunderten von Jahren und nachdem Tausende von Gedichten geschrieben worden sind, nur noch feststellen kann, daß diese Worte lediglich abgegriffene literarische Worte waren? Das Erregende des reinen Seins war von ihnen gewichen; sie waren nichts anderes mehr als ziemlich abgeschmackte literarische Worte. Heute muß der Dichter das Erregende des reinen Seins in sie hineinlegen: er muß der Sprache ihre Intensität zurückgeben. Wir alle wissen, daß es schwer ist, in einem späten Zeitalter Gedichte zu schreiben; und wir wissen, daß man eine gewisse Fremdheit, etwas Unerwartetes in die Struktur des Satzes bringen muß, um dem Substantiv wieder Leben zu verleihen. Es genügt nicht mehr, bizarr zu sein; das Fremdartige in der Satzbildung muß auch aus der poetischen Begabung kommen. Deshalb ist es doppelt schwer, in einem späten Zeitalter ein Dichter zu sein. Nun haben Sie alle Hunderte von Gedichten über Rosen gelesen, und in ihrem Innersten wissen Sie, daß die Rose nicht da ist. All diese Lieder, die von den Sopranstimmen als Zugaben gesungen werden, wie zum Beispiel ›Ich habe einen Garten, oh, was für einen Garten!‹ Ich möchte nun dieser Zeile nicht zuviel Bedeutung beimessen, weil sie nur eine Zeile in einem längeren Gedicht ist. Aber ich merke, daß Sie sie alle kennen; sie lachen zwar darüber, aber Sie kennen sie. Nun hören Sie mir zu! Ich bin kein Narr. Ich weiß, daß wir im täglichen Leben nicht herumlaufen und sagen ›ist eine ... ist ... ist ...‹ Ja, ich bin kein Narr; aber ich glaube, daß die Rose in dieser Zeile seit hundert Jahren zum erstenmal in der englischen Poesie wieder rot ist.«

In Thornton Wilder hatte Gertrude nicht nur einen nahen persönlichen Freund gefunden, sondern auch einen Literaten, der ihrem Werk gegenüber aufgeschlossener war, der seine Bedeutung klarer erkannte und sich verständlicher darüber äußern konnte als jeder andere. Gertrude Stein war bereits seit langem eine der großen Lieben seines Lebens, das beinah zu gleichen Teilen dem Unterrichten und dem Schreiben gewidmet war. Wilders eigenes Werk hatte nicht die entfernteste Ähnlichkeit mit dem ihren, doch äußerte er seine Einsichten über die Bedeutung und die Methoden Gertrude Steins im Ton eines Jüngers. Aber er war ein Jünger, der ebensogut beeinflussen konnte wie er sich beeinflussen ließ, und Gertrude gab offen zu, daß sie viele ihrer späteren schriftstellerischen Probleme auf Grund von Unterhaltungen mit Wilder gelöst hat. Seine Energie, seine vielfältigen Interessen und seine weitverzweigte Tätigkeit faszinierten sie. In ihren Augen wurden seine hohen Qualitäten durch diese vielen Beschäftigungen nicht vergeudet, sondern vielmehr vertieft. Sie hoffte, er würde sich mehr dem Romanschreiben widmen. Nach ihrer Meinung war *Dem Himmel bin ich auserkoren* d e r amerikanische Roman, im Gegensatz zum Urteil Sigmund Freuds, der zu Wilder sagte: »Ihr letztes Buch konnte ich nicht lesen – ich warf es fort. Weshalb schreiben Sie über einen amerikanischen Fanatiker? Dieses Thema kann man nicht dichterisch behandeln.« Zu Gertrudes Lebzeiten und später schrieb niemand gescheiter über ihre Methoden als Thornton Wilder; und keiner hat mit mehr Erfolg und ganz frei von jeder Beeinflussung durch Cliquen dazu beigetragen, die Stellung ihres Werks innerhalb der Entwicklung der Kunst und der Wissenschaft des 20. Jahrhunderts, in das es nun einmal hineingehört, aufzuzeigen.

Im Verlauf ihrer Reise regte sich in Gertrude das Gefühl, sie habe sich in der Hauptsache deshalb zu dieser Reise entschlossen, weil sie sich davon überzeugen wollte, ob ihr Verdacht, daß sie in Amerika keine Wurzeln mehr habe, gerechtfertigt sei. »Ich muß wohl das Gefühl gehabt haben, dem sei so, sonst wäre ich nicht zurückgekommen«, erzählte sie John Hyde Preston. »Ich ging nach Kalifornien. Ich sah und spürte es, und es hatte etwas Zärtliches, aber auch etwas Schreckliches. Wurzeln sind so klein und trocken, wenn man sie in der Hand hat und sie frei vor einem liegen. Man hat sie an einer Pflanze gesehen, und manchmal scheinen sie die Pflanze, wenn diese lebenskräftig ist, zu verleugnen ... Nun, wir sind im Grunde nicht so. Unsere Wurzeln können irgendwo sein, und wir können dort überleben, weil wir, wenn Sie einmal darüber nachdenken, unsere Wurzeln mit uns nehmen. Ich habe das immer geahnt, und nun weiß ich es wirklich. Ich weiß es, weil man dorthin zurückgehen kann, wo sie sind und einem weniger wirklich scheinen können als sie dreitausend, sechstausend Meilen weit entfernt waren. Machen Sie sich keine Sorgen wegen Ihrer Wurzeln, solange Sie sich noch Sorgen über sie machen. Das Wesentliche ist, daß man das Gefühl hat, daß sie da sind, daß sie irgendwo sind. Sie werden für sich selber sorgen und sie werden auch für Sie sorgen, auch wenn Sie nie begreifen werden, wie das geschah. Wenn man nur daran denkt, zu ihnen zurückzukehren, so ist das ein Eingeständnis, daß die Pflanze stirbt.«

Obwohl sie sich gelegentlich darüber wunderte, weshalb auf ihren Reisen kreuz und quer durch den Kontinent so wenig von ihrer Vergangenheit wiederzukehren schien, gelangte sie nun doch soweit, daß sie Amerika »my business« nannte und nun ganz und gar daran teilhaben wollte. Man hatte sie ins Weiße Haus eingeladen. »Mrs. Roosevelt war da und bewirtete uns mit Tee«, schrieb sie, recht wenig begeistert. »Sie redete über irgend etwas und wir saßen neben irgend jemandem.« Sie hatte neben George Gershwin auf einer Klavierbank gesessen, während dieser die Partitur seiner neuen Oper *Porgy and Bess* durchspielte. Sie war Ehrengast bei einem epikureischen Mahl im Hause von Miss Ellen Glasgow in Richmond (Virginia) gewesen. Nachdem sie einen der »Marathontänze« gesehen hate, die zu einem nationalen Fimmel geworden waren, schrieb sie an Carl Van Vechten: »Eine höchst außergewöhnliche Angelegenheit, sie kommen mir vor wie Schatten moderne Schatten aus Dante und sie bewegen sich so seltsam und sie führen einander herum der eine völlig und der andere beinah schlafend, es ist die unirdischste und schönste Bewegung, die ich jemals gesehen habe, es macht den Tanz zu nichts.« Sie war in einem Streifenwagen der Mordkommission durch Chicagos South Side gefahren. Sie hatte mit Robert Maynard Hutchins und Mortimer Adler über Erziehungstheorien und mit Charlie Chaplin über dramatische Theorien gesprochen. Chaplin erinnerte sie an ihren Lieblingsmatador, Gallo, »der keinen Stier töten ihn aber besser herumhetzen konnte als irgendein anderer und sich, selbst ohne jederlei persönliche Grazie, bewegen konnte wie kein anderer«.

Amerika aus der Vogelperspektive (sie waren fast ausschließlich geflogen) war eine Überraschung und eine Bestätigung gewesen. Zum erstenmal glaubte sie nun wirklich zu wissen, wie die Erde aussah, und was sie sah, brachte sie mit dem Kubismus in Verbindung. »Als ich auf die Erde hinabsah sah ich all die kubistischen Linien die zu einer Zeit entstanden waren in der noch kein Maler in einem Flugzeug gesessen hatte. Ich sah dort unten auf der Erde die verschlungenen Linien Picassos, sie kamen und gingen, sie entwickelten und sie zerstörten sich. Ich sah die simplen Lösungen von Braque, ich sah die wandernden Linien von Masson.« Diese Überlegungen waren der Anlaß zu einer ihrer wenigen Bemerkungen, in denen sie ihre eigene Karriere in direkte Beziehung zur Welt der Maler setzt. »Gerade Linien und Viertel, und die Linien der Berge in Pennsylvania ganz gerade Linien«, sagte sie, »das rechtfertigt die Tatsache, daß ich stets zum Kubismus hielt und zu allem das danach kam... Wieder einmal wußte ich, daß ein schöpferischer Mensch ein zeitgenössischer Mensch ist, er begreift was zeitgenössisch ist ehe es seine Zeitgenossen begreifen, er ist zeitgenössisch und da das 20. Jahrhundert ein Jahrhundert ist das die Erde so sieht wie sie noch keiner gesehen hat, hat die Erde eine Schönheit die sie noch nie zuvor gehabt hat.«

Kurz ehe sie die »Champlain« bestieg, um wieder nach Frankreich zu fahren, erkundigte sie sich bei Bennett Cerf, dem Präsidenten von Random House, nach den weiteren Veröffentlichungen ihrer Werke. Er sagte ihr, sie solle nur jedes Jahr angeben, was sie gedruckt haben wolle, und er werde schon dafür sorgen, daß es gedruckt würde.

Ihre Reise durch die Vereinigten Staaten brachte einige bemerkenswerte Paradoxe mit sich, wie etwa dies, daß die unverständlichste Schriftstellerin des Jahrhunderts vorübergehend zur berühmtesten wurde. Seit Jahren geisterte ihr Name durch die Unterhaltungen des beleseneren Teils der Bevölkerung, nun aber war er mit einemmal in allen Gesellschaftskreisen zur gängigen Münze geworden. »Es ist sehr hübsch eine Berühmtheit zu sein eine wirkliche Berühmtheit«, sagte sie, »die entscheiden kann wen sie kennenlernen möchte und es auch sagen kann. Und so kommen sie oder nicht ganz wie man es wünscht.« Aber die neue offizielle Aura von Berühmtheit bekümmerte einige ihrer alten Freunde, die die Zwanglosigkeit der Rue de Fleurus gewohnt waren. Auf Veranstaltungen zu Ehren Gertrudes nahm diese sehr ernst den Ehrenplatz ein, »und jeder Anwärter wurde zu dem Fußschemel geführt wie ein Maultier zur Tränke«. Eine Party für Gertrude glich, so meinten diese Leute, nun allzusehr einer Papstaudienz. Andere hingegen waren von dem Zwiegespann Gertrude und Alice entzückt – »eine voluminöse Dame, die in Hemdbluse, Rock und Jacke verpackt war, und eine kleinere Dame in irgend etwas Dunklem mit grauer Astrachanmütze ... ein wenig erinnerten sie an ein Schlachtschiff und einen Kreuzer«. Über Gertrudes Erscheinung wurde beinah ebensoviel gesprochen wie über ihre Aussprüche. Die Amerikaner hatten berühmte Blaustrümpfe gekannt, aber noch niemals einen, der das Diktat der weiblichen Mode so vollständig ignorierte. Als Louis Bromfield seine Mutter und seinen Vater mit Gertrude bekannt machte, trat eine Pause im Gespräch ein, in der man Bromfield senior sagen hörte: »Ich hab den Namen des Herrn nicht ganz verstanden, Mama.«

In Filmen, Revuen, in den Comics und in den Feuilletons der Zeitungen tauchte immer wieder ihr Name auf, die Zeitung einer Highschool in Utica (New York) gab eine Gertrude-Stein-Sondernummer heraus, in der Pathé-Wochenschau konnten die Besucher der Filmtheater sie sehen und sie *Pigeons on the grass* vorlesen hören; in Bars und Gerichtshöfen wurde sie ebenso häufig zitiert wie in den Schulzimmern. So exzentrisch diese Berühmtheit war, es war mehr harmloser Spaß als Bosheit dabei im Spiel. Während die Öffentlichkeit Gertrude als Persönlichkeit akzeptierte, betrachteten die berufsmäßigen Literaten sie weitgehend mit Neid, Mißtrauen und einer merkwürdig puritanischen Unduldsamkeit. Junge Schriftsteller, die keinen fest gegründeten Ruf zu wahren und keine Kritikerstellungen zu verteidigen hatten, wollten Lanzen für sie brechen. Einer von ihnen, William Saroyan, erhoffte sich ein Interview für den Fall, daß sie nach San Francisco käme und schrieb: »Manche Kritiker sagen, ich solle vorsichtig sein und keine weitere Notiz von Gertrude Steins Schriften nehmen. Aber ich finde, sie halten sich selber zum Narren, wenn sie sich vormachen, es gäbe eine amerikanische Literatur, die amerikanisch und Literatur ist und nicht zum Teil eine Folge der Schriften der Gertrude Stein. Und sie scheinen, wie man so sagt, nicht begriffen zu haben, daß der Krieg aus ist.« Sinclair Lewis hingegen war der Meinung, sie veranstalte einen großen Zirkus.

Bernard Fay, der sich zu Beginn ihres Besuchs in New Orleans aufhielt, verfolgte den erstaunlichen Empfang, der ihr bereitet wurde, mit den Augen des Historikers. »Ich habe das Gefühl, daß das, was sich gerade in Amerika abspielt«, schrieb er, »was Ihr Besuch stiftet, für das geistige Leben Amerikas von ungeheurer Bedeutung ist. Was Sie den Amerikanern bringen, hat ihnen seit Walt Whitman keiner gebracht... Und sie wissen es, sie fühlen es. Wie Sie wissen, beobachte ich die Amerikaner seit 1919 sehr genau – und ich habe ihre Aufregungen über alle möglichen Dinge miterlebt: die neuen Fordwagen, Mr. Hoover, Al Smith, die Flugreisen, die Königin von Rumänien, Flüsterkneipen, etc. Aber ich habe sie noch nie so erlebt, wie sie sich jetzt Ihretwegen aufführen. – Hier geht es um etwas Tieferes und Persönlicheres. Was Sie und Ihr Werk in ihnen aufwühlen, ist seit Jahrzehnten nicht aufgewühlt worden.«

Was immer der wahre Grund des Interesses sein mochte, die Öffentlichkeit verfolgte die Berichte über Gertrudes Tun und Lassen weiterhin mit belustigtem Wohlwollen. Selbst ein so berühmter Dickschädel wie Henry Seidel Canby – der früher behauptet hatte, Gertrudes Werk sei, wie das von E. E. Cummings, ohne Gehalt – sah sich nun veranlaßt, seine Abneigung näher zu begründen: »Ich hatte vor ihrer Rückkehr keine Gelegenheit gehabt, sie kennenzulernen, und fand sie dann eine vernünftige, intelligente Frau, die in ihrem Äußeren den prominenten hochkultivierten jüdischen Frauen gleicht, denen man in philanthropischen Kreisen und in der Welt des Kunsthandels in New York begegnet... Dennoch«, mußte er zugeben, »kann ich sie immer noch nicht lesen, ohne wütend zu werden.« Trotzdem war Canby sich jetzt ihrer Stärke auch als Schriftstellerin bewußt, und er ging so weit anzudeuten, daß die jungen Redakteure von *Time* in ihren Bemühungen, ihre neue Zeitschrift von dem immer schwächer werdenden *Literary Digest* zu unterscheiden, »kaum spürbar und unbewußt sich von den Experimenten der frühen zwanziger Jahre und vielleicht direkt von Gertrude Steins Satzverdrehungen beeinflussen ließen.«

Eines der größten Paradoxe war das weiterhin bestehende Mißverhältnis zwischen ihrem Ruhm und dem Absatz ihrer Bücher – mit Ausnahme von *Three Lives,* das eine Zeitlang der Bestseller der *Modern Library* war. Random House brachte hübsche Ausgaben von *Portraits and Prayers, Four Saints in Three Acts* und *Lectures in America* heraus, aber der Verkauf war flau, und schon bald konnte man all diese Titel in den Buchhandlungen auf jenen Tischen finden, die für Remittenden und ähnliches reserviert waren. Mochten auch manche über dieses mangelnde Interesse an ihrem Werk, das so gar nicht mit ihrer erstaunlichen Berühmtheit in Einklang zu bringen war, sehr verwundert sein, Gertrude war nicht im geringsten darüber erstaunt. Sie wußte, daß ihr Ruhm daher rührte, daß vielleicht einer unter Tausenden ihre Arbeit wertvoll nannte und daß die Stimmen aller andern nicht ausreichten, um die eine Stimme, die mit Überzeugung sprach, zu übertönen. Die Beschuldigung, sie schreibe Unsinn, war zum Klischee geworden, und zwar zu einem sehr öden. Ihr Ruf und ihr Ruhm beruhten einfach auf der Überzeugung, die weder durch gutmütiges Necken noch durch lautes Gespött zum Schweigen gebracht werden konnte.

Für die unter der Wirtschaftskrise seufzenden Amerikaner war diese erdhafte wortgewandte Urmutter aus Paris eine hochwillkommene Sensation. Gertrude hatte eine einzigartige Begabung, mit Reportern jeder Sorte umzugehen, und sie verdrehte ihnen derartig den Kopf, daß sie allen Vorurteilen, mit denen sie sich ihr genähert hatten, abschworen. Beim bloßen Anblick ihrer behäbigen und beruhigenden Erscheinung, beim ersten Ton ihrer weichen, modulierten amerikanischen Stimme schmolzen sie dahin. Viele von ihnen kamen noch immer in der Erwartung, eine »elegische Frau ... die Zigaretten raucht, Absinth schlürft und mit müdem angewidertem Blick auf die Welt herabsieht«, vorzufinden und waren zuerst erstaunt und dann völlig entwaffnet. Noch ganz benommen, schrieben sie mehr über Gertrude, als sie beabsichtigt hatten, und die Artikel, in denen Gertrude eigentlich nur verhöhnt werden sollte, gerieten ihnen zu begeisterten Würdigungen.

In New York hatte man ihr in den ersten vierundzwanzig Stunden nach ihrer Ankunft zwölf breite Spalten gewidmet. Eine Reihe dieser Artikel wurde durch die Pressedienste im ganzen Land verbreitet. Die Lokalzeitungen übernahmen sie, und wohin Gertrude kam, war sie fast ausnahmslos die Neuigkeit des Tages.

Als sie einmal gleichzeitig von mehreren Reportern interviewt wurde, fiel ihr auf, daß einer der Fotografen ihren Worten mit besonderer Aufmerksamkeit folgte. »Komisch«, sagte sie zu den Reportern, »aber der Fotograf ist der einzige unter euch, der intelligent aussieht und wirklich zuzuhören scheint. Wie erklären Sie sich das?« Und dann wandte sie sich an den Fotografen: »Nicht wahr, Sie verstehen, wovon ich rede, stimmt's?« In Worten, die sie ihm in den Mund gelegt haben könnte und die sie ihm in *Everybody's Autobiography* auch wirklich in den Mund legte, antwortete er: »Natürlich verstehe ich Sie. Wissen Sie, ich kann nämlich zuhören weil ich das was Sie sagen nicht behalten muß. Die andern können nicht zuhören weil sie alles behalten müssen.«

Amerika konnte Gertrude nicht ernstnehmen. Da es sie aber auch nicht ignorieren konnte, machte es sie zu einem Volksliebling. Ihr Stil – oder zumindest die journalistische Version ihres Stils – wurde zu einem amerikanischen Markenartikel. Doch die Intellektuellen maßen ihr noch immer mehr symbolischen als künstlerischen Wert bei. Schließlich war sie die Vertraute von Picasso und Matisse und der Pariser Schule. Wer außer der *Autobiography* niemals eine Zeile ihres Werkes gelesen hatte, verteidigte sie mit einer Vehemenz, die häufig nur Ignoranz bemänteln sollte. Sie verkörperte den suchenden amerikanischen Geist in Paris, jenes Ausfuhrprodukt, das ein Bollwerk gegen einheimisches Babbittum darstellte. Der brave Durchschnittsgebildete scheute sich, abträglich über Gertrude zu reden, weil das bedeutet hätte, daß er die neue Ära all der wunderbar unlogischen und unerklärlichen Dinge verwarf und sich somit nicht anders benahm als George Babbitt, der sich vor einem kubistischen Gemälde nur mißbilligend den Glatzkopf kratzte. Wer *Tender But-*

tons und *Four Saints* verwarf, der sanktionierte in gewisser Weise jene Spießermoral, deren Zeloten gedroht hatten, die Verleger von James Joyce hinter Gitter zu bringen, und es durchgesetzt hatten, daß *The Captive* nicht mehr am Broadway gespielt werden durfte, und Bruce Barton zum dreizehnten Apostel gemacht hatten. Verwarf der Intellektuelle Gertrude Stein, so kam das der moralischen Unterstützung von Kritikern wie Van Wyck Brooks gleich, der sich durch sein Kopfschütteln über die vorherrschende Literatur des Jahrhunderts bereits disqualifiziert hatte. »Die meisten unserer kritischen Schriften«, schrieb der neue Brooks, »befassen sich mit technischen Fragen, und technische Neuerungen sind, wie mir scheint, die einzigen Vorzüge, die gefordert oder gerühmt werden. Die Frage, die gewöhnlich gestellt wird, lautet nicht, ob ein Schriftsteller etwas zum Leben beiträgt, sondern ob er sich durch irgendeinen neuen Trick hervortut. Schriftsteller wie Joyce, Eliot und Gertrude Stein verdanken ihr Ansehen ihrer formalen Originalität. Vielleicht ist das in einem technischen Zeitalter nur natürlich. Aber dürfen wir die wesentlicheren Fragen, die mit dieser Tendenz des modernen Denkens zusammenhängen, ignorieren? Mir scheint, diese Tendenz verkörpert den ›Todesdrang‹, wie gewisse Psychologen das nennen, den Willen zu sterben, der angeblich in unserem Gemüt Seite an Seite mit dem Willen zu leben existiert. Niederlage und Unglücklichsein können einen Punkt erreichen, wo wir sie akzeptieren und begrüßen und wo wir uns unserer Schwäche und unseres Verfalls freuen. Ob wir diese Literatur genießen oder nicht – sie führt zum Verfall.« Gertrude Stein hatte seiner Meinung nach die Stellung des Schriftstellers »bis zur letzten Absurdität herabgewürdigt. In ihrer Theorie der Ästhetik spielen weder Gedanken noch Gefühle eine Rolle. Nichts zählt außer dem Wortmuster, und das Großartigste im Leben ist ein kindisches Wortgeklingel.«

Gertrude verteidigte sich niemals schriftlich gegen Angriffe. Stand sie jedoch einem ihrer Widersacher Auge in Auge gegenüber, so hielt sie mit ihren Gegenargumenten keinen Augenblick zurück. Als sie einmal während der Diskussion nach einem Vortrag von einer Zuhörerin mit anderen zeitgenössischen Autoren der Sensationsmacherei beschuldigt wurde, antwortete sie grob: »Die Menschen von heute genießen den neuzeitlichen Komfort, aber ihre Literatur und Kunst beziehen sie aus der Vergangenheit. Es interessiert sie nicht, was die heutige Generation denkt oder malt oder tut, wenn es nicht in die engen Grenzen ihrer persönlichen Wahrnehmung paßt. Die Genies von heute können ebensowenig dafür, daß sie das tun, was sie tun, wie Sie etwas dafür können, daß Sie es nicht begreifen. Wenn Sie aber glauben, wir täten es um des Effekts willen und aus Sensationslust, dann sind Sie verrückt.«

Diese Angriffe mehrten jedoch nur Gertrudes Ruhm. Dadurch, daß man sich um die Eintrittskarten zu ihren Vorträgen balgte oder sich bei den vielen Essen, die ihr zu Ehren veranstaltet wurden, in ihre Nähe zu drängen versuchte, wurde Gertrude Stein zu einer amerikanischen Institution. Zu Beginn ihrer Vortragsreise hatte sie beschlossen, ihr Auditorium jeweils auf 500 Personen zu beschränken, weil sie glaubte, sie könne nicht mehr Menschen auf einmal ansprechen. Allein diese Entscheidung hatte ein Interesse an ihren Vorträgen geweckt, wie es kein Werbetrick fertiggebracht hätte. In Princeton, wo sie ihren ersten Universitätsvortrag hielt, mußte die Polizei die Menge daran hindern, den Vortragssaal zu stürmen. Von da an brauchte man nicht mehr zu befürchten, daß irgendwo *weniger* als fünfhundert Menschen bei ihren Vorträgen zugegen waren.

In Chicago sah sie im Auditorium Theatre zum erstenmal *Four Saints in Three Acts*: »Ich finde es einfach ungeheuerlich, wie man genau das was ich beabsichtigte verwirklicht hat«, sagte sie. »Es war ganz und gar eine Unterhaltung zwischen Heiligen ... Es sah sehr schön aus und die Bewegung war alles und sie bewegten sich und taten nichts, und das ist es was ein Heiliger oder ein Soldat tun sollte, sie sollten nichts tun sie sollten sich ein wenig bewegen und sie bewegten sich ein wenig und sie taten nichts und es war sehr befriedigend.«

Monatelang war ihre Freude ungetrübt; ganz Amerika schien ihr zu Füßen zu liegen. »Ich habe festgestellt, daß die Amerikaner einen wirklich glücklich machen wollen«, sagte sie zu einem Reporter. Und auf die Frage, ob sie finde, daß Amerika sich während der vielen Jahre ihrer Abwesenheit verändert habe, gab sie zur Antwort: »Nein, weder Amerika noch die Amerikaner, und schließlich, wenn Sie verändert sagen, wie könnten sie sich verändern, zu was könnten sie sich verändern? Und wenn Sie das fragen, so gibt es darauf natürlich keine Antwort.« Und an Sherwood Anderson schrieb sie: »... Es war schön dieses amerikanische Land es war es ist es gibt nichts anderes darüber zu sagen als daß es schön war und ist ...«

Aber gegen Ende ihres Besuchs muß eine Frage der Hearst-

Presse Gertrude wie ein tiefdunkles Echo ihrer geheimsten Gedanken getroffen haben. »Ist Gertrude Stein nicht Gertrude Stein«, so fragte der Verfasser, der im Namen der Redaktion schrieb, »sondern jemand anderes, der im selben Körper lebt und spricht?« Der Schreiber wollte wohl damit andeuten, daß Gertrude das Opfer einer Psychose sei, und man hätte seine Frage als eine weitere Verulkung Gertrudes abtun können. Aber in einem tieferen Sinn, den der Schreiber niemals hatte ahnen können, war diese Frage orakelhaft und berührte einen wunden Punkt, mit dem Gertrude selbst nicht fertig wurde.

Seit den Tagen ihres adoleszenten Weltschmerzes hatten ihre Grübeleien in der Hauptsache ihrem eigenen Ich gegolten. Ihr ganzes Leben lang hatte sie darüber nachgedacht, wer sie wohl sei. Ihr Werk war ein objektives Registrieren ihrer Persönlichkeit und hätte eine handfeste Antwort geben müssen, aber nicht einmal dieses umfangreiche Werk konnte sie überzeugen und zufriedenstellen. »Ich bin ich, weil mein kleiner Hund mich kennt«, sagte sie, steckte dann aber bewußt zurück. »Damit ist aber nichts über uns, sondern lediglich etwas über den Hund ausgesagt.« Da ihrer Meinung nach »der Wesenskern des Zivilisiertseins darin besteht, sich selbst so zu besitzen, wie man ist«, bekümmerte sie nun die Frage, was mit Menschen geschehe, die wie sie zum Gegenstand der Massenmedien geworden waren. Da jedoch die Publicity ein Kriterium des Erfolgs ist, hatte sie sich nun einmal mit ihr abzufinden. Doch die Probleme, die sie mit sich brachte, waren wirklich Probleme. Henry James hatte gesagt, der Künstler bleibe nur solange interessant, als er erfolglos sei; denn solange er erfolglos sei, sei er ein Mensch. Sobald er jedoch Erfolg habe, verschwinde er in seinem Werk, und der Mensch sei nicht mehr vorhanden. Picasso hatte etwas ganz Ähnliches zu Gertrude gesagt, als er über seinen eigenen Weg von der Armut zum Ruhm nachdachte. Gertrude wiederholte sowohl seine wie James' Äußerung in *Lucy Church Amiably*: »Ein Genie sagt daß es solange es nicht erfolgreich ist, mit Achtung behandelt wird wie ein Genie aber wenn es erfolgreich ist und ebenso reich wie erfolgreich gewesen ist wird es von seiner Familie behandelt wie jeder andere.« Sie selbst konnte schließlich das Verschrottetwerden ihrer einzigartigen Persönlichkeit zwischen den Mahlsteinen ihres Ruhms nicht mehr ertragen und kam zu dem Entschluß, daß die Publicity wie der Krieg »den Fortschritt der Kultur verhindert«.

Sie hatte stets gehofft, daß es Gemälde geben würde, die außerhalb ihrer Rahmen leben würden. Aber eine Persönlichkeit, die sich weigerte, in einen Rahmen gespannt zu werden, zumal wenn diese Persönlichkeit ihre eigene war, beunruhigte sie bis zur Besessenheit. Sie wandte sich der Erforschung der Zeit zu und versuchte auf jede nur mögliche Weise, der Zeit habhaft zu werden. Sie fand schließlich, daß allein die Erinnerung uns zeitbewußt macht. Ohne die Erinnerung, ohne eine spezifische Wahrnehmung von Geschehnissen in der Relation zu vorhergehenden Geschehnissen ist die Seele zeitlos. Ein großer Teil ihres Lebenswerks hatte der Wahrnehmung oder dem Begreifen dieser Zeitlosigkeit gegolten. Nun brütete sie von neuem und erforschte Werke, von denen sie sich Klarheit und womöglich Trost erhoffte. Während der nächsten Jahre ihres Ruhms wollte sie sich Gedankengängen hingeben, die sie für sich selbst retten sollten und für jene Schriften, die den gemeinen Händen der Publicity und der Aufmerksamkeit einer bewundernden Öffentlichkeit beinah völlig verborgen blieben.

XXIII

Ich bin ich weil mein kleiner Hund mich kennt. Die Gestalt wandert allein weiter.

Gertrude Stein

Gertrude hatte sich aus ihrer neuen Welt im Rampenlicht der Öffentlichkeit nach einem weiteren Sommer der Abgeschiedenheit des Rhonetals gesehnt, wo sie sich ihren Meditationen hingeben konnte – um sich wieder bis zu jenem Punkt »aufzutanken«, wo das Schreiben die natürliche Folge des Überlaufens ist. Aber auch diesmal gab es Unterbrechungen, und die störendste kam von der französischen Armee. Ein Regiment von 2500 Mann wurde in das kleine Bilignin verlegt, und jede der 28 Familien des Dorfes stellte Quartier zur Verfügung. Fünfundzwanzig Reservisten bezogen Gertrudes Scheune. Basket und Pepé, der kleine mexikanische Hund, den Picabia Gertrude geschenkt hatte, konnten sich an die Unruhe, die diese Invasion Tag und Nacht mit sich brachte, nicht gewöhnen, aber Gertrude und Alice nahmen ihre militärische Bürde resigniert auf sich. Als es an der Maginotlinie zu knistern begann, wurden immer mehr junge Männer des Dorfes zu den Waffen gerufen. Gertrude meinte, ihr Haus sei »in voller Kriegsrüstung«. Doch trotz aller Kriegsvorbereitungen wollte sie nicht an einen bevorstehenden Krieg glauben, denn schließlich »hatte jedermann einen wirklich großen Krieg hinter sich und es ist nicht so leicht so etwas zu wiederholen«. Ein Krieg hatte stattgefunden, und sie hatte ihn zu dem ihren gemacht. Der Gedanke an einen neuen Krieg war einfach zu lästig.

Sie bewegte sich lieber im begrenzten Frieden durch die pastoralen Tage und Wochen und ließ sich nur von dem schwer definierbaren Problem der Persönlichkeit beunruhigen. Ihre eigene Persönlichkeit war nun weltbekannt, doch der Ruhm war ebensosehr eine Sorge wie ein Vergnügen. Die Persönlichkeit war zu einer Angelegenheit der Spiegel und der Metaphysik geworden. Gertrudes Ausspruch »ich bin ich weil mein kleiner Hund mich kennt«, war gar kein Trost. Um ihrer Verwirrung Herr zu werden, folgte sie einer Gewohnheit, die sie seit ihrer Kinderzeit beibehalten hatte: Um sich ein Problem zu verdeutlichen, hielt sie es auf dem Papier fest – nicht in ausgefeilten Sätzen, sondern was ihr gerade dazu einfiel. Sie machte sich an die Abfassung von *The Geographi-*

cal History of America or the Relation of Human Nature to the Human Mind, einem Werk, in dem die Ideen oder, genauer gesagt, eine einzige Idee das Hauptthema bildete.

Die Persönlichkeit, insbesondere die Persönlichkeit des Genies war das Hauptthema dieses Buches und wurde in verschiedenen anderen Büchern, die darauf folgten, zum letzten großen Thema, mit dem sich Gertrude Stein erschöpfend befassen sollte. Ihr Ausgangspunkt, zu dem sie tausendmal zurückkehrte, kann vielleicht am besten in Form einer Frage dargelegt werden: Welches ist der Unterschied zwischen dem Teil des Bewußtseins, der von den Gefühlen, Geschehnissen und Interessen jeder Art absorbiert wird, und jenem andern Teil, der ausschließlich auf sich selbst beruht, der über den Kämpfen steht und den die Überraschungen des Daseins nicht berühren können? Jenes, so entschied sie, geht die ganze menschliche Natur an, dieses hatte ausschließlich mit dem menschlichen Geist zu tun. Ein Genie ist ein Repräsentant des menschlichen Geistes, teils weil er die Kraft der menschlichen Natur begreift, ohne sich ihr unterzuordnen. Im Gegensatz zu den Künstlern, die, Sklaven der menschlichen Natur, durch Ähnlichkeiten gebunden, von Kummer, Enttäuschung und Tränen und allen anderen Zufällen des menschlichen Schicksals abhängig sind, »schreibt der menschliche Geist was er ist ... und das Schreiben das der menschliche Geist ist besteht nicht in Botschaften noch in der Aufzeichnung von Geschehnissen es besteht allein darin das niederzuschreiben was geschrieben ist und daher hat es keinerlei Beziehung zur menschlichen Natur«.

Bei diesen Überlegungen spielt unvermeidlich der Gedanke an ein Publikum eine Rolle, denn ein Publikum sollte der ideale Zeuge für die Persönlichkeit sein. Doch Gertrude hatte festgestellt, daß weder ein Publikum, das Millionen zählte, noch ein Publikum, das nur aus ihrem kleinen Hund bestand, die unverwechselbare Persönlichkeit ihres Genies zu bestätigen vermochte. Das Publikum war zu sehr von der menschlichen Natur abhängig und daher daran gehindert, den menschlichen Geist zu erfassen, der letzten Endes doch nur sein eigenes Gesetz und sich selbst kennt. »Wenn man weiß was der menschliche Geist ist«, schrieb sie, »dann kann man nie wissen was der menschliche Geist ist weil er so ist wie er ist.« In diesen bemerkenswert leichtherzigen Meditationen, die Thornton Wilder »metaphysische Betrachtungen eines Künstlers in fröhlicher Stimmung« nennt, umkreist sie, attackiert sie, schüttelt sie, zerfetzt sie und verwirft sie schließlich die Überreste des Problems, das am Anfang ihrer Betrachtungen steht. Da die These oder die Frage des Buches verhältnismäßig simpel ist, wirken die Hunderte von Seiten, die sich damit befassen, ein wenig wie ein ungeheures Reservoir unklarer Fußnoten.

Die Wahrnehmung des eigenen menschlichen Geistes bedeutet selbstverständlich auch eine Beschäftigung mit dem eigenen Zeitgefühl. »Ich meditierte wie ich es seit sehr langer Zeit nicht getan hatte«, schrieb sie, »nicht mehr seit ich ein kleines Kind war über den Widerspruch auf dieser Erde mit ihrem begrenzten Raum zu sein und zu wissen daß die Sterne in einem unbegrenzten Raum sind von dem niemand feststellen kann ob er begrenzt oder unbegrenzt ist, und nun erschreckten mich diese Meditationen nicht mehr wie sie mich erschreckt haben als ich jung war, das also habe ich erreicht. Ich dachte ziemlich viel darüber nach, wie man für sich selbst man selbst ist wie man in jedem Augenblick den man da ist in sich man selbst ist daß man sich aber in jedem zurückliegenden Augenblick nur an sich selbst erinnern kann daß man sich nicht mehr selbst fühlen kann und daher kam mir der Gedanke daß man insofern als man für sich selbst man selbst ist in sich kein Zeitgefühl hat daß man nur das Zeitgefühl hat wenn man sich an sich selbst erinnert... und so fing ich an mich mehr und mehr mit der Frage des Gefühls für Vergangenheit und Gegenwart und Zukunft im eigenen Innern zu beschäftigen und das führte mich natürlich dazu noch mehr über das Thema Geschichte und Presse und Politik nachzudenken als ich es in den Vorträgen die ich für Chicago geschrieben hatte getan habe.«

In dieser Angelegenheit, von der sie sich Klarheit über ihre Person und ihr Werk zu erwarten schien, war sie von tödlichem Ernst; dennoch blieb sie verspielt, als sie ihr Thema mit dem Gleichgewichtssinn eines Jongleurs vorantrieb. Der folgende Auszug aus *The Geographical History* ist charakteristisch:

Kapitel III

Die Beziehung zwischen Aberglauben und Identität und dem Geist des Menschen.
Bitte denken Sie an den Kuckuck.

Kapitel IV

Es gibt so viel zu sagen über den Kuckuck.
Ich denke ich werde alles sagen.
Ich habe schon immer über den Kuckuck sprechen wollen.

Kapitel III und IV

Vom Kuckuck.
Lang bevor der Kuckuck mir zusang schrieb ich ein Lied und sagte nanu der Kuckucksvogel im Kuckucksbaum singt mir ja zu, oh singt mir zu.
Aber schon lang davor sehr lang davor hatte ich eine Kuckucksuhr im Ohr.
Und inzwischen hatte ich sehr viele Kuckucke gehört die keine Kuckucksuhren waren.
Tatsächlich habe ich seitdem nie mehr einen Kuckuck in einer Kuckucksuhr geseh'n.
Dann hörte ich daß man wenn man einen Kuckuck nicht in einer Uhr sondern einen Kuckuck der ein Vogel ist zum erstenmal im Frühling kuckuck rufen hört und dabei Geld in der Tasche hat man es das ganze Jahr über haben wird. Ich meine Geld.
Ich glaube immer gern was ich höre.
Das hat etwas mit Aberglauben zu tun und etwas mit Identität zu tun. Gerne zu glauben was man hört.
Hat es etwas mit dem Geist des Menschen zu tun das heißt mit Schreiben.
Nein genaugenommen nicht.
Hat es etwas mit der menschlichen Natur zu tun. Nur ein Hund glaubt gerne was er hören kann.
Man sagt ihm was für ein guter Hund er ist und er glaubt es wirklich gern.
Wenn der Kuckuck kuckuck ruft und man Geld in der Tasche hat und es der erste Kuckuck ist den man in diesem Jahr hört wird man dieses ganze Jahr über Geld haben.
Dies ist mir tatsächlich geschehen also kann man sehen es hat nichts zu tun mit dem Geist des Menschen wenn man glaubt was man sehen kann gerne glaubt was man hört.
Aber es ist mir tatsächlich geschehen da war mal ein Kuckuck ich hab ihn gesehen und er kam und saß nicht im Kuckucksbaum

sondern in meiner Nähe wo auch andere Bäume stehen und er hat kuckuck zu mir gesagt und ich hab viel Geld in der Tasche gehabt und ich hatte viel Geld noch das ganze Jahr über.
Da sehen Sie nun was ein Kuckuck zu tun hat mit Aberglauben und Identität.

Als die Soldaten, die bei Gertrude im Quartier gelegen hatten, endlich abzogen, kamen ihre englischen Freunde, Sir Robert Abdy und seine Frau Diana, zu Besuch, und ihnen folgte nach kurzer Zeit Thornton Wilder. Kein Besucher hätte Gertrude mehr erfreuen können. Für einen Menschen, der ununterbrochen sprach, ob in der Öffentlichkeit oder im Privatleben, und fast ausschließlich über sich selbst, hatte Gertrude in ihrem Leben merkwürdig wenig Vertraute. In der Regel war ihre Konversation weder eine Beichte noch eine Selbstanalyse, sondern eine Mischung aus *small talk* und *pronunciamento*. In Thornton Wilder mit »seinen festen Glaubenssätzen und seiner Genauigkeit« hatte sie einen Menschen gefunden, den sie nicht als Folie für ihre eigene Bedeutung verwenden und dem sie nicht ihre eigene Anschauung aufzwingen und schon gar nicht die Stellung eines Eckermann zuweisen wollte. Ihm wie keinem anderen gegenüber war sie bereit, ihre tiefsten Zweifel zu offenbaren. Diesem einzigartigen Zutrauen lag der Glaube an seinen Glauben in ihre Person zugrunde, und so konnte sie ganz offen über ihre geheimsten Kümmernisse sprechen. »Ich führe ihn nicht ich vertraue mich ihm an«, sagte sie, und sie streiften durch die Hügellandschaft von Bilignin und unterhielten sich über den Lauf der Zeit und die Psyche der Hunde und die Beziehung der menschlichen Natur zum menschlichen Geist.

Sie spielte mit dem Gedanken, ihrem neuen Buch Kommentare hinzuzufügen, die Cäsars Kommentaren glichen, und bestürmte Wilder, diese zu liefern. Aus Freundschaft machte er sich daran, enttäuschte Gertrude aber schließlich durch seine Weigerung, das Geschriebene drucken zu lassen. Statt dessen schrieb er eine Einleitung zu dem Buch. Gertrude mußte sich betrübt mit dieser unvollkommenen Geste abfinden. Wilders Weigerung, ihre heiße Bitte zu erfüllen, war einer der wenigen abschlägigen Bescheide, die nicht zu einem Bruch der persönlichen Beziehungen oder zu irgendeinem plumpen oder subtilen Racheakt führten.

Wilder suchte Gertrude und Alice wieder in Paris auf, ehe er nach New York zurückfuhr. Während eines langen abendlichen

Abschiedsspaziergangs am linken Seineufer ließ Gertrude ihr künstlerisches Leben Revue passieren. Sie war der Meinung, sie habe Gedichte, Theaterstücke und Philosophisches geschrieben, aber nicht »einfach irgend etwas erzählt«. Die *Autobiography of Alice B. Toklas* hielt sie für eine »Beschreibung und Schöpfung von etwas das einmal geschehen in gewisser Weise nicht wieder geschehen würde so wie es gewesen war das Geschichte das Zeitung das Illustration ist aber nicht eine schlichte Wiedergabe von dem was geschieht nicht als ob es geschehen sei nicht als ob es geschieht sondern als ob es einfach als dieses Etwas da ist«. In der ganz bestimmten Absicht, »eine simple Erzählung von dem was geschieht« abzufassen, schrieb sie *Everbybody's Autobiography*, das in beinah jeder Hinsicht am wenigsten »stilistische«, das journalistischste und sachlichste all ihrer Werke.

Nach zehn ereignisreichen Jahren seit den Triumphen und Erregungen des ersten Besuches erhielt Gertrude im Januar 1936 abermals eine Einladung, in Oxford und Cambridge Vorträge zu halten. Während eines kurzen Besuchs in England wohnte sie mit Alice bei Lord Berners in Faringdon House in Berkshire und später bei den Abdys in Cornwall. Von all den neuen Freunden Gertrudes war keiner auf seine eigene stille Art exzentrischer als Gerald Berners. Das Komponieren war für ihn nur einer seiner vielen ästhetischen Zeitvertreibe. Beverley Nichols schildert ihn in seinem Buch *The Sweet and Twenties:* »Er war bemerkenswert häßlich – klein, dunkelhäutig, kahl, dicklich und affenartig... in seinem Rolls-Royce war ein winziges Piano eingebaut. In diesem Vehikel reiste er durch Europa, fast immer mit dem Ziel Rom, wo er im Schatten des Forums ein erlesenes Haus besaß... und klimperte lässig Stücke von Scarlatti, während der Chauffeur zusehen mußte, wie er mit dem Verkehr fertig wurde.« In diesem Rolls-Royce führte er, laut Nichols, stets eine Papiermachémaske mit sich, eine »weiße abstoßende Maske, die Maske eines Idioten« – und »manchmal wenn der Rolls-Royce in der Abenddämmerung leise schnurrend durch ein winziges italienisches Dorf fuhr, setzte er diese Maske auf und streckte zum Entsetzen der Dorfbewohner – einem Entsetzen, das noch durch die Tatsache verstärkt wurde, daß aus dem Inneren des in der Dämmerung verschwindenden Wagens geisterhafte Musik ertönte – den Kopf aus dem Fenster.«

Durch ihre Amerikatournee abgebrüht, litt Gertrude dieses Mal nicht mehr unter dem Lampenfieber, das früher jedes öffentliche

Auftreten zur Qual gemacht hatte. Die ganze Reise, so berichtet sie in einem Brief, war ein einziges Vergnügen: »...Ich kam herüber, um in Oxford und Cambridge Vorträge zu halten und es klappte glänzend, es ist so süß wie die amerikanischen Jungens in diesen Universitäten zu mir aufsehen wie zum Sternenbanner... Wir wohnten in einigen wunderschönen Häusern... eines der schönsten war das von Lord Berners dem Musiker der ein bezaubernder Mensch ist und es gab kaum einen Augenblick wo wir nicht alle Lords und Ladies waren aber uns gefiel's, es gab so viele wunderbare Stickereien und so viele Orchideen daß Alice ganz begeistert war und ich auch, der Ruhm ist angenehm, er mag nicht lukrativ sein aber er ist angenehm, und vielleicht wird er einmal lukrativ sein, wer weiß!«

Wieder in Paris, arbeitete Gertrude weiter an den Aufzeichnungen für *Everybody's Autobiography*, bis es wieder Zeit war, das Feld der Tätigkeit nach Bilignin zu verlegen. Spanien war in diesem Sommer von einem Bürgerkrieg zerrissen, aber ihr kleines Dorf blieb friedlich, wenn nicht gar abgeschieden, und sie verbrachten die Zeit mit vielen Besuchern, zu denen auch Bennett Cerf und Jo Davidson zählten. Später kam Lord Berners und brachte die Musik zu *A Wedding Bouquet* mit, der Ballettfassung von *They Must. Be wedded. To Their Wife.* Gertrude hatte dieses Stück 1931 geschrieben, und nun wollte die Sadler's Wells Company es in ihr Repertoire aufnehmen. Als sie zu den letzten Seiten von *Everybody's Autobiography* kam, befielen sie ernste Zweifel wegen ihres Stils, die sie auch im Verlauf des Buches eingesteht. »Ich habe immer gewollt daß das was ich schreibe banal und einfach ist«, sagte sie, »und dann mache ich mir Sorgen daß mir das nicht gelungen ist und es zu banal und zu einfach ist so sehr daß es nichts ist.« Bennett Cerf, der an den Erfolg der ersten bei einem anderen Verleger erschienenen Autobiographie dachte und bereits den Vertrag für die Fortsetzung abgeschlossen hatte, zeigte sich von den Kapiteln, die Gertrude ihm gab, rückhaltlos begeistert. So fuhr Gertrude getrost fort, banal zu sein, und füllte die Seiten mit all den Menschen, Orten und willkürlichen Gedanken, die mit Ruhm und Reichtum in Amerika in ihr Leben getreten waren.

Als die Direktoren der Weltausstellung, die 1937 in Paris veranstaltet werden sollte, eine Jury für die Ausstellung im Petit Palais wählten, erbaten sie Gertrudes Mitwirkung. Obwohl seit langen Jahren als »Papst und Pharao der bilderkaufenden Welt« bekannt, trat sie nun zum erstenmal als offizieller Begutachter auf. In dieser Eigenschaft konnte sie, gegen die Wünsche anderer Juroren, einen Platz für zwei Gemälde von Francis Picabia ergattern, dem alten Bekannten, der erst vor kurzem Einlaß in den Kunstpferch gefunden hatte. Die Zeit war reif für etwas wirklich Neues in der Malerei, so meinte Gertrude, und Picabia war der Maler, der ihren Erwartungen am meisten entsprach. Sie hatte den Aufstieg der Kubisten, der Dadaisten, der Surrealisten und der »russischen Schule« miterlebt, und nun, da keine Gruppe oder Schule vorhanden schien, die die Pariser Kunstrichtung vertreten konnte, wandte sie ihre Aufmerksamkeit Picabia und dann Sir Francis Rose zu.

Im April 1937 begaben Gertrude und Alice sich wiederum für eine Woche nach London, um die Premiere von *A Wedding Bouquet* zu erleben. Die Hauptrollen wurden von Margot Fonteyn, Ninette de Valois und Robert Helpmann getanzt. Die Choreographie für das Ballett stammte von Frederick Ashton, der bereits bei *Four Saints* mitgearbeitet hatte und dessen Begeisterung für Gertrude an Anbetung grenzte. Gertrude, die seine tiefen Gefühle spürte, beschloß, er müsse ein Genie sein. Um Gewißheit darüber zu erlangen, wandte sie sich an Alice und ihr Klingeln, aber dort herrschte Stille. Da ihm Alices Imprimatur fehlte, konnte Ashton nur provisorisch in die Gesellschaft der Genies aufgenommen werden.

Von einer Probe unter der Leitung von Constant Lambert war Gertrude, wie üblich, begeistert: »Die Musik und alles stimmte zusammen und eigentlich ist es sinnlos sich etwas anzusehen was man nicht selbst geschrieben hat vollkommen sinnlos.« Wieder einmal hatten Musik und Inszenierung den Worten Gertrudes, die im Druck verhältnismäßig unfertig wirken, eine ausdrucksstarke Vitalität verliehen. Bei der Premiere, einem glanzvollen gesellschaftlichen Ereignis, konnte Gertrude sich vor dem Vorhang verneigen. Später bemerkte sie dazu: »Jedesmal wenn ein Musiker etwas mit den Worten macht dann machen die Worte etwas was sie vorher nie taten diesmal machte die Musik daß das letzte Wort tat als habe es das folgende gehört und das nächste Wort tat als habe es nicht das letzte sondern das kommende Wort gehört.« Wieder einmal hatten ihr ihre Worte auf der Bühne mehr Freude gemacht als an irgendeinem anderen Platz. »Mir gefällt alles was ein Wort tun kann«, sagte sie. »Und die Worte tun was sie können und dann können sie tun was sie eigentlich niemals tun.« Beglückt über einen neuerlichen Erfolg kehrten Gertrude und Alice nach Hause zurück und überlegten sich, ob London und Paris nicht die Charaktere vertauscht hatten. »Es ist London das lustig ist und Paris das düster ist«, schrieb sie an W. G. Rogers, »zuviel Arbeit und kein Spiel können aus Jack einen faden Gesellen machen aber zuviel Spiel macht aus Jack einen trübsinnigen Gesellen.«

Gertrude hatte Picasso fast zwei Jahre lang nicht mehr gesehen, nicht mehr seit dem Tag, an dem er seiner beleidigten Frau Olga nach der ersten Vorlesung aus der *Autobiography of Alice B. Toklas* in der Rue de Fleurus gefolgt war. Die leise Verstimmung, die sie voneinander fernhielt, wurde nun noch verschärft, als Gertrude erfuhr, daß er nicht nur angefangen hatte, Gedichte zu schreiben, sondern diese sogar veröffentlichen wollte. Picasso hatte sich 1935 von Olga getrennt, im gleichen Jahr, in dem sie ihm seine Tochter Maja gebar. Unglücklich über dieses Ereignis und durch lästige Scheidungsformalitäten in Anspruch genommen, hatte Picasso jeden Versuch zu malen aufgegeben. Statt dessen wandte er sich der Poesie zu und verfaßte formlose surrealistische Gedichte und Theaterstücke in französischer und spanischer Sprache. Wenngleich Gertrude wenig Grund für den Verdacht hatte, er folge bewußt ihrem Vorbild, so verfertigte er doch poetische Porträts. Typisch für diese war eines, das er für seinen Freund Sabartés geschrieben hatte:

Glühende Kohlen der Freundschaft
Uhr die stets die Stunde anzeigt
Glücklich flatterndes Banner
Das vom Hauch eines Handkusses bewegt wird
Zärtliches Streicheln von den Flügeln des Herzens
Das aus der höchsten Höhe
Des früchteschweren Baumes fliegt
Wenn der Blick sich samtig dem Fenster zuwendet
Lehnstuhl der mit den Federn der kreischenden Gans gestopft ist,
Den die Geduld des Wurms geformt
Mediterrane Bläue gefärbt hat
Zierlich gedeckter Tisch
Auf der Hand des Bettlers
Der nur mit Blumen bekleidet
Almosen aus all den Welten die er mit sich schleppt

Furche voll rosenroten Schleifen
So geknüpft
daß sie die Worte bilden die allein
Ihre Namen singen müssen

Hätte Picasso seine Schriftstellerei als eine reine Zerstreuung betrachtet, so hätte dies Gertrude vermutlich nicht gestört. Als aber Picasso anfing, seine Produkte zu veröffentlichen, da fühlte sie sich berufen, der Sache auf den Grund zu gehen.

Auf Picassos besonderen Wunsch fand sich Gertrude eines Abends mit Thornton Wilder und Alice in seinem Atelier ein, um ihn Kostproben aus dem neuen Werk vorlesen zu hören. Nachdem Picasso eine Weile gelesen hatte, sah er Gertrude erwartungsvoll an. »Es ist sehr interessant«, sagte sie zu ihm. Er las weiter und blickte dann Wilder an. »Können Sie mir folgen?« fragte Picasso. »Ja«, sagte Wilder, »es ist sehr interessant.« Als die Stunde des Aufbruchs gekommen war, hatte Gertrude »ein komisches Gefühl«. Sie sagte: »Das Wunder ist nicht geschehen. Die Poesie war keine Poesie, sie war – nun –.« »Wie die Schule von Jean Cocteau«, sagte Wilder. »Um des Himmels willen, sagen Sie ihm das nicht.«

Einige Monate später, Gertrude hatte die Bekanntschaft von Salvador Dalí gemacht, der ebenfalls Gedichte schrieb, sagte sie zu dem surrealistischen Maler, daß sie »die Hoffnungslosigkeit der dichtenden Maler anöde«. Dieser Ausspruch kam schon bald Picasso zu Ohren. Als ihn Gertrude nach wenigen Tagen zufällig traf, als er mit Braque eine Galerie besichtigte, sprach er sie sofort auf ihren Verrat an. Laut Gertrude sollte das nachstehende Drama seiner poetischen Tändelei ein Ende setzen:

PICASSO: Sie sagten, Maler könnten nicht dichten.
GERTRUDE: Nu, sie können's auch nicht. Sehen Sie sich selbst an.
PICASSO: Meine Gedichte sind gut. Breton hat es gesagt.
GERTRUDE: Breton! Breton bewundert alles, unter das er seinen Namen setzen kann, und Sie wissen so gut wie ich, daß in hundert Jahren keiner mehr seinen Namen kennen wird. Sie wissen das ganz genau.
PICASSO: Ach was, man sagt, er könne schreiben.
GERTRUDE: Sie hören ja auch nicht darauf, wenn man von jemandem sagt, er könne malen. Seien Sie doch kein Esel.

BRAQUE: Ein Maler *kann* schreiben. Ich habe mein ganzes Leben lang geschrieben.

GERTRUDE (Als Antwort auf Braques in der Zeitschrift *transition* veröffentlichte Erklärung *Zeugnis gegen Gertrude Stein*): Nun, ich habe nur einmal etwas gesehen, was Sie geschrieben haben, und das in einer Sprache, die Sie nicht verstehen können. Und ich habe nicht viel davon gehalten. Mehr kann ich nicht sagen.

BRAQUE: Aber das habe ich gar nicht geschrieben.

GERTRUDE: Ach nein? Na, jedenfalls haben Sie es unterschrieben, und ich habe niemals etwas anderes von Ihnen Geschriebenes gesehen, also zählen Sie nicht. Und außerdem sprechen wir von Pablos Gedichten, und selbst Michelangelo war kein sehr großer Erfolg als Dichter. (Sie wendet sich an Picasso.) Sie können Jean Cocteaus Zeichnungen nicht ansehen. Es wird Ihnen schlecht davon; sie sind anstößiger als Zeichnungen, die nur schlechte Zeichnungen sind. Nun, genauso ist es mit Ihrer Dichtkunst. Sie ist anstößiger als nur schlechte Dichtung. Ich weiß nicht weshalb, aber so ist es. Wenn jemand, der etwas wirklich gut, sehr gut kann, wenn dieser Jemand etwas anderes tut, was er nicht kann und in dem er nicht leben kann, ist es besonders abstoßend. Sie haben in Ihrem ganzen Leben noch nie ein Buch gelesen, das nicht von einem Freund geschrieben war, und nicht einmal das. Sie haben noch nie ein Gefühl für Worte gehabt. Worte verursachen Ihnen in allererster Linie Ärger. Wie können Sie also schreiben? Das wissen Sie genau, das wissen Sie selber.

PICASSO: Sie haben selber immer gesagt, ich sei ein außergewöhnlicher Mensch. Nun, ein außergewöhnlicher Mensch kann alles.

GERTRUDE (Packt ihn bei den Aufschlägen seiner Jacke und schüttelt ihn): Ah, Sie sind in Grenzen außergewöhnlich, aber Sie sind auch außergewöhnlich begrenzt. Das wissen Sie, das wissen Sie genausogut wie ich. Es ist ganz in Ordnung, wenn Sie dichten, um alles, was für Sie zuviel gewesen ist, loszuwerden. In Ordnung! In Ordnung! Machen Sie so weiter, aber hören Sie auf zu versuchen, mir einzureden, es sei Dichtung.

PICASSO: Nun, nehmen wir an, ich wüßte es. Was werde ich machen?

GERTRUDE (Küßt ihn): Was Sie *machen* werden? Sie werden solange weitermachen, bis Sie fröhlicher und weniger trübsinnig sind und dann werden Sie –

PICASSO: Ja –?
GERTRUDE: Und dann werden Sie ein sehr schönes Bild malen und dann noch eins und noch eins. (Küßt ihn wieder.)
PICASSO: Ja.

Im Sommer 1937, nach einem langen Besuch von Thornton Wilder, der auf der Terrasse in Bilignin und im Café in Belley an seinen Manuskripten arbeitete, machten Alice und Gertrude mit ihrem alten Soldatenfreund W. G. Rogers und dessen Frau eine »sentimentale Reise«. Das Vorhaben war Gertrudes Meinung nach deshalb »sentimental«, weil sie jene Orte aufsuchen wollten, die Alice und sie mit ihm besucht hatten, als sie vor zwanzig Jahren dort im Kriegsdienst arbeiteten. Sie begannen die Reise in Bilignin, Gertrude am Steuer, und besuchten St. Marcellin, Viviers, Avignon, St. Rémy, Arles und Nîmes. Sowohl Augen wie Gaumen kamen auf ihre Kosten. Auf dieser Reise vertraute Gertrude Rogers ihre weiteren literarischen Pläne an. »Ich möchte einen Roman über die Publicity schreiben«, sagte sie, »einen Roman, in dem eine Person derart von der Publicity aufgefressen wird, daß nicht eine Spur von Persönlichkeit mehr übrigbleibt. Ich möchte über die Wirkung der Hollywood-Film-Publicity schreiben, die jede Persönlichkeit zerstört. Wissen Sie, es ist sehr merkwürdig, sehr merkwürdig, wie sie genau das tut.« Das Problem war natürlich ihr eigenes, und der Roman, um den sie jahrelang mit Unterbrechungen ringen sollte, war *Ida*.

Im gleichen Zeitraum schrieb Gertrude ein Kinderbuch, *The World Is Round*, eine kleine Allegorie über ein Mädchen namens Rose, die in abenteuerlichen Etappen den Gipfel eines Berges erklimmt und, weil sie ihren blauen Sessel mitgenommen hat, dort oben einfach gemächlich sitzt. Ida ist Rose als Erwachsene oder vielleicht Rose, die den Gipfel erreicht hat. Beide Mädchen haben einen Hund namens Love, beide stehen trotz der kleinen Ängste und Ärgernisse und Freuden, die sie beschäftigen, auf wunderbare Weise außerhalb der Welt; im Gegensatz zu Ida, die durch einen größeren Teil Amerikas purzelt, ist Rose voller Zuversicht und bleibt auf ihrem Weg bergan stehen, um ihren Namen in einen Baum zu schneiden: »Und Rose vergaß die Morgenröte vergaß die rosige Morgenröte vergaß die Sonne vergaß daß sie ganz und gar allein dort oben war und mußte sorgfältig die Rundungen der Os und der Rs und der Ss und der Es schnitzen und schnitzen in eine Rose ist eine Rose ist eine Rose ist eine Rose.«

Ida, eines von Gertrudes fröhlichsten Büchern, ist die Geschichte einer Frau, deren bloßes Dasein bedeutsamer ist als alles, was sie tut oder vorhaben könnte zu tun, weil sie Ida ist, das fleischgewordene Traummädchen. Sie existiert nicht nur in den Träumen anderer, sondern auch in einem Traum von sich selbst, kommt viel herum, heiratet glückselig hie und da, bleibt aber meist Ida, für die es nicht notwendig ist, daß irgend etwas geschieht. Gertrude hat sich Ida als eine »Publicity-Heilige« vorgestellt, und wie die Heiligen in ihrer Oper brauchte auch sie nichts anderes zu tun als herumzustehen und den Glorienschein ihrer Seligkeit leuchten zu lassen. Ida lebt im Reich des »menschlichen Geistes«, und infolgedessen können Geschehnisse, die sich auf der Ebene der »menschlichen Natur« vollziehen, sie nicht berühren. Sie ist natürlich Gertrude Stein, der untersetzte vierschrötige Klotz von einer Frau, die Generationen an ihre Schwelle gelockt hat und jüngst durch die Machenschaften der Massenwerbung in die Gesellschaft von Greta Garbo, der Herzogin von Windsor und all der anderen schlafwandelnden Heroinen der Legende eingegangen ist, deren Stärke weniger in ihrem Tun als in ihrer bloßen Existenz liegt. Dies geschah nicht, weil sie eine Schriftstellerin von irgend etwas anderem war, das sie war oder hätte sein können, sondern weil sie schließlich Gertrude Stein war.

XXIV

Klima und Neigungen. Man hat meine diesbezüglichen Zitate häufig zitiert.

Gertrude Stein

Der Erfolg mit all seinen gewöhnlichen und lauten Begleiterscheinungen war spät zu Gertrude Stein gekommen. Sie sollte sich in seinem Glanz nur so lange sonnen dürfen wie im schwindenden Licht eines Indianersommers, doch er war üppig und warm. Sie bewegte sich in seinem Strahlenkreis, tief beglückt im sicheren Gefühl, nun eine der großen berühmten Figuren ihrer Zeit zu sein. Der Ruhm änderte nichts am Tempo oder Rhythmus ihres behaglichen Lebens mit Alice, er brachte keine Veränderung in ihren wohlgeregelten Arbeitstag, dessen Einteilung nun seit etwa dreißig Jahren unverändert die gleiche war. Aber mit dem Ruhm kam die Versuchung, ihre schöpferischen Kräfte in neue Kanäle zu leiten. Dieser Versuchung widerstand sie nicht, und wenn auch die Arbeiten, die so entstanden, ihren Ruhm beträchtlich und ihr Vermögen bescheiden mehrten, so beeinträchtigten sie doch ihren künstlerischen Ruf so sehr, daß sie schließlich mit einigem Pathos fragen konnte: »Weshalb glaubten sie ich hätte verkauft was ich gekauft habe?« Ihr Ruf, einst etwas ganz Besonderes und Ausgefallenes, war nun eine weit und breit bekannte Legende. Das Furchteinflößende, das früher ihrem Namen anhing, war verschwunden; nun galt sie als charmant, amüsant, harmlos – eine gescheite Frau, deren Yankeewitz und gesunder Menschenverstand alle Gegner besiegt hatte. Sie ließ sich die Früchte der allgemeinen Anerkennung nicht entgehen und trat in die verhältnismäßig kurze und unbedeutendste Phase ihrer Laufbahn ein, während der sie Bücher, die dem Geschmack der Menge entsprachen, rasch schrieb und rasch veröffentlichte. Sie, die so viele Jahre lang vergebens versucht hatte, ihr Genie auf den Markt zu bringen, konnte nun den vielen Möglichkeiten, ihr Talent zu verkaufen, nicht widerstehen. Sie schrieb einen geschwätzigen Bericht über Picasso, der ein großes Publikum fand, und sie schrieb *Paris France,* eine Erinnerung und eine Huldigung, in der sie bereitwillig dem Wunsch vieler Leser nachkam, weiteren persönlichen Kontakt mit der überaus gewinnenden Gertrude Stein zu bekommen, die ihnen aus der *Autobiography of Alice B. Toklas* vertraut war.

Während Hitlers schwarzer Schatten Europa in den späten dreißiger Jahren in eine Kriegspsychose trieb, blieb Gertrude Stein ruhig und versuchte, sich von allem zu distanzieren. Mit sich selber, den Freuden der Berühmtheit und der glücklichen neuen Rolle beschäftigt, die sie nun als Schriftsteller mit einer aufnahmebereiten und erwartungsvollen Leserschaft spielte, wechselte sie mit den Jahreszeiten von Paris nach Bilignin. Während des Winters in der Stadt hatte sie mehr gesellschaftlichen Verkehr denn je zuvor. Zum erstenmal in ihrem Leben besuchte sie die *salons* anderer künstlerischer und literarischer Größen. »Man wird überall einmal hingehen«, sagte sie, »jedenfalls werde ich es tun.« Aber das neue Interesse, außerhalb des eigenen Ateliers Menschen zu sehen und gesehen zu werden, war kurzlebig. Sie stellte fest, daß sogar ein Löwe sich langweilen kann.

Die epochale Geschichte der Rue de Fleurus 27 ging 1937 sang- und klanglos zu Ende. Der Hausherr, der die Wohnung für die Familie seines Sohnes haben wollte, kündigte den Mietvertrag. Gertrude wollte es zunächst auf einen Prozeß ankommen lassen, doch dann gab sie ohne Klage nach. »Ich schätze 27 wurde so historisch«, schrieb sie an Sherwood Anderson, »daß es uns einfach nicht mehr länger beherbergen konnte.« Schließlich zogen die beiden in eine neue Wohnung am Faubourg St. Germain, gleich um die Ecke von dem Atelier, das Picasso in der Rue des Grands Augustins innehatte. Diese Wohnung lag weniger eindrucksvoll über einer Buchbinderei im zweiten Stockwerk der Rue Christine 5, einer kleinen Seitenstraße der Rue Dauphine, die in der Nähe des Pont-Neuf zur Seine führt und ihren Namen der schwedischen Königin verdankt, die einst hier eine Wohnung hatte. Das neue Heim war nicht sehr geräumig, aber komfortabel und erhielt von Gertrude und Alice bald wieder das vertraute Aussehen eines Haushalts, der zugleich Museum ist.

Man gelangte über eine Außentreppe in die Wohnung, die aus dem Hof des Buchbinders durch ein winziges Entree zu einem quadratischen Vorplatz führte. An seinen Wänden bemerkte der Besucher zunächst einige japanische Holzschnitte, dann dicht nebeneinanderhängende ungerahmte Gemälde, meist aus Picassos früher kubistischer Epoche, insbesondere die fast eintönigen Werke, die er auf seinen Sommerreisen in Spanien geschaffen hatte, aber auch aus den kurz davor oder danach liegenden Jahren. Vom Vorplatz führte eine Tür in einen Gang, auf den das Schlafzimmer und ein mit Möbeln vollgestopftes Wohnzimmer mündeten, dessen hohe Fenster nach Norden gingen. Jeder freie Platz war mit *bibelots* aus Holz oder Glas oder Stein und mit einer Auswahl jener von Gertrude bevorzugten »zerbrechlichen Gegenständen« beladen. Aber das Überwältigende waren die Gemälde – überwältigend ob ihrer Zahl, ihrer Vielfalt und, für das Kennerauge, ihres Werts. Die meisten davon hatten bereits Andenkencharakter, sie waren Dokumente aus einer Zeit, die inzwischen historisch geworden war. Fast alle neueren Gemälde stammten von Francis Rose; die Vorrangstellung, die sie an Gertrudes Wänden genossen, zeugte für Gertrudes Loyalität gegenüber Werken, die niemals die Anerkennung oder das Interesse gefunden hatten, das sonst fast allen ihren Erwerbungen zuteil wurde. Inmitten all dieser Bilder hing in einem schweren Rahmen ein kleines, leicht zu übersehendes, aber ungemein reizvolles Ölbild eines gelbgrünen Apfels, das ein Eigenleben zu führen schien. Vor vielen Jahren hatte Gertrude bei der gerechten Teilung ihres gemeinsamen Besitzes Leo auf seine Bitten hin eines der Cézanneschen Apfelbilder überlassen. Später hatte sie das bereut und ihren Kummer Picasso geklagt, der den Verlust all der Cézanne-Äpfel bald durch das Geschenk dieses vollkommenen Bildes wettmachte.

Die schwellenden Daunenkissen auf den Roßhaarsesseln, die sie 1914 in London gekauft hatte, waren immer noch wie neu; und Alices Petit-Point-Stickereien nach Entwürfen, die Picasso eigens für sie gemacht hatte, gaben den Sitzen und Lehnen antiker Stühle einen zartfarbigen Reiz. Nichts war bloßes Schaustück, nichts entsprach jenem Innendekorateurstil, der so beliebt geworden war. Gertrude und Alice waren einfach wieder zu Hause in dem liebenswürdigen Durcheinander, das eine Wohnung auszeichnet, die einzig und allein der Bequemlichkeit dienen soll.

Im Herbst dieses Jahres in der Rue Christine betrauerte Gertrude den Verlust ihres berühmten Lieblings Basket. Freunde rieten ihr, sofort einen anderen möglichst ähnlichen weißen Pudel zu kaufen. Aber Picasso widersprach mit allem Nachdruck. Er sagte, er habe es auch einmal versucht – »und es war furchtbar, der neue erinnerte mich an den alten, und je öfter ich ihn ansah, desto schlimmer war es... Nehmen Sie einmal an, ich stürbe und Sie würden auf die Straße hinuntergehen und nach einiger Zeit einem Pablo begegnen, aber der wäre nicht ich, und das wäre genau das gleiche. Nein, kaufen Sie sich niemals wieder einen Hund derselben Rasse. Kaufen Sie sich einen Afghanen...« Gertrude vermutete hinter dieser Einstellung die spanische Weigerung, »Ähnlichkeiten und Fortdauer gelten zu lassen«. »Le roi est mort, vive le roi«, sagte sie, ging in eine Hundeausstellung an der Port de Versailles, kaufte dort einen weißen Pudel und nannte ihn Basket II.

Den kommenden und wieder verschwindenden Kriegsanzeichen schenkte Gertrude kaum Beachtung. Sie schrieb weiter an einer neuen Oper, *Doctor Faustus Lights the Lights*, in der Hoffnung, Lord Berners würde sie vertonen. Im Leben ihrer nächsten Nachbarn kehrten Unruhe und Sorge ein, aber sie blieb von der allgemeinen Furcht unberührt. Immerhin interessierte es die ewige Radcliffestudentin mit ihrem Notizblock, auf welch verschiedenartige Weise die Menschen ihre Besorgnis zum Ausdruck brachten. Eine Krise nach der andern, falsche und echte Drohungen, Mobilisationen und Verteidigungsvorbereitungen hatten Paris zunächst in Spannung versetzt und dann müde gemacht. Sogar in der Umgebung von Belley veränderte die unterschwellige Furcht alles, und jeder Tag war ein klein wenig anders als der vorhergehende. Obwohl Gertrude auf ihre objektive Weise tiefes Interesse an dem allen bekundete, war sie doch regelrecht verärgert. Sie hatte weiterhin das Gefühl, daß es einfach nicht zu einem Krieg kommen könne, und hielt an ihrer Überzeugung fest, entgegen der Ansicht von Leuten, die es besser wissen mußten, wie zum Beispiel Clare Boothe Luce, die mit ihrem Verlegergatten im Sommer 1939 nach Bilignin zu Besuch kam. »Ich fürchte, Sie irren sich im Hinblick auf den Krieg«, schrieb Mrs. Luce an Gertrude. »Überall, in Polen und auf dem Balkan, haben sie zuviel Waffen, und jetzt weiß keiner etwas anderes damit anzufangen, als sie abzufeuern. Das ist doch auch ›raisonable‹, nicht wahr? Wir waren in Warschau und in der Ukraine. Der Durchschnittspole ist ein untersetzter blonder Bursche mit einem Kopf, der kugelsicher aussieht. Da er keine Aktenmappe hat, hält er die Fäuste vor der Brust geballt. Er hat nichts zu verlieren als sein Leben. Wenn Menschen in so unwürdiger Armut leben müssen, sind sie im allgemeinen zum Kämpfen bereit. Wir glauben, daß sie kämpfen werden, und ich glaube nicht, daß wir kämpfen. Wir haben immer noch die Psychologie von Zuschauern.« Gertrude sah die Dinge anders, ihr fehlten die Erfahrungen der Weltreisenden. Immerhin war sie vorsichtig genug, ihre unveröffentlichten Manuskripte an Carl Van Vechten nach New York zu schicken. Ihr Bruder Mike wollte, daß sie auch ihre Gemälde schicke. Aber diese schienen Gertrude nicht so sehr am Herzen zu liegen, und so blieben sie in Paris.

Da sie alles nur vom Individuum her betrachtete und sich nur sehr unklare Vorstellungen von jenen Kräften machte, die Menschen an die Macht bringen, ließ sie bei der Betrachtung des einzelnen die Bewegungen außer acht, deren ausführendes Organ der einzelne war. Hitler, so statuierte sie, wollte Deutschland zerstören. Wie der Italiener Napoleon für Frankreich ein Ausländer gewesen war, so war der Österreicher Hitler für Deutschland ein Ausländer, der sein Adoptivland im Unterbewußtsein haßte und es mit der gleichen Gleichgültigkeit ruinieren würde, mit der Napoleon französisches Blut vergoß, um Europa zu erobern. Wie Hitler sonst Deutschland zerstören sollte, sagte Gertrude nicht, aber ein europäischer Krieg schien ihr nicht die richtige Antwort. »Hitler wird niemals einen Krieg entfachen«, sagte sie zu einem Interviewer. »Er ist nicht der Gefährliche. Wissen Sie, er ist der deutsche Romantiker. Er will die Illusion des Sieges und der Macht, den Glanz und die Glorie des Krieges, aber das Blut und die Kämpfe, die notwendig sind, um den Krieg zu gewinnen, könnte er nicht ertragen. Nein, Mussolini – das ist der gefährliche Mann, denn er ist ein italienischer Realist. Er wird vor nichts halt machen.« Trotz der vielen Warnzeichen glaubte sie immer noch, daß es nicht zu einem offenen Konflikt kommen würde, ja, sie wollte sich nicht einmal durch die Münchner Krise erschüttern lassen.

Als der Krieg ausbrach (die Nachricht erreichte sie mitten in einem ländlichen Nachmittag, den sie und Alice mit ihren Freunden Mme. Pierlot und Baron und Baronin d'Aiguy in Belley verbrachten), war sie entsetzt. »Das sollten sie nicht!« war alles, was sie hervorbrachte, und ihre französischen Freunde mußten sie trösten. Der Schock war bald überwunden. Wenige Tage später schrieb sie an W. G. Rogers: »Nun da wären wir, ich hätte nie gedacht, daß ich noch einen Krieg überleben würde und da wären wir nun, da wir aber einmal einen Krieg haben bin ich natürlich lieber drin als draußen, denn ein Krieg hat dieses gewisse Etwas.«

Gertrude sicherte sich einen militärischen Passierschein, der nur 36 Stunden Gültigkeit besaß, es aber ihr und Alice ermöglichte, mit dem Wagen eilends nach Paris zu fahren. Sie brauchten nur ihre Winterkleider und ihre Pässe, wollten aber in der Hauptsache feststellen, wie sie ihre Gemälde vor der Zerstörung bewahren konnten, falls Paris bombardiert würde. Sie riefen ihren Freund und Kunsthändler Daniel Henry Kahnweiler telefonisch in die Rue Christine, damit er ihnen rate. Kahnweiler berichtete später: »Als ich die Wohnung betrat, war Alice gerade dabei, das Porträt von Madame Cézanne aus dem Rahmen zu lösen, indem sie den Fuß zu Hilfe nahm. Ich gebot ihr Einhalt und machte mich daran, das prachtvolle Kunstwerk auf eine weniger brutale Weise auszurahmen.« Gertrude und Alice wollten die Bilder flach auf den Boden legen, gaben aber diesen Gedanken wieder auf, als ihnen klar wurde, daß die Wandfläche viermal so groß war wie der Fußboden. Kahnweiler beschwor sie, zumindest einige der kleinen Picassos mitzunehmen, die man leicht verpacken und befördern konnte, aber sie beschlossen, nur den Cézanne und Picassos Porträt von Gertrude mitzunehmen. Sie ließen die meisten Bilder am gewohnten Platz und kehrten nach Bilignin zurück, »um die Entwicklung der Dinge abzuwarten«. Sie sollten das Rhônetal erst Ende 1944 wieder verlassen.

»Am Anfang lebten wir wie die Kamele von unserer Vergangenheit«, schrieb Alice Toklas in dem Kochbuch, das sie nach Gertrudes Tod veröffentlichte; doch genau genommen mußten sie lediglich auf ihre üppige haute cuisine verzichten. Irgend jemand schickte ihnen einen amerikanischen Mixmaster. Sie hatten Lachsforellen aus der Rhône, Lachskarpfen aus dem Lac de Bourget und alle möglichen Gemüse aus dem eigenen Garten. Holz und Kohlen waren reichlich vorhanden, ebenso Fleisch und Kartoffeln, Brot und Honig. Und nachdem ihr Wagen auf Holzgas umgestellt worden war, hatten sie auch genug Brennstoff für gelegentliche Fahrten nach Chambéry und Aix-les-Bains. Gertrude hatte zur Lektüre ihre Kriminal- und Abenteuerromane und ein Buch mit astrologischen Wahrsagungen, *The Last Year of War*, von Leonardo Blake. Die Prophezeiungen in diesem Buch stimmten mit den Vorgängen, die sich in ganz Europa und auch in ihrer allernächsten Nähe abspielten, auffällig überein. Und in der dunklen, mit Vorahnungen geschwängerten Atmosphäre überließ Gertrude sich willig ihrem alten Aberglauben. Mit Basket II unternahm sie tagsüber und während der Verdunkelung lange Spaziergänge, schwatzte dabei mit den Nachbarn und teilte deren Befürchtungen. Sie hatte einmal gesagt: »Ich wünsche mir einen großen Vorrat an Möglichkeiten des ›Wie geht es Ihnen / Und ich bin‹«, und nun hatte sie ausreichende Gelegenheit, mit diesem Pfund zu wuchern. Ihre Begabung zum Plaudern und ihre Fröhlichkeit übertrug sich auf jedermann, auch auf ein kleines Männchen, das sie zu dem Ausspruch verleitete: »Ich schüttle einem Zwerg immer die Hand.« Ihre Tage waren reich an menschlichem Kontakt, aber nach dem Abschluß von *Paris France* im Dezember 1939 fiel ihr das Schreiben schwer, und sie fühlte, daß sie »brach lag wie die Felder«. Zu Beginn des Frühjahres 1940 schien *La guerre des nerfs* in einen heißen Krieg auszuarten, und ihr Seelenfriede wurde zutiefst erschüttert. Man hatte Belley zum Übungsplatz für die französische Armee auserkoren und bereitete auf dem zerklüfteten Terrain einige Kompanien der 13. Chasseurs und der Fremdenlegion auf eine Invasion in Norwegen vor. Gertrude versuchte sich auf ihren Roman *Ida* zu konzentrieren, der sich mit dem Problem der Persönlichkeit, das sie seit ihrer Bekanntschaft mit dem Ruhm nicht mehr losließ, beschäftigte und es, wie sie hoffte, lösen sollte. Aber in einer Zeit, in der es von Gerüchten schwirrte und Kanonendonner die Stille zerriß, war jede geistige Konzentration unmöglich geworden. Um sich von den militärischen Manövern vor ihren Fenstern und von den beängstigenden Communiqués, die das Radio dreimal täglich ausspie, abzulenken, schrieb sie Dutzende von Geschichten für Kinder. Sie wollte diese unter dem Titel *To Do, A Book of Alphabets and Birthdays* in zwei gleich ausgestatteten Bänden veröffentlichen – der eine ein konventionelles Alphabet mit Geschichten für jeden Buchstaben, der andere eine Reihe von Erzählungen, in denen jeweils ein Geburtstag vorkam. Im Mai war sie damit fertig. Alice fand das Buch sehr komisch, meinte aber, es sei für Kinder zu erwachsen und für Erwachsene zu kindisch. Wie sich dann herausstellte, teilten die Verleger Alices Ansicht, und das Buch kam niemals auf den Markt.

Als Italien in den Krieg eintrat und Paris am 14. Juni besetzt wurde, war Gertrude »verängstigt, völlig verängstigt«. Da sie »jedermann im Weg« sein würden, überzeugte sie Alice davon, daß ihnen nichts anderes übrig bliebe, als aus ihrer gefährlichen Ecke zu fliehen. Der amerikanische Konsul bestätigte den beiden Frauen, daß sie in Gefahr seien, und verschaffte ihnen das Visum für eine Reise in das neutrale Spanien. Doch im letzten Augenblick zögerten sie. Ihr Freund, Dr. Chaboux, meinte auf die Frage, ob sie abreisen oder bleiben sollten: »Ich kann für nichts garantieren, aber ich rate Ihnen zu bleiben. Meine Freunde, die im letzten Krieg während der deutschen Besatzung in ihren Häusern blieben, haben ihre Häuser gerettet, die anderen, die fortgingen, haben sie verloren. Nein, ich finde es immer am besten, man bleibt, solange einem das Haus nicht durch Bomben zerstört wird. Hier kennt Sie jedermann, alle mögen Sie, wir alle würden Ihnen in jeder Weise behilflich sein. Warum ein Risiko unter Fremden eingehen?« Das gab schließlich den Ausschlag, lieber entschlossen die Schwierigkeiten, die ihnen bekannt waren, auf sich zu nehmen, als sich neuen Schwierigkeiten auszusetzen, die sie sich nur mit Bangen vorstellen konnten. Gertrude und Alice richteten sich daraufhin ein, den Krieg über in Bilignin auszuharren. Mußten sie sterben, dann in dem Land, das sie liebten, und in dem Haus, das sie zu ihrem Heim gemacht hatten. In dem Stück *Yes Is For a Very Young Man*, das Gertrude einige Zeit später schrieb, kehrt der Ratschlag des befreundeten Arztes in den Worten der Constance wieder: »Ja auch ich war im Begriff zu gehen, nicht an einen bestimmten Platz sondern irgendwohin zu gehen und einer meiner Nachbarn, ein Bauer sagte zu mir, Mademoiselle, wohin wollen Sie gehen, ich bin ein alter Mann und ich sage Ihnen in Zeiten der Gefahr bleibt man wo man ist, denn wenn man dort getötet wird weiß man wo man ist...«

Bald verkündete der Kanonendonner, daß die vorrückenden Deutschen bereits in der Nähe waren. Über Wege, die von Flüchtlingen verstopft waren, fuhren die beiden Frauen nach Belley, um sich genug Vorräte für den Notfall zu beschaffen. Sie beluden gerade den Wagen mit Schinken, Hunderten von Zigaretten und Säcken voll Kolonialwaren, als ein ungeheures Getöse sie aufblikken ließ: Durch die Hauptstraße ratterten zwei Tanks, die mit Maschinengewehren bestückt und mit schwarzen Kreuzen gekennzeichnet waren. Über eine Nebenstraße eilten sie nach Bilignin zurück und warteten – die Elektrizitätsversorgung und die Postverbindungen waren zusammengebrochen – der Dinge, die da kommen sollten.

In den folgenden Tagen folgte Gertrude, völlig isoliert, dem Beispiel ihrer französischen Nachbarn, *eux* einfach nicht wahrzunehmen. Doch die deutschen Soldaten waren schon bald allgegenwärtig. Allmählich taten sie Gertrude sogar ein wenig leid. Sie »sahen nicht wie Eroberer aus... sie gingen auf und ab, aber sie waren sanft, ein wenig traurig, höflich... Sie bewunderten Basket II und sagten zueinander auf deutsch: ›Ein schöner Hund.‹ Sie waren höflich und rücksichtsvoll, sie waren, wie die Franzosen sagten, korrekt. Es war alles sehr traurig, sie waren traurig, die Franzosen waren traurig, alles war traurig, aber ganz und gar nicht so wie wir es vermutet hatten, ganz und gar nicht.«

Als Marschall Pétain den Waffenstillstand unterzeichnete, flammten abends wieder die Lichter auf, und die jungen Männer, die vor kurzem eingezogen worden waren, kamen zurück. »Alle vergaßen die Niederlage, es war eine solche Erlösung, daß ihre Männer nicht tot waren«, schrieb Gertrude. »Aber jedenfalls brennt unser Licht, die Läden sind offen, und vielleicht wird jedermann feststellen, daß wie die Franzosen so gut wissen der Sieger verliert, und jedermann wird auch wie die Franzosen mit dem Alltagsleben schrecklich beschäftigt sein, und das wird genug sein.« Sie teilte nicht die Ansicht, daß Pétains Kapitulation schmählich sei. Ihre Gründe waren einfach, und sie stufte sie sehr charakteristisch ein: »Erstens war es angenehmer für uns, die wir hier waren, und zweitens war es ein wesentlicher Faktor für die endgültige Besiegung der Deutschen.«

Wie weit die Lage der beiden amerikanischen Damen wirklich ernst war, kann man nicht mit Sicherheit sagen. Aber die Erfahrung anderer in ähnlicher Lage läßt darauf schließen, daß die Anonymität, die ihnen gewährt wurde, sie höchstwahrscheinlich vor dem Konzentrationslager und wahrscheinlich vor dem Tod gerettet hat. Als Jüdinnen und später als feindliche Ausländerinnen hätten sie mit dem Äußersten rechnen müssen. Das wußten sie sehr gut. Dennoch harrten sie trotz wiederholter Aufforderungen des Konsuls in Lyon, sich nach Amerika in Sicherheit zu bringen, unerschütterlich aus. Vortragsagenturen hatten immer wieder versucht, Gertrude durch großzügige Angebote auf eine neue Amerikatournee zu locken. Sie spielte auch eine Weile mit diesem Gedanken, ließ ihn jedoch fallen, als sich herausstellte, daß sie vermutlich nicht nach Frankreich zurückkehren könne. Nachdem die beiden Frauen dem Konsul in Lyon klargemacht hatten, daß eine Reise nach Amerika für sie nicht in Frage kam, verblieb ihnen als einziger Schutz die Zuneigung ihrer französischen Nachbarn. Die Deutschen forderten Listen von sämtlichen Einwohnern der Gegend an, aber die Namen der beiden wurden absichtlich ausgelassen. Der kahlköpfige, würdige kleine Bürgermeister sagte zu Gertrude: »Sie sind offensichtlich zu alt für das Leben in einem Konzentrationslager. Sie würden es nicht überstehen, also weshalb sollte ich es ihnen sagen?«

Ihre einzigen Krisen waren häuslicher Art. Sie standen ohne Geld da. Einer ihrer Nachbarn, Paul Genin, ein Seidenfabrikant aus Lyon mit literarischen Interessen, stellte ihnen eine beachtliche Summe in sechsmonatlichen Raten zur Verfügung. Um diese Schuld zurückzuzahlen, verkauften sie das Cézanne-Porträt, unter dem Gertrude vor beinah vierzig Jahren *Three Lives* geschrieben hatte, an einen Pariser Freund. Wieder einmal hatte sich Gertrudes Spürsinn auf höchst praktische Weise bezahlt gemacht. Er gab ihr die Mittel in die Hand, sich aus einer äußersten Notlage zu befreien. Im allgemeinen war sie merkwürdig wenig daran interessiert, welche Preise sie für ihre Bilder erzielen konnte. Da sie selbst so wenig für sie bezahlt hatte, glaubte sie nicht das Recht zu haben, sie für die astronomischen Preise zu verkaufen, die viele von ihnen später erbrachten. Sollte aber der Erlös des Bildes eine bestimmte Notlage beheben, dann hielt sie auch einen hohen Preis für gerechtfertigt. Während des Ersten Weltkrieges hatte ein Manet die Unterhaltskosten decken müssen, und wenn sie gerade Geld für den Druck ihrer Bücher oder für einen elektrischen Heizofen oder für eine andere wesentliche Verbesserung im Haushalt benötigte, verkaufte sie Bilder. Auf diese Weise erwarb Walter P. Chrysler jr. Picassos *Mädchen mit dem Fächer* und *Women at a Bar*. Auch andere Werte, die infolge der Zeitläufte oder einer veränderten Geschmacksrichtung für sie entbehrlich geworden waren, wurden abgestoßen.

Im Januar 1941 erhielt Gertrude einen Brief von Sherwood Anderson: »Eleanor und ich haben vor, Ende Februar nach Südamerika zu fahren. Wir haben eine Passage auf einem Schiff gebucht und wollen eine lange See- und Landreise irgendwo an der Westküste, wahrscheinlich in Chile, machen. Voraussichtlich bleiben wir mehrere Monate drüben. Gewiß haben Sie gehört, welch ungeheuren Erfolg Hemingway mit seinem neuen Buch hatte und daß Scott Fitzgerald plötzlich starb. Seine Frau wurde wahnsinnig, und er selbst drehte ziemlich durch, weil er so schrecklich trank. Eine Zeitlang verdiente er als Drehbuchautor in Los Angeles seinen Unterhalt.«

Wenige Wochen darauf erhielten sie die Nachricht von Andersons Tod. Er war am 8. März im Militärlazarett von Colón in Panama, wohin man ihn von der S. S. »Santa Lucia« gebracht hatte, an einem durchgebrochenen Blinddarm plötzlich gestorben. In ihrer Abgeschiedenheit wirkten derartige Nachrichten wie aus einer anderen Zeit, aus einer anderen Welt. Sie schlugen sich weiterhin mit den kleinen Alltagsschwierigkeiten herum, deren schwierigste die Essensbeschaffung war. Dank Alices Tüchtigkeit und Gertrudes Bereitwilligkeit, für einen Brotlaib meilenweit zu laufen, gelang es den beiden, die »ausgedehnte, ja immerwährende Fastenzeit«, wie Alice es nannte, einigermaßen zu überstehen. »Da Alice weiß wie man aus allem etwas machen kann«, sagte Gertrude, »kommen wir gut aus.« Sie teilten alles mit ihren Nachbarn; ihren eigenen Tisch bereicherten sie durch Fische, die sie selber fingen, und durch Nüsse, Pilze und Salate, die sie in den umliegenden Wäldern und Feldern sammelten. Dennoch litt Gertrude ständig unter Heimweh »nach den Seinequais und nach gebratenen Hühnchen, einem gebratenen Hühnchen und den Quais von Paris«, und erwartete tagtäglich die amerikanische Armee. »Ich wartete darauf, daß sie uns Schuhe und Strümpfe und Zahnseife brachten.«

Den größeren Teil der Jahre 1941 und 1942 arbeitete Gertrude fleißig an einem Roman, *Mrs. Reynolds*, dem sie folgenden Epilog mitgab: »Dieses Buch ist ein Versuch aufzuzeigen, wie ein beliebiger Mensch diese Jahre empfunden haben könnte. Ein ganz gewöhnliches Durchschnittspaar lebt ein ganz gewöhnliches Leben und führt ganz gewöhnliche Unterhaltungen und leidet im Grund persönlich nicht unter dem was überall geschieht, aber auf ihnen, auf ihnen allen, lastet der Schatten zweier Männer, und dann wird der Schatten des einen der beiden Männer immer gewaltiger und dann verfliegt er und dann ist kein anderer Schatten mehr da. Dieses Buch hat nichts Historisches an sich, es sei denn die Gemütsverfassung.« Die beiden Männer, Angel Harper und Joseph Lane, sind natürlich Hitler und Stalin. Das ganze Buch hindurch sind sie drohend gegenwärtig, halb real, halb der Phantasie entsprungen, und beherrschen die liebenswerte Idiotie des häuslichen Lebens, das die bekümmerte Mrs. Reynolds und ihren gelassenen Gatten, Mr. Reynolds, restlos ausfüllt. Der Stoff des Buches entspricht dem des Berichtes über jene Jahre, den Gertrude später unter dem Titel *Wars I have Seen* veröffentlichte. Aber im Roman werden die Geschehnisse aus ihrem historischen Zusammenhang gelöst, und nur die Gefühle bleiben übrig. Stärker als alle anderen Gefühle beherrscht eine vage, doch konstante drohende Gefahr eine Zeit, in der »soviel passierte, daß es gerade so war, als ob überhaupt nichts passierte«. Der Stil des Romans ist klar, aber sein unentwegtes plätscherndes Geplauder vermittelt dem Leser leicht den Eindruck, er müsse einem einseitigen Telefongespräch zuhören, das sich über Tage und Wochen erstreckt. Wieder einmal war es Gertrude Stein gelungen, eine Beziehung zwischen der Zeit und den Geschehnissen herzustellen; aber es war ihr nicht gelungen, die Lektüre in irgendeiner Weise interessanter zu machen als ein wissenschaftliches Experiment.

Der Mietvertrag für das Haus in Bilignin war zu Beginn des Jahres 1943 abgelaufen und sollte nun nicht erneuert werden. Da der Hausbesitzer und seine Frau nicht selbst darin wohnen wollten, war Gertrude verärgert und strengte einen Prozeß an. Sie verlor ihn, aber man ließ ihr eine Frist, damit sie sich nach einem anderen Wohnsitz umsehen konnte. Schon bald wurde ihnen ein modernes Haus in Culoz, nur zwölf Meilen von Bilignin entfernt, angeboten. Es hieß Le Colombier (der Taubenschlag) und war »ein hübsches, großes, modernes Haus, das allein in einem schönen Park voller Büsche, hoher Bäume und Fichten vor einem Berg stand«. Der Auszug aus ihrer geliebten Sommerresidenz brach den beiden Frauen schier das Herz, aber in ihrem neuen Haus hatten sie zwei Dienstboten zur Verfügung, das Leben versprach erträglich zu werden. Sie packten ihren Warmwasserboiler, ihre Badewanne, ihren elektrischen Herd und ihren Kühlschrank auf und bezogen ihr neues Heim. »Unser endgültiger unwiderruflicher Abschied von den Gärten«, schrieb Alice Toklas, »fand an einem kalten Wintertag statt, der unseren Gefühlen und der ganzen Weltlage nur allzu genau entsprach. Ein plötzlich aufleuchtender Sonnenstrahl bevölkerte die Gärten mit den Freunden, den Menschen, die durch diese gegangen waren. Schön, es würde wieder einen Garten, vielleicht auch die gleichen Freunde geben, oder nein, vermutlich neue, und andere Geschichten, die man erzählen oder mitanhören konnte. Und so verließen wir Bilignin, um nie wieder dorthin zurückzukehren.«

Wieder einmal riet man ihnen, die Gegend zu verlassen und in die Schweiz überzusiedeln, da sie sonst in einem Konzentrationslager interniert würden. Weil die Warnung direkt aus Vichy kam, nahm Gertrude sie ernst. Aber nach einer Beratung mit Alice hielten sie an ihren früheren Entschlüssen fest. »Nein, ich gehe nicht, wir gehen nicht«, sagte sie, »es ist besser, wir gehen regulär dorthin, wohin man uns schickt, als wir gehen irregulär dorthin, wo uns keiner helfen kann, wenn wir in Schwierigkeiten sind...

Stets will man uns zwingen, Frankreich zu verlassen, aber wir sind hier und hier bleiben wir.«

Die zunehmenden täglichen Schwierigkeiten brachten Gertrude und Alice in engen Kontakt mit ihren Nachbarn; und sie lernten den wahren und verborgenen Preis des Krieges kennen, der in der traurigen Zahl zerbrochener Familien und dem Grauen der Verlustlisten seinen Ausdruck fand. Vor allem aber lernten sie kennen, was es heißt, wenn einem auch die letzte Freiheit genommen wird. »Eines ist sicher«, schrieb Gertrude, »und das begriff im Krieg von 1914–1918 eigentlich niemand, man sprach darüber aber man hat es nicht wirklich begriffen, doch heute weiß es jeder daß das eine das jeder will das Freisein ist, frei reden essen trinken gehen tun und lassen können, was man will und es jetzt tun können, wenn man es jetzt tun will, und das weiß jedermann alle wissen es jeder weiß es ... Auch wenn sie nicht frei sind wollen sie sich frei fühlen, und sie wollen sich jetzt frei fühlen, was später kommt spielt keine Rolle. Sie wollen nichts anderes als frei sein, nicht herumkommandiert, bedroht, gelenkt, behindert, verpflichtet, ängstlich, verwaltet sein ... sie wollen ohne Angst sein, nicht mehr Angst haben als die täglichen Geschäfte mit sich bringen durch die man sein Leben verdienen muß und in denen man sich vor der Not, vor der Krankheit und dem Tod fürchtet ... In den Jahren 1914 bis 1918 lebten wir noch immer im 19. Jahrhundert, und man konnte immer noch glauben daß etwas geschehen würde daß einen etwas zu höheren und anderen Dingen führen würde jetzt aber, jetzt ist das einzige was man will frei sein, alleingelassen werden, sein Leben leben wie es eben geht, aber ohne daß man beobachtet, kontrolliert und erschreckt wird, nein, nein, nicht.«

Gertrude, die ihrer Zeit entsprechend in ihrem politischen Denken ein Reaktionär war und Franco und Pétain unterstützte, hatte allmählich eine andere Einstellung gewonnen. Der Mut des *maquis*, der sich in den umliegenden Bergen und Wäldern verborgen hielt, trug zur Erweiterung ihres Gesichtskreises bei, noch wichtiger aber war, daß sie endlich das harte und alles andere als pittoreske Leben des französischen Durchschnittsbürgers begreifen lernte. Nun wurde sie sich auch der Korruption in Frankreich bewußt, die beim Versuch, Besitz und Stellung zu erhalten, zutage trat. Sie stritt mit Freunden, die der reaktionären Ansicht waren, der gesamte *maquis* bestünde aus politischen Terroristen; denn diese Freunde gehörten jener französischen Oberschicht an, die, wie einer von ihnen Gertrude gegenüber äußerte, den 14. Juli und den Sturm auf die Bastille als *mascarade* ansahen. Als das Kriegsglück sich den Alliierten zuzuwenden begann, sah Gertrude sich mit zumindest einem ihrer Nachbarn in offenem Konflikt. »Und da gibt es dann auch noch die degenerierten Aristokraten«, schrieb sie, »die stets hoffen, daß ein neues Regime ihnen eine neue Chance geben würde ... und die verrottete Bourgeoisie, die überzeugt ist, daß man alle außer ihnen maßregeln sollte, gestern nacht hatte ich mit einem von ihnen einen gewaltigen Krach mitten auf der Straße.«

Bahnreisen waren im allgemeinen untersagt, aber Gertrude und Alice ergatterten sich die Erlaubnis, einen Arzt oder einen Zahnarzt in Aix-les-Bains zu besuchen, wann immer sie es für notwendig hielten. Sie machten diese Reise häufig, um einzukaufen und Kaffeehäuser zu besuchen, weil sie dort Bekannten zu begegnen hofften. Sonst änderte sich auf Gertrudes »Eiland des Alltags« nur wenig. Noch immer stand sie spät auf, trödelte über einigen häuslichen Arbeiten, die Alice für notwendig hielt, las alle paar Tage ein Stück von Shakespeare, führte ihre Hunde aus und schrieb und grübelte weiter über die Aussage- und Wirkungsmöglichkeiten der Sprache. Durch einen Dienstboten erfuhr sie, daß die Dorfbewohner sich den Kopf darüber zerbrachen, was die beiden fremden Frauen in ihrer Mitte wohl täten. Der vorhergehende Mieter hatte, wie man wußte, seine Zeit in der Hauptsache damit verbracht, sein Geld zu zählen. Doch die wenigen Einblicke, die man bisher in den Steinschen Haushalt hatte tun können, waren nicht sehr ergiebig gewesen. Man wußte, daß Alice unentwegt Gemüse putzte, während Gertrude unter einem Porträt von sich (dem berühmten Picasso) im sonnendurchfluteten Wohnzimmer, von Büchern und Hunden umgeben, auf einem Diwan ruhte. Dieser Eindruck eines geruhsamen Lebens, den die Dorfbewohner erhielten, entsprach voll und ganz der Wirklichkeit. Wie Gertrude später meinte, waren dies die glücklichsten Jahre ihres Lebens. Hatte sie auch für ihre Monologe nicht mehr die Zuhörerschaft eines *salon*, so hatte sie doch die Ortsansässigen, mit denen sie tratschen und munkeln konnte, und jenseits des Ozeans ein in die Millionen gehendes Publikum, das sich an sie erinnerte und gern Nachrichten von ihr gehabt hätte. Wenn sie gewollt hätte, hätte sie sagen können: »Ich bin ich, weil mich in Amerika jedermann kennt.« In diesem sonnigen Gefühl, eine große Zuhörerschaft zu haben, füllte sie vierzehn große, gebundene Kassenbücher mit einem tagebuchartigen Bericht über ihre Kriegsjahre. Diese Aufzeichnungen, so sagte sie, wolle sie abschließen, sobald die ersten Amerikaner der siegreichen Armee in ihrem Haus erschienen. Bis zu diesem Augenblick würde sie fortfahren, über ihr häusliches Leben zu berichten und sich dabei ausführlich und gemächlich über Leben und Tod, über Kulturen und Kriege auszulassen.

Dieses tägliche Geschreibsel, dem sie den umfassenden Titel »Civil domestic and foreign wars« gab, wurde später unter dem Titel *Wars I Have Seen* veröffentlicht. Dem Buch mangelt ganz auffällig die Aufzählung berühmter Namen, die aus ihren früheren autobiographischen Werken eine Art von anekdotischer Litanei gemacht hatte, und daher wirkt es auch weniger selbstbewußt und als ein viel wahrhaftigeres persönliches Dokument. Es ist in ihrem abgehackten Erzählerstil verfaßt und beschäftigt sich in der Hauptsache mit einfachen Menschen und deren Leben unter dem Druck des Krieges und der Besatzung. Die Geschichten, die diese Menschen erzählen und die Gertrude von ihnen erzählt, besitzen eine Vitalität und oft weit größere Treffsicherheit, als die Vignetten, die früher ihre ganze Aufmerksamkeit erfordert hatten und doch allzu sehr nach Literatur schmecken. Das Buch fand in Amerika eine gute Aufnahme, wurde ein großer Publikumserfolg und stand eine Weile auf den Bestsellerlisten obenan. Wieder hatte Gertrude einen Erfolg aus Gründen errungen, die sie früher verabscheut hätte. Ihr neues Buch war eine gelungene journalistische Arbeit, sprach den Leser unmittelbar an und besaß als Dokument der Erlebnisse eines ganzen Volkes den Vorteil der scharfen Beobachtung wie der warmen Anteilnahme. Zu einer Zeit, da die sagenhaften Abenteuer der Kriegsberichterstatter in aller Welt zu sensationellen Büchern ausgeschlachtet wurden, bildete ihr intimer bescheidener Bericht vom Leben und Treiben unter der deutschen Besatzung eine angenehme Abwechslung. Bislang hatte kein anderes Buch derart schlichte Einzelheiten so wahrheitsgetreu mitgeteilt, und nur der berühmteste aller Kriegsberichterstatter konnte sich bereits eines so großen Leserkreises rühmen wie sie.

Doch im großen ganzen ist *Wars I Have Seen* ein langweiliges, weitschweifiges und wehleidiges Buch, das auf die lokalen Ereignisse beschränkt bleibt. Der naive, durch sich selbst gerechtfertigte Manierismus, der in der *Autobiography of Alice B. Toklas* den Eindruck ungekünstelter Frische machte, wirkt nun ermüdend und verkrampft. Der Bericht, der über Monate und Jahre mit größeren und kleineren Ereignissen angefüllt ist, zieht sich quälend hin und wird nur dann interessant oder spannend, wenn das jeweilige Ereignis an sich interessant oder spannend ist. Die letzten Seiten, auf denen Gertrude in einem überschwenglichen Ausbruch die Tage der steigenden Erregung schildert, die dem Erscheinen der amerikanischen Armee vorausgehen, rühren den Leser sehr stark an, weil sie einen tiefen persönlichen Einblick geben, wie ihn Gertrude so schlicht und anziehend noch nie gegeben hatte. Aber auf den Seiten, die mit Ausrufen, Schmähungen und Freudenschreien angefüllt sind, ist von der gradlinigen und revolutionären Gertrude Stein, von der Wortformerin, keine Spur mehr zu finden. An ihrer Stelle steht unverfroren eine fahnenschwenkende Nachfahrin der längst vergessenen Barbara Frietchie.

Kritiker, denen das Buch gefiel, und den meisten gefiel es, neigten der Ansicht zu, daß Gertrude endlich ein Thema gefunden hatte, das nichts mit ihrer eigenen Person zu tun hatte. Bis zu einem gewissen Grad stimmte das. Und doch gelangte sie erst dann zu voller Anerkennung, als sie dem Geschmack der Kritiker entgegenkam, die früher allem, was Gertrude für wichtig erachtete, fremd und mit mürrischer Feindseligkeit gegenübergestanden hatten. Das Lob, das sie *Wars I Have Seen* zollten, enthielt unausgesprochen die Verdammung ihres sonstigen Œuvres, es war eine Empfehlung der Gertrude Stein zu Bedingungen, die sie früher weder anerkannt noch akzeptiert hätte. Die schärfste negative Beurteilung kam von Edwin Berry Burgum, der in Gertrudes Gefühlsseligkeit eine Art von unanständigem Exhibitionismus sah: »Als die amerikanischen Soldaten herüberkamen, kannte sie die Nazis, und sogar ihr alter Freund Bernard Fay mußte sich geirrt haben. Weil diese tapferen Männer und offenherzigen Burschen sie von den Gefahren der Besatzung erretteten, bestand kein Zweifel darüber, daß sie die Retter der Kultur waren. So empfinden simple Menschen, die sich nicht für Politik interessieren und von den großen Zusammenhängen nichts wissen: Sie beurteilen die Dinge lediglich nach dem Ausmaß, in dem ihr eigener Alltag aus dem Gleichgewicht gebracht wurde. Eine Welle von Patriotismus ergriff sie ... Unter dem Druck der Ereignisse verschwand, zumindest vorübergehend, das Paradoxon, das sie ihr Leben lang gejagt hatte. Nun konnte sie ganz ungescheut sie selber sein, ihrem geheimen Verlangen nachgeben, alltäglich und gewöhnlich wie die

Masse der Menschheit zu sein. Sie hatte ihr Ziel erreicht, das ihr (als sie vor Jahren *Melanctha* schrieb) sowohl durch den herrschenden Geist des Zeitalters, das nun vorüber war, wie durch die Anforderungen ihres Ehrgeizes, der längst befriedigt wurde, versperrt gewesen war. Nach dem harten Urteil der Kritik konnte sie nicht länger mehr als bedeutende Schriftstellerin gelten, sie war eine Frau aus dem Volk geworden. Die Zeit würde erweisen, ob sie zum Schutz einer Maske würde greifen müssen.«

In den letzten Monaten vor der endgültigen Befreiung hatte sich das Leben in und um Culoz und Belley geändert. Alles lebte in der Erwartung der großen Stunde. Die Kinder sangen Spottlieder auf die Deutschen, hie und da ertönte plötzlich die Marseillaise. Der *maquis* wurde kühner, bedrängte die dem Untergang geweihten Deutschen von allen Seiten aus dem Hinterhalt und brachte sie lastkraftwagenweise um. Im Schatten der großen Ereignisse sahen sich Gertrude und Alice einsamer denn je zuvor. Sie waren ohne Zeitungen, ohne Telefon und ohne Post, einzig und allein ihr Radioapparat, der erste ihres Lebens, brachte Nachrichten.

In den umgehenden Gerüchten suchten sie Bestätigung für die guten Dinge, die man ihnen versprach. Als die Deutschen nach sechs Uhr niemanden mehr auf der Straße ließen und jeden zu erschießen drohten, den sie später noch anträfen, kaufte Gertrude eine Armbanduhr, damit sie Basket II pünktlich nach Hause bringen konnte. Am 4. Juli, so berichtet sie, »war jedermann strahlender Laune«. Doch plötzlich sahen sie sich einer schrecklichen Überraschung gegenüber. Eines Abends bellte Basket, und als Gertrude aus dem Fenster sah, erblickte sie vor ihrem Haus einen deutschen Offizier und einen Soldaten. »Sie sagten auf französisch«, schrieb sie in ihr Tagebuch, »sie wollten bei uns nächtigen und ich sagte haben Sie einen Ausweis vom Bürgermeister, denn es ist Vorschrift einen solchen zu haben und er sagte wie ein deutscher Offizier der alten Armee, ich muß das Haus inspizieren, gewiß sagte ich, gehen Sie an die Hintertür, dann wird man Ihnen aufmachen und ich wies die Dienstboten an sie sollten sich um die beiden kümmern. Ich dachte bei dieser Art von Deutschen ist es besser man läßt sie unsern amerikanischen Akzent nicht hören und dann waren sie auch schon da, der Deutsche sagte er wünsche zwei Zimmer für Offiziere und Matratzen für sechs Mann und er wünsche keinen Widerspruch und es sei ihm egal wie weit das die

Damen des Hauses störe, und die Dienstboten sagten sehr wohl und er ging und sobald er gegangen war waren die Soldaten freundlich und sie schleppten die Matratzen herbei und sie hatten drei Hunde und wir sperrten ab was wir konnten und nahmen Basket mit nach oben und gingen ins Bett und schließlich schliefen fünfzehn Mann auf sechs Matratzen und noch die zwei Hunde der dritte wollte nicht hereinkommen und als sie am Morgen gegangen waren konnten wir meinen Regenschirm nicht finden und es stellte sich heraus daß ihn ein armer Teufel von einem Italiener benutzt hatte den sie die ganze Nacht über draußen im Regen bei den Pferden hatten sitzen lassen.« Ehe die Deutschen abzogen, schlachteten sie ein Kalb auf der Terrasse und brieten es auf einem improvisierten Spieß. Als sie am Nachmittag endlich verschwunden waren, entdeckte Alice, daß sie ein Paar neuer Hausschuhe mitgenommen, ein Kellerschloß aufgesprengt und Pfirsiche gestohlen und sich mit den Schlüsseln der Vorder- wie der Hintertür davongemacht hatten.

Die Erregung des französischen Nationalfeiertags nährte bald darauf wieder die Hoffnungen, die sich nun nicht mehr unterdrükken ließen. Im nahgelegenen Belley, das bereits von den Deutschen geräumt war, flatterten aus jedem Fenster und von jedem Dach französische, englische und amerikanische Fahnen. Ende Juli war alles, wie Gertrude berichtete, »durcheinander«. Der *maquis* hatte an einigen Orten das Kommando übernommen. Manche Städte und Dörfer, darunter auch Culoz, waren noch von den Deutschen besetzt, in anderen wieder wußte man nicht ganz genau, ob man schon frei war oder nicht. Aber die Befreier rückten immer näher, und eines Nachts hörte Gertrude einen Mann pfeifend die Straße entlang gehen. »Welch ein Gefühl von Freiheit«, schrieb sie, »um Mitternacht jemanden pfeifend die Straße entlanggehen zu hören.«

Als die amerikanischen Truppen auf Paris vorrückten und die Landung in Südfrankreich weitere Hoffnung schöpfen ließ, machte Alice sich mit Verve an das Abtippen des Buches von Gertrude, von dem Gertrude immer gesagt hatte, sie wolle es an dem Tag beenden, an dem sie den ersten Amerikaner sehe. Die Dorfbewohner, die sich sogar mitten in der Ernte die Zeit nahmen, alliierte Fahnen anzufertigen, konnten die sich überstürzenden Ereignisse kaum noch registrieren. Und als der *maquis* die letzten Deutschen aus Culoz vertrieb, war die endgültige Befreiung nur noch eine Frage von Tagen. »Alles ist auf der Straße«, schrieb Gertrude, »sie singen die Marseillaise und jedermann fühlt sich so erleichtert, es ist unmöglich jemandem der es nicht erlebt hat begreiflich zu machen was eine deutsche Besatzung ist, hier in Culoz war es so angenehm wie es nur sein konnte weil die meisten Einwohner Bahnangestellte sind und die Deutschen diese nicht reizen wollten, aber es war wie eine erstickende Wolke unter der man nicht richtig atmen konnte, wir hatten ausreichend zu essen und wurden von den Deutschen nicht belästigt, aber es war doch eine Last die stets da war und nun fühlt jeder sich wieder normal, und das war unsere Schlacht, der ganze *maquis* ist dort drunten bei der Brücke sie glauben nicht, daß die Deutschen wieder zurückkommen können, aber sie sind auf der Hut, eben wurde geschossen aber nur kurz, also war es vermutlich falscher Alarm, wir mögen den *maquis, honneur aux maquis.*«

Die Amerikaner standen in Grenoble, nur 85 Kilometer entfernt, als eine vor Erregung bebende Stimme im Radio verkündete, daß Paris frei sei. Wie im Ersten Weltkrieg, so lief Gertrude auch jetzt sofort durch die Straßen des Dorfes und verteilte kleine Seidenbändchen in den Farben des Sternenbanners an alle jungen Leute, denen sie begegnete.

Sie hatte sich in den *maquis* verliebt – *»honneur aux maquis«*, schrieb sie, »man kann es nicht oft genug sagen«, – und sie freute sich über jede Begegnung mit diesen Männern. Als sie eines Tages auf dem Spaziergang vor einem Gewitter Schutz in einem Café suchte, traf sie auf eine Gruppe von Spaniern, die ihr erzählten, daß sie zehn Jahre lang für die Freiheit gekämpft hatten, zuerst in ihrem eigenen Land gegen Franco, dann mit dem *maquis*. Gertrude stellte fest, daß sie Hemingway kannten, und als sie ihnen sagte, sie sei eine nahe Freundin von Picasso, erhoben sie sich alle und drückten ihr feierlich die Hand.

Die Ingredienzen für Alices »Befreiungskuchen«, die diese den ganzen Krieg über wie Edelsteine gehortet hatte, lagen bereit und warteten darauf, daß ihre Meisterhand den Kuchen forme. Gertrude war täglich damit beschäftigt, die Terrasse von Unkraut zu befreien, damit die amerikanische Armee dort gebührend willkommen geheißen werden konnte. Alles war bereit, aber noch war kein Amerikaner zu sehen.

Inzwischen hatte der *maquis* sein Wirkungsfeld erweitert und unter Beibehaltung seiner alten politischen Zielsetzung neue Gestalt angenommen. Die wenigen Deutschen, die sich noch immer da und dort versteckt hielten, waren nun schon fast uninteressant geworden, dafür wandte man sich gegen die Kollaborateure unter den eigenen Landsleuten. Der *maquis* war zum Schinderhannes geworden, er förderte die gehorteten Nahrungsmittel der Wohlgenährten zutage, insbesondere der Leute, die bei den Deutschen in Gunst gestanden hatten, und verteilte sie an diejenigen, die der Krieg um ihren Besitz gebracht hatte. Dieses Vorgehen wurde lediglich damit begründet, daß die Freunde der Deutschen die ersten sein sollten, die für die Opfer der Deutschen bezahlten. Aber nicht nur die nazifreundlichen Reichen wurden zur Rechenschaft gezogen. »Heute ist das Dorf aufgeregt schrecklich aufgeregt«, schrieb Gertrude, »weil den Mädchen die sich während der Besatzung mit den Deutschen eingelassen haben die Köpfe kahlgeschoren werden, man nennt das die Coiffure von 1944, und natürlich ist es schrecklich weil das Rasieren öffentlich vorgenommen wird. Es geht heute vonstatten.«

»Also das war gestern und heute ist die Landung«, schrieb Gertrude, und den Druck von fünf langen Kriegsjahren nahmen die Nachrichten der sich überstürzenden Ereignisse hinweg. »Wir hörten Eisenhower der uns sagte er sei da sie seien da und gerade gestern verkaufte uns ein Mann zehn Päckchen Camel-Zigaretten, oh Herrlichkeit, und wir singen Gloria Halleluja, und wir fühlen uns prächtig, und alle telefonieren um zu meinem Geburtstag zu gratulieren der gar nicht ist aber wir wissen was sie meinen. Und ich erwidere ich hoffte ihr Haar würde sich hübsch locken und das hoffen wir alle und heute ist ein großer Tag.«

Befeuert durch die Nachricht von der Befreiung von Paris, kamen die letzten Männer des *maquis* aus den Bergen und verscheuchten den letzten von 700 deutschen Soldaten aus dem Städtchen. »Es war glorreich, klassisch, beinah biblisch«, sagte Alice Toklas. »Wir feierten, indem wir mit einem der befreiten Taxis nach Belley fuhren. Aus den Fenstern flatterten selbstgemachte Fahnen – nicht nur die Trikolore, sondern auch das Sternenbanner –.«

Endlich, am 31. August 1944, sah Gertrude die amerikanischen Soldaten, die sie so sehnlich herbeigefleht hatte. Leute aus dem Dorf hatten ihr das Gerücht zugetragen, die 7. amerikanische Armee stoße von Grenoble her vor. Das hatte es schon oft geheißen, und Gertrude war skeptisch. Doch während sie in Belley Einkäufe machte, hieß es, daß nun wirklich einige Amerikaner in der Stadt eingetroffen seien. »Führt mich zu ihnen«, sagte sie. Alice im Schlepptau, nahm sie Richtung auf das Hotel, das man ihr genannt hatte. An der Tür wurde sie aufgehalten, aber als der Besitzer sah, daß die berühmte Mlle. Gertrude Stein Einlaß begehrte, trat er dazwischen und ließ sie in einen Raum, wo der *maquis* bei einer Besprechung mit dem Bürgermeister saß. »Sind hier Amerikaner?« rief sie laut. Drei Männer erhoben sich. »Es waren Amerikaner«, schrieb Gertrude, »Gott segne sie und wir freuten uns.« Die drei waren Leutnant Walter E. Olson von den 120. Pionieren und die Soldaten Edward Landry und Walter Hartze von den »Thunderbirds«. Nach vielen Küssen und Umarmungen, Fragen und Antworten und Freudenschreien nahm Gertrude dankend das Angebot an, in einem Jeep zu fahren.

Bei ihren weiteren Besorgungen mit Alice begegnete sie abermals einem Amerikaner. »Ich bin Gertrude Stein«, verkündete sie. »Wer sind Sie?« Es war Oberstleutnant William O. Perry, der Generalinspekteur der 45. Armee, und Gertrude und Alice nahmen ihn und seinen Begleiter, den Soldaten John Schmaltz, für die Nacht mit in den Taubenschlag. Die Dienstboten weinten beim Anblick der Amerikaner, nannten sie *nos libérateurs*, und die Köchin, die sich den ganzen Krieg über zu kochen geweigert und es Alice überlassen hatte, mit der Lebensmittelknappheit fertigzuwerden, bewies ihre Dankbarkeit, indem sie ihr erstes Essen seit Jahren bereitete. Gertrude und Alice schwatzten stundenlang mit den Besuchern. Als Gertrude ihnen schließlich zeigte, wo sie wohnten, meinte sie: »Sie werden in Betten schlafen, in denen vor sechs Wochen deutsche Offiziere schliefen. Wunderbar, mein Gott, ist das nicht einfach wunderbar.«

Am nächsten Vormittag, der Oberstleutnant und sein Begleiter waren gerade abgefahren, brachte ihnen der Zufall die Begegnung mit zwei weiteren Amerikanern, den Kriegsberichterstattern Eric Sevareid und Frank Gervasi. Sevareid berichtete später in seinem Buch *No So Wild a Dream*, daß ihm Amerikaner die alte Adresse in Bilignin gegeben hatten und daß er und sein Begleiter gerade die Gegend nach den beiden Frauen abgesucht hätten, als ihr Wagen streikte. Während sie noch versuchten, ihn wieder in Gang zu setzen, kam Oberstleutnant Perry vorbeigefahren. »Da drüben gibt's für euch eine gute Story«, sagte er zu den lahmgelegten Berichterstattern. Kurz darauf waren sie in Culoz, wo der stellvertretende Bürgermeister sie umgehend zu Gertrude führte.

Gertrude und Alice saßen gerade mit Freunden aus Belley beim Essen, als das Mädchen mit dem Schrei ins Eßzimmer stürzte: »Die amerikanische Armee, sie steht vor der Tür!« Gertrude begrüßte die beiden mit Freudenrufen und Umarmungen und behielt sie gleich zum Essen da. Sevareid, der Gertrude vor Jahren begegnet war, fand sie ziemlich unverändert, wenn auch schwerfälliger von Gang und ein wenig gebückter. Auch Alice wirkte ein wenig gebückter, war aber immer noch »weich, klein und wohlig schnurrend«, und selbstverständlich noch die vorzügliche Köchin. Gertrude erkundigte sich nach allen möglichen Leuten, aber die beiden Berichterstatter hatten noch andere Aufgaben zu erfüllen, und so trennte man sich schließlich schweren Herzens. »Nachdem sie uns verabschiedet hatte«, berichtet Sevareid, »fragte Bill, unser hartgesottener Fahrer aus Boston: ›Wer zum Teufel ist denn diese alte Streitaxt?‹ Wir sagten, es sei Gertrude Stein, und er antwortete: ›Mich leckst am ...‹, was in der Soldatensprache soviel heißt wie ›nicht zu fassen‹.«

Zwei Tage später fuhren die beiden Berichterstatter Gertrude und Alice die vierzig Meilen nach Voiron, wo Gertrude über den Äther zu Amerika sprach. Sevareid zufolge lautete die Rede folgendermaßen:

»Welch ein Tag ist heute das heißt welch ein Tag war der vorgestrige Tag, welch ein Tag! Ich kann jedem sagen daß keiner von euch weiß was es mit der ganzen Sache Heimatland auf sich hat, solange ihr nicht von eben diesem Heimatland jahrelang völlig abgeschnitten wart. So eine Heimatlandsache kann einen schön packen. Der vorgestrige Tag war ein herrlicher Tag. Zuerst sahen wir drei Amerikaner und sie sagten ja und es schnürte uns das Herz zusammen und wir redeten, und sie nahmen uns in ihrem Wagen mit, diese langersehnten Amerikaner, wie lang haben wir auf sie gewartet und da waren sie Leutnant Olson und die Soldaten Landry und Hartze und dann sahen wir noch einen Wagen von ihnen und diese beiden kamen mit zu uns nach Hause, ich hatte gesagt könnt ihr nicht mit uns nach Hause kommen wir müssen ein paar Amerikaner in unserm Haus haben und sie sagten sie schätzten der Krieg könne auch ein paar Stunden ohne sie weitergehen und sie hießen Oberst Perry und Soldat Schmaltz und wir schwatzten und klopften einander auf die nette amerikanische Art auf die Schulter und jedermann im Dorf rief die Amerikaner sind da die Amerikaner sind da und wirklich die Amerikaner sind da sie sind gekommen sie sind hier Gott segne sie. Natürlich fragte ich jeden von ihnen von wo er käme und die Worte New Hampshire und Chicago und Detroit und Denver und Delta Colorado waren Musik in unsern Ohren. Und dann erschienen die vier Reporter, natürlich zählen Reporter nicht aber was haben die mit uns geschwätzt sie und wir und sie luden mich ein mit ihnen nach Voiron zu kommen für eine Rundfunksendung und hier bin ich.

...Wißt ihr ich habe wirklich geglaubt ich kenne Frankreich durch und durch aber ich habe nicht gewußt was es in diesen glorreichen Tagen tun konnte und was es tat. Ja ich kannte Frankreich im letzten Krieg in den Tagen seiner Siege aber in diesem Krieg in den Tagen seiner Niederlage da war es noch viel größer. Ich kann nie dankbar genug sein daß ich während all dieser dunklen Tage hier geblieben war, als wir meilenweit gehen mußten um ein bißchen Extrabutter ein bißchen Extramehl zu bekommen, als jeder es irgendwie fertigbrachte sich zu befreien, als der *maquis* unter den Augen der Deutschen Nachschub bekam und die Waffen versteckte die mit Fallschirmen abgeworfen wurden, wir wollten immer ein Stück Fallschirmseide als Erinnerung, ein Mädel im Dorf machte sich eine Bluse daraus.

Es war eine herrliche Zeit sie war lang und sie war herzzerreißend aber mit jedem Tag wurde sie länger und kürzer und nun sind wir dank meines Geburtslandes und meines Adoptivlandes frei, lang lebe Frankreich, lang lebe Amerika, lang leben die Vereinten Nationen und lang lebe vor allem die Freiheit, ich kann euch sagen die Freiheit ist das Wichtigste auf der Welt wichtiger als Essen und Kleidung wichtiger als alles auf dieser sterblichen Erde ich die ich vier Jahre lang mit den Franzosen unter dem deutschen Joch gelebt habe ich will es euch sagen.

Ich bin so glücklich heute zu Amerika zu sprechen so glücklich.«

Gertrude, die am liebsten im Taubenschlag die gesamte amerikanische Armee empfangen hätte, schrieb an Generalleutnant A. M. Patch ins Hauptquartier der 7. Armee und lud ihn zum Abendessen ein. Glückliche Geschehnisse machten es ihm unmöglich, die Einladung anzunehmen. »Ich habe es zutiefst bedauert«, schrieb er zurück, »durch unseren raschen Vormarsch daran verhindert zu sein, das Gebiet des Lac du Bourget und Aix-les-Bains zu besuchen, dem ich so viele glückliche Erinnerungen an bezaubernde, wenn auch kurze Ferien während des letzten Krieges verdanke. Die Gelegenheit, die Dame kennenzulernen, deren literarische Werke und humanitäre Leistungen ich seit langem bewundere, und das verlockende Angebot, ein Huhn zu verspeisen, werden mich jedoch den Ausflug in Ihre bezaubernde Gegend nicht lange hinausschieben lassen. Ich werde mir alle Mühe geben, der Einladung zu folgen, sobald es die militärische Lage erlaubt, und Ihnen dann persönlich für ihre Liebenswürdigkeit danken.« General Patch kam nie in den Taubenschlag, aber zum Dank für seine höfliche Antwort erkor Alice ihn zum Empfänger ihres zwölf Pfund schweren »Befreiungskuchens«.

Gertrude fand es »ziemlich wunderbar und ziemlich schrecklich mit zwei amerikanischen Armeen in Frankreich die nur 27 Jahre voneinander trennten auf vertrautem und freundschaftlichem Fuß gestanden zu haben und stolz gewesen zu sein«. Voll Interesse zog sie Vergleiche zwischen den alten und den neuen Soldaten und schrieb über ihre Beobachtungen ein ganzes Buch voll von Dialogen zwischen den neuen Soldaten, das den Titel *Brewsie and Willie* erhielt. »Schreiben Sie über uns, sagten sie alle ein wenig traurig, und ich will über sie schreiben«, versprach sie auf den Schlußseiten ihres Tagebuches. »Sie alle sagten good-bye Gerty als der Zug aus dem Bahnhof fuhr und dann sagten sie, wir werden uns ja in Amerika wiedersehen ...«

Gertrude fiel an der neuen Armee am meisten auf, daß »sie sprach und zuhörte«, während »die älteren Amerikaner stets Geschichten erzählten das war so ziemlich alles was sie sprachen aber diese erzählen keine Geschichten sie unterhalten sich und was sie sagen ist interessant und was sie hören interessiert sie und das unterscheidet sie es unterscheidet sie nicht wirklich Gott segne sie aber trotzdem sind sie anders als die alten«.

Sie konnte gar nicht genug Amerikaner sehen und ließ sich bei jedem neuen Truppentransport blicken. Die G.I.'s erkannten sie sofort und streckten ihr Umschläge, Notizblöcke und Banknoten entgegen, um ein Autogramm zu bekommen. »Ich ging nachdenklich fort ja es waren amerikanische Jungens aber sie besaßen eine Haltung und es fehlte ihnen völlig jener Provinzialismus der die letzte amerikanische Armee auszeichnete, sie redeten und sie hörten zu und sie hatten eine Sicherheit, sie waren ganz selbstsicher, sie kannten weder Zweifel noch Unsicherheit und sie brauchten keine Erklärungen abzugeben ... die G.I.'s Joes haben ihre eigene Sprache, sie brauchen sich keine Gedanken darüber zu machen, sie beherrschen ihre Sprache und weil sie ihre Sprache die nun ganz allein ihnen gehört beherrschen haben sie aufgehört Burschen zu sein und sind Männer geworden.«

XXV

> Mag auch auf einmal immer nur einer kommen ich erwarte und ich empfange wirklich eine große Menge.
> Besten Dank daß ihr es so schnell macht.
>
> *Gertrude Stein*

»Wir sind so damit beschäftigt aufgeregt und befreit zu sein daß wir nicht an Paris denken.« Gertrude und Alice blieben die Herbstmonate über, wo sie waren. Berichte aus der Stadt besagten, daß sie dort weder Licht noch Nahrungsmittel noch Gas finden würden, und der Gedanke, daß ihre Wohnung und die Bilder während der Besatzung Schaden gelitten hätten, beunruhigte sie. Gertrude war die ganzen Kriegsjahre über derart ängstlich und abergläubisch gewesen, daß niemand in ihrer Gegenwart von der Wohnung oder den darin befindlichen Gegenständen sprechen durfte. Es fiel ihr leichter, so zu tun, als ob dies alles gar nicht existierte.

Mitte November 1944 erfuhren die beiden aus einem Brief ihrer Nachbarin Katharine Dudley zu ihrer großen Erleichterung, daß alles in Ordnung sei. Sogar der Exilrusse Svidko, der schon früher für Gertrude grobe Hausarbeiten verrichtet hatte, war schon bestellt worden, um die Wohnung instand zu setzen. »Ferren erschien gestern mit Nachrichten von Ihnen bei mir«, schrieb Miss Dudley. »Er meint, Sie würden vielleicht nicht sofort nach Paris zurückkehren. Ich habe daher Svidko beauftragt, die Küche und Ihr Schlafzimmer und das Bad in Ordnung zu bringen, das Gas zu kontrollieren und die Heizkörper zu überprüfen und für alles übrige Ihre Anordnungen abzuwarten. Ich habe mich in seinem Beisein vom Zustand der Wohnung überzeugt. Glücklicherweise sind, soweit ich es sehen konnte, alle Bilder an den Wänden unversehrt, lediglich mehrere der kleinen Picassoköpfe waren auf den Boden geworfen worden. Wir hängten sie wieder auf, keiner ist beschädigt... aber es ist ein Wunder, daß Ihre Sammlung noch hier ist, denn etwa zwei Wochen vor dem Abzug der *boches* kamen die Gestapoleute und verlangten die Schlüssel von der Concierge, die mit ihrem Einwand, daß Sie Amerikaner seien, nichts ausrichtete. Das junge Mädchen, das im Bureau Weil als Sekretärin arbeitet, hörte über sich Schritte, eilte nach oben, trommelte an die Tür, bis man ihr öffnete, drängte sich an ihnen vorbei in die Wohnung und fragte, mit welchem Recht sie sich hier aufhielten – die

Wohnungsinhaberin sei Amerikanerin, und sie habe die Verantwortung für das Haus. Sie versuchten sie hinauszuwerfen, aber sie blieb. Sie steigerten sich in rasende Wut wegen der Picassos und sagten, sie wollten sie in Stücke schneiden und verbrennen. ›*De la saloperie juive, bon à brûler*.‹ Der große rosa Akt ›*cette vache*‹. Sie erkannten Ihr Porträt von Rose – sie hatten ein Foto von Ihnen dabei – und die anderen Köpfe von Rose im langen Korridor. ›*Tous les juifs et bon à brûler*‹. Das Mädchen stürzte hinunter ans Telefon, rief die Polizei an, und in zehn Minuten standen der Commissaire und dreißig Polizisten vor der Tür, was die ganze Straße in Aufruhr brachte. In diesem Augenblick probierten sie – die G.'s – in ihrem Schlafzimmer Ihre chinesischen Mäntel an. Der Commissaire verlangte ihre Requirierungsscheine, die sie mitzubringen versäumt hatten, und so mußten sie wieder abziehen, nahmen aber die Schlüssel mit. Wir warteten also vor der Tür, bis ein Schlosser gefunden wurde, der das Schloß änderte. Sie haben die Truhe mit den Teppichen aufgemacht und die Papiere zerrissen, aber Svidko weiß nicht mehr, wieviel Pakete er 39 gemacht hat. Außerdem haben sie ein oder zwei weitere Schachteln mit Nippsachen geöffnet. Aber ich glaube nicht, daß viel fehlt ...«

Mitte Dezember entschlossen sich Gertrude und Alice zur Rückkehr nach Paris. Für die Reise hatten sie einen Holzgaser gemietet (Gertrude hatte ihren Wagen an einen Freund beim Roten Kreuz in Lyon verkauft) und einen Lastkraftwagen, der mit dem Hausrat folgen sollte. Um Mitternacht brachen sie in Begleitung eines savoyardischen Dienstmädchens zu einer kalten Reise auf, die wegen der Überschwemmungen auf größeren Teilen der Stecke nicht ungefährlich war. Einer der Ersatzstoffreifen des Taxis nach dem andern platzte, und immer wieder mußten sie auf vereisten Steigungen rückwärts hinunterrutschen und es von neuem versuchen. Gertrude teilte unentwegt amerikanische Rationen aus (Biskuits, Zucker, Süßigkeiten und ein wenig Zitronenpulver), was sie »sehr tröstlich« fand. Während der zweiten Nacht wurden sie von drei unbewaffneten F.F.I.-Männern und einer bewaffneten Frau aufgehalten. Man nahm Einsicht in ihre Papiere und fand sie in Ordnung. Dann fragte einer der Männer nach dem Inhalt des Bündels, das sie mitführten. »Ach«, sagte Gertrude, »das sind Eier und Fleisch und Butter. Bitte, fassen Sie es nicht an, denn wir haben es sorgfältig verpackt und wollen in Paris eine Woche lang davon leben.«

»Ach so«, sagte der F.F.I.-Mann. »Und dieses große Ding?«

»Das«, sagte Alice, »ist ein Gemälde von Picasso. Rühren Sie es nicht an.«

»Ich gratuliere Ihnen«, sagte der Mann und ließ sie passieren.

Auf der Wohnungstür in der Rue Christine klebte noch das Siegel der Gestapo, aber es hatte seinen Schrecken für sie verloren. Kaum waren sie angekommen, da liefen auch schon die Nachbarn herbei – die Concierge, die Sekretärin des Hausbesitzers, der Buchbinder aus dem Hof, ja sogar der Mann der Wäscherin aus dem Parterre. Entgegen Katherine Dudleys Mitteilungen war zu einem früheren Zeitpunkt in der Wohnung geplündert worden – Wäsche, Kleider, Schuhe, Küchengerät, Geschirr, Bettdecken und Kopfkissen fehlten. Aber im großen ganzen war alles genau wie vor fünf Jahren. Zweimal waren Marodeure in der Wohnung gewesen. Die ersten, die nur Hausrat und persönliche Gegenstände mitgenommen hatten, schienen nicht geahnt zu haben, welchen Wert die Gemälde besaßen.

Schon am nächsten Morgen erschien Picasso. Sie sanken einander in die Arme, gerührt darüber, daß sie sich, wie Gertrude meinte, inmitten »all der Schätze unsrer Jugend, der Bilder, der Zeichnungen, der Gegenstände ...« zum zweitenmal nach einem großen Krieg begegnen durften.

Als Gertrude sich wieder eingelebt hatte, unternahm sie täglich ausgedehnte Spaziergänge mit Basket II. Sie entdeckte ihr Paris Stück um Stück aufs neue und fand, daß es auf wunderbare Weise das alte geblieben war. »Die letzten Jahre erschienen mir mehr und mehr wie ein Alptraum«, schrieb sie, »es war nicht wahr, wir waren nur in Sommerferien gewesen und nun zurückgekommen. All die kleinen Läden waren da mit demselben Besitzer, die Läden die schmutzig gewesen waren noch immer schmutzig, die Läden die vor dem Krieg sauber gewesen waren noch immer sauber, all die kleinen Antiquitätenhändler waren noch immer da, in jedem ihrer Läden waren die gleichen Sachen die schon vorher darin gewesen waren, denn jeder kleine Antiquitätenladen führt seine eigene Art von Antiquitäten. Es war ein Wunder, es war ein Wunder.«

Endlich hörte man wieder von alten Freunden – viele hatten den ganzen Krieg über Briefe geschrieben, die weder Bilignin noch Culoz je erreichten –, und einige von ihnen tauchten im Regierungsauftrag oder anderer Mission in Paris auf. Guthrie McClintic und seine Frau Katharine Cornell, die mit dem Stück *The Barretts of Wimpole Street* für die USO auf Tournee waren, kamen zum Mittagessen; Francis Rose kam zur Vorbereitung einer Ausstellung seiner Arbeiten nach Paris; Carl Van Vechten schrieb, daß Alexander Woollcott und Florine Stettheimer gestorben seien, und versprach, die »ganze amerikanische Armee, soweit sie mir bekannt ist, geradenwegs in die Rue Christine 5 zu schicken«. Cecil Beaton war aus dem Fernen Osten zurück, Bravig Imbs war nach seinem Kriegsdienst in der Rundfunkabteilung des War Informations Office wieder in Frankreich, Bennet Cerf berichtete von der guten Presse und den guten Verkaufsziffern von *Wars I Have Seen.*

Endlich herrschte wieder die alte Pariser Atmosphäre, das alte vertraute Gefühl von täglichen Abenteuern und bevorstehenden neuen Freundschaften. Gertrude entdeckte einen unbekannten Maler, Riba-Rovera, und schrieb für den Katalog seiner ersten Ausstellung eine Einführung:

»Wenn man ein starkes Bedürfnis nach etwas hat, dann ist es unvermeidlich, daß man es findet. Was man braucht das zieht man an wie einen Liebhaber.

Ich kehrte nach Paris zurück nach den langen Jahren die ich in ländlicher Umgebung verlebte und ich brauchte einen jungen Maler der mich wieder erwecken sollte ... Ich ging viel spazieren, ich sah mich um, in all den Kunsthandlungen, aber der junge Maler war nicht zu finden. Ja, ich ging sehr viel spazieren, sehr viel am Seineufer, wo geangelt wird, wo gemalt wird, wo die Hunde ausgeführt werden (ich bin eine von denen, die ihren Hund ausführen). Kein junger Maler.

Eines Tages sah ich an einer Straßenbiegung in einer der kleinen Straßen meines Viertels einen Mann ein Bild malen. Ich sah ihn an und ich sah sein Bild an, so wie ich immer einen Menschen ansehe der etwas tut – ich habe eine unstillbare Neugier mich umzusehen – und ich war bewegt. Ja, ein junger Maler!

Wir begannen ein Gespräch, denn man kommt in den kleinen Straßen dieses Viertels sehr leicht ins Gespräch, so leicht wie auf den Feldwegen auf dem Land.

Seine Geschichte war die traurige Geschichte der Jugend unserer Zeit. Ein junger Spanier, der an der Kunstakademie studiert hat; der Bürgerkrieg, Exil, Konzentrationslager, Flucht, Gestapo, wieder Gefängnis, wieder Flucht ... Acht verlorene Jahre. Waren sie verloren, wer weiß? Und nun ein wenig Mühsal, aber auch das

Malen. Wieso merkte ich, daß er der junge Maler war, wieso? Ich besuchte ihn um seine Skizzen, seine Bilder zu sehen; wir unterhielten uns.

Ich erklärte ihm, daß für mich die gesamte moderne Malerei auf dem basiert was Cézanne nicht erreicht hat und nicht auf dem was er beinah erreicht hat...

Und nun habe ich einen jungen Maler gefunden, der nicht der Tendenz folgte mit dem zu spielen was Cézanne nicht gelungen ist, sondern der die Dinge die dieser versucht hat zu tun unmittelbar in Angriff nahm, Gegenstände zu schaffen die für sich und in sich bestehen müssen und nicht in Beziehung zu irgend etwas anderem...«

Die Kontinuität vieler Dinge schien beinah ungebrochen. Als der junge Pierre Balmain, mit dem sie sich während des Krieges angefreundet hatte, nach Paris kam, um sich dort als »der junge Modeschöpfer des befreiten Frankreich« niederzulassen, brachte Gertrude einflußreiche Freunde zu seinen Modeschauen und schrieb über diese einen Artikel für *Vogue*. Dennoch war, wie sie so oft gesagt hat, »alles das gleiche und alles anders«. Bernard Fay, der unter der Vichy-Regierung zum Direktor der Nationalbibliothek ernannt worden war, hatte man vor kurzem zu Gefängnis und *indignité nationale* verurteilt, nachdem er der Kollaboration für schuldig befunden worden war. In Gertrudes Augen war er das Opfer einer schweren Ungerechtigkeit, weil man bei der Abwägung der Schuld weder seinen Patriotismus noch die Schwierigkeiten, die das Leben in einem besetzten Land mit sich brachte, in Rechnung gezogen hatte. Er bedankte sich brieflich bei Gertrude und Alice für die Süßigkeiten, Vitamintabletten und Nachrichten, die sie ihm im Gefängnis zukommen ließen.

Wie die Rue de Fleurus 27 in einem anderen Zeitalter, einem anderen Viertel des *arrondissement*, wurde die Rue Christine 5 mehr und mehr zu einer Wallfahrtsstätte, zu der die ersten Pilger der Nachkriegsära strömten. Diesmal kamen nicht die Großen und die Berühmten und auch nicht die *jeunesse dorée*, sondern ernsthafte junge amerikanische Soldaten, belesene und unbelesene. Der Besucherstrom riß nicht ab. Doch ehe sie in Scharen kamen, kamen sie einzeln und als Bekannte, die Gertrude auf der Straße aufgelesen und eingeladen hatte. »Und dann sind da die Soldaten«, schrieb sie in ihren ersten Impressionen vom neugewonnenen Paris, »die ewig wandern, die durch die Straßen wandern, sie machen komische Sachen. Neulich beobachtete ich einen wie er sich in einer Schaufensterscheibe die Spiegelung des Louvre betrachtete. Er sagte so erhalte er einen besseren Eindruck. Ich spreche mit ihnen allen, sie scheinen das zu mögen, und ich mag es auf jeden Fall. Zuerst zögerte ich ein bißchen, aber es ist in Ordnung, alle scheinen eine Menge Zeit zu haben, natürlich, wenn man soviel herumspazieren muß, muß man ja eine Menge Zeit haben.«

Noch vor fünfzehn Jahren war Gertrude Stein die Autorin obskurer Bücher gewesen, die sie im Selbstverlag hatte veröffentlichen müssen. Jetzt begrüßte man sie mit »Hi'ya, Gert« oder »Da geht Gerty Stein!« Stets war es ihr leicht gefallen, Zufallsbekanntschaften zu schließen, und wenn sie nun Besorgungen machte oder ihren Hund ausführte, war sie immer von einem Gefolge umgeben, das sich beständig vermehrte. Es schien, als ob sie wieder einmal auf ihre eigene besondere Weise einen Teil der jungen Generation in Beschlag nehmen könne. Ihre persönliche Anziehungskraft stand außer Frage, aber die Art und Weise, wie sie auf ihre neuen Helden reagierte, beschäftigte die Menschen. Der amerikanische Kritiker Robert Warshow schrieb über ihr Verhältnis zu den amerikanischen Soldaten: »Sie übertrug ihre eigene Unschuld auf sie... und indem sie ihre Unschuld den Soldaten gab, die sie bewußt und publik gemacht hatte... verliebte sie sich in den Mythos von der amerikanischen Anständigkeit und Gutherzigkeit und glaubte schließlich selbst daran.«

Am liebsten ging sie auf der Promenade am Seineufer spazieren. Während die Leine von Basket II aus der Hand des einen G.I. in die des andern wechselte, führte Gertrude ihre Jünger die Stufen in angeregten Diskussionen bis zum Wasser hinunter. »Und so führte sie sie«, schrieb ihre Freundin Natalie Barney, »wie eine Art *vivandière de l'esprit* vom Krieg in den Frieden und zum Bewußtsein des Eigendaseins, das an die Stelle des Kollektivdaseins getreten war«. Wenn sie es wohl auch nie wirklich bis zur Loreley des G.I.'s gebracht hat, so gab es doch keinen Zweifel daran, daß ihr persönlicher Zauber einen Krieg überlebt hatte und nun wiederum das Entzücken einer Generation junger Menschen war. Die Stimme der Sirene in den braunen Baumwollstrümpfen und einer mit Blümchen bestickten Weste war womöglich noch sanfter geworden, doch immer noch war sie kräftig und spendete Trost. Gertrude gehörte zu den Sehenswürdigkeiten von Paris, wie die Place Pigalle oder die *Folies Bergères*, die man einfach gesehen haben mußte, und mancher Soldat und Matrose kam von weither per Zug oder Jeep, um den größeren Teil seines kurzen Urlaubs in ihrer Gesellschaft zu verbringen.

Sie nahm Einladungen in Armeekantinen an, sprach vor einer Klasse von G.I.'s in der Cité Universitaire und hielt Vorträge bei Rotkreuzversammlungen, »wo ich ihnen sagte wie man den Franzosen zulächelt und die Wirtschaftskrise bekämpft«. Sie hatte bei den Soldaten einen derartigen Erfolg, daß nicht selten eine bis zu fünfzig Mann starke Eskorte sie nach Hause geleitete, was zu Verkehrsstockungen führte, die die erstaunte Polizei veranlaßten, sich näher mit der Prozession zu befassen, die dem Rattenfänger Gertrude da folgte. Nach solchen Vorfällen blieb man bisweilen, oft auch in ihrer eigenen Wohnung, noch zusammen. Gertrude lauschte dann dem Rhythmus der amerikanischen Sprache, der den Anstoß zu ihrem letzten Buch *Brewsie and Willie* gab.

Obwohl sie dieses letzte ihrer Bücher mit großem Vergnügen abfaßte, sollte es doch ihr schwächstes Buch werden. Nachdem sie das Manuskript beendet hatte, schrieb sie an W. G. Rogers: »Leider nimmt die US Army immer mehr und mehr ab und was noch davon übrig ist hat nicht mehr das echte G.I.-Flair, aber ich glaube, daß es mir gelungen ist in *Brewsie and Willie*... das echte Flair festzuhalten, ich glaube es ist auf eine ganz bestimmte Weise eine der besten Sachen, die ich je geschrieben habe. Sie wissen ja wie sehr ich stets über das Erzählen nachgedacht habe wie man das was man zu erzählen hat erzählen soll, nun diesmal habe ich es geschrieben, Erzählung wie sie das 20. Jahrhundert sieht.«

Sie hat den Rhythmus der G.I.-Sprache nicht eingefangen, wie sie gehofft hatte, und die Themen, die ihre Soldaten in Bögen und Kreisen von endlosen vagen Anfängen und Neuanfängen diskutieren, sind nicht nur banal, sondern berühren auch Interessen, die mit denen der G.I.'s kaum etwas zu tun haben. Sie selbst spielt in dem Buch die Rolle einer Art von Kleinrentnermama, die immer alles besser weiß. Im Epilog ist sie wieder sie selbst und steigt auf das Rednerpodium. Doch in der Rolle einer politischen Prophetin kann sie alle, die sie als Schriftstellerin auf dem Rednerpodium gekannt haben, wo ihre hohe und gewinnende Intelligenz ihr die Achtung eines jeden Zuhörers verschafft hatte, nur tief enttäuschen.

Viele ihrer Bewunderer bedauerten, daß gerade die letzten Worte Gertrudes an die Amerikaner im allgemeinen waren:

»G.I.'s und G.I.'s und G.I.'s und sie haben mich ganz und gar zur Patriotin gemacht. Ich war stets patriotisch, ich war auf meine Art stets eine Veteranin des Bürgerkriegs, doch dazwischen, da waren andere Dinge, aber jetzt gibt es keine anderen Dinge mehr. Ich bin überzeugt, daß dieser besondere Augenblick in unserer Geschichte bedeutender ist als alles seit dem Bürgerkrieg. Wir stehen da wo wir einen geistigen Pionierkampf zu kämpfen haben oder wir werden so arm werden wie England und andere Industrieländer arm geworden sind, und glaubt nur nicht daß der Kommunismus oder der Sozialismus euch retten werden, ihr müßt nur einen neuen Weg finden, ihr müßt herausfinden, wie ihr vorankommen könnt ohne daß ihr mit euch selber durchgeht, ihr müßt lernen zu produzieren ohne die Reserven eures Landes zu erschöpfen, ihr müßt lernen Individuen zu sein und nicht nur Fließbandarbeiter, ihr müßt genug Courage bekommen um zu wissen was ihr empfindet und nicht nur Ja- und Neinsager sein, und ihr müßt wirklich lernen Schwierigkeiten ausdrücken zu können, seid behutsam und wenn ihr nicht behutsam sein könnt dann seid so behutsam wie ihr könnt. Denkt an die Wirtschaftskrise, habt keine Angst davor ihr ins Gesicht zu sehen und die Gründe dafür herauszufinden, fürchtet euch nicht vor diesen Gründen, wenn ihr die Gründe nicht herausfindet, dann werdet ihr arm werden und mein Gott wie schrecklich wäre es mir wenn mein Heimatland arm würde. Sucht die Gründe, seht den Tatsachen ins Gesicht, plappert nicht nach was alle sagen, die Führer, sondern habt jeder eine eigene Meinung damit die Regierung durch das Volk für das Volk nicht von der Erde verschwindet, sie wird es nicht, ein anderer wird den Auftrag übernehmen wenn wir ihn niederlegen, vor allem aber haltet nicht inne, sucht nach den Gründen für die Wirtschaftskrise, findet sie heraus jeder einzelne von euch und dann seht den Tatsachen ins Gesicht. Wir sind Amerikaner.«

Als die Armee der Vereinigten Staaten Gertrude aufforderte, eine offizielle Tournee zu den Stützpunkten im besetzten Deutschland zu machen, brachen Alice und sie im Juni 1945 zu einer fünftägigen Blitzreise mit dem Flugzeug auf. In Begleitung von drei Leutnants und neun Soldaten, für die überall in Windeseile Quartier, Verpflegung und Transportmittel beschafft werden mußten, flog Gertrude »wie ein orientalischer Pascha mit seinem Gefolge« in einer Militärmaschine zunächst nach Frankfurt. Auf einem Spaziergang durch einen zerbombten Stadtteil merkte Gertrude, daß die Deutschen sie und Alice anstarrten: »... einige erbleichten und andere blickten wütend drein«, berichtete sie in einem Artikel, den *Life* veröffentlichte. Es stellte sich heraus, daß sie und Alice die ersten ausländischen Zivilisten waren, die die Deutschen seit Jahren wieder zu Gesicht bekamen. Da Gertrude die gleiche Reaktion auf Fremde bereits in Frankreich bemerkt hatte, folgerte sie: »Zivilisten sind etwas Bleibenderes und Erschreckenderes als jede Armee...«

Überall in Deutschland sprach sie unverblümt und lautstark, entzückt darüber, daß sie ihre alten Grundsätze an den Mann bringen konnte. Auf die Frage, was man mit den Deutschen künftighin machen sollte, hatte sie sofort eine Antwort parat: »... lehrt sie ungehorsam sein... trichtert jedem deutschen Kind ein es sei seine Pflicht wenigstens einmal täglich eine gute Tat zu vollbringen und nicht irgend etwas zu glauben was der Vater oder der Lehrer ihm sagt, verwirrt sie... und vielleicht werden sie dann ungehorsam sein und die Welt wird Frieden haben.«

Sie fuhren nach Köln, Koblenz und Salzburg. In Berchtesgaden sahen sie Hermann Görings Kunstschätze, die, wie Gertrude bemerkte, ganz deutlich erkennen ließen, daß sie zwar unter der Anleitung eines Fachmanns gesammelt worden waren, aber keinerlei Aufschlüsse über den Geschmack des Besitzers gaben. Ihr Besuch des Berghofs war ein Riesenspaß: »Da standen wir an dem großen Fenster von dem Hitler die Welt beherrschte ein Häuflein G.I.'s vergnügt und glücklich. Es war eigentlich das erstenmal daß ich unsere Jungens wirklich froh und sorglos sah daß sie wirklich alles vergaßen was sie bedrückte und nur noch alberne Kinder waren, die herumkletterten und umherstiegen und hinaufstiegen, während Miss Toklas und ich es uns auf den Gartenstühlen auf Hitlers Balkon gemütlich machten.«

In einer Rede, die sie in Heidelberg hielt, wurde sie zuerst von ihrer eigenen Beredsamkeit und dann von der Reaktion der Veranstalter auf ihre Worte aus dem Gleichgewicht gebracht. »Sergeant Santiani der mich eingeladen hatte beschwerte sich bei mir ich habe die Gemüter seiner Männer verwirrt«, schrieb sie, »aber weshalb sollten ihre Gemüter nicht verwirrt sein, Herr des Himmels, wollen wir wie die Deutschen werden, nur noch an die Arier an unsere eigene Rasse glauben, meinetwegen eine Mischrasse sein aber alle die gleiche Anschauung haben. Ich wurde sehr böse mit ihnen, sie gaben zu, daß ihnen die Deutschen lieber waren als die andern Europäer. Natürlich habt ihr sie lieber, sagte ich, sie schmeicheln euch und sie gehorchen euch, während die anderen Länder euch nicht mögen und es auch sagen, und ihr persönlich seid auch nicht allzu bereit gewesen ihnen halbwegs entgegenzukommen, na klar, wenn sie euch nicht mögen dann zeigen sie es, die Deutschen mögen euch nicht aber sie schmeicheln euch, zum Teufel, sagte ich, ich wette am 4. Juli werden sie alle eure Fahne hissen, und ihr Kindsköpfe werdet zu Tod geschmeichelt sein, buchstäblich zu Tod, sagte ich bitter, denn ihr werdet wieder kämpfen müssen. Na sagte einer von ihnen schließlich sind wir obenauf. Ja sagte ich und nirgendwo auf der Welt gibt's einen Platz der gefährlicher wäre als der oben. Ihr mögt die Romanen nicht und die Araber nicht und die Makkaronifresser und die Briten nicht, na dann vergeßt nur nicht daß kein Land ohne Freunde leben kann, ich möchte daß ihr alle anderen Länder kennenlernt damit ihr euch mit ihnen befreunden könnt gebt euch ein wenig Mühe, versucht doch mal herauszufinden, um was es eigentlich geht. Wir regten uns alle sehr auf, sie reichten mir Cognac aber ich trinke nicht, und da brachten sie mir Grapefruitsaft und klopften mir auf die Schulter und setzten mich auf einen Stuhl, und das war's dann.« Der enge Kontakt, den sie auf diesen Reisen mit den Soldaten bekam, freute sie, aber ihre Beobachtungen freuten sie nicht immer. »Wissen Sie»«, sagte sie zu einem Reporter, »diese G.I.'s haben überall Pin-up-Girls. Die Wände ihrer Kasernen sind bepflastert wie mit Ikonen. Sie idealisierten die Frauen, aber wenn sie durch die Straßen von Paris zogen, waren viele von ihnen betrunken und belästigten und beleidigten fast jede Frau, der sie begegneten. Die amerikanischen Jungens sind unberührt, denn nur unberührte Männer können sich so aufführen. Die deutschen Frauen gefielen ihnen. Wenn sie mit den deutschen Frauen schliefen, dann besorgten die deutschen Frauen die ganze Arbeit wie die Kühe besorgten sie die ganze Arbeit.«

Gertrude und Alice waren froh, als sie rechtzeitig zum Sommer wieder nach Paris kamen. Sie meinten, das Landleben nun für eine Weile entbehren zu können, und im Trubel ihrer Rückkehr freuten sie sich über Paris und all sein Drum und Dran. Gertrude widmete sich weiterhin in der Hauptsache ihren Soldatenbekanntschaften, schon aus dem einfachen Grund, weil sie der neuen Generation der amerikanischen Maler und Schriftsteller infolge der Nachkriegseinschränkungen nicht habhaft werden konnte. In jenen Jahren kurz nach dem Krieg gelang es nur wenigen Zivilisten, nach Paris zu kommen, und nur sehr wenige wagten den Kampf mit der Bürokratie. Ein amerikanischer Schriftsteller, der diesen Kampf wagte und gewann, war Richard Wright, ein alter Verehrer von Gertrudes Werk. Er näherte sich ihr mit hochgespannten Erwartungen, wie sie eine Generation früher Hemingway und Fitzgerald, Hart Crane und Paul Bowles beim ersten Überschreiten der Schwelle der Rue de Fleurus gehabt hatten. Und er wurde nicht enttäuscht. Gertrude warnte ihn, daß er als Neger im Gegensatz zu seinen ersten Eindrücken auf Vorurteile stoßen würde, »aber«, fügte sie hinzu, »Sie werden kein Problem finden«. Wright, der Gertrude bis zu ihrem Tod die Treue bewahrte, ließ sich mit seiner Familie später für dauernd in Paris nieder.

Doch Richard Wright blieb eine der wenigen Ausnahmen. Der Krieg hatte der Künstlerprozession, die schon einmal durch die Wirtschaftskrise stark reduziert worden war, ein Ende gesetzt. »Die Plätze, buchstäblich die Plätze sind vertauscht worden«, schrieb der Kunstkritiker Alfred M. Frankfurter. »Während früher auf der Terrasse des Dôme und manchmal auch drinnen bei Foyot Dichter aus Iowa und Maler aus Boston saßen, sitzt heute in den kleinen Lokalen der East Fifties die französische Intelligenz zusammen mit der französischen *émigration dorée* vor dem Mittagessen bei einem *fine*. Mag das jugendliche Bedürfnis gegen die Banalität von Gopher Prairie oder das Werbegeschäft zu rebellieren, auch noch so stark sein – für die neue Generation ist es schwer, wenn nicht unmöglich, es von einem Atelier am linken Ufer oder von einem Strand von Palma de Mallorca aus zu tun... Das Beste, was das Nachkriegseuropa dem Amerikaner zu bieten hat, der nach einer unverfälschten Diät ästhetischen Vergnügens hungert, ist ein kärgliches Sträußchen der aus dem vorgestrigen Jahrzehnt übriggebliebenen Hyazinthen für seine Seele.«

Dennoch kehrten einige der alten Pariser Veteranen zurück, unter ihnen Caresse Crosby, die in ihrer Black-Sun-Press gemeinsam mit ihrem Mann Harry avantgardistische Schriften veröffentlicht hatte. »Ich war einer der ersten Amerikaner, die zurückkehrten«, schrieb Caresse Crosby in ihrem Buch *The Passionate Years*. »Ich brachte meinen Freunden weder Kaffee noch Reis, sondern die Zeichnungen der amerikanischen Künstler Pietro Lazzari und Romare Bearden, und ich konnte eine Ausstellung dieser Arbeiten in John Devolnys winziger Galerie in der Rue Furstemberg zeigen.

Ich hatte Freunde und Künstler per Telefon eingeladen; Paris hungerte nach Kontakt mit der amerikanischen Kunstwelt, und alle strömten herbei. Gertrude Stein erschien, gefolgt von ihrem weißen Pudel. Sie saß in der Mitte des kleinen Raums und stahl mir beinah die Schau, meine Schau, aber obwohl sie schließlich sogar mit dem bestaussehenden der anwesenden G.I.'s wegging, verzieh ich ihr.«

Gertrudes Leben war nie hektischer gewesen als während der ersten Jahre nach ihrer Rückkehr nach Paris. Sie brachte *Brewsie and Willie* zum Abschluß, begann das Libretto einer neuen Oper für Virgil Thomson, *The Mother of Us All,* war unentwegt mit Verträgen für ihre Bücher und der Unterhaltung der amerikanischen Armee beschäftigt und kam kaum noch zum Schnaufen. »Du meine Güte«, schrieb sie an eine Freundin, »wir die wir meinten gehetzt zu sein wenn wir zwei Verabredungen in der Woche hatten, jetzt läutet es unentwegt an der Tür und das Telefon läutet unentwegt und ich muß antworten, daß ich nur zwei Tage im voraus disponieren kann. So was hab ich noch nicht erlebt, sagte ich zu Alice, wir können keine Bücher mehr verkaufen weil wir keine mehr zu verkaufen haben, neulich vier nach Italien verkauft, Ausgaben in Schweden, in Genf, und nun möchte Darantière mein anderes Kinderbuch *To Do* machen, den *First Reader* habe ich nach England verkauft, wenn ich daran denke wie schwer es war jemanden dazu zu bewegen irgend etwas für mich zu tun, na jedenfalls ist's hübsch auf seine alten Tage ruhmreich und produktiv zu sein.«

Gertrudes Salon hatte sich verändert, nun schien ihre einstige Begabung als Gastgeberin weniger wichtig zu sein als ihre schlichte Geduld und ihr Durchhaltevermögen. Sie empfing jeden G.I., der zum erstenmal unangemeldet auftauchte, auf das wärmste – sie wirkte auf sie, wie einer von ihnen sagte und wie viele wahrscheinlich empfanden, »wie unser aller Großmutter«. Dennoch gelang es ihr, bis auf wenige Ausnahmen, den Besucher wissen zu lassen, daß er nicht ein zweites Mal eingeladen werden würde. Anders hätte sie sich der Besucher nicht erwehren können, und nur selten legte man ihr diese Erklärung als Unhöflichkeit aus. Sie war niemals unhöflich, nicht einmal dann, wenn lediglich neugierige Soldaten sich einfanden, deren Banalität sie einfach langweilen mußte. Zu ihren Verteidigungsmitteln gehörte der kunstvoll gehandhabte Monolog, bei ihren abendlichen Zusammenkünften kam es nur selten zu einer regelrechten Unterhaltung. Sie erstickte jeden Versuch zu abstraktem Geschwätz oder theoretischen Spekulationen im Keim und war ihrerseits in der Hauptsache daran interessiert, dem Besucher simple Reaktionen und Ansichten zu entlocken, über die sie, wenn ihr der Sinn danach stand, theoretisierte. Hunderten von jungen Männern wurde die Frage gestellt: »Was macht Ihr Vater?« Auf diese Weise erfuhr sie am raschesten die Lebensgeschichten der Befragten. Alice, die ein wenig schwerhörig geworden war, warf häufig Fragen ein, die bewiesen, daß sie nicht wußte, wovon gerade geredet wurde. Mitunter ging das Gertrude auf die Nerven, aber sie bewahrte Alice gegenüber stets eine bemerkenswerte Liebenswürdigkeit, bat sie jedesmal dazu und sorgte für ihre Bequemlichkeit. Wollte sie ihre Anschauung bestätigt wissen, wandte sie sich an Alice. »Findest du nicht auch, Pussy«, fragte sie, und Alice nickte dann.

Tausende von in Paris stationierten Soldaten hatten nie von Gertrude Stein gehört und sollten auch nie von ihr erfahren, obwohl eine weitverbreitete Nachkriegslegende behauptete, daß sie wie eine Ersatzfreiheitsstatue in ihrer Mitte stehe. Aber bei den vielen G.I.'s, die, während sie auf ihre Entlassung warteten, Kurse an der Sorbonne besuchten, war sie berühmt und geachtet. Tausende von ihnen hatten ihre Vorträge in Amerika gehört, und viele hatten während ihrer Amerikatournee ein paar Worte mit ihr gewechselt. Manche brachten Manuskripte in die Rue Christine, und Gertrude las sie mit großer Geduld und erteilte den hoffnungsvollen jungen Schriftstellern Ratschläge, die sie bereits den Schriftstellern der vorhergehenden Generation gegeben hatte. »Entweder stellt der Satz sich von selbst ein oder er braucht gar nicht geschrieben zu werden«, sagte sie zu ihnen. »Ich habe nie begriffen wie Menschen an einem Manuskript arbeiten können, es viele Male schreiben und umschreiben können, denn für mich sind die Worte immer da, wenn ich etwas zu sagen habe. Und es sind genau die richtigen Worte, die Worte, die verwendet werden sollten. Wenn die Geschichte nicht rund wird, *tant pis,* dann ist sie verpfuscht, und das ist das Schwierigste beim Schreiben, aufrichtig gegen sich selber zu sein und sich selber so genau kennen, damit sich dem Rundwerden der Geschichte auch ja nichts in den Weg stellt. Sehen Sie, wie Sie gestolpert sind und gezögert haben und abgerutscht sind in Ihrer Geschichte, und das alles nur, weil Sie dieses Problem der Vermittlung nicht für sich selber gelöst haben. Es ist das fundamentale Problem beim Schreiben und es hat nichts mit dem Handwerk zu tun, auch nichts mit Satzbau oder Rhythmus. Wie Sie wissen, habe ich in meinen eigenen Schriften Sätze und Rhythmen und literarische Obertöne und den ganzen übrigen Unsinn ausgemerzt, um bis zum Kern dieses Problems der Vermittlung der Intuition vorzudringen. Ist die Vermittlung vollkommen, dann leben die Worte, und das ist das Geheimnis des guten Schreibens, Worte zu Papier zu bringen, die tanzen und weinen und lieben und kämpfen und küssen und Wunder vollbringen.«

Solche Ratschläge hatten sich für viele Schriftsteller, die auf sie gehört hatten, als höchst brauchbar erwiesen, und nun, im Jahre 1946, hatte Gertrude noch weiteres zu sagen. Es schien ihr nicht bewußt zu sein, daß ihre neuen Erkenntnisse ihren früheren Bemühungen um Lautmuster, insesondere denen in ihrer großen Sammlung von Wortporträts, widersprachen. Auf jeden Fall sprach sie wie stets mit unerschütterlicher Autorität. »Ein Schriftsteller schreibt nicht mit seinen Ohren oder seinem Mund, er schreibt mit seinen Augen«, sagte sie. »Es sind seine Augen, die das Schreiben vollbringen, der Laut ist für ihn ohne jedes Interesse, vom schriftstellerischen Standpunkt aus sind Ohren und Mund überflüssig, alles was er braucht, sind seine Augen und seine Hand. Da ist alles. Er kann hören und reden, soviel er mag, aber schreiben tut er mit seinen Augen und seiner Hand.«

Ihre Methode, zu einem Urteil zu gelangen, das für den jungen Schriftsteller von Wert sein konnte, war ungewöhnlich, aber höchst praktisch. Aus ausgewählten Stellen der Manuskripte, die ihr besonders gelungen erschienen, pflegte sie, wie sie es nannte, »ein Buch zu machen«. Der zweiundzwanzigjährige George W. John aus Milwaukee, eine der letzten »Entdeckungen« Gertrudes, fand diese mehr oder weniger kritische Methode vorzüglich. Ehe er Paris verließ, gab Gertrude ihm folgende Zeilen für die Einleitung oder den Waschzettel des Buches mit, das er ihrer Überzeugung nach einmal schreiben würde: »Viele Soldaten kamen und eines Tages ganz unerwartet ein Dichter. Er war gekommen und hatte viele Zettelchen hinterlassen und auf jedem Zettel stand ein Gedicht. Wie alle Soldaten war er an vielen Orten gewesen, Italien Frankreich Belgien Holland Deutschland England und später Indien, denn er war ein Frontsoldat, und wo er hinkam gab es Landschaften und alle Landschaften waren Gedichte. Er war der einzige dem dies geschehen war und er war ein Dichter. Ich war erregt und dachte ich würde ihn nie wiedersehen und nur die kleinen Zettel mit den Gedichten darauf und den Namen George John behalten. Am Ende einer langen Woche kam er wieder, groß sanft schmal und jung, und da sagte ich ihm er sei ein Dichter aber das wußte er und ich wußte es, und nun spreche ich es hier aus wo die Gedichte gedruckt stehen. George John.« Als das erste Buch des Dichters, *A Garland About Me,* 1951 erschien, trug es die Widmung: »In memoriam Gertrude Stein: Zu kurz meine Freundin aber auf ewig mein Lehrer.«

Im Dezember 1945 fuhr Gertrude mit dem Auto nach Brüssel, um vor dort stationierten Soldaten zu sprechen und einen Vortrag vor den Mitgliedern des *Cercle Artistique Belge* zu halten. Während dieses Besuches klagte sie über Schmerzen in den Eingeweiden, acht Monate später stellte man Krebs fest. Es war nicht das erste Mal, daß sie Schmerzen verspürte, aber früher hatte sich vorübergehend Linderung eingestellt, und sie konnte ihre angeborene Abneigung gegen Ärzte und Medizin auch jetzt nicht überwinden. Sie war in ihrem ganzen Leben niemals krank gewesen, und als sie zum erstenmal Schmerzen im Unterleib verspürte, hatte man sie nur mit Mühe dazu überreden können, einen Landarzt in Culoz aufzusuchen. Der gute Mann konnte ihr nur raten, ein anderes Korsett zu tragen. Das leuchtete Gertrude ein, sie befolgte seinen Rat und behauptete, die Schmerzen träten nun viel seltener auf. Damals war ihre Krankheit bereits im fortgeschrittenen Stadium. Und wenn es ihr auch widerstrebte, eine häufig wiederkehrende tiefe Erschöpfung mit diesen Schmerzen in Zusammenhang zu bringen, so mußte sie doch merken, daß der gute Rat, an den sie so gern geglaubt hatte, ihr die Gesundheit nicht wiedergeben konnte.

Sie vollendete das Manuskript der Oper *The Mother of Us All,* die von der Alice-M.-Ditson-Stiftung der Columbia-Universität in Auftrag gegeben worden war, im März 1946 und schickte es an Van Vechten mit der Bitte, es zu lesen und an Virgil Thomson weiterzuleiten. Kaum hatte Thomson das Libretto in der Hand, da teilte er ihr auch schon seine Ideen für die Aufführung mit, die für Frühjahr 1947 in Aussicht genommen war. »Susan B. kommt aber sehr edel heraus«, schrieb Thomson. »Wenn sie sagt, ›laßt sie heiraten‹, ist sie beinah der heilige Paulus. Und das Ganze wird viel leichter zu dramatisieren sein als *Four Saints*, viel leichter, obgleich eine erschreckend große Zahl von Personen zum Publikum über sich sprechen, statt sich an die anderen Personen im Stück zu wenden. Meist ist es hochdramatisch und sehr schön und sehr klar, und man kann fortwährend daraus zitieren, und ich denke, wir werden sehr wenig Kulisse, aber sehr schöne Kostüme verwenden. Und lassen die Personen die ganze Zeit Posen des 19. Jahrhunderts einnehmen. Dabei wird uns Agnes De Mille sehr nützlich sein, schließlich ist sie eine Enkelin von Henry George.«

Gertrude sollte die Aufführung von *The Mother of Us All* nicht mehr erleben. Es war ihr auch nicht mehr vergönnt, die Musik zu hören, von der Thomson sagte, sie sei »eine Heraufbeschwörung des amerikanischen 19. Jahrhunderts mit seinen Kirchenliedern und flotten Märschen, seinen sentimentalen Balladen, seinen Walzern, Schmachtfetzen und gesungenen Predigten«. Doch Gertrudes letztes Werk war eine ihrer stärksten und schönsten Arbeiten. Das Libretto, dem eine lange und sorgfältige Lektüre Dutzender von Büchern jener Epoche in der amerikanischen Bibliothek in Paris vorausgegangen war, ist so etwas wie ein »Erinnerungsbuch« der Vereinigten Staaten zu Lebzeiten der Susan B. Anthony, einer Frau, die um das Stimmrecht der Frauen kämpft, die, wie Gertrude selbst, einen Kampf kämpft, der ihr ganzes langes Leben voll in Anspruch nimmt. Wie Gertrude, so ist Susan B. Anthony stets von einer treuen Gefährtin begleitet, und wie Gertrude ahnt und glaubt auch sie, daß ihr Lebenswerk erst von der Nachwelt in seiner ganzen Bedeutung erkannt und gewürdigt werden wird.

In intimen Genrebildern, in denen das dramatische Geschehen dargestellt wird, wiederholen Susan B. und ihre Mitkämpfer Indianer Elliot, Jo der Bummler, Daniel Webster und Lillian Russell ihre mehr oder weniger bedeutenden Aussprüche, unterstützt von den übrigen auftretenden Personen, die lediglich um ihres Charmes oder ihrer Dilemmas oder ihrer Begabung als zirpende Kommentatoren willen da sind. Die Oper hat keine durchlaufende Handlung. Dennoch lebt sie in jedem Augenblick, »jedem Augenblick des Erzählens«, wie Gertrude sagen würde. Letzten Endes ist sie ein gesungenes Gespräch, das zu einem lyrischen Lied wird, in sich abgeschlossen wie ein Motto, das in farbiger Wolle gestickt und in Mahagoni gerahmt ist. Gertrude Stein war aus den Tiefen des 19. Jahrhunderts aufgestiegen, und in ihrer letzten und stärksten Aussage offenbarte sich ihre Freude, ja Liebe für all das, dem zu entfliehen sie sich ein Leben lang bemüht hatte.

Auch die Aufführung eines anderen Spätwerks *Yes Is for a Very*

Young Man sollte sie nicht mehr erleben. Immerhin konnte sie noch befriedigt feststellen, daß es, wenn auch ohne Musik oder Tanz, vor die Öffentlichkeit gelangte. Am 13. März 1946 erlebte *Yes* dank der Bemühungen eines jungen Schauspielers, Lamont Johnson, der Gertrude auf einer Tournee für die USO mit *Kind Lady* kennengelernt hatte, im Pasadena Playhouse in Kalifornien seine Aufführung – die erste von unzähligen weiteren amerikanischen Aufführungen. *Yes* war trotz der warmen Unterstützung von Gertrudes einflußreichen Freunden, die es für gut hielten und aufgeführt sehen wollten, vom Mißgeschick verfolgt gewesen. Katharine Cornell und Guthrie McClintic hatten ein Exemplar des Manuskripts nach New York mitgenommen, damit es dort auf die Bühne gelangte. Der Schauspieler Richard Whorf hatte sogar schon Pläne für eine Inszenierung an der amerikanischen Armeeuniversität in Biarritz ausgearbeitet. Als Gertrude jedoch Näheres über sein Vorhaben erfuhr, untersagte sie die Aufführung. »Gertrudes Abneigung gegen Studiobühnen«, schrieb Alice später an Carl Van Vechten, »das heißt gegen Inszenierungen ohne Kulissen und vor einem geladenen Publikum, ließ sie die sofortige Rücksendung ihres Manuskripts aus Biarritz verlangen. Sie wollte, daß ihr Stück auf die übliche Weise, einfach, realistisch, vor einem normalen zahlenden Publikum aufgeführt würde. In ihren Augen war es ein Stück wie jedes andere (mit Ausnahme vielleicht seiner Qualität), seine Figuren waren Porträts gewöhnlicher Menschen, denen und deren Tun nichts Mystisches oder Symbolisches anhaftete.« Es sei dahingestellt, ob die Figuren in *Yes* gewöhnlich sind oder nicht, jedenfalls sind sie mehr Typen als individuell gezeichnete Charaktere. Das Stück selbst ist die Frucht von Gertrudes Versuch, vor dem Hintergrund des besetzten Frankreich den Geist des Bürgerkriegs zu beschwören, wie er ihr aus den Geschichten, die ihre Mutter ihr als Kind erzählte und aus den Melodramen, die sie in San Francisco gesehen hatte, entgegengetreten war. »Ich liebte diese Geschichten«, schrieb sie, »und als ich dann während der Besatzung in Frankreich war und die Menschen meiner Umgebung genau kennenlernte, verblüffte mich die Ähnlichkeit mit den Geschichten, die mir meine Muter zu erzählen pflegte, die auseinandergerissenen Familien, die Bitternis, die Streitereien und manchmal auch die Denunziationen, und trotz allem die natürliche Notwendigkeit den gemeinsamen Alltag weiter zu leben, denn er war schließlich das Leben das einem gegeben war, und außerdem waren sie schließlich alle die gleiche Familie oder Nachbarn, und auf dem Land sind Nachbarn Nachbarn.«

Wie sie es fast vierzig Jahre zuvor in *The Making of Americans* getan hatte, so stellte sie auch hier Menschentypen, die die gleichen Schwierigkeiten im Leben durchmachen, in ihrer Beziehung zueinander dar. Für die Heldin, die Amerikanerin Constance, stand Clare Boothe Luce Modell, aber, wie üblich, sieht man unter dieser Maske ganz deutlich Gertrude selbst. Was in dem Stück »geschieht«, ergibt sich wiederum nicht aus einer Handlung, sondern aus vielen Andeutungen, Vorbedeutungen, Enthüllungen und allgemeinen Bemerkungen, die sich langsam abwickeln. Der Endeffekt ist nicht so sehr die Realität einer untersuchten und geklärten Situation als vielmehr die Realität einer Wort gewordenen Atmosphäre von Furcht und Auflösung.

Bis zu Gertrudes Tod erschienen immer wieder Artikel über sie, und sie selbst veröffentlichte eine Anzahl von Artikeln in amerikanischen Zeitschriften. Sie war nach wie vor ein ebenso gesuchtes Objekt wie ein erwünschter Mitarbeiter von Massenzeitschriften wie von exklusiven Publikationen. Als die Herausgeber des *Yale Poetry Journal* sie um eine Stellungnahme baten, die schließlich unter dem Titel *Reflections on the Atomic Bomb* erschien, nahm sie die Gelegenheit wahr, sich in Worten, die vielleicht zu egozentrisch naiv waren, um viel Gewicht zu haben, zu einer der großen Fragen unserer Zeit zu äußern: »Man hat mich gefragt, was ich von der Atombombe halte. Ich sagte es sei mir nicht möglich gewesen mich im geringsten dafür zu interessieren. Ich lese gerne Kriminalromane und Gruselgeschichten, davon kann ich nie genug bekommen, aber wenn darin von Todesstrahlen und Atombomben die Rede war, konnte ich sie niemals lesen... Und im Grunde empfinden alle so. Man glaubt man interessiere sich für die Atombombe, aber im Grunde interessiert man sich nicht mehr dafür als ich. Wirklich nicht. Vielleicht fürchtet man sich ein wenig davor, ich fürchte mich nicht so sehr, es gibt soviel, wovor man sich fürchten kann, was hat es also für einen Sinn sich zu fürchten, und wenn man sich nicht fürchtet, dann ist die Atombombe nicht interessant. Den ganzen Tag lang wird einem so viel mitgeteilt daß der gesunde Menschenverstand darüber verlorengeht. Man hört so viel daß man vergißt natürlich zu sein. Das ist eine hübsche Geschichte.«

Die Freude, ständig von jungen Menschen umgeben zu sein, war echt, aber mit der Zeit wurde Gertrude die Anbetung, die ihr so lange Freude gemacht hatte, zur Last. Sie lehnte Einladungen zu Vorträgen im Rotkreuzpräsidium in Paris ab, und ihre Begeisterung für die jungen Männer in Uniform, die an ihrer Tür läuteten, ließ allmählich nach. Ihre Gespräche mit den Soldaten wurden eintönig und ermüdeten sie schließlich nur noch. Außerdem war es zu Ungezogenheiten gekommen, die sie nicht durchgehen lassen konnte. Ein englischer Soldat, der mit einer Gruppe von Kameraden gekommen war, hatte ihr beim Abschied ein Bündel Gedichte in die Hand gedrückt und sie um ihr Urteil gebeten. Gertrude forderte den jungen Mann auf, einige Tage später ihre Meinung einzuholen. Bei der Lektüre der Gedichte stieß sie sofort auf die Abschrift eines Gedichts von John Donne. Von diesem Augenblick an waren englische Soldaten in der Rue Christine nicht mehr gern gesehen.

Ihr anhaltender Erschöpfungszustand hatte ernstere Gründe als die dauernde Beanspruchung ihrer Aufmerksamkeit. Im Frühjahr stellten sich die Verdauungsstörungen, über die sie in Brüssel geklagt hatte, wieder ein, doch im April fühlte sie sich wieder wohler. »Ich litt ein wenig unter dem Wetter«, schrieb sie an eine Freundin, »ich hatte irgendeine Darminfektion und war niedergeschlagen, aber nun scheint es mir wirklich besser zu gehen, noch nicht ganz gut, aber sehr viel besser ...« Trotzdem wollte sie Paris verlassen, um sich zu erholen, und kaufte sich auch bereits einen neuen Simca. Bernard Fay stellte ihr und Alice sein Landhaus zur Verfügung, das 200 Kilometer von Paris entfernt lag, und Mitte Juli brachen die beiden zu einer Reise auf, von der sie sich viele Tage der Ruhe und Erholung erhofften. Doch noch auf der Hinreise erkrankte Gertrude schwer und mußte auf schnellstem Weg nach Paris zurückgebracht werden. Am 19. Juli 1946 wurde sie in das amerikanische Krankenhaus in Neuilly-sur-Seine eingeliefert, wo man sie mehrere Tage unter Beobachtung hielt. Alice wich nicht von ihrer Seite und konnte sie sogar ein wenig aufheitern, als sie ihr am 22. Juli, dem Erscheinungstag, die ersten Exemplare von *Brewsie and Willie* brachte.

Am 23. Juli machte Gertrude ihr Testament. Ihre Manuskripte und Briefe von literarischem Wert sollte die Yale-Universität bekommen, ihr gesamtes Vermögen Alice und, nach deren Tod, Allan Daniel Stein, der Sohn von Michael und Sarah. Außer ihren Gemälden und ihrem persönlichen Besitz hatte sie noch zwanzigtausend Dollar in Papieren und sechstausendsechshundertfünfzig Dollar in bar, die bei der Mercantile Trust Company deponiert waren. Alice Toklas und Allan Stein wurden zu ehrenamtlichen Testamentsvollstreckern erklärt. Für Alice war noch eine Sonderbestimmung vorgestehen: »Soweit es sich für ihren standesgemäßen Unterhalt als notwendig erweisen sollte, ermächtige ich meine Testamentsvollstrecker, Zahlungen aus meiner Erbmasse an sie zu leisten und zu diesem Zweck Gemälde oder anderen persönlichen Besitz, der zu meinem Vermögen gehört, zu veräußern.« Die Testamentsvollstrecker wurden fernerhin angewiesen, Carl Van Vechten »die Geldbeträge auszuzahlen, die er für die Veröffentlichung meiner unveröffentlichten Manuskripte für notwendig erachtet«. Es war ihr Wunsch, daß ihr Testament im Staat Maryland beglaubigt würde, und zwar durch den Notar Edgar Allan Poe in Baltimore.

Auf den ärztlichen Befund hin, daß sie an einem Unterleibstumor in fortgeschrittenem Stadium der Bösartigkeit sowie an Uterusverkalkung litt, entschloß man sich, ohne große Hoffnung auf Erfolg, zur Operation. Die Operation fand am Samstag, dem 27. Juli statt. Nichts ließ darauf schließen, daß Gertrude über den Ernst ihres Zustands Bescheid wußte. Als sie am späten Nachmittag aus der Narkose erwachte, arbeitete ihr Verstand noch so klar, daß sie zum letztenmal das simple und doch unerschöpfliche Problem, auf das sie die Energie einer lebenslänglichen wissenschaftlichen Neugierde und ästhetischen Entdeckungslust verwandt hatte, in Worte fassen konnte. »Wie lautet die Antwort?« fragte sie. Keine Antwort hatte sie je befriedigen können, und auch diesmal und zum letztenmal gab es keine. »Und wie«, sagte sie, »lautet dann die Frage?« Kaum hatte sie diese letzten Worte gesprochen, als ein Herzschlag das Koma herbeiführte. Eine Stunde lang machten die Ärzte Wiederbelebungsversuche, aber um 6 Uhr 30 setzte der Tod ihrem Bemühen ein Ende. Am Totenbett standen Alice und Gertrudes Neffe und Nichte, Mr. und Mrs. Dan Raffel.

Nach einer kurzfristigen Aufbahrung in einer Gruft der amerikanischen Kathedrale wurde der Sarg in einer der neuen Sektionen des alten Friedhofs Père Lachaise in die Erde gesenkt. Das Grab hat eine Einfassung, den Grabstein entwarf Francis Rose. Auf der einen Seite ist eingemeißelt GERTRUDE STEIN, SAN FRANCISCO, auf der anderen Seite lediglich ALICE B. TOKLAS ... Der Stein ist massiv und rechteckig, innerhalb der Einfassung wächst frischer Rasen.

In einem Leitartikel der *Nation* stand: »Gertrude Stein ist nicht wirklich tot, Legenden sterben nie, und Miss Stein hat aus sich eine amerikanische Legende gemacht, wie selbst Barnum sie nicht dauerhafter hätte schaffen können. Sie saß in Paris, wie das Orakel in Delphi zu sitzen pflegte: Die ganze Welt, von Picasso bis zu einem Feldwebel der Landetruppen, kam, um ihren Spruch zu hören, und ging beglückt mit irgendeinem Orakel wieder von dannen, mit dem man wie mit einem chinesischen Puzzle spielen konnte ... Die Welt wird langweiliger sein ohne sie; ihre Sünden haben niemandem weh getan; in diesem Augenblick sitzt sie auf den elysischen Feldern im Gespräch mit Samuel Johnson, dem einzigen Mann, der ihr gewachsen gewesen wäre.«

Aber Gertrude hatte bereits ihren eigenen Nachruf geschrieben. In der Schlußszene von *The Mother of Us All* wird die Stimme der Susan B. Anthony von Gertrudes eigenen elegischen Rhythmen überwältigt:

»Wir können unsere Schritte nicht zurücknehmen, vorwärtsgehen ist vielleicht das gleiche wie rückwärtsgehen. Wir können unsere Schritte nicht zurücknehmen, unsre Schritte nicht zurücknehmen. Mein ganzes langes Leben lang, mein ganzes Leben lang, nehmen wir unsre Schritte nicht zurück, mein ganzes langes Leben lang, ach.

(Stille, eine lange Stille)

Ach, wir nehmen unsre Schritte nicht zurück, mein ganzes langes Leben lang, und hier, hier sind wir hier, in Marmor und Gold, sagte ich Gold, ja ich sagte Gold, in Marmor und Gold, und wo –

(Stille)

Wo ist wo. In meinem langen Leben der Mühsal und des Strebens, liebes Leben, Leben ist Streben, in meinem langen Leben, wird es nicht kommen und gehen, das sage ich euch, es wird unter uns wohnen, es wird sich lohnen aber

(Eine lange Stille)

Aber will ich das was wir bekamen, ist es nicht fort, was es lebendig machte, ist es nicht fort nun da es gehabt ist, in meinem langen Leben in meinem langen Leben

(Stille)

Leben ist Streben, ich war ein Märtyrer mein Leben lang nicht dessen was ich gewann doch dessen was getan.

(Stille)

Wißt ihr's weil ich es euch sage, oder wißt ihr's, wißt ihr's.

(Stille)

Mein langes Leben, mein langes Leben.

Vorhang

Epilog

Da ich schon immer auf das Werk Gertrude Steins mit unmittelbarem Vergnügen und ohne das abträgliche Bedürfnis, »verstehen« zu wollen, reagiert habe, verdankt dieses Buch sein Entstehen nicht so sehr einem vorgefaßten Plan als den Umständen. Im Juli 1946 hielt ich mich in Saratoga Springs auf und fand zu meiner großen Freude eines Nachmittags in einem Papiergeschäft, das auch Bücher führte, ein Exemplar von Gertrude Steins *Geography and Plays*. Es war verstaubt, aber sonst wie neu, und schien seit nahezu 25 Jahren hier völlig unberührt gestanden zu haben. Auch der aufgedruckte Preis von 3 Dollar 50 war, wie ich feststellen konnte, noch gültig. Einigermaßen erstaunt über mein unverhofftes Glück kaufte ich das Buch und ging nach Hause, wo ich mit großem Genuß eine neue Seite einer Autorin entdeckte, die mich seit meinem fünfzehnten Lebensjahr beschäftigt und in ihren Bann gezogen hatte. Am selben Abend erfuhr ich aus der Zeitung, daß Gertrude Stein gestorben war.

Zutiefst erschüttert von der Tatsache, daß die Stimme, deren Rhythmen ich soeben mit Entzücken »entdeckt« hatte, nun verstummt war, verbrachte ich den Abend mit der Abfassung eines Gedichts. Ich wollte mir die Gefühle von der Seele schreiben, die ich anders nicht loswerden konnte. Das Gedicht erschien einige Monate später in *Harper's*, und kurz darauf erhielt ich einen Brief von Alice B. Toklas. Sie schrieb, die kleine Elegie habe sie sehr angerührt, sie finde darin ein »zartes Verständnis« und sie hole sie, seit ein Freund sie ihr zugeschickt habe, täglich mehrmals hervor, um sie immer wieder von neuem zu lesen. Es kam zu einem Briefwechsel, und bald darauf schenkte mir Miss Toklas eine Schnitzerei – nicht größer als meine Handfläche – die ein Pferd darstellt, dem ein Oktopus auf dem Rücken sitzt, dessen Fangarme wie die Seidenbänder einer Festschabracke herunterhängen. »Es ist eine winzige Schnitzerei, die Gertrude schon besaß, als ich nach Paris kam«, schrieb Miss Toklas. »Sie war ihr sehr ans Herz gewachsen, und sie hatte sie immer um sich, und deshalb erscheint es mir richtig, daß Sie sie haben sollen.« Mit diesem Talisman in der Hand machte ich mich einige Jahre später daran, sine ira et studio, den Verlauf eines Lebens nachzuzeichnen, das, wie die folgenden Zeilen vielleicht deutlich machen, mich alles andere als unberührt gelassen hat.

Little Elegy for Gertrude Stein

Pass gently, pigeons on the grass,
For where she lies alone, alas,
Is all the wonder ever was.

Deeply she sleeps where everywhere
Grave children make pink marks on air
Or draw one black line ... here to there.

Because effects were upside down,
Ends by knotty meanings thrown,
Words in her hands grew smooth as stone.

May every bell that says farewell,
Tolling her past all telling tell
What she, all told, knew very well.

If now, somehow, they try to say –
This way, that way, everywhichway –
Good bye ... the word is worlds away.

Come softly, all; she lies with those
Whose deepening innocence, God knows,
Is as the rose that is a rose.

Nachwort

Es gibt kaum eine Autorin, deren Leben so oft und scheinbar auch so gründlich geschildert worden wäre wie das der Gertrude Stein. Nicht nur unzählige biographische und kritische Abhandlungen sind ihr gewidmet worden, sondern auch Bühnenstücke, ein kürzlich gedrehter Film, ja selbst ein Comic strip. Rosalyn Drexler behauptete in ihrer Besprechung des Films für die *New York Times*, sie habe sich mittels eines Ouija-Bretts mit Alice Toklas in Verbindung gesetzt und habe zu hören bekommen: »Au revoir, Mme. Drexler, und sorgen Sie bitte nach Kräften dafür, daß sich diese Leute, die sich an unsere Rockzipfel hängen, um berühmt zu werden und zu Geld zu kommen, nicht länger an unser beider Leben vergreifen.«

Bei dieser Lage der Dinge kommt es selbst Menschen, die von der Literatur des 20. Jahrhunderts kaum eine flüchtige Kenntnis haben, leicht so vor, als hätten sie der ehrfurchtgebietenden *doyenne* von der Rue de Fleurus 27 in ihrem mit Kunst vollgestellten Atelier einen regelrechten Besuch abgestattet und das Sitzfleisch für ihre Monologe und für die diskretere Wißbegier der nicht weniger verehrungswürdigen Miss Toklas mitgebracht. Wir meinen, wir hätten so ungefähr alles, was es über sie zu wissen gibt, osmotisch in uns aufgenommen. Fast sind wir versucht, ihr übelzunehmen, wie wenig sie vom Geheimnis umwittert ist.

Und doch, etwas bleibt rätselhaft oder wenigstens paradox. Gertrude Stein ist eine ungelesene Berühmtheit. Sie gehört zu den Autorinnen, über die man lieber liest, statt sie zu lesen, und unter den Abnehmern von Abhandlungen über die Stein ist kaum jemand zu vermuten, der sich über vergleichsweise leicht verdauliche Klassiker wie die *Three Lives (Drei Leben)* oder *The Autobiography of Alice B. Toklas (Die Autobiographie von Alice B. Toklas)* hinaus sonderlich auf das Werk selbst eingelassen hätte. Und dabei kann man ihnen aus dieser Unterlassung nicht einmal unbedingt einen Vorwurf machen: Miss Stein – und das ist ein weiteres Paradox – ist strapaziös und packend zugleich. Mit anderen Worten, ihr Werk ist teils packend, teils strapaziös, und bildet großenteils ein störrisches, unentwirrbares Gemenge aus beidem. Aber wie verstiegen und unzugänglich sie sich auch präsentieren mag – man kommt an ihr nicht vorbei. Wer ein Buch wie *Tender Buttons*

(Zarte Knöpfe) oder *How To Write* aufschlägt und einige Seiten liest, um das Buch dann geräuschvoll wieder zuzuklappen (eine Methode, mit der ich bestimmt nicht allein dastehe), dem wird ein schräges, leicht irritierendes, aber ganz einmaliges Vergnügen zuteil, wie man es nirgends sonst findet.

John Malcolm Brinnins Buch handelt mehr von Gertrude als von Miss Stein. Es bietet nicht die geschlossenste oder detaillierteste Darstellung ihres Lebens oder ihres Werks, was auch gar nicht sein Anspruch ist, wohl aber die vergnüglichste, auf die ich bislang gestoßen bin. Wie Mr. Brinnin in einem Nachwort erläutert, verdankt es sich einem Zufall. Ihm, der seit seiner Jugend für Gertrude geschwärmt hatte, fiel an einem Tag des Jahres 1946 in einer kleinen Buchhandlung im Norden des Staates New York eine Erstausgabe von *Geography and Plays (Porträts und Stücke)* in die Hände. Er machte sich mit dem Buch einen schönen Nachmittag, um dann aus dem Radio zu erfahren, daß Gertrude Stein an diesem Tag gestorben war. Es war die Betroffenheit über diese zufällige Fügung, die ihn schließlich zur Niederschrift der *Dritten Rose* veranlaßte – eine Aufgabe, zu der er unwissentlich schon lange gerüstet gewesen sein mußte. So entstand die erstaunlich flüssige und bestrickende Betrachtung eines Bewunderers, der ihr nie begegnet war und doch mit ihr offensichtlich auf so vertrautem Fuße stand, daß er keine Skrupel hatte, neben ihren Vorzügen auch ihre Schwachstellen als Autorin und als Person zu benennen, wobei er zweifellos davon ausging, die offensichtliche Zuneigung, aus der heraus er schrieb, werde jede Unausgewogenheit geraderücken.

Und so ist es auch. Mr. Brinnin kann verzückt an ihren Lippen hängen, aber ebensogut kann er Gertrude auf die Finger klopfen, wenn sie ins Schwadronieren kommt. Streng geht er mit mißlungenen Werken wie dem Bestseller *Wars I Have Seen (Kriege die ich gesehen habe)* ins Gericht. Sein Urteil etwa über *Mrs. Reynolds:* »Trotz der stilistischen Klarheit des Romans dürfte den meisten Lesern bei dem unentwegten *small talk* darin zumute sein, als bekämen sie tage- und wochenlang die eine Hälfte eines Telefongesprächs zu hören«, fiele fast schon zu akribisch scharf aus, wäre nicht seine Gesamteinschätzung der Autorin von solch spontaner Toleranz getragen. Ihr begegnet man in seinem Buch auf Schritt und Tritt, etwa in folgender Beurteilung eines anderen Spätwerks, *The Mother of Us All:* »Gertrude Stein kam aus der Tiefe des 19. Jahrhunderts, und ihre letzten, beredsamsten Äußerungen sind beseelt von dem Behagen, ja von der Liebe, die sie bei dem empfand, was sie ein Leben lang hinter sich zu lassen suchte.«

Diese Toleranz scheint in der Tat die herausragendste Eigenschaft zu sein, die beide Autoren gemeinsam haben. Mr. Brinnins Dichtung, etwa seine im Nachwort abgedruckte, glockenhelle »Kleine Elegie an Gertrude Stein«, ist in einer geregelten Welt neoklassischer Milde beheimatet, die Lichtjahre weit von der Gertrude Stein entfernt liegt. Auf den ersten Blick würden die beiden ein recht ungleiches Paar abgeben. Und doch findet sich der Widerhall der unverwüstlichen Wärme, des Lachens und des Schwungs, den er bei ihr ausmacht, auch in seinen eigenen Arbeiten. Er nimmt ihr Werk wie Atemluft auf. Zweifellos hat er es deshalb so erfolgreich vermocht, ein Gesamtwerk mit Licht und Luft zu durchfluten, das allzulang von einer Mixtur gelehrsamer Ignoranz als unbezwinglicher Palisade umschlossen war. Wer immer daran gehen will, eines der packendsten und unergründlichsten Abenteuer unseres Jahrhunderts auszuloten, schuldet ihm dafür Dank.

John Ashbery

Bibliographie

1. Werke von Gertrude Stein in deutscher Übersetzung

Autobiographie von Alice B. Toklas. Aus dem Amerikanischen von Elisabeth Schnack. Zürich: Arche 1959; Neuausgabe 1985.

Drei Leben. Erzählungen. Mit einem Vorwort von Cesare Pavese. Aus dem Amerikanischen von Brigitte Gerlinghoff. Zürich: Arche 1985.

Ein Buch Mit Da Hat Der Topf Ein Loch Am Ende. Eine Liebesgeschichte. In einer Lesart von Oskar Pastior und Sissi Tax. Berlin: Friedenauer Presse 1987.

Ein Geburtstagsbuch. Nachwort und aus dem Amerikanischen von Sylvia Lichtenberg. Berlin: Lilith 1984.

Erzählen. Vier Vorträge. Einleitung von Thornton Wilder. Übertragen von Ernst Jandl. Frankfurt a. M.: Suhrkamp 1971.

Die geographische Geschichte von Amerika oder die Beziehung zwischen der menschlichen Natur und dem Geist des Menschen. Einführung von Thornton Wilder. Aus dem Amerikanischen von Marie-Anne Stiebel. Frankfurt a. M.: Suhrkamp 1988.

Ida. Ein Roman. Aus dem Amerikanischen von Marie-Anne Stiebel. Frankfurt a. M.: Suhrkamp 1984.

Jedermanns Autobiographie. Aus dem Amerikanischen von Marie-Anne Stiebel. Frankfurt a. M.: Suhrkamp 1986.

keiner keiner. Ein Kriminalroman. Aus dem Amerikanischen und mit einem Vorwort von Renate Stendhal. Herausgegeben und mit einem Nachwort von John Herbert Gill. Zürich: Arche 1985.

Kriege die ich gesehen habe. Aus dem Amerikanischen von Marie-Anne Stiebel. Frankfurt a. M.: Suhrkamp 1984.

The Making of Americans. Geschichte vom Werdegang einer Familie. 1906–1908. Übersetzt von Lilian Faschinger und Thomas Priebsch. Klagenfurt: Ritter Verlag 1989.

Paris Frankreich. Persönliche Erinnerungen. Berechtigte Übertragung von Marie-Anne Stiebel. Frankfurt a. M.: Suhrkamp 1975.

Picasso. Erinnerungen. Übertragen nach der englischen Version (London 1938) von Ursula von Wiese. Zürich: Arche 1958.

Portraits und Stücke I und II. Geographies and Plays. Aus dem Amerikanischen von Bernd Samland. Zürich: Arche 1986 & 1987.

Q. E. D. Roman. Aus dem Amerikanischen von Marie-Anne Stiebel und Ursula Michels-Wenz. Frankfurt a. M.: Suhrkamp 1990.

Stein, Gertrude / Sherwood Anderson.
Briefwechsel und ausgewählte Essays. Herausgegeben von Ray Lewis White. Aus dem Amerikanischen von Jürgen Dierking. Frankfurt a. M.: Suhrkamp 1985.

Warum ich Detektivgeschichten mag / Ein Wasserfall und ein Klavier / Ist

tot. Aus dem Amerikanischen von Jürg Laederach. Berlin: Edition Plasma 1989.
Was ist englische Literatur. Vorlesungen. Aus dem Amerikanischen von Marie-Anne Stiebel. Zürich: Arche 1965. Neuausgabe 1985.
Was sind Meisterwerke. Essay. Mit einer Einführung von Thornton Wilder. Aus dem Amerikanischen von Marie-Anne Stiebel. Zürich: Arche 1965. Neuausgabe 1985.
Zarte Knöpfe (Tender Buttons). Deutsche Übertragung von Marie-Anne Stiebel unter Mitarbeit von Klaus Reichert. Frankfurt a. M.: Suhrkamp 1979.

2. *Werke von Gertrude Stein in Originalausgaben und Reprints*

Alphabets And Birthdays (Vol. 7 of the unpubl. works of G. S. in 8 Vols.). Salem: Ayer Co. Publishers 1957.
As Fine As Melanctha (Vol. 4) Foreword ba Natalie Clifford Barney. Salem: Ayer Co. Publishers 1954.
The Autobiography of Alice B. Toklas. New York: Harcourt, Brace and Company 1933.
Bee Time Vine & Other Pieces (Vol. 3) Preface and notes by Virgil Thomson. Salem: Ayer Co. Publishers 1953.
Blood On The Dining-Room Floor. Banyan Press 1948.
A Book Concluding With As A Wife Has A Cow: A Love Story. Kahnweiler 1926.
Brewsie And Willie. New York: Random House 1946.
Compositions as Explanations. London: The Hogarth Press 1926.
Everybody's Autobiography. New York: Random House 1937.
Fernhurst / Q. E. D. And Other Early Writings By Gertrude Stein. Edited with an introduction by Leon Katz. Appendix by Donald Gallup. New York: Liveright 1971.
Four in America. With an Introduction by Thornton Wilder. New Haven: Yale University Press 1947.
Four Saints in Three Acts. New York: Random House 1934.
The Geographical History of America. With an Introduction by Thornton Wilder. New York: Random House 1936.
Geography and Plays. With a Foreword by Sherwood Anderson. Boston: The Four Seas Company 1922.
How to Write. Paris Plain Edition 1931.
How Writing Is Written. Edited by Robert B. Haas. Los Angeles: Black Sparrow Press 1974.
Ida. New York: Random House 1941.
Last Operas and Plays. With an introduction by Carl Van Vechten. New York: Rinehart and Company 1949.
Lectures In America. New York: Randhom House 1935.

Lifiting Belly, Mark, Rebecca. Tallahassee: Naiad Press 1989.
Lucy Church Amiably. Paris: Plain Edition 1930.
The Making of Americans. Paris: Contact Editions 1925.
Matisse, Picasso And Gertrude Stein, With Two Short Stories. Paris: Plain Edition 1933.
The Mother of Us All. With Piano-vocal score by Virgil Thomson. New York: Music Press 1947.
Mrs. Reynolds & Five Earlier Novelettes (Vol. 2). Salem: Ayer Co. Publisher 1952.
Narration. With an Introduction by Thornton Wilder. Chicago: University of Chicago 1935.
A Novel Of Thank You (Vol. 8) Introduction by Carl Van Vechten. Salem: Ayer Co. Publishers 1958.
Operas and Plays. Paris: Plain Edition 1932.
Painted Lace And Other Pieces 1914–1937 (Vol. 5) Introduction by Daniel-Henry Kahnweiler. Salem: Ayer Co. Publishers 1955.
Paris France. London: B. T. Batsford Ltd. 1940.
Picasso (Version in französischer Sprache). Paris: Librairie Floury 1939.
Portraits And Prayers. New York: Random House 1934.
The Radcliffe Manuscripts. In: Miller, Rosalind S.: Gertrude Stein – Form and Intelligibility. New York: Exposition Press 1949.
Reflection On The Atomic Bomb. Edited By Robert B. Haas. Los Angeles: Black Sparrow Press 1973.
Selected Writings of Gertrude Stein. Edited and with an introduction and notes by Carl Van Vechten. New York: Random House 1946.
Stanzas In Meditation And Other Poems (Vol. 6). Preface by Donald Sutherland. Salem: Ayer Co. Publishers 1956.
Tender Buttons. New York: Claire Marie 1914.
Three Lives. New York: The Grafton Press 1909.
Two: Gertrude Stein And Her Brother And Other Early Portraits (Vol. 1). Salem: Ayer Co. Publishers 1951.
Useful Knowledge. New York: Payson and Clarke Ltd. 1928.
Wars I Have Seen. New York: Random House 1945.
What Are Masterpieces. With a foreword by Robert B. Haas. Los Angeles: The Conference Press 1940.
The World is Round. Illustrated by Clement Hart. New York: William R. Scott Inc. 1939.

3. Biographien, Briefausgaben und Erinnerungen

Greenfeld, Howard: Gertrude Stein. A Biography. New York: Crown 1973.
Haas, Robert B.: A Primer for the Gradual Understanding of Gertrude Stein. Los Angeles: Black Sparrow Press 1971.

Hobhouse, Janet: Everybody Who Was Anybody. A Biography of Gertrude Stein. New York: Putnam 1975.
Rogers, William G.: When This You See Remember Me: Gertrude Stein in Person. New York: Rinehart 1948.
Sprigge, Elizabeth: Gertrude Stein. Her Life And Work. London: Hamilton 1957.
Stein, Leo: Journey into the Self: Being the Letters, Papers and Journals of Leo Stein. Edited by Edmund Fuller. New York: Crown 1950.
Stendhal, Renate (Ed.): Gertrude Stein – Ein Leben in Bildern und Texten. Zürich: Arche 1989.
Steward, Samuel M. (Ed.): Dear Sammy: Letters From Gertrude Stein and Alice B. Toklas. Boston: Houghton Mifflin 1977.
Toklas, Alice B.: What Is Remembered. New York: Holt, Rinehart and Winston 1963.

Register